조선후기
영남 예학 연구

남재주

도서출판 **3**
Jiplmoonsoo

조선후기
영남 예학 연구

남재주

한국한자연구소
연구 총서 06

조선후기 영남 예학 연구

저자 남재주(南在珠)
발행인 정우진
표지 디자인 김소연
펴낸곳 도서출판 3

초판 1쇄 발행 2019년 2월 25일

등록번호 제2018-000017호
주소 서울특별시 강북구 솔샘로 174, 133동 2502호
전화 070-7737-6738
팩스 051-751-6738
전자우편 3publication@gmail. com 홈페이지 www. hanja. asia

ISBN: 979-11-87746-27-0

이 도서의 국립중앙도서관 출판예정도서목록(CIP)은 서지정보유통지원시스템 홈페이지
(http://seoji.nl.go.kr)와 국가자료공동목록시스템(http://www.nl.go.kr/kolisnet)에서 이용하
실 수 있습니다.(CIP제어번호: CIP2019005874)

이 저서는 2018년 대한민국 교육부와 한국연구재단의 지원을 받아 수행된 연구임.
(NRF-2018S1A6A3A02043693)

요약

이 책은 조선후기 예학의 일반적인 전개 양상 속에서 영남지역 예학이 갖는 의미와 특징을 거시적 관점에서 살펴본 것이다. 이를 위해 먼저 영남지역을 6개 권역으로 구분하였다. 그리고 각 권역에서 예학 논의를 주도했던 인물들을 중심으로 형성된 학파를 도출하였다. 그리고 이 학파에서 저술되고 논의된 예서와 예설의 주요 특징, 상호 교섭 및 전승 양상을 살펴보았다. 이 연구를 통해 도출한 영남지역 예학의 성과와 특징을 정리하면 이러하다.

첫째, 영남지역의 예학은 안동권·상주권·성주권·경주권·밀양권·진주권의 6개 권역에 분포하는 학자들에 의해 다양한 전개 양상을 보이면서 발전하였다. 각 권역에서는 예전부터 전해진 지역적 관습을 준수하면서 스승의 가르침과 집단 내 구성원과의 토의를 통하여 예학 논의를 전개하였다.

둘째, 영남지역의 예학은 영남지역 외의 다른 지역 예학자와도 교류하고, 당파와 지역을 초월하여 다양한 예설을 포용하였다. 그렇게 함으로써 지역간 당파간의 예설 소통이 상당히 개방적으로 이루어졌다.

셋째, 영남지역의 예학은 가례학 연구의 핵심 교재였던 『주자가례』의 내용과 체재를 대체로 준수하였다. 그런 한편 여기에 매몰되지 않고 예학 논의의 폭을 꾸준하게 확장하였다. 관혼상제의 각 부분에 대해서 논의의 폭을 넓힌 것은 물론이고, 가례 외에도 향례나 학례까지도 연구하여 가례서에 편입시킴으로써 기존의 가례를 사례(士禮)로 재편하려는 움직임을 보였다.

넷째, 영남지역에서는 위와 같은 예학 논의의 경향으로 인하여 류장원(柳長源)의 『상변통고(常變通攷)』·이의조(李宜朝)의 『가례증해(家禮增解)』·허전(許傳)의 『사의(士儀)』·류주목(柳疇睦)의 『전례유집(全禮類輯)』·장복추(張福樞)의 『가례보의(家禮補疑)』·이진상(李震相)의 『사례집요(四禮輯要)』 등 조선후기 예학을 대표할 만한 여러 종의 예서가 편찬 또는 간행되었다.

서문

이 책에 수록된 내용은 필자가 2012년에 박사학위논문으로 제출한 '조선후기 예학의 지역적 전개 양상 연구-영남지역 예학을 중심으로-'를 일부 수정 보완한 것이다.

학위논문을 제출하면서 시간에 쫓겨 깊이 있게 다루지 못한 것도 있었고, 논문의 흐름상 학자들의 개별 예서와 예설을 제시하지 못하고 전개 양상만을 소개하고 넘어가야 하는 부분이 많았다. 그래서 차후에 보완해야 하겠다는 다짐을 했지만, 여러 가지 사정으로 제대로 보완을 하지 못한 채 인연이 닿아 이렇게 출간에 이르게 되었고, 그런 연유로 학위논문 제출 이후에 나온 예학 연구자들의 성과도 추가적으로 반영을 하지 못하게 되었다. 민망할 따름이다.

돌아보면, 필자는 그 깊이와 어려움도 모르고 예학을 공부해 보면 좋겠다는 단순한 생각만으로 2005년 예학 분야에 선두에 계신 정경주 교수님의 지도를 받으러 박사과정에 입학했다. 한문학 안에서도 연구자가 적고 연구가 되지 않았던 분야이다 보니 출발선에서 어느 쪽으로 첫발을 내디뎌야 할지 참 난감하고 힘들었던 기억이 난다. 하지만 학기를 거듭할수록 흥미로움과 열정을 가질 수밖에 없었는데, 그것은 바로 예학이 유교 사상을 구체화하여 생활에 고스란히 담아낸 생활 밀착형 학문이기 때문이었다. 예학 공부가 바로 그들의 학문·생활·문화·풍습 등을 다 아울러 배울 수 있는 최적의 지름길이고 살아 있는 현장이었다. 그렇기 때문에 학자들의 개별 예서와 예설들을 살펴보노라면 마치 그들과 함께 고민하고 해법을 모색하는 것 같은 즐거움에 빠지기도 하였다.

그 이후로 한국학술진흥재단의 지원을 받는 『상변통고(常變通攷)』와 『가례증해(家禮增解)』의 번역 사업에 참여하면서 예학의 세계를 맛보았고, 또 경성대학교 한국학연구소에서 간행한 '한국예학총서'의 목록을 정리하면서 많은 예서와 예설을 접하게 되었다. 이런 과정 덕분에 조선시대 예학의 지형도를 어렴풋하게나마 머릿속에 그릴 수 있게 되었고, 이것이 학위논문을 쓰는 데 많은 자산이 되었다. 이 자리를 통해 이러한 일련의 과정들을 거치는 데 많은 도움을 주신 정경주 교수님께 감사의 말씀을 드린다. 그리고 공부한다는 핑계로 시간을 함께하지 못해 아들에게 미안하고, 안팎으로 잘 내조해 준 아내에게 고맙다는 마음을 전한다.

많은 연구자들이 그렇겠지만 학위논문은 주제를 선택하는 데 많은 시간이 소요된다. 필자도 마찬가지로 예학 전체의 큰 그림을 그릴 것인지, 아니면 학자 한 사람의 예설이나 하나의 예서에 집중할 것인지 결정하기가 어려웠다. 지도교수님의 고견에 의지할 수밖에 없었고, 마침내 내 능력에 벅차기는 하지만 안 될 것은 없다 생각하고 원고 작성에 집중한 결과, 소기의 목적을 이루게 되었다.

이 글은 영남지역 예학을 거시적으로 조망하는 하나의 밑그림에 불과하다. 이를 바탕으로 '조선시대 예학지도'를 그려 조선시대 예학 성과를 총괄해 보고 싶고, '조선시대 예서 서발문'을 번역하여 우리 선현들이 예를 통해 생활에 구현하고자 하였던 구체적 모습을 알아보고 싶기도 하다. 이런 다짐이 허언이 되지 않고 지켜지기 바라면서 지면에 남겨 둔다.

2019년 1월
필자 남재주 쓰다

목 차

표 목차

사진 목차

1

서론

1. 연구의 필요성과 목적

예(禮)는 인간 개체가 도덕규범의 주체로서 그 자신을 규율하고, 동시에 상대방을 배려하여 공존과 화해를 추구함으로써 인간의 인간다운 미덕을 실현하는 사회문화적 장치이다. 인간은 다른 인간과의 관계에서 그 삶을 영위하는 사회적 존재이기 때문에 인간의 삶에서 잠시라도 떼어 놓을 수 없는 것이 예이다.

예학(禮學)은 예의 이론을 구명하는 한편 그 실천 규범까지 제시하는 학문이다. 『의례』·『주례』·『예기』라는 삼례(三禮) 경전을 근간으로 예의 본질과 원칙을 정립하고, 시대와 지역마다 합당한 예의 규범을 강구해 온 유가(儒家)의 예학은, 공자와 맹자 이래 근대에 이르기까지 유가 학술의 중핵을 이루었던 학문이다. 유자(儒者)의 정체성(正體性)이 시례(詩禮)로 정의되고 유가의 학술문화가 예악(禮樂)으로 정의되어 온 것은 바로 이런 이유에서이다.

우리나라는 동방예의지국이라는 말로 표현되어 왔듯이 예로부터 삼국 신라·고려·조선을 통하여 예를 존중하는 풍속이 매우 장구한 전통을 형성하여 왔다. 특히 조선왕조 건국 이래 유학의 이념에 입각하여 풍속의 교화를 국가 통치의 기본 골격으로 삼으면서, 예학은 학자들의 기본 교양이자 학술 논의의 중심을 차지했다. 그리고 국가의 지속적인 권장과 학자들의 심도 깊은 논의를 거쳐 관혼상제를 비롯한 각종 의식 절차는 물론, 언어와 의복과 음식과 제도 전반에 걸쳐 예의 합당성을 추구하여 그 실천을 추동하였다. 그럼으로써 예를 존중하는 기풍이 민간에 널리 파급되었고, 그것이 조선 문화의 핵심적인 정체성을 형성하기에 이르렀다.

그런데 지난 100여 년 가까이 예학은 학문 연구의 대상에서나 학교 교육의 현장에서 소외되었다. 그런 가운데 1990년을 전후하여 본격적으로 예학 연구가 이루어져 다양한 주제로 진행되고 있다. 초기의 예학 연구는 복제예송(服制禮訟)·왕위계승·제천의식 등 국가와 왕실의 전례에 집중되었고, 근래에는 의궤(儀軌)와 관련한 궁중의 행례 의식까지 연구 범위가 확장되고 있다. 그런 가운데 사대부 사족들의 가정의례와 관련한 가례학(家禮學)에 대해서도 괄목할 만한 성과가 축적되었다.[1]

가례학에 대한 연구는 예학 논변이나 저술을 남긴 개별 인물의 예학 사상이나 그 경향을 논의하는 데 초점을 맞추어, 일정한 시기를 묶어서 포괄적으로 논의하여 예학의 흐름을 살피기도 하고[2], 학파 단위로 묶어서 연

[1] 家禮學에 대해 지금까지 제출된 박사학위논문을 연도순으로 정리하면 다음과 같다. 노인숙, 「文公家禮及其對韓國禮學之影響」, 國立臺灣師範大, 1983; 황원구, 「근대 韓中의 학술교류와 예론에 관한 제문제」, 연세대, 1983; 안호룡, 「조선전기 喪祭의 변천과 그 사회적 의미」, 고려대, 1989; 유권종, 「茶山 禮學 硏究-喪儀說을 中心으로」, 고려대, 1991; 한기범, 「사계 김장생과 신독재 김집의 예학사상」, 충남대, 1991; 장세호, 「沙溪 金長生 禮說의 硏究」, 고려대, 1992; 김영현, 「炭翁 權諰의 연구-禮學과 經世觀을 中心으로」, 충남대, 1993; 장병인, 「조선초기 혼인제 연구」, 서울대, 1993; 정종수, 「朝鮮初期 喪葬儀禮 硏究」, 중앙대, 1994; 이승연, 「朝鮮における『朱子家礼』の受容および展開過程」, 大阪市立大, 1995; 장동우, 「茶山 禮學의 硏究-『儀禮』「喪服」과 『喪禮四箋』 「喪期別」의 비교를 중심으로」, 연세대, 1997; 김병현, 「朝鮮時代 變禮에 對한 硏究-喪服 變禮와 그 禮律 解釋方法의 變化를 中心으로」, 성균관대, 2008; 배남규, 「茶山 丁若鏞의 禮學과 哲學思想 硏究」, 전주대, 2010; 전성건, 「茶山의 禮治思想 硏究」, 고려대, 2010; 한재훈, 「退溪 禮學思想 硏究」, 고려대, 2012.

구하기도 하고[3]), 예서의 편찬 간행이라는 주제를 가지고 연구하는[4] 등 연구 방법이 다양화되었다. 이에 힘입어 조선 가례학의 면모가 상당 부분 드러나게 되었다.

이 중에서 개별 인물에 대한 성과가 가장 많이 이루어져 조선조 예학의 중요한 인물, 예서, 예설 등을 발굴 연구하였다.[5] 그리고 지역과 학파에

2) 고영진, 「조선중기의 禮說과 禮書」, 서울대 박사학위논문, 1992; 도민재, 「조선전기 예학사상 연구」, 성균관대 박사학위논문, 1998; 정경희, 「조선전기 禮制·禮學 연구」, 서울대 박사학위논문, 2000.

3) 배상현, 「조선조 기호학파의 예학사상에 관한 연구-송익필·김장생·송시열을 중심으로」, 고려대 박사학위논문, 1991; 정경희, 「16세기 후반~17세기 초반 퇴계학파의 예학-정구의 예학을 중심으로」, 『한국학보』 101, 일지사, 2000; 한기범, 「沙溪 禮學派의 禮學研究-예문답서의 분석을 중심으로」, 『유교사상연구』 15, 한국유교학회, 2001; 백도근, 「근기 퇴계학파 예학과 연구-성호예학의 연원과 이념」, 『철학연구』 90, 대한철학회, 2004; 한기범, 「17세기 호서예학파의 예학사상-王朝禮의 인식을 중심으로」, 『한국사상과 문화』 26, 한국사상문화학회, 2004; 유권종, 「退溪學派의 『禮記』 해석에 대한 고찰」, 『퇴계학과 한국문화』 36, 경북대 퇴계연구소, 2005; 이봉규, 「실학의 예론-성호학파의 예론을 중심으로」, 『한국사상사학』 24, 한국사상사학회, 2005; 임노직, 「퇴계학파 예학의 경향과 예서」, 『경북학의 정립과 정신문화사 연구(상)- 불교·유학편』, 한국국학진흥원, 2007; 박종천, 「16~7세기 예문답으로 살펴본 퇴계와 퇴계학파 예학」, 『퇴계학보』 125, 퇴계학연구원, 2009; 권진호, 「영남학파의 『주자가례』 수용 양상」, 『국학연구』 16, 한국국학진흥원, 2010; 김태완, 「율곡학파의 예학」, 『율곡사상연구』 20, 율곡학회, 2010; 도민재, 「기호학파의 『朱子家禮』 수용 양상」, 『국학연구』 16, 한국국학진흥원, 2010; 김윤정, 「18세기 禮學 연구-洛論의 禮學을 중심으로」, 한양대 박사학위논문, 2011.

4) 조선조에 편찬 간행된 예서의 규모를 정리한 논문이나 총서는 다음과 같다. 기호예학자 30인 48종과 영남예학자(근기남인 포함) 40인 75종을 구분하여 예서 목록을 정리한 류준정(「朝鮮朝 禮書의 編纂方法 研究-<凡例>를 중심으로」, 부산대 석사학위논문, 1991, 40/59-60쪽), 16세기 중반부터 17세기까지 저술된 87종의 예서목록을 정리한 고영진(『조선후기 예학사상사』, 한길사, 1995, 182-185쪽), 현존 간행본을 가지고 조선 시대 가례서 69종을 제시한 황영환(「朝鮮朝 禮書의 發展에 관한 研究-특히 '家禮書의 發展系統'을 중심으로」, 청주대 석사학위논문, 1995, 9-10쪽), 가례 관련 예서를 모아 131인 191종을 영인한 경성대 한국학연구소(『한국예학총서』 1-122, 2008-2011; 『한국예학총서보유』 1-16, 2011), 『주자가례』 관련 저작 목록을 세기별로 분류한 장동우(「『家禮』 註釋書를 통해 본 朝鮮 禮學의 進展過程」, 『동양철학』 34, 한국동양철학회, 2010).

5) 조선조 예학을 연구한 저서나 논문 중에서 제목에 명시된 것만 가지고 정리하면 다음과 같다. 인물로는 鄭夢周, 權近, 李彦迪, 李滉, 金麟厚, 宋翼弼,

대한 성과로는 이황(李滉)·정구(鄭逑)·정경세(鄭經世) 등의 영남남인, 이익 (李瀷)·정약용(丁若鏞)·허전(許傳) 등의 근기남인, 김장생(金長生)·김집(金集)· 송시열(宋時烈) 등의 기호서인 등이 부각되었다.

연구자들은 예송 논쟁 과정에서 성리학의 이념을 고수한 서인(西人)을 천하동례파(天下同禮派)로 보고 이를 변칙적으로 적용하려고 한 남인(南人)을 왕자례부동사서파(王者禮不同士庶派)로 보거나, 중종반정 이후 『주자가례』의 부분적 시행을 주장한 국조오례의파(國朝五禮儀派)와 전면적 시행을 주장한 고례파(古禮派)로 구분하려고 하였다.6) 그리고 영남예학과 기호예학의 변별성에 대해서도 몇 가지 논의가 있다. 영남에서는 『주자가례』를 중심으로 하면서도 『의례』를 예경으로 묵수하는 경향이 있고, 기호에서는 『주자가례』를 중시하면서 예의 가변성(可變性)과 시의성(時宜性) 구현에 중점을 두었다거나7), 영남에서는 『주자가례』와 더불어 예학 경전[고례(古禮)]의 중요성을 강조하면서 국조례(國朝禮, 邦國禮)와 가례의 차이를 뚜렷이 하고자 하고, 기호에서는 『주자가례』를 기준으로 삼아서 가례를 의례의 보편적 원리로 확립하려고 하였다는 논의 등이 있다.8)

그런데 지금까지 논의된 성과들 가운데 몇 가지 재검토할 부분도 없지 않다.

李珥, 金誠一, 鄭逑, 曺好益, 金長生, 韓百謙, 張顯光, 鄭經世, 權得己, 朴知誠, 金集, 金應祖, 尹善道, 許穆, 權諰, 宋浚吉, 宋時烈, 尹宣擧, 尹鑴, 李惟樟, 朴世堂, 尹拯, 朴世采, 鄭齊斗, 李衡祥, 鄭萬陽, 鄭葵陽, 李瀷, 柳長源, 李德懋, 李遂浩, 尹行恁, 丁若鏞, 洪直弼, 金正喜, 李恒老, 許傳, 奇正鎭, 沈大允, 趙相悳, 任憲晦, 柳疇睦, 張福樞, 朴致馥, 田愚, 金鎭祜 등이고, 저술은 『禮記淺見錄』, 『奉先雜儀』, 『喪祭禮答問』, 『擊蒙要訣』, 『喪禮考證』, 『五先生禮說』, 『喪禮備要』, 『疑禮問解』, 『家禮輯覽』, 『明齋疑禮問答』, 『四禮便覽』, 『家禮疾書』, 『常變通攷』, 『士小節』, 『四禮類會』, 『泣血錄』, 『喪禮四箋』, 『祭禮考定』, 『四禮家式』, 『士儀』, 『禮記正解』, 『儀禮正論』, 『居家雜服攷』, 「儒禮編解」, 『家禮補疑』, 『家禮補闕』 등이다.
6) 천하동례파·왕자례부동사서파로 본 시각은 지두환(「朝鮮後期 禮訟 研究」, 『부대사학』 11, 부산대 사학과, 1986)의 논의이고, 국조오례의파·고례파로 구분한 시각은 고영진(『조선중기 예학사상사』, 한길사, 1995)의 논의이다.
7) 노인숙, 「沙溪禮學考-『家禮輯覽』과 『喪禮備要』를 중심으로」, 『沙溪思想研究』, 沙溪愼獨齋兩先生紀念事業會, 1991, 160-162쪽.
8) 금장태, 『유교의 사상과 의례』, 예문서원, 2000, 274쪽.

첫째, 영남이나 기호로 나누어 그 지역 전체의 예학을 범범하게 논하는 것이다. 예학은 지역의 한 학자나 한 학파가 수립했던 견해에 매몰되어 일방적으로 추숭되는 것만은 아니다. 시대 환경에 따라 앞 시대의 견해가 후대에는 다른 모습으로 변모되기도 하고, 앞 시대에 중시되지 않았던 예설이 나중에 아주 중요하게 부각되기도 하여 변경에 변경을 거듭한다. 그리고 학파를 주도하는 인물의 예학 입장에 따라 예설 논의의 방향도 달라진다. 동일한 주제를 논한 것일지라도 시대상이 반영되고 지역성이 가미되는 만큼, 이런 것들이 동시에 그리고 전체적으로 고려될 필요가 있다.[9]

둘째, 특정 학자가 편찬하거나 제기한 예서나 예설을 가지고 그가 속한 학파의 경향이라고 성급히 단정하는 것이다. 예컨대 고례를 중시하거나 속례를 허용하는 측면으로 특정 학자의 예학 경향을 드러낼 수는 있겠지만, 이는 당파와 시대를 초월하여 일반적인 논의가 될 수도 있는 문제이다. 『주자가례』의 경우도 마찬가지이다.

셋째, 삼례(三禮)와 『주자가례』를 등치시키는 점이다. 유가의 예학 논의는 모두 삼례에 수록된 경문(經文)에 근간을 두고 전개된다. 『주자가례』는 삼례의 경문을 근간으로 하여 남송대(南宋代) 사대부 계층에 적용 가능한 예제로 변통 절충한 행례서(行禮書) 중의 하나이다. 종시종속(從時從俗)이라는 예의 기본 이념이 가장 잘 정리되어 표본으로 등장했던 것이 바로 『주자가례』이다. 예를 논할 때는 예경(禮經)에 수록된 예문(禮文)의 '해석'이 기본 바탕이 되지만, 실제 '적용'의 부분을 우리는 무엇보다 유의 깊게 살필 필요가 있다. 예는 적용하고 관습화하는 데서 삼례나 『주자가례』에서 이론적 근거를 가져온다. 예학자가 예를 논하면서 어떤 부분에는 삼례를 가져오고 어떤 부분에는 『주자가례』를 가져와서 자기 논의의 이론적 정당성을 확보하려 한다. 일방적으로 삼례만 또는 『주자가례』만 가져와서 그것을 적용시키려는 경우는 거의 없을 것이다. 조선조에서 철저하게 『주자가례』를 준수하였던 송시열이라고 해도 '적용'의 부분에 당면해서는 보다 유연하게 대처하여 『주자가례』 외의 삼례나 속례를 차용한 사례가 많이 있다는 점을 감안할 때, 예학 경향을 삼례와 『주자가례』의 이분법으로 논단

---

9) 특정 지역을 중심으로 예학 성과를 분석한 연구로는 이동인·이봉규·정일균, 『조선시대 충청지역의 예학과 교육』, 백산서당, 2001이 좋은 사례이다.

하는 것은 지양되어야 한다.

본고에서는 거시적인 관점에서 통틀어 살펴보는 통간(通看)의 방법론에 입각하여 통시대적 통지역적 전개 과정을 종합적으로 검토함으로써 예설의 전승과 소통의 양상을 살펴보고자 한다.

예(禮)는 문화적 적층(積層)이다. 예는 앞 시대의 전통과 전범이 쌓이고 쌓여서 이루어지는 것이지 한순간에 돌출되는 것이 아니다. 예의 일반 원칙은 모두가 공유하는 것이지만, 세부적인 면에 있어서는 시대별 지역별로 서로 다르게 나타날 수밖에 없다. 따라서 개인과 학파와 지역의 예학 특징이나 경향을 선명하게 드러내기 위해서는 문화적 적층이라는 기반 위에서 출발할 필요가 있다. 그 기반 위에서 주요 인물, 예서, 예설 논점, 학술 교류 관계 등을 통해 예학 논의가 확산 비판 계승된 면모를 통간하는 거시적 방법이 요구된다. 이러한 방법을 통해서 살펴봄으로써 시대와 지역을 통해 변하지 않는 공통점을 발견할 수도 있고, 학파마다 시대마다 다르게 적용된 예학 논점도 끌어올 수 있을 것이다. 이런 거시적 통간의 방법을 통하여 다음과 같은 목표를 달성할 수 있을 것으로 기대한다.

첫째, 권역별 시기별로 구심점이 되었던 중요한 예학자와 그 영향을 받은 문인들의 예학 수수 과정을 조망할 수 있을 것이다. 기존에 많이 알려진 인물과 저술은 물론, 지금까지 논의되지 못했던 인물과 저술도 상당수 드러날 것이다. 이를 통해 영남 예학의 전체 규모를 가늠할 수 있을 것이다.

둘째, 지역과 학파 간의 교섭과 소통 양상을 드러낼 수 있을 것이다. 학파의 예학 논의가 자기가 속한 학파 내에서만 머문 것이 아니라 주변 지역이나 다른 학파 인물들과 활발한 논의를 거치면서 형성된 점을 볼 수 있을 것이다. 이는 예서의 영향 관계, 또는 인용서목·선유성씨를 수록한 예서의 면모를 통해서나 예설의 논변을 가지고 알아보는 방법을 통해서도 가능할 것이다. 이 과정에서 당파 간 예설 논의의 한계점도 일부분 드러날 것이다.

셋째, 예학 전승의 지역적 특징을 확인할 수 있을 것이다. 영남에는 남인, 서인, 북인, 노론, 소론 등의 다양한 당파가 지역마다 존재했던 만큼 그들이 추구했던 예학 경향도 달랐고, 그들이 속한 지역과 가문의 전통에 따라서도 다르게 나타남을 확인할 수 있을 것이다. 예컨대 17세기에 벌어졌던 예송의 여파에 따라 당시에 논의되었던 복제설(服制說), 부위장자설(父爲長子說), 소목설(昭穆說) 등 국가 전례의 논의가 이후에도 제기되기는 하였지만, 중앙관료로의 진출에 다소 긍정적이었던 특정 지역이나 특정 가문에 한정되어 관심을 보였음을 밝힐 수 있을 것이다.

넷째, 시대별 예학의 추이와 특징을 확인할 수 있을 것이다. 예컨대 17세기 후반 예송 때 공동보조를 취하였던 면모가 18세기에는 지역별 학파별로 분기되었다가 19세기 후반 의복제도 개혁과 단발령, 외세에 대한 대응 등을 계기로 공통의 대안을 모색하면서 소통한 것을 말한다. 19세기 후반에는 당파의 경계를 넘어 양이(攘夷)의 공통된 목표 의식을 바탕으로 조선 문화의 정체성을 확보하려는 움직임이 강하였다. 뿐만 아니라 시대에 따라 예서 편찬의 배경과 경향이 다르게 나타난다는 점도 밝힐 수 있을 것이다.

위와 같은 내용들은 이전 시대와 이후 시대를 통시적으로 살펴볼 때, 그리고 이 집단과 저 집단을 공시적으로 살펴볼 때 도출할 수 있는 종합 연구의 장점이라고 하겠다. 다시 말하면 인물과 예서에 대한 미세한 부분을 추적한 기존 논의에서 한 걸음 더 나아가 조선 시대 예학 전체를 큰 틀에서 조망할 필요성과 당위성을 제기하는 것이다.

2. 연구의 방법과 범위

본고는 조선후기 영남지역에서 전개되었던 예학의 전체 흐름을 통간(通看)하기 위한 목적에서 작성되었다. 이를 달성하기 위해 영남지역 예학의 구심점이 되었던 지역을 6개 권역으로 설정하고, 각 권역에서 전범을 형성한 대표 학자를 중심으로 결성된 학단을 도출함과 동시에 학단이라고 말할 수는 없지만 예학사적으로 두각을 드러내었던 인물까지 도출하며, 학단에서 배출된 주요 예학자의 면모와 예서를 정리하고, 주요하게 제기되었던 독특하거나 공통적인 예설의 양상을 대략적으로 검토하는 방법론을 취할 것이다.

이를 통해 영남지역 예학의 전개 양상을 종합적으로 고찰함으로써 시대별·권역별 특징과 성쇠, 학단 내외의 학자들과 상호 교류했던 양상을 끌어내고자 한다. 그리고 영남지역 예학의 전개 과정에서 나타난 공통의 특징적 요소, 경학·성리학의 사상사적 흐름 속에서 예학이 그것들과 어떤 상관성을 보이고 그 의미가 무엇인지 논의할 것이다.

이와 관련하여 예학의 학맥 관계에도 주의하고자 한다. 유학사를 검토하여 나온 학맥도는 예학사의 학맥과 대체적으로 유사성을 보이기 마련이다. 경학·성리학의 범주 바깥에서 예학을 따로 논의할 수는 없기 때문이다. 그렇기는 하지만 기존에 논의된 유학사의 학맥구도라는 것에는 예학자의 면모가 제대로 반영되지 못한 부분도 없지 않다. 심지어는 예학 연구를 통해서 기존의 학맥구도가 조정될 부분도 있다고 본다. 물론 예학에 나타난 사승 관계만 가지고 한 인물의 학문 성향과 학맥을 규정할 수는 없겠지만, 예학의 사승까지 두루 고려되어야 개별 인물의 학문 성격이 더 명확하게 드러날 수 있을 것이다. 기존 유학사 논의에서 예학과 관련하여 비중 있게 논의되지 않은 인물, 학계에 알려지지 않은 인물, 예학적 색채가 짙은 인물 등을 소개하고 그의 예학이 갖는 의의를 밝혀내는 것도 본 논문의 중요한 방향 중 하나이다.

이런 논의를 진행하기에 앞서 본고에서 전개할 몇 가지 부분에 대한 전제가 선행되어야 하겠다.

첫째, 본고에서 말하는 '조선후기'는 임진왜란을 기준으로 전기와 후기로 구분하는 방법을 따른 것으로, 17세기 이후를 말한다. 영남지역의 예학은 이황이 강학한 16세기 후반에 와서 유가 예제의 실천뿐만 아니라 그것의 이론적 바탕이 되는 부분까지 면밀하게 검토함으로써 일대 전환기를 맞았다. 이를 바탕으로 17세기 이후부터 그의 문인들에 의해 본격적으로 권역의 확산이 이루어졌다. 여기서 말하는 권역의 확산이란 이황의 강학처인 안동에만 집중된 것이 아니라 예학 논의의 주요 거점이 다변화되면서도 상호 간에 소통은 그대로 유지되어 상보적 관계를 이어 갔음을 말한다.

둘째, '6개 권역'에 대하여, 기존 논의에서는 영남지역을 구분함에 있어서 계수관(界首官)을 중심으로 4개 권역으로 나누었는데[10], 본고에서는 이

틀을 대체적으로 유지하면서도 6개 권역으로 확대하였다.[11] 즉 정구(鄭逑)·장현광(張顯光)·장복추(張福樞)·이진상(李震相)이 큰 영향을 끼쳤던 성주권과 김종직(金宗直)·정구·장현광·허전(許傳)이 큰 영향을 끼쳤던 밀양권을 별도의 권역으로 독립시켜 설정하였다. 성주권과 밀양권 두 권역을 독립시킨 이유는 영남지역의 예학을 논의함에 있어서 두 권역이 갖는 특별하고 중요한 의미가 있기 때문이다.

표-1 <영남지역의 6개 권역 분류와 소속 지역>

권역	소속 지역(이수건의 분류)	권역	소속 지역(본고의 분류)
경주권	慶州府 永川郡 迎日縣 長鬐縣 興海縣 淸河縣 慈仁縣 慶山縣 河陽縣 新寧縣 淸道郡 大邱府 玄風縣 蔚山府 彦陽縣 梁山郡 機張縣 東萊府 密陽府 昌寧縣 靈山縣	경주권	慶州 永川 浦項 慶山 大邱 蔚山
		밀양권	密陽 淸道 金海 昌寧 昌原 馬山 鎭海 巨濟 釜山 梁山
안동권	安東府 禮安縣 醴泉郡 義城縣 比安縣 奉化縣 眞寶縣 靑松府 榮川郡 豊基郡 順興府 英陽縣 寧海府 盈德縣 義興縣 軍威縣 漆谷府	안동권	安東 醴泉 義城 奉化 靑松 榮州 英陽 盈德 蔚珍
상주권	尙州牧 咸昌縣 龍宮縣 聞慶縣 善山府 星州牧 仁同府 金山郡 知禮縣 開寧縣 高靈縣	상주권	尙州 聞慶 金泉
		성주권	星州 龜尾 漆谷 軍威 高靈

---

10) 이수건,『嶺南學派의 形成과 展開』, 일조각, 1995, 4-7쪽 <표1-1> '조선시대 경상도 군현별 邑勢, 敎育, 文化的 시설, 人物·家門 통계표'. 우인수는 경상도의 학문적 중심 권역을 안동권, 상주권, 경주권, 성주권, 진주권의 다섯 곳으로 나누기도 하였다.(우인수, 「사미헌 장복추의 문인록과 문인집단 분석」,『어문논총』 47, 한국문학언어학회, 2007, 83쪽)

11) 각 권역에 포함되는 지역 명칭의 경우, 지금 통용되지 않는 府·牧·郡·縣 등은 가급적 현재의 市·郡 단위에 포함시켰다. 예컨대 玄風은 高靈, 禮安은 安東으로 표기하였다. 단 행정구역의 변동에 따라 약간의 차이가 있을 수는 있음을 밝혀둔다.

진주권	晉州牧	山淸縣	丹城縣	咸陽郡	진주권	晉州	山淸	咸陽	居昌	陜川
	安義縣	居昌縣	陜川郡	草溪縣		咸安	宜寧	固城	統營	泗川
	三嘉縣	咸安郡	漆原縣	宜寧縣		河東	南海			
	金海府	固城郡	昌原府	鎭海縣						
	熊川縣	泗川縣	河東縣	昆陽縣						
	巨濟縣	南海縣.								

계수관은 행정구획으로서의 의미와 수령으로서의 의미의 두 가지 뜻으로 사용되었다. 고려초기에는 경주·진주·상주, 고려후기에는 안동·성주·김해·영해가 추가되고, 조선초기에는 지방통치의 필요상 더욱 증가되었다가 1456년(세조2) 병합사목(幷合事目)이 발표되어 완전 소멸되었다.[12] 계수관은 도회(都會)가 개최된 곳이라는 문화적 상징성을 가진 곳인데, 고려시대에 계수관으로 설정된 지역 외에 밀양은 조선초기에 도호부로 편제되고 별도의 계수관으로 존재했던 곳이었다. 또 1393년에 경주·안동·상주·진주·김해·성주를 경상도의 계수관으로 정하기도 하였다.

따라서 기존의 4계수관에서 6개 권역으로 확대하여 경주·안동·상주·진주 4계수관에 포함되지 않았던 성주권과 밀양권을 독립시켰다. 추가된 두 권역에는 지역적 인접성과 문화적 소통성의 측면에서 이웃 고을을 합쳐서 세부 지역을 일부 조정하였다. 6개 권역 설정은 다음 장에서 다룰 '영남지역 예학의 시대별 추이'에 나타난 인물들의 면모와 예학 성과를 감안할 때도 큰 무리는 없을 것으로 본다. 그리고 권역의 설정 순서는 특별한 의미가 있는 것이 아니라 위도(緯度)에 따라 영남 최북단인 안동권부터 상주권·성주권·경주권·밀양권, 그리고 최남단인 진주권의 순으로 배치하였다. 이렇게 권역의 구분을 두는 것은 '백리부동풍(百里不同風) 천리부동속(千里不同俗)'[13]이라는 말이 있듯이 예의 본질상 지역적 전범 또는 풍토에 따라 예 실천과 논의의 경향이 다양화될 소지가 다분하기 때문이다.

셋째, '학단 중심'의 고찰에 대하여, 학단을 중심으로 살펴보는 이유는 예학의 전체 규모를 파악하는 작업에 가장 수월한 방법이라고 판단되기 때문이

---

12) 한국정신문화연구원, 『한국민족문화대백과사전』 2, 한국정신문화연구원, 1995, 279-280쪽.
13) 應劭, 『風俗通義』 「風俗通義序」.

다. 조선의 학문 전통이 가학이나 자득을 통해 전개된 측면보다는 사승 관계를 통해 훨씬 많이 이루어졌다는 사실을 감안할 때, 예학의 전통 역시 사승 관계가 가장 큰 영향을 미쳤다고 할 수 있다. 예학 논의가 이뤄지던 현장을 보면, 지역과 시대를 대표하는 큰 학자가 구심점이 되어 문인들과 토론을 거치면서 하나의 정형화된 틀을 형성하여 전수되었다. 여기에는 앞 시대에 살았던 지역 출신 인물이 편찬했던 예서나 전통으로 전해지는 예의규범도 많은 영향을 미친 것이 사실이다. 학단이란 동지적 결속력을 바탕으로 유대감이 강한 집단을 의미하는 것이기 때문에, 그들 사이에는 예학 논의에 대해서도 대체로 공감대가 형성되었고, 이 공감대는 최소한 한 지역 또는 한 학단 안에서 일정한 전범을 형성하고 경향성을 보이며 계승 발전되었다. 따라서 이들은 전범이 되는 스승의 설을 수수하는 과정을 통해 집단적 논의 과정을 거치고, 심화 학습 과정에서 다양하고 풍부한 논설을 제기하였다. 뿐만 아니라 학단의 경계를 넘어 다양한 학단과의 소통을 통해서 논의를 심층화하고 서로의 장점을 취택함으로써 학설이 혼효됨과 동시에 확대 발전되기에 이른다.

넷째, '예학자'의 개념에 대하여, 본고에서 말하는 예학자란 기본적으로 예학 저술이나 예학 논변, 즉 예서나 예설을 남긴 인물을 말한다. 그리고 예서나 예설은 남기지 않았더라도 문례(問禮)의 대상자 역할을 한 인물, 대규모의 문인집단을 이끌며 학단의 형성과 전개에 큰 역할을 담당한 인물, 예학사에 큰 기여를 한 인물까지도 포함한다.

본 연구의 인물과 자료의 범위는 아래와 같이 설정한다.

첫째, 거론하는 인물의 범위는 영남지역에 거주하였거나 영남지역 예학과 문화 전통에 상당한 영향력을 끼쳤던 모든 이들을 대상으로 한다. 따라서 영남남인, 근기남인, 북인, 서인, 노론, 소론 등 모든 집단이 포괄될 것이다.[14)]

---

14) 지금까지 기호예학과 병칭되는 '영남예학'이라는 용어는 주로 '퇴계학통의 영남지역 남인의 예학'을 일컫는 것으로 사용되어 왔다. 그런데 사실 '영남예학=남인예학' 또는 '영남예학=퇴계학파예학'이라는 등식은 성립하기 곤란하다. 남인 외에 다른 당파가, 퇴계학파 외에 다른 학파가 존재했기 때문이다. '영남지역에서 산출된 모든 당파·학파의 예학'을 '영남예학'이라는 용어로 확대 규정할 필요가 있다.

둘째, 예학의 범주에는 경례(經禮)·방례(邦禮)·가례(家禮)·향례(鄕禮)·학례(學禮) 등이 있다. 따라서 예학에 관심을 둔 유가지식인이라면 이 범주를 모두 살피려고 하였다. 하지만 가례가 조선예학계의 가장 큰 관심사였던 만큼 가례서(家禮書)[15]를 중심으로 살펴보는 것이 효과적이라고 판단되기 때문에 가례 관련 저술과 논의를 주된 대상으로 한다. 논의의 필요에 따라 경례·방례·향례·학례 등도 적절하게 거론하기로 한다.

본 논문은 예학자와 예학저술이 갖는 예학사적 위치와 의미에 대해 집중했기 때문에 문집에 수록된 서간문의 예학 논의까지는 면밀하게 접근하지 못하였고, 예학의 수수 과정이나 권역별 학단별로 특별한 의미를 지니는 서간문에 한정하여 다루었다. 그리고 중요하게 제기되었던 예설은 논의 전개상 꼭 필요한 경우에만 취택하였다.

---

15) 가례서란 가정 내에서의 관혼상제 의식을 주로 서술한 예서를 말한다. '四禮□□'라고 명명된 예서도 포함되고, 鄕禮나 學禮 등을 담고 있더라도 書名이 '家禮□□'인 것도 포함되며, 『常變通攷』처럼 家禮나 四禮라는 이름은 아니지만 관혼상제를 위주로 다루고 기타를 부차적으로 추가한 것도 포함된다.

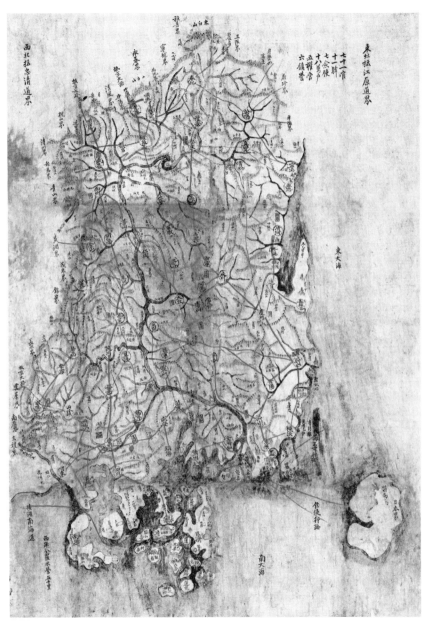

•조선시대 영남지역_화경당 기탁, 한국국학진흥원 소장•

2

영남지역 예학의 전개 과정

영남지역 예학의 전개 과정을 거시적으로 조망하기 위해 편성한 이 장에서는 먼저 영남지역 주요 예학자들의 면모를 통해서 시대에 따른 예학의 통시적 전개 과정을 살피고, 다음으로 구체적인 예서를 통해서 지역에 따른 전개 양상을 공시적 관점에서 살펴볼 것이다. 이를 통해 시대별·권역별 예학자들의 성과를 개괄할 것이다. 이는 다음 장 '권역별 예학의 전개 양상'에서 구체적으로 논의될 사항의 토대가 되는 것이다.

1. 영남지역 예학의 시대별 추이

학문이란 당대의 시대 상황과 관심 정도, 그리고 지적 수준 등에 따라 일종의 경향 또는 흐름이 있기 마련이다. 예학 역시 초기 단계인 16세기까지는 저변을 마련하는 일에 매진하였고, 이를 바탕으로 17세기에는 각 지역별로 널리 확산되었으며, 18세기에는 심화 발전을 이루는 동시에 당파의 고착화에 따른 냉전 분위기가 감돌다가 19세기 중반 이후에는 국내외적 혼란에 대응하는 집단 대응 의식이 발동하였다.

예(禮)에는 정상적인 상황에서 행해지는 의식 절차와 비정상적이거나 예외적인 상황에서 행해지는 의식 절차가 있다. 이것을 지칭하는 용어로 경례(經禮)·변례(變禮), 상례(常禮)·변례(變禮), 정례(正禮)·변례(變禮), 통례(通

禮·변례(變禮) 등이 있는데, 이 중에서 가장 많이 통용되는 용어는 상례와 변례이다. 상례는 예경이나 예서에 정답이 명확하게 제시되어 있는 반면, 변례는 제시된 정답이 없는 경우가 많다. 정답이 없기 때문에 예경과 예서 및 선유의 설을 통해서 정답을 유추 절충 변통하는 과정이 반드시 필요하다. 이 과정에서 학자에 따라 서로 다르게 해석하여 적용하는 경우가 발생하고, 그 서로 다른 해석과 적용을 두고 논쟁이 벌어진다. 이것을 두고 '취송(聚訟)'[1]이라 한다.

특히 당론의 차이에 따라 예설이 서로 달라짐으로써 '예＝취송'[2]이라는 등식까지 성립되는 지경에 이르기도 하였다. 취송을 면하고 공정성을 확보하기 위해서는 예경의 본의와 예설의 타당성 여부를 면밀하게 검토했고, 이를 유취(類聚)·변증(辨證)·절충(折衷)의 방식을 통해 학파마다 정설을 구축하여 갔다. 사대부들은 정설의 구축을 통하여 학문의 정통성을 확보하고 자신의 정체성을 유지하는 동시에 미풍양속을 확산시키는 일에 부단히 애를 썼다.

우리나라 예학은 전통이 유구하다. 신라와 고려시대에 『예기』가 국학(國學)의 교수 과목으로 채택됨으로써 예학에 관한 관심이나 연구가 명맥을 유지하여 왔지만 현재 『고려사』를 비롯한 몇몇 기록에 방례류(邦禮類)의 예 조목이 소수만 남아 있을 뿐, 가례류의 예서는 전무하다. 이후 고려 말에 『주자가례』가 수입된 이래로 우리나라의 예속은 전에 비해 확연하게 달라지는 모습을 보인다.

『주자가례』는 사대부 사족이나 서민들이 그들이 소속된 가족과 촌락 등의 지역 집단에 적용하기에 편리하도록 편성된 의식 규범이었다. 따라서 사대부 사족들은 이를 통해 이제까지 민간의 관습이나 무속 또는 불교 등의 종교 의식에 의존하여 행하던 여러 가지 중요한 생활의례, 특히 인간의 생활에 필수적인 관혼상제의 의식 절차를 무격(巫覡)이나 승려의 도움 없이도 각 집안마다 스스로 인정과 사리에 합당하고 보다 성대한 의식으로 거행할 수 있는 근거를 가지게 되었던 것이다.[3]

---

1) 『後漢書』「曹褒傳」: 會禮之家, 名爲聚訟, 互生疑異, 筆不得下.
2) 趙昺奎, 『士禮要儀』「序」: 黨論橫潰, 禮號聚訟.
3) 정경주, 『한국고전의례상식』, 신지서원, 2006, 38쪽.

1392년 조선이 건국된 이후, 초기의 예학은 전례(典禮) 정리 작업을 위주로 진행되고, 『주자가례』의 미진한 내용을 국제(國制)와 속례(俗禮)로 절충하며, 개인적으로는 단편적 예설 또는 제례에 관한 규범을 마련한 성과물이 주조를 이루었다. 조선초기에 사례(四禮) 중에서 제례가 우선 강조된 이유는 제례가 '효(孝)'라는 유교윤리의 기본을 가장 잘 드러내 주는 것이었기 때문이다.4)

16세기 중후반 이황의 본격적인 강학 활동이 전개되기 이전부터 영남의 선현들은 국가의 전례서(典禮書)를 편찬하거나 가정의례를 실행함으로써 후대의 본보기가 되었다. 그런 인물 중에서 고려후기부터 16세기 전반까지 생존했던 주요 영남학자의 거주지와 사승 관계를 정리하면 다음과 같다.

표-2 <고려후기~16세기 전반 주요 영남학자의 거주와 사승>

성명	거주지	사승	성명	거주지	사승
晦軒 安珦 (1243~1306)	순흥 (안동권)		謹齋 安軸 (1282~1348)	영주 (안동권)	
益齋 李齊賢 (1287~1367)	경주 (경주권)	權溥	牧隱 李穡 (1328~1396)	영해 (안동권)	李齊賢
圃隱 鄭夢周 (1337~1392)	영천 (경주권)	李穡	三峯 鄭道傳 (1342~1398)	봉화 (안동권)	李穡
陶隱 李崇仁 (1347~1392)	성주 (성주권)	李穡	浩亭 河崙 (1347~1416)	진주 (진주권)	李仁復·李穡
冶隱 吉再 (1353~1419)	선산 (성주권)	李穡·鄭夢周·權近	厖村 黃喜 (1363~1452)	상주 (상주권)	
敬菴 許稠 (1369~1439)	하양 (경주권)	權近	春亭 卞季良 (1369~1430)	밀양 (밀양권)	李穡·鄭夢周·權近
江湖 金叔滋 (1389~1456)	선산 (성주권)	吉再	老村 李約東 (1416~1493)	금릉 (상주권)	

---

4) 도민재, 「晦齋 李彦迪의 예학사상 연구-『奉先雜儀』를 중심으로」, 『동양철학연구』 35, 동양철학연구회, 2003, 14쪽.

保閑齋 申叔舟 (1417~1475)	고령 (성주권)	尹淮	漁溪 趙旅 (1420~1489)	함안 (진주권)	
私淑齋 姜希孟 (1424~1483)	진주 (진주권)		佔畢齋 金宗直 (1431~1492)	밀양 (밀양권)	金叔滋
一蠹 鄭汝昌 (1450~1504)	함양 (진주권)	金宗直	寒暄堂 金宏弼 (1454~1504)	현풍 (성주권)	金宗直
愚齋 孫仲暾 (1463~1529)	경주 (경주권)	金宗直	濯纓 金馹孫 (1464~1498)	청도 (밀양권)	金宗直
聾巖 李賢輔 (1467~1555)	예안 (안동권)	洪貴達	鶴皋 李長坤 (1474~1519)	성주 (성주권)	金宏弼
冲齋 權橃 (1478~1548)	봉화 (안동권)		晦齋 李彦迪 (1491~1553)	경주 (경주권)	孫仲暾

이들 중에서 정도전·허조·변계량·강희맹·신숙주 등은 『경국대전(經國大典)』·『국조오례의(國朝五禮儀)』 등 국가의 제도를 갖추고 전례(典禮)를 정비하는 일에 힘을 쏟았다. 그러면서도 『주자가례』에 대한 내용도 숙지하고 있어서 국제(國制)와 다른 부분에 대한 의견을 내기도 하였다.[5] 이들 외에도 고려 말부터 『주자가례』에 근거한 예의 규범 또는 관행이 있었는데, 정몽주와 길재 등이 『주자가례』의 규범을 실천하여 후세에 모범이 되었고, 이후 김숙자·김종직이 『이준록(彝尊錄)』을 편(編)·성(成)하고 이언적이 『봉선잡의(奉先雜儀)』를 저술하여 영남지역 예속의 순화에 큰 영향을 끼쳤다.

이와 더불어 유학의 소양을 체득한 학자들은 지역 기반을 토대로 유학의 기풍을 진작시키고 사례(士禮)의 실천에 앞장섬으로써 가문이나 지역의 후손·후학들에게 본보기가 되었다. 위의 표에서 제시한 인물들이 활동한 지역 분포를 보더라도 순흥(영주)·영주·영해(영덕)·봉화·예안(안동)의 안동권, 상주·금릉(김천)의 상주권, 성주·선산(구미)·고령·현풍(고령)의 성주권, 경주·영천·하양(경산)의 경주권, 밀양·청도의 밀양권, 진주·함안의 진주권에 이르기까지 조선전기부터 각 권역에서 영향력 있는 학자들이 유가예법의

---

5) 예컨대 변계량은 古禮의 원칙론에 충실한 예론을 전개하여 『주자가례』의 四代奉祀 조문을 비판하기도 하였다. 정경주, 「春亭 卞季良의 典禮 禮說에 대하여」, 『한국인물사연구』 8, 한국인물사연구소, 2007, 210-213쪽.

전범을 형성하며 조선 예속의 터전을 다졌음을 알 수 있다.[6]

김숙자·김종직의 『이준록』과 이언적의 『봉선잡의』로 대표되는 16세기 중반까지의 예학 저술은 『주자가례』를 이해하고 적용하는 수준에서 간단한 주석서나 가문의 제의(祭儀)를 수록한 것들이 많았다. 이들이 마련해 두었던 예의규범은 문헌의 부족으로 세밀한 고찰이 어렵다는 점이 있지만, 김숙자·김종직·김굉필·김일손(金馹孫) 등의 경우처럼[7] 단편적으로 전해지고 인용되는 자료만으로도 당시에

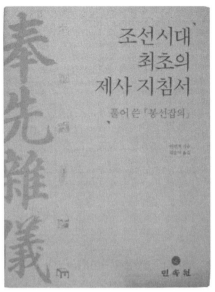

•이언적_봉선잡의(국역)•

가례에 대한 탐구와 논의가 제법 이루어졌음을 확인할 수 있다. 이들의 『주자가례』에 대한 독서와 논의와 실행을 통해 마련된 초석이 후대 학자나 후손들이 계승 발전시켜 조선의 풍속을 개량하고 예속을 확산시키는 데 큰 영향을 미쳤다는 사실은 분명하다.

이들의 뒤를 이어 16세기 중후반에 안동과 산청을 거점으로 활동한 이황과 조식이 등장하여 이후 전개되는 영남 학문의 양대 구심점으로 자리하며 절대적인 위치를 차지하였다.

이들을 포함하여 이 무렵에 상당수의 문인을 형성하며 강학을 주도하

---

6) 이들이 가례를 실천한 구체적인 사례는 李滉의 문인 趙振이 편찬한 『退溪先生喪祭禮答問』에 소개되어 있다. 그 내용들은 出仕와 墓碣不書官爵(정몽주), 忌祭疏食水飲(길재), 出仕와 墓碣不書官爵(길재), 所後父喪中所生母喪之服制(김종직), 時祭盛服無官者黑團領(이언적) 등이다. 그리고 예서의 인용서목에 기재된 인물로 한정하여 말하자면, 정몽주는 『士儀』(許傳)·『家禮補疑』(張福樞)에, 길재는 『가례보의』에 등장한다.

7) 영남지역 예서의 인용서목에 나타나는 이황 이전의 인물과 저서로는 安軸(『瓦注集』)·金叔滋(『江湖集』)·金宏弼(『景賢錄』·「寒暄堂年譜」)·金馹孫(『濯纓集』)·張潛(「竹亭年譜」)·鄭鵬·安璐(『竹溪雜儀』·『喪祭雜錄』) 등이 있다.

였던 주요 학자들의 면모를 살펴보면 아래의 표와 같다.

표-3 <16세기 중후반 주요 영남학자의 문인수>

성명	거주지	문인수	성명	거주지	문인수
退溪 李滉 (1501~1570) 陶山門賢錄	안동 (안동권)	309인	南冥 曺植 (1501~1572) 德川師友淵源錄	산청 (진주권)	135인
嘯皐 朴承任 (1517~1586) 嘯皐先生門人錄	영주 (안동권)	52인	惟一齋 金彦璣 (1520~1588) 惟一齋門人錄	안동 (안동권)	189인
鶴峯 金誠一 (1538~1593)	안동 (안동권)	40인	西厓 柳成龍 (1542~1607) 퇴계연구소	안동 (안동권)	118인

이황이 등장하여 대규모의 후학들을 양성한 16세기 중후반 이후로 영남의 예학은 앞 시대의 모습에서 장족의 발전을 하였다. 대규모 집단에서 예학 연구에 매진할 수 있게 하였던 최초의 인물이 바로 이황이었다. 앞 시대에 제례를 중심으로 가문의 규범을 갖추던 분위기가 이 시기에 와서는 상례와 관혼례까지 논의 범위가 확대되었고, 논의에 참여한 인물도 대폭 늘어났으며, 논거 자료의 광박함과 논의의 엄밀함도 한층 심오하게 되었다. 위에 제시한 인물 중에서 박승임(朴承任) 이하 4인이 모두 이황의 문인이라는 점을 감안할 때, 16세기 후반 영남지역의 예학은 안동권의 이황과 그의 문인들이 크게 진작시켰음을 알 수 있다.

이황은 유학의 각 분야를 정밀하게 검토했고, 이 과정에서 예학에 대한 학문적 관심도 대폭 확대되었다. 이황과 제자들은 이를 바탕으로 자신의 가문 예법을 궁구하고 향촌의 풍속 개량에 힘쓰면서 조선의 예속을 한 단계 높이려고 노력하였다. 이황 예설의 궁극적인 목표는 상풍패속(傷風敗俗)의 요소를 제거하여 미풍양속(美風良俗)으로 개량해 나가는 것이었다. 이런 대원칙에 따라 각 집안마다 행해지는 의식 절차와 의미를 올바르게 정립하여 예의 규범을 중시하던 조선의 문화를 다시 확산시킴으로써 인간이 인간다운 삶을 영위할 수 있는 사회를 이루고자 하였다. 그것을 실현하기 위한 방법론은 '절충(折衷)'이었고, 그 절충은 당시 사람들이 널리

• 이황_도산서당(안동시 도산면) •

행하던 예법을 바탕으로 한 것이었다.[8]

이황의 예설은 이후 조선조 말까지 전개되는 예학 논의의 가장 중심에 있었다. 후학들은 이황의 예설을 읽고 이를 계승·비판·보완하면서 자신들의 논지를 펼쳐 갔다. 이황은 남치리(南致利)·김성일(金誠一)·이덕홍(李德弘)·류성룡(柳成龍)·정구(鄭逑)·조호익(曺好益)·김륭(金隆) 등 문인들과 『주자가례』를 강독 토론하면서 예문(禮文)을 면밀하게 검토하는 한편, 예의 실행에도 관심을 기울여 조선조에 유가의 예제가 뿌리내릴 수 있는 바탕을 마련하였다.

이황의 문인 중에서 남치리는 예서를 편찬하지는 않았지만 그의 문집에 수록된 글이 대부분 예학 논의인 점과 이황 장례 때 28세의 젊은 나이로 상례(相禮) 역할을 맡기도 하는 등 예의 이론과 실천에 있어서 상당한 수준을 갖추었다. 따라서 영남지역 예서에는 그의 예설이 심심찮게 인용되곤 한다. 김성일 이하 나머지 이들은 모두 이황과의 강독이나 이황 사후 개인적인 예 학습을 바탕으로 『가례』주석서나 『예기』해석서를 편찬하였다. 그리고 현존 여부는 미상이나 박승임은 『사례변해(四禮辨解)』·『상례요략(喪禮要略)』·『의례강록(疑禮講錄)』을 저술하고, 금보(琴輔)는·『사례기문(四禮

---

8) 拙稿, 「退溪의 折衷的 論禮 관점」, 『동양한문학연구』 33, 동양한문학회, 2011, 8쪽.

● 류성룡_충효당(안동시 풍천면) ●

記聞)』·『사례정변(四禮正辨)』을 저술하는 등 이황의 문인들에 의해서 예학 탐구가 집중적으로 이루어졌다. 16세기 영남지역에서 예학이 학파 단위에 서 면밀하게 검토된 사례는 퇴계학파 외에 거의 찾기 힘들다.

이황 사후 박승임·김언기·조목(趙穆)·김성일·류성룡 등 직전제자들이 예 학의 학문 분위기를 지속적으로 이어 갔고, 한편으로는 약간의 계파성을 보이며 분기하는 모습을 보였다. 김성일은 이현일(李玄逸)과 이상정(李象 靖)을 거치면서 이황의 적전으로 부상했지만, 김성일 당대에는 문인의 숫 자에서 보듯이 명맥을 유지하는 정도였다. 반면에 류성룡은 안동뿐만 아니 라 상주 지역 인물들까지 두루 포섭하면서 활발한 강학 활동을 전개하였 고, 그의 문인 중 17세기 전반에 정경세(鄭經世)가 유림의 종장으로 등장 하면서 강력한 영향력을 행사하였다.

이황 당시는 산청에서 조식이 흥기하여 밀양권·진주권을 위시한 경상 우도 지역에 새바람을 일으키고 있었다. 조식의 경우에는 '정주(程朱) 이 후로는 굳이 책을 지을 필요가 없다.[程朱以後不必著書]'라는 유명한 말 이 있듯이 저술보다는 실천을 중시했던 만큼 그와 그의 문인들이 예서를 낸 경우는 얼마 되지 않는다.[9] 조식은 관혼상제의 의식을 『주자가례』에

9) 曺植의 연보에 『士喪禮節要』를 지어 문인 寧無成齋 河應圖(1540~1610) 등에게 주었다는 기록이 있으나 失傳된 것으로 보인다. 『寧無成齋先生逸稿 』卷1「年譜」: 五年辛未(先生三十二歲)春正月, 拜南冥先生, 受士喪禮.(退 溪李先生去年十二月易簀, 至是訃至, 曺先生爲之流涕曰, 生同歲 居同道,

근본하여 실행하면서도 그 대의(大意)만 취하고, 세세한 절문(節文)까지 모두 『주자가례』의 틀에 맞추려고 하지는 않았다. 혼례의 경우 신부집에서 행례하여 친영(親迎)을 행하지 않는 우리나라의 풍속을 감안하여, 청사(廳事)에서 서부(壻婦)가 상견(相見)하고 교배례(交拜禮)를 행하게 하였다. 조식의 이러한 변통 사례를 본받는 사대부들이 많아져서 풍속이 변하기도 하였다.[10] 조식의 이러한 행례 규범은 정구(鄭逑)에게 작고참금(酌古參今)의 모습으로 인식되었다.[11]

이와 같이 주로 친영과 관련하여 인용되는 조식의 설이 후대의 예서에 인용서목으로 오른 경우는 안진석(安晉石)의 『사례고증(四禮考證)』, 허전(許傳)의 『사의(士儀)』, 장복추(張福樞)의 『가례보의(家禮補疑)』 등이다. 『사례고증』에는 친영에 고배과상(高排果牀)을 사용하지 않았다는 내용이 있고, 『사의』에는 반친영(半親迎) 외에 단상(短喪)에 대한 설이 추가되었으며, 『가례보의』는 혼례에 '거실상의(居室常儀)'라는 조목을 보입(補入)하여 부부의 평상시 거처 문제에 대한 논의를 가져오기도 하였다.[12]

조식 문인 중에서 강렴(姜濂, 1544~1606)이 『사례요해(四禮要解)』를 편찬했으나 소실되었다.[13] 그리고 이황·조식의 문인 정구가 여러 예서를 남겼는데, 예학 문답을 통해 살펴보면 그의 예학 성과에는 이황의 영향이 보

年過七旬, 未獲一面, 遽爾先吾, 吾能久乎. 仍手記士喪一禮於冊子, 以付先生及柳潮溪孫撫松天祐曰, 吾死以此禮治喪, 葬于山天齋後岡, 可也.)

10) 曺植, 『南冥集』 別集 卷2「言行總錄」: 先生婚姻喪葬祭祀之禮, 皆倣家禮, 取其大意, 其節文不求盡么. 於昏禮則以國俗行禮於婦家, 不得行親迎一節, 只令壻婦相見於廳事, 行交拜之禮, 蓋以是爲復古之漸也. 又於昏喪, 不從俗設高排果牀, 一時士夫之家多有化之者, 而風俗亦爲之少變矣.

11) 李滉, 『退溪集』 卷39「答鄭道可問目」: 昏禮之廢久矣. 下之人, 固不可復, 然南冥先生酌古參今, 使之初昏相見, 闕親迎一條外, 其餘曲折, 尙自依禮.

12) 張福樞, 『家禮補疑』 卷1「昏禮」(補)居室常儀: 南冥曰, 恒居不宜與妻子混處, 雖有姿質之美, 因循汩沒, 終不做人矣.

13) 許愈, 『后山集』 續集 卷7「晚松姜公行狀」: 傳言公嘗著孝經演義四禮要解我東淵源錄等諸篇, 而失之兵燹, 惜哉. 강렴의 8대손 斗山 姜柄周(1839~1909)는 강렴으로부터 전해진 가학과 月村 河達弘(1809~1877)의 학문을 계승하여 남명학파의 일원으로 활동하다가 許傳의 문인이 되었다.(최석기,「斗山 姜柄周의 學問과 文學」, 『남명학연구』 31, 경상대 남명학연구소, 2011)

다 강하게 작용하였다고 보는 것이 타당할 것이다. 그 외에 정구·김우옹(金宇顒)·박성(朴惺) 등 조식의 문인들과 교유한 안여경(安餘慶)이 조식의 영향을 일정 부분 받은 것으로 보인다. 또 정온(鄭蘊)의 문인 우여무(禹汝楙, 1591~1657)가 편찬했다는 『가례증찬(家禮增撰)』이 있으나, 현존 미상이다.

이황 당대와 16세기 말기까지 안동권의 학자들이 주축이 되어 예학 논의와 저술이 이루어졌다면, 17세기 전반에는 영남 전역으로 예학의 학문 전통이 파급되기에 이른다.

표-4 <17세기 이후 주요 영남학자의 문인수>

성명	거주지	문인수	성명	거주지	문인수
來庵 鄭仁弘 (1535~1623)	합천 (진주권)	115인 14)	寒岡 鄭逑 (1543~1620) 檜淵及門諸賢錄	성주 (성주권)	342인
芝山 曺好益 (1545~1609) 芝山先生門人錄	영천 (영천권)	91인	旅軒 張顯光 (1554~1637) 張旅軒先生及門諸賢一覽	구미 (성주권)	353인
愚伏 鄭經世 (1563~1633) 愚伏先生門人錄	상주 (상주권)	110인	敬堂 張興孝 (1564~1633) 敬堂先生及門諸賢錄	안동 (안동권)	221인
謙齋 河弘度 (1593~1666) 師友門徒錄(謙齋文集附錄)	진주 (진주권)	40인	葛庵 李玄逸 (1627~1704) 錦陽及門錄	안동 (안동권)	358인
密庵 李栽 (1657~1730) 錦水門人錄	안동 (안동권)	65인	塤叟 鄭萬陽 (1664~1730) 篪叟 鄭葵陽 (1667~1732) 同門錄	영천 (경주권)	171인
百弗庵 崔興遠 (1705~1786) 及門錄(百弗庵先生言行錄)	대구 (경주권)	122인	大山 李象靖 (1711~1781) 高山及門錄	안동 (안동권)	273인

---

14) 이상필, 『남명학파의 형성과 전개』, 와우출판사, 2005, 142-152쪽.

立齋 鄭宗魯 (1738~1816) 유학연원록	상주 (상주권)	255인	江皐 柳尋春 (1762~1834) 及門錄(江皐集)	상주 (상주권)	122인
定齋 柳致明 (1777~1861) 坪上諸賢及門錄	안동 (안동권)	545인	性齋 許傳 (1797~1886) 冷泉及門錄	김해 (밀양권)	514인 15)
溪堂 柳疇睦 (1813~1872) 유학연원록	상주 (상주권)	294인	四未軒 張福樞 (1815~1900) 四未軒及門錄	칠곡 (성주권)	744인
寒洲 李震相 (1818~1886) 유학연원록	성주 (성주권)	129인	西山 金興洛 (1827~1899) 유학연원록	안동 (안동권)	700인
拓菴 金道和 (1825~1912) 유학연원록	안동 (안동권)	339인	老柏軒 鄭載圭 (1843~1911) 門人錄(老柏軒集附錄)	합천 (진주권)	217인
俛宇 郭鍾錫 (1846~1919) 俛門承敎錄	산청 (진주권)	772인	晦峯 河謙鎭 (1870~1946) 德谷師友淵源錄(晦峯集)	진주 (진주권)	155인
重齋 金榥 (1896~1978) 及門錄(重齋文集附錄)	산청 (진주권)	956인			

17세기 당시 이이(李珥)의 문인들이 김장생(金長生)을 중심으로 비교적 단일한 학파의 성격을 지니면서 인조반정 이후 공신·실무관료로 일부가 분화된 데 비해, 퇴계학파는 김성일·류성룡·정구·장현광을 중심으로 한 네 분파를 이루었다.16) 이들 외에 도산서원 상덕사(尙德祠)에 배향되며 이황의 적통을 자처하던 조목 학단은 북인의 몰락과 함께 쇠락하였고, 정인홍(鄭仁弘) 학단은 광해군의 폐위와 동시에 와해되어 남인이나 서인으

---

15) 514인은 허전의 문인록인 『冷泉及門錄』에 실린 전체 문인 숫자이다. 이 중에서 영남지역의 문인은 354인이다.

16) 고영진, 「17세기 전반 남인학자의 사상-정경세·김응조를 중심으로」, 『조선시대 사상사를 어떻게 볼 것인가』, 풀빛, 1999, 234쪽.

로 편입되는 이들이 많았다.

17세기 전반에는 정구·조호익·장현광·정경세 등이 지역 기반을 토대로 예학 논의를 활성화하였는데, 이 중에서 정구 학단이 활약한 성주권이 돋보였다. 정구가 조식의 문하에 출입하였지만 정인홍과의 절교와 인조반정을 계기로 그의 학단 내에서는 조식 또는 정인홍의 색채를 제거하고 가급적 이황의 성향을 부각시키려고 하였다.[17] 정인홍 이후에는 정온(鄭蘊)과 하홍도(河弘度)가 조식의 학맥을 계승하며 활동하였다.

조호익의 경우에는 비슷한 시기의 다른 이들에 비해 문인수가 적기는 하지만 영천을 토착 기반으로 하는 이들에게 상당한 영향력을 행사하였고, 평안도 강동의 유배지에서도 강학 활동을 꾸준하게 전개하여 영남의 학풍이 관서지방에까지 파급될 수 있도록 하였다는 점에서 의의를 가진다. 장현광의 경우에는 조호익·정구 등의 사망 이후 경상도 중동부 지역에서 학문적 영향력을 확대하면서 대단위 문인들을 이끌었다. 류성룡의 학통을 계승한 정경세도 상주권의 학문을 이끌면서 예학의 진흥에 결정적인 역할을 하였다.

장현광 이후 한 세대쯤 지난 뒤에는 이현일(李玄逸)이 큰 규모의 학단을 형성하였다. 이현일은 근기지역과 경주권을 비롯하여 진주권 남명학파의 인사들과도 인연을 맺었는데, 남명후일인(南冥後一人)이라고 일컬어지던 하홍도 학단과의 융합이 그것이다. 이를 통해 정인홍의 회퇴변척(晦退辨斥)과 고풍정맥변(高風正脈辨) 이후 남인과 북인의 첨예한 대립각이 완화되는 모습을 보이기 시작하였다. 이 무렵에 경주권에서는 정만양(鄭萬陽)·정규양(鄭葵陽)이 이현일과 윤증(尹拯)의 학문에 접맥하면서 대단위 문인을 양성하여 이 지역 예학의 구심점이 되었다.

이현일 이후 이재(李栽)의 학통을 계승한 이상정(李象靖)은 예천의 박손경(朴孫慶)·대구의 최흥원(崔興遠)과 함께 학계를 주도하였다. 뿐만 아니라 '북대산남활산(北大山南活山)' '좌대산우입재(左大山右立齋)'라는 말이 있듯이 경주의 활산 남용만(南龍萬)과 상주의 입재 정종로(鄭宗魯)도 각기 학단을 형성하며 자체적인 강학 활동을 전개하였다. 최흥원은 대구·안동·의성·상주·밀양·진주 출신의 문인들을 상당수 배출하였고, 그의 문인

---

17) 김학수, 「갈암학파의 성격에 대한 검토-諸 學脈의 수용양상을 중심으로」, 『퇴계학』 20, 안동대 퇴계학연구소, 2011, 92쪽.

중에 정위(鄭煒)와 이병원(李秉遠)이 『가례휘통(家禮彙通)』과 「결송장보발(決訟場補跋)」·「관례고정발(冠禮考定跋)」·「상변통고후서(常變通攷後序)」등의 예서 및 예서 서발문을 지어 예학의 학문 풍토를 이어 갔다. 이상정의 학통을 계승한 류장원(柳長源)의 『상변통고(常變通攷)』는 이상정의 영향 아래 편찬된 것으로, 이후 편찬되는 영남지역 예서의 우뚝한 전범으로 인식되었다고 해도 과언이 아닐 정도로 큰 영향을 끼쳤다.

한편, 김천의 지례(知禮)를 지역 기반으로 하면서 송능상(宋能相)의 노론 학통을 계승한 이의조(李宜朝)는 『가례증해(家禮增解)』를 편찬하였다. 그는 기존의 『주자가례』 제설(諸說)을 통합함과 동시에 노론예학의 확산을 추동함으로써 18세기 영남지역 노론예학의 가장 큰 줄기를 형성하였다. 이의조 학단은 김천 인물이 중심이 되었지만 대구 출신의 인사들도 일부 가담하였다.

영남지역의 예서는 18세기에 극점을 찍었다고 할 수 있다. 18세기에 이르러 기호지역의 예학이 이재(李縡, 『사례편람(四禮便覽)』), 박성원(朴聖源, 『예의유집(禮疑類輯)』), 박윤원(朴胤源, 『근재예설(近齋禮說)』) 등을 통해 성황을 누렸고, 영남지역의 예학이 『가례증해』와 『상변통고』를 통해 치성했다는 점을 감안하면, 조선조 예학의 전성기는 18세기로 상정해도 무리가 없을 것으로 본다. 18세기는 앞 시대의 다양한 예설 논의를 수용하여 각 학파를 대표하는 예서가 출현한 시점으로, 17세기만큼 예학사에 있어서 중요한 의미가 있다.

19세기 후반에 가면 17세기 초반에 보여 주었던 권역별 전개 양상과 비슷하게 거점이 다변화되었다. 류치명(柳致明)의 문인 김흥락(金興洛, 안동권), 근기남인 황덕일(黃德壹)의 문인 허전(許傳, 밀양권·진주권), 류성룡 학통의 류주목(柳疇睦, 상주권), 장현광 학통의 장복추(張福樞, 성주권), 이원조(李源祚) 학통의 이진상(李震相, 성주권), 기정진(奇正鎭) 학통의 정재규(鄭載圭, 진주권)가 그들이다. 19세기 중반 이후 영남지역 예학은 이들 6개 학단이 주도했다고 할 수 있다. 이들의 학단을 3개 지역으로 재분류하면, 김흥락의 북부지역, 허전·정재규의 남부지역, 류주목·장복추·이진상의 서부지역으로 나뉜다. 경주권에서는 이종상(李鍾祥)이 큰 학자로 일컬어졌지만, 예학에 있어서는 남부나 서부 지역 학단에 입문하는 이들이 많았다.

주목할 점은 당시 대부분의 학단이 가례학 연구에 중점을 두었던 반면, 류심춘(柳尋春)의 문인이자 손자인 류주목이 『전례유집(全禮類輯)』을 편찬하고, 류치명의 문인 류치덕(柳致德)이 『전례고증(典禮攷證)』을 편찬하는 등 방례를 탐구한 거질의 예서가 등장하여 새로운 분위기를 형성하였다는 것이다. 이는 영남지역 이외의 지역에서는 유례가 드문 독특한 흐름이었다.

19세기 말에서 20세기 초에 이르면, 이진상의 문인 곽종석(郭鍾錫)이 대단위 학단을 형성하며 활동하였고, 기정진의 학통을 이은 정재규가 17세기 이후 면면히 이어 오던 서인노론 계열의 예학을 계속 이어 갔다. 이들 외에 이진상의 예학을 계승하여 『의례』 경문의 재검토를 통해서 예의 본류를 다시 탐색하고자 하였던 장석영(張錫英)이 큰 업적을 냈다. 장석영은 장복추·이진상의 학통을 계승하면서 동문의 곽종석·이승희(李承熙)·도한기(都漢基) 등과 활발한 예학 토론을 전개하는 한편, 예경(禮經)과 가례(家禮) 방면에 걸친 방대한 분량의 예서를 생산하였다. 허전의 학통을 이은 노상직(盧相稷)은 밀양권을 중심으로 예의 강습과 예학 저술에 진력하여 두각을 드러냈다. 19세기 말에서 20세기 초에 살았던 학자들은 극변하는 위기의 시대에 부응 대응할 수 있는 새로운 연구 경향을 보였다. 가정의례의 범주에서 머물지 않고 예경을 재검토한 성과를 다수 내거나 향례(鄕禮)·학례(學禮)를 대폭 강화했던 것이 당시의 대표적인 경향이었다.

2. 영남지역 예학자의 분포

영남지역의 예학은 안동권·상주권·성주권·경주권·밀양권·진주권 등 6개 권역을 거점으로 하여 시대별로 다양하게 전개되었다. 이들 6개 권역은 기본적으로 자연지리적 경계에 의해 구분한 것이다. 이들 권역의 경계 구분이 오래도록 지속됨에 따라서 그 권역을 생활권으로 하는 사람들의 인심·습속·풍기에도 일정한 영향을 끼쳤다. 경계 구분의 지속에 따라 습속의 형성이 자연스럽게 이루어짐으로써 하나의 문화관습이 형성되어, 각 권역의 예학 풍토에도 직간접적으로 영향을 주어 권역의 예학 전통을 구축하였다.

　권역의 예학 전통은 예학에 식견이 높은 인물을 중심으로 집단적 논의를 거침으로써 유지 절충 발전되었다. 집단적 논의를 주도하며 구심점 역할을 하였던 인물들이 권역마다 시대마다 꾸준하게 배출되어 영남지역의 예학은 거점의 다변화를 이루었다. 영남지역 각 권역에서 집단의 구심점이 되어 활발한 예학 논의를 창출하거나 독특한 학풍을 형성하였던 인물들을 권역별로 간략하게 정리하면 아래와 같다.

표-5 <영남지역 6개 권역의 주요 예학자>

안동권	李玄逸 (1627~1704) 洪錫 (1604~1680)	李象靖 (1710~1781)	柳長源 (1724~1796)	柳致明 (1777~1861) 姜必孝 (1764~1848)
상주권	鄭經世 (1563~1633)	李萬敷 (1664~1732)	鄭宗魯 (1738~1816) 李宜朝 (1727~1805)	柳疇睦 (1813~1872)
성주권	鄭逑 (1543~1620)	張顯光 (1554~1637)	張福樞 (1815~1900)	李震相 (1818~1886)
경주권	李衡祥 (1653~1733)	鄭萬陽 (1664~1730)　鄭葵陽 (1667~1732)	洪直弼(한양) (1776~1852)	
밀양권	鄭逑 (1543~1620)	張顯光 (1554~1637)　李玄逸 (1627~1704)	許傳 (1797~1886)	
진주권	河弘度 (1593~1666)		郭鍾錫 (1846~1919) 許傳 (1797~1886) 鄭載圭 (1843~1911)	

　이 표를 바탕으로 권역별 주요 예학자와 저술, 권역별 특징을 간략하게 정리하도록 하겠다.[18)]

18) 권역별로 편찬된 예서를 일일이 도표화하지는 못하고, 부록에 영남지역에서 편찬 간행된 예서의 목록을 붙여두었다. 이하 6개 권역의 예학적 특징에 대한 서술은 정경주, 「영남의 예서와 그 특성」(영남유학연구회 제17강 강의자

첫째, 안동·예천·의성·봉화·청송·영주·영양·영덕·울진 등을 포함하는 안동권은 이황의 영향이 절대적으로 작용했던 지역이다. 그렇기 때문에 이곳에서는 일찍부터 19세기 후반까지 이황의 예설만 분류한 예서가 많이 편집되었다. 뿐만 아니라 이황 및 그의 예학을 계승한 이들의 설까지 모아서 편집한 예서도 다양한 권역에서 산출되었다.

표-6 <이황의 예설만 모아 편찬한 예서>

예서명	편저자	거주지 사승	권책
退溪先生喪 祭禮答問	聾隱 趙振 (1543~1625)	한양 李滉 문인	3권 3책(木)
退溪先生禮 說問答	寒岡 鄭逑 (1543~1620)	성주 李滉 문인	1책(寫)
溪門禮說	後松齋 金士貞 (1552~1620)	의성 李滉 사숙, 柳成龍 생질	현존 미상(4권 2책)
李先生禮說 類編	星湖 李瀷 (1681~1763)	광주 李滉 사숙, 許穆 학단	현존 미상
退溪禮解	禹徵泰 (18C초~18C후)	미상 李瀷 문인	현존 미상
溪山禮說類 編	廣瀬 李野淳 (1755~1831)	안동 李滉 후손, 金宗德 문인	현존 미상
溪山禮說類 編別集	廣瀬 李野淳 (1755~1831)	안동 李滉 후손, 金宗德 문인	현존 미상
禮說類編	古溪 李彙寧 (1788~1861)	안동 李滉 후손, 李志淳 문인	현존 미상
溪書禮輯	菊隱 林應聲 (1806~1866)	안동 柳致明 문인	4권 2책(木)

료, 영남문화연구원·영남유학연구회, 2011)을 바탕으로 추가 보완한 것이다.

표-7 <이황의 예설이 주로 편입된 예서>

예서명	편저자	거주지 사승	권책	수록 인물
家禮附解	道谷 安侹 (1574~1636)	함안 鄭逑	3권(현존 미상)	李滉 / 鄭逑 / 及門諸賢
四禮問答	鶴沙 金應祖 (1587~1667)	영주 柳成龍·張顯光·鄭經世	4권 2책	李滉 / 柳成龍 / 鄭逑 / 張顯光
禮疑答問分類	耻耻堂 李益銓 (?~1679)	성주? 鄭逑	18권 6책	李滉 / 鄭逑 / 金長生 / 張顯光 / 鄭經世
喪祭禮問答	警廬 孫處恪 (1601~1677)	대구 孫處訥	현존 미상	李滉/鄭逑/鄭經世
二先生禮說	孤山 李惟樟 (1625~1701)	안동 李徽逸	2권 2책	朱熹/李滉
四先生喪禮分類	晦南 朴泃 (?~?)	성주 미상	현존 미상	李滉/鄭逑/張顯光/鄭經世
退溪寒岡星湖三先生禮說類輯	大訥 盧相益 (1849~1941)	창녕 許傳	5권 2책	李滉/鄭逑/李瀷
二子禮說類編	修齋 金在植 (1873~1940)	산청 金鎭祜·郭鍾錫許愈	5책(2·5책 缺)	朱熹/李滉

　　조선조에서 한 예학자의 예설이 후학들에 의해서 이렇게까지 많이 편집된 경우는 그 유례를 찾아볼 수 없다. 이들 중에서 『계문예설(溪門禮說)』(김사정), 『사례문답(四禮問答)』(김응조), 『이선생예설(二先生禮說)』(이유장), 『계산예설유편(溪山禮說類編)』(이야순), 『계산예설유편별집(溪山禮說類編別集)』(이야순), 『예설유편(禮說類編)』(이휘녕), 『계서예집(溪書禮輯)』(임응성) 등이 안동권 인물에 의해 편찬된 것이다.

　　안동권에는 또한 이황의 문인 가운데 일가를 이룬 학자가 많았다. 그 중에서도 김성일의 『상례고증(喪禮考證)』·『동자례(童子禮)』 등으로 수립된 예설은 영해·안동의 이현일과 이재를 거쳐 이상정의 『결송장보(決訟場補)』

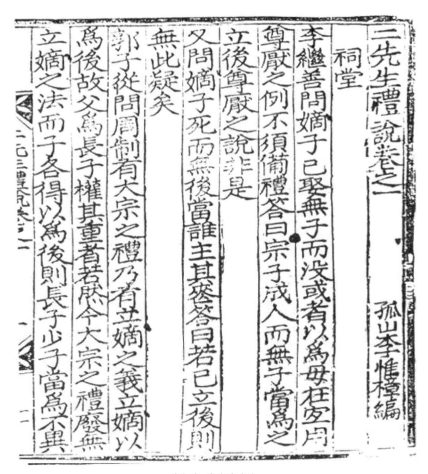

와 류장원의 『상변통고』로 결집됨으로써, 영남지역 예학의 가장 큰 맥을 형성하였다. 뿐만 아니라 이 권역에서는 김성일을 근간으로 하는 의성김씨(義城金氏) 일문의 『문소가례(聞韶家禮)』, 이현일과 이재의 예설을 근간으로 하는 재령이씨(載寧李氏) 일문의 『안릉세전(安陵世典)』 등 일가지례(一家之禮)가 편집되기도 하여 가문의 전래 예설을 종합한 예서가 출현하였다. 그리고 류정원(柳正源)·류장원(柳長源)·류휘문(柳徽文)·류치명(柳致明)·류치덕(柳致德)으로 이어지는 전주류씨(全州柳氏) 일문의 대를 이은 예학은 가례와 방례 양 방면에 모두 괄목할 성과를 내었다.

한편 이황의 영향이 가장 강했던 안동권에서 홍석(洪錫)은 김상헌(金尙憲)의 학통을 이어 서인 학자들과 교류하며 예학에 진력하고, 강필효(姜必孝)는 윤증(尹拯)의 학통을 이어 소론의 예학을 추구하는 등 남인과 당색이 뚜렷이 구분되는 학자도 나와 신선한 충격을 주었다.

둘째, 상주·문경·김천 등을 포함하는 상주권은 상주 지역의 정경세 이래 이만부(李萬敷), 정종로 등을 거치면서 예학담론이 꾸준히 활발하였던 곳인데, 19세기 후반에 류주목이 『전례유집』을 완성함으로써 제가의 학설을 종합 절충하였다. 또 김천 지역에서는 이곳에 세거한 연안이씨(延安李氏) 문중의 이윤적(李胤績)과 이의조(李宜朝) 부자가 『가례증해』를 편찬하여 송시열과 이재를 거쳐 송능상으로 이어진 노론의 예설을 집성하였고, 이는 가문과 인척 내에서 이수호(李遂浩)의 『사례유회(四禮類會)』와 김치각(金致珏)의 『사례상변찬요(四禮常變纂要)』로 계승되었다.

셋째, 성주·구미·칠곡·군위·고령 등을 포함하는 성주권은 이황의 문인으로서 예학에 가장 깊은 관심을 기울였던 정구(鄭逑)가 강학하였던 곳이다. 정구 자신이 다양한 예설을 제안한 외에 『가례집람보주(家禮輯覽補註)』·『오선생예설분류(五先生禮說分類)』·『예기상례분류(禮記喪禮分類)』·『오복연혁도(五服沿革圖)』·『퇴계선생예설문답(退溪先生禮說問答)』 등을 저술하여 영남지역의 예학 기풍을 일으키는 데 크게 공헌하였다. 그의 가문 내에서는 정위(鄭煒)가 『가례휘통(家禮彙通)』을, 정완(鄭垸)이 『한강선생사례문답휘류(寒岡先生四禮問答彙類)』를, 정교(鄭墧)가 『상변찬요(常變纂要)』를, 정재화(鄭在華)가 『부위장자복해(父爲長子服解)』를 편찬하며 가학으로서 예학을 계승하는 면모도 보여 주었다. 뿐만 아니라 이 권역에서는 19세기 후반에 이진상(李震相)이 삼례(三禮) 경전에 근간하여 예의 본원과 본질을 중시한 예학 관점을 제시하며 『사례집요(四禮輯要)』를 엮고, 송준필(宋浚弼)이 『육례수략(六禮修略)』을 저술하여 예학의 맥을 든든하게 계승하였다. 인동(仁同, 구미)은 장현광(張顯光)이 독특한 학풍을 수립한 곳으로, 19세기 후반에 장복추(張福樞)가 『가례보의(家禮補疑)』를 저술한 이래로 장석영(張錫英)의 『의례집전(儀禮集傳)』·『사례태기(四禮汰記)』·『구례홀기(九禮笏

記)』·『사례절요(四禮節要)』·『대례관견(戴禮管見)』, 장윤상(張允相)의 『가례보궐(家禮補闕)』 등으로 가학이 꾸준히 전수되었다.

넷째, 경주·영천·포항·경산·대구·울산 등을 포함하는 경주권은 이언적(李彦迪)이 『봉선잡의(奉先雜儀)』를 남겼으며, 조호익(曺好益)의 『가례고증(家禮考證)』이 강론된 곳이다. 여기에서는 18세기 전반기에 이형상(李衡祥)을 비롯해 정석달(鄭碩達), 정만양(鄭萬陽)·정규양(鄭葵陽), 정중기(鄭重器) 등의 학자가 나와 『가례부록(家禮附錄)』·『가례편고(家禮便考)』·『가례혹문(家禮或問)』·『가례도설(家禮圖說)』·『가구유설(家舊類說)』, 『가례혹문(家禮或問)』, 『가례차의(家禮箚疑)』·『가례차록(家禮箚錄)』·『개장비요(改葬備要)』·『의례통고(疑禮通攷)』, 『가례집요(家禮輯要)』 등의 저술을 내놓아 활발한 예학 담론을 형성하였다. 이형상과 정만양·정규양은 소론 계열의 학자들과도 학문 소통을 하였다. 19세기에는 한운성(韓運聖)·안영집(安永集)·서찬규(徐贊奎) 등 홍직필(洪直弼)에게 입문한 노론학자도 다수 배출되는 등 다양한 당파와 학파가 공존하였다.

다섯째, 밀양·청도·김해·창녕·창원·마산·진해·거제·부산·양산 등을 포함하는 밀양권은 변계량(卞季良)과 김종직(金宗直), 조식(曺植) 및 정구(鄭逑)의 영향이 짙게 남은 곳이다. 이곳에서는 정구와 교유한 안여경(安餘慶)이 예학을 강론하였는데, 안여경의 예설을 근거로 안신(安玔)이 『가례』주석서인 『가례부췌(家禮附贅)』를 저술하였다. 또한 장현광의 문인 조임도(趙任道)가 『봉선초의(奉先抄儀)』라는 제례서를 편찬하고, 이현일의 문인 신몽삼(辛夢參)은 『가례집해(家禮輯解)』를 저술하여, 『가례』주석학이 일찍부터 발달하였다. 창녕의 노필연(盧佖淵)은 「사의고오증주(士儀考誤增註)」를 저술하고, 그의 아들 노상직(盧相稷)은 허전(許傳)의 『사의(士儀)』에 영향을 받아 『상체편람(常體便覽)』을 편찬하였다. 밀양권 인물 중에는 이전부터 허목(許穆), 이익(李瀷), 안정복(安鼎福) 등 근기남인의 학통을 계승한 이들이 끊이지 않았는데, 19세기 중반 김해로 부임한 허전을 통하여 크게 결집될 수 있었다.

여섯째, 진주·산청·함양·거창·합천·함안·의령·고성·통영·사천·하동·남해 등을 포함하는 진주권은 김종직·정여창·조식의 영향이 깊이 남은 곳으로, 정인홍이 패퇴한 이후 하홍도가 구심점이 되어 남명학파를 이끌며 예학 논의를 주도했지만 이후 상당 기간 학문 분위기는 정체되었다. 그러다가 조선 말기에 박치복(朴致馥), 김인섭(金麟燮), 허유(許愈), 곽종석(郭鍾錫), 김진호(金鎭祜) 등의 학자가 류치명과 허전, 이진상 등의 학문에 접하여 크게 학풍을 진작시켰다. 이곳에서는 허전의 『사의』와 『사의절요(士儀節要)』가 간행되었고, 함안의 조병규(趙昺奎)는 『사례요의(士禮要儀)』, 함안의 조성렴(趙性濂)은 『사의초(士儀鈔)』(『사의』 필사본)를, 거창의 윤주하(尹冑夏)는 『사의요변(士儀要辨)』 등을 저술하여 『사의』의 예식 규범을 보급하는 데 노력하였다. 그리고 곽종석을 중심으로도 활발한 예설 논의가 이루어져서, 곽종석의 『예의문답유편(禮疑問答類編)』·『육례홀기(六禮笏記)』가 편찬되었고, 기정진(奇正鎭)의 문인 정재규(鄭載圭)의 『사례의의혹문(四禮疑義或問)』도 이곳에서 나왔다. 또한 의령에서는 권사학(權思學)의 『이례집략(二禮輯略)』과 강윤(姜鋿)의 『우계예설(愚溪禮說)』이 편집 간행되었다. 19세기 후반 이후 진주권에서는 『상변통고』와 『가례증해』, 『사의』의 예설이 절충되는 가운데 기정진 연원의 예설과 허전 연원의 예설 및 이진상 연원의 예설이 상호 교차되면서 활발한 예학 논의가 전개되었다.

3

안동권 예학의 전개 양상

안동권은 안동·예천·의성·봉화·청송·영주·영양·영덕·울진 등 지금의 경북 동북부 지역을 포괄한다. 이 권역의 중심인 안동은 대도호부가 설치되었던 곳으로 정치·행정·문화의 구심점이 되어 왔다. 그리고 예로부터 예양(禮讓)과 절용(節用)을 소중히 여기며 추로지향(鄒魯之鄕)을 자처하였다.

안동권에서는 이황 이후 김성일, 이현일, 이상정, 류치명, 김흥락 등 영남 지역을 대표하는 학자들이 대를 이어 배출되었고, 예학에서도 영남지역의 최대 줄기를 형성하였다. 동시에 영남지역에서 가장 많은 예서가 편찬 간행되고 가장 큰 파급력을 가졌던 곳이기도 하다. 안동권의 예학은 이황의 예설을 근간으로 하여 제가의 설을 절충하려는 경향이 강했고, 『상변통고』처럼 『주자가례』의 편제에서 확장된 예서가 출현하여 큰 영향을 미쳤다.

16세기 후반 이황과 그 문인들은 『주자가례』에 대한 면밀하고 활발한 문답을 통하여 조선조 예학 담론을 크게 일으켰고, 그 문인들은 이후 상주 권·성주권·경주권 등으로까지 확대되어 예학 탐구의 분위기를 영남은 물론 전국으로 파급시켰다. 이황 사후 17세기 초에 안동권의 예학 논의는 다소 소강 국면을 맞은 듯한 느낌이 있었다. 그러다가 17세기 후반 이현일에 이르러 영남지역을 아우르는 거대 학단을 형성함으로써 안동권의 예학은 퇴계학파 예설의 중심지역으로 다시 부각되었다. 이후 18세에는 이상정과 류

• 김성일_임천서원(臨川書院, 안동시 송현동)•

장원이 제가의 예설을 유취(類聚) 종합하는 한편, 가례 또는 사례의 체계에
서 한 걸음 더 나아가 가례에 향례·학례까지 증편한 예서를 내었고, 변례를
대거 수록하여 현장에서 발생하는 변수의 문제에 효율적으로 대처하려 하
였다. 19세기에는 류치명과 김흥락을 중심으로 하는 학단이 활동하였는데,
이들 학단에서는 기존에 수립된 규범을 유지보완하려는 경향이 강했고, 대
신 새로운 체계의 수립을 위한 논의가 크게 드러나지는 않았다. 이는 『상
변통고』에 의해 안동권의 예학 논의가 거의 정리되었던 점에 기인하는 것
으로 보인다.

1. 이현일(李玄逸) 학단

이황 이후 17세기 전반까지 영남지역의 예학은 김성일·류성룡·정구·조호
익 및 장현광·정경세 등 이황의 직전문인 및 재전문인들에 의하여 각 권역
에 새로운 거점을 형성하였다. 이들 이후 17세기 후반 갈암(葛庵) 이현일

•이현일_갈암종택(영덕군 창수면)•

(1627~1704)이 성리학 및 예학에 있어서 중요한 역할을 담당함으로써 안동권뿐만 아니라 영남 전역에 걸친 학자들을 받아들여 큰 규모의 학단을 이끌었다. 김성일→장흥효(張興孝)→이휘일(李徽逸)로 계승되었던 김성일 계열은 이현일이 대단위 학단을 형성하기 이전까지는 상대적으로 열세를 면치 못했는데, 이현일의 등장과 함께 그 학단이 퇴계학파의 주류로 부상하게 되었고, 이 학맥은 조선조 말까지 퇴계학의 정맥을 자부하면서 지속적인 영향력을 발휘하였다.

이현일의 등장이 안동권 예학에서 갖는 의미는 지대하다. 이현일 이전에 장흥효와 김응조(金應祖)가 안동권에서 나름대로 활약하여 일정한 학단의 규모를 꾸렸지만 영남 전체를 포괄하는 데까지는 이르지 못했다. 17세기 전반에는 류성룡·정경세가 활동한 상주권과 정구·장현광이 활동한 성주권이 영남지역 예학 논의의 구심점을 담당한 느낌이 있었는데, 17세기 후반에 이현일이 등장함으로써 이황 사후 미미하게 전개되던 안동권의 예학 논의가 크게 부흥되었다. 이현일의 학문과 위치에 대해서는 예송(禮訟) 과정에서의 역할, 퇴계학파 속에서의 위치, 경세론적(經世論的) 측면에서 연구 결과가 제법 나왔다. 이현일이 남긴 예서는 없지만, 그의 예학적 영향력은 그의 문인 정만양(鄭萬陽)·정규양(鄭葵陽)을 비롯한 문인들의 예학 논변과 저술을 통하여 간접적으로 확인할 수 있다.

이현일의 예학 논의로는 복제 예송(服制禮訟)과 관련하여 1666년에 지은 「의론대왕대비복제소(擬論大王大妃服制疏)」[1]와 1695년에 유배지 종성

(鍾城)에서 지은 「수주관규록(愁州管窺錄)」에 짧게 소개된 3조목의 논설[2]
이 있다. 앞의 것은 당대에 예학 논의의 쟁점으로 부각된 자의대비(慈懿大
妃)의 복제에 관하여 송시열의 예설은 물론, 윤휴·윤선도 같은 남인의 예설
에 나타난 미흡한 곳까지 비판한 것으로, 영남유소(嶺南儒疏)의 소본(疏本)
의 하나로 지어진 것이다.[3] 뒤의 것은 계외고(繼外姑)에 대한 복(服)이 없
을 수 없다는 이황의 설, 처가 친정의 적모(嫡母)와 계모(繼母)에게 복을
입었다면 그 남편도 복을 입는다는 김장생(金長生)의 설, 그믐에 상이 난
경우 죽은 달부터 상기(喪期)를 계산한다는 김장생의 설 등 3조목에 대해
자신의 견해를 피력한 것이다.

후대에 편찬 간행된 영남지역 예서 중에 이현일의 『갈암집』이 인용
서목으로 등장하는 경우로는 류장원(柳長源)의 『상변통고(常變通攷)』, 박
종교(朴宗喬)의 『상변찬요(常變纂要)』, 허전(許傳)의 『사의(士儀)』, 장복추
(張福樞)의 『가례보의(家禮補疑)』, 이진상(李震相)의 『사례집요(四禮輯要)
』, 윤주하(尹冑夏)의 『찬축고증(贊祝考證)』, 안정려(安鼎呂)의 『상변요의
(常變要義)』, 홍재관(洪在寬)의 『사례요선(四禮要選)』 등이 있다. 『갈암집
』이 간행된 1724년 이후에 나온 영남지역 예서에서는 이현일의 설을 거
의 빠짐없이 수록하고 있다. 이는 이현일의 예설이 영남지역에서 중요한
예설 전범의 하나로 인식되었다는 증거이다.

이현일의 예학 저술은 많지 않지만 그의 문인들에게 끼친 예학적 영향
력은 대단히 컸다. 그는 출신지 영해(寧海), 중년 거주지 영양(英陽), 노년
거주지 안동뿐만 아니라 유배지에서도, 그리고 유배지에서 돌아오는 길에
도 문례(問禮)의 대상자로서 수많은 답변을 토해 냈다.

『갈암집』에 수록된 360여 편의 서간문 중에 문목(問目)·별지(別紙) 형
태로 수록된 예의(禮疑) 문답 내용만 정리하면 다음과 같다.

---

1) 李玄逸, 『葛庵集』 卷2.
2) 李玄逸, 『葛庵集』 卷19.
3) 이동환, 「『갈암집』 해제」, 『국역 갈암 이현일 문집』 1, 한국학술정보(주), 20
06, 24쪽.

표-8 <『갈암집(葛庵集)』소재 예의(禮疑) 문답>

권	서간 현황
권9	「答柳以能 世鳴」(別紙)-寓軒 柳世鳴(안동, 柳元之 문인) 「答金至和(元燮)問目(甲戌)」·「答金至和問目 戊寅」-金元燮 「答吳永錫 始萬○己巳」(別紙)-春軒 吳始萬 「答蔡文叟 獻徵○庚辰」(別紙)-愚軒 蔡獻徵(예천, 洪汝河 문인)
권10	「答金警甫問目 戊午」-金世鐸
권11	「答權天章 斗經○壬戌」(別紙)-蒼雪齋 權斗經(봉화)
권13	「答黃用五 壽一○辛未」(別紙)·「重答黃用五」(別紙)·「答黃用五 辛巳」(別紙2)·「答黃用五問目 壬午」·「重答黃用五」-龍岡 黃壽一(영주, 丁時翰 문인) 「答金幼淸別紙」·「答金幼淸問目」·「答金幼淸問目 己卯」-致柔庵 金粹然(영주)
권14	「答尹正郞(夏濟)問目」-漢浦 尹夏濟(尹鑴의 二子) 「答鄭器彦(錧)問目」-三棄齋 鄭錧(안동) 「答金天爲(以鈺)問目」-金天爲(안동) 「答權一之(尙精)問目」·「又答權一之問目」-晦養堂 權尙精(영덕, 李徽逸 문인) 「答裵晉錫問目」-裵晉龍 「答趙季昌(大胤)問目」-趙大胤 「答孫漢龜問目」-孫漢龜 「答姜子鎭(鄩)問目(辛巳)」-省愆齋 姜鄩(봉화, 尹拯 문인) 「答洪伯倫(游範)問目」-畸庵 洪游範(봉화) 「答琴晦之(德輝)問目」-琴德輝 「答金宗之(漢泰)問目」-金漢泰(봉화) 「答金章叔(樟)問目(甲申)」-松隱 金樟(봉화) 「答金亨叔(鼎元)問目(壬午)」-淸澗堂 金鼎元(봉화) 「答安補天(鍊石)問目」-保晩堂 安鍊石(봉화) 「答權公望(尙)問目」-權尙 「答金子純(南粹)問目」·「答金子純別紙」-月岡 金南粹(성주) 「答密陽禮林書院諸生」·「答寧海九峯里社諸生」·「答安東魯林書院長貳 甲申」·「答會寧府使李公萬夏發引時問目」
권15	「答李新卿(周命)問目」-梅塢 李周命(칠곡) 「答李景玉(世瑗)問目」·「答李景玉問目」-栗里 李世瑗(칠곡) 「又答金載彦喪禮問目」-金履厚 「答鄭皆春昆仲問目」·「答鄭皆春昆仲 戊寅」-塤叟 鄭萬陽·篪叟 鄭葵陽(영천)

권16	「答鄭皆春昆仲 庚辰」(別紙)-塤叟 鄭萬陽·篪叟 鄭葵陽(영천) 「答李休瑞(星徵)問目」-李星徵(한양) 「答李會徵(成全)問目」-新塘 李成全(안동) 「答李休徵(容全)問目」-李容全(안동) 「答李士行問目」-孝友堂 李敏中(경주) 「答權方叔問目」-屛谷 權榘(안동) 「答申潤卿(玩)問目」-申玩
권17	「答橙樠杺諸喪姪問目」-李橙·李樠·李杺(안동)

　　이들 자료만 가지고 보더라도 이현일이 당시 영남학자들의 예의(禮疑)를 해소시켜 주는 예학의 구심점 역할을 하였음을 충분히 증명할 수 있을 것이다. 예서와 잡저 형태의 예학 저술은 없지만 그가 평소 예학에 대해 면밀하게 검토했던 점을 확인할 수 있는 대목이기도 하다. 『갈암집』에 수록된 문목·별지 중에 절반 이상은 상례와 제례의 예의(禮疑) 문답으로 채워져 있다.

　　이현일의 문인 가운데 가장 많은 문목을 제시했던 이는 영주에 살았던 황수일(黃壽一)이다. 그는 이현일에게 질의하였던 예학 문답을 「의례문답(疑禮問答)」이라는 별도의 저술로 남겼다. 황수일은 근기남인을 대표하는 학자 중 한 사람이던 정시한(丁時翰)의 문인이기도 하다. 정시한은 이현일·이유장(李惟樟) 등과 교유하였고, 이식(李栻)·황수일·이만부(李萬敷)·권두경(權斗經) 등의 문인을 배출하였다. 이들 정시한의 문인들은 모두 이현일의 문인이기도 하다. 이는 이현일의 예설이 근기남인에게도 소통되었다는 단서가 된다.

　　이현일 문인을 거주지별로 분석한 자료에 의하면[4], 이현일의 주 거주지였던 안동(74인)과 영해(20인) 인물이 집중되고, 다음으로 안동과 가까운 봉화·선

---

4) 윤동원, 「葛庵 李玄逸의 生涯와 『錦陽及門錄』의 內容 考察」, 『국립대학도서관보』 27, 국공립대학도서관협의회, 2009, 96쪽. 이 자료에 의하면, 안동 74인, 안동을 제외한 경북 지역(경주, 고령, 군위, 김천, 문경, 봉화, 상주, 선산, 성주, 순흥, 영양, 영주, 영천, 영해, 예천, 의성, 청도, 청송, 칠곡, 현풍, 대구) 190인, 경남(거창, 단성, 밀양, 산청, 삼가, 영산, 의령, 진주, 창녕, 초계, 하동, 함안, 울산) 39인, 서울 9인, 강원도(원주) 4인, 함남(종성, 홍원) 3인, 황해(장단) 2인, 평북(정주) 1인, 거주지 미기재 36인 등 358인이다.

산·순흥·예안·영양·예천·의성·청송 등 경북지역 인물이 많고, 경남지역 인물도 적지 않다. 이외에도 소수이기는 하지만 강원도, 서울, 평북, 함남, 황해도까지 널리 분포하였다. 문인들의 지역적 분포만 보더라도 17세기 후반에서 18세기 초의 이현일의 학자적 위상이 컸음을 가늠할 수 있다.

358인의 문인 가운데 위에서 살펴본 예설 문목의 예학 논의 외에 예서를 편찬한 인물들만 거론하더라도 이현일의 예학적 영향력이 굉장히 폭넓게 확산되었음을 확인할 수 있다. 영남지역 이현일 문인들의 예학 저술 가운데 서간문의 예설 문답을 제외하고 전저(專著)로 성편된 예서와 잡저로 독립된 예설만 거론하면 다음과 같다.

표-9 <영남지역 이현일 문인의 예학 저술>

성명	거주지	예학 저술	비고
三棄齋 鄭鍹(1634~1717)	안동	『禮儀補遺』	이현일 교유
西崗 李之炫(1639~1716)	영덕	『二禮補考』	
晦養堂 權尙精(1644~1725)	영덕	『變禮集說』	李徽逸 문인
一庵 辛夢參(1648~1711)	창녕	『家禮輯解』	
蒙泉 柳慶輝(1652~1708)	안동	『家禮輯說』	
瓶窩 李衡祥(1653~1733)	영천	『家禮附錄』『家禮便考』『家禮或問』『家禮圖說』『家舊類說』	
密庵 李栽(1657~1730)	안동	『錦水記聞』	『安陵世典』에 禮說 수록
涵溪 鄭碩達(1660~1720)	영천	『家禮或問』	
保晩堂 安鍊石(1662~1730)	봉화	「禮儀補遺跋」	
塤叟 鄭萬陽(1664~1730) 篪叟 鄭葵陽(1667~1732)	영천	『家禮箚疑』『家禮箚錄』『改葬備要』『疑禮通攷』	
息山 李萬敷(1664~1732)	상주	『禮記詳節』『太學成典』	
龍岡 黃壽一(1666~1725)	영주	「疑禮問答」	丁時翰 문인
守約堂 南濟明(1668~1751)	영덕	『家禮輯解』	

谷川 金尙鼎(1668~1728)	창원	『疑禮類聚』	李崇逸 문인
顧齋 李榘(1669~1734)	안동		『安陵世典』에 禮說 수록
後溪 李林(1670~1735)	안동		『安陵世典』에 禮說 수록
茅溪 李命培(1672~1736)	함안	『四禮疑義問答類編』『四禮訂疑』	
梅山 鄭重器(1685~1757)	영천	『家禮輯要』	
潛窩 李槃(1686~1718)	영덕		『安陵世典』에 禮說 수록

　　예서 및 예설을 제출한 인물들의 면모를 보면 이현일이 주로 활동했던 안동권(안동·봉화·영주·영덕) 인물이 가장 많고, 경주권의 영천(永川) 인물도 다수를 차지하며, 창녕·창원·함안 등의 밀양권·진주권을 비롯하여 상주까지 널리 확산되고 있음을 살필 수 있다. 예학 성과를 낸 문인 중에서 영천의 이형상을 비롯하여 정석달과 정만양·정규양 형제 및 정중기 등 영일정씨(迎日鄭氏)가 이현일 문하에 대거 입문함으로써 경주권의 예학을 크게 일으키는 계기를 마련하였고, 이후 경주권에서는 이들의 예학 성과를 바탕으로 많은 예서들이 등장하였다. 이에 대해서는 경주권에서 상술할 것이다.

　　이현일의 예학은 이황 학통의 예학을 계승하여 가학으로서 한 전통을 수립하였다. 영덕, 정확히 말해 영덕군 영해면은 동해궁처(東海窮處)이지만 조선 시대에 부사가 부임하였던 큰 고을로서 문화적으로는 안동권에 속했다. 이 지역에서 대대로 문한이 뛰어났던 집안은 재령이씨(載寧李氏)였다. 이현일을 비롯하여 형 이휘일(李徽逸)과 아우 이숭일(李嵩逸)이 특히 학문에 뛰어났다. 재령이씨의 학문은 이황을 이은 류성룡·김성일·장흥효를 거쳐 이휘일·이현일 형제에게 전해졌고, 이재(李栽)·이만(李槾) 등이 이어받았으며, 그 후손들도 가학을 이어 영남의 종주라고 일컬어질 정도였다.[5] 가학

---

5) 金樂行, 『九思堂集』 卷8 「安陵世典識」: 安陵世典者, 安陵李氏諸先生禮說也. 陶山之學, 歷厓鶴敬堂, 傳于存葛二先生, 而恒齋羽翼之, 密庵顧齋繼述之, 其下數公, 又相與謹守而不失, 連世家學之盛, 蔚然爲東南宗主.

으로서 재령이씨의 예학은 안동 인물로 한정하여 말하자면 이현일과 이재 부자를 이어서 이만의 예설이 영남 북부지역에서 주목받았다. 일문 내에서 대를 이어 예학자가 배출됨으로써 이들 재령이씨 가문의 예서인 『안릉세전(安陵世典)』이 편찬되었고, 이 책은 후대에 나온 일문의 학자들의 예설까지 수록함으로써 재령이씨 영해파의 가학으로서의 예전을 성립하였다.6)

가문의 전범을 형성한 이현일의 예학은 그 문인들에게 예서 편찬 동기를 부여한 것으로 보인다. 이휘일·이현일의 문인 권상정(權尙精)의 『변례집설(變禮集說)』과 이현일의 문인 남제명(南濟明)의 『가례집해(家禮輯解)』가 그러한 사례의 하나이다. 권상정과 남제명 두 사람은 모두 영해 출신이다.

권상정의 『변례집설』은 변례에 대한 학설을 모아 놓고 있다는 점에서 특별한 의미를 가지는 예서이다. 변례는 상례(常禮)를 바탕으로 유추하고 절충하는 논의를 거쳐야 하는 복잡한 문제이다. 따라서 이를 예 실행의 현장에 적용함에 있어서 학자에 따라 다양한 견해가 제출되기도 한다. 이전까지는 이런 사안들을 의례(疑禮)라는 형식으로 예서에 일부 채록했는데, 『변례집설』에 와서는 '변례'라는 이름을 예서 명칭에 최초로 공식 채택하였다. 이는 예서에 대한 단순한 이해 적용의 단계를 넘어 다양한 변례를 수집 변증하는 단계까지 예학 연구가 진전되었음을 의미한다. 이 책에는 이휘일·이현일의 예설을 다수 수록하고 있거니와 이들 변례가 이현일 학단 내에서 논의 검토된 주제들을 모아 놓고 있다는 점에서 예학 논의의 지역적 특색을 함께 살펴볼 수 있다.

이현일 문인 중에서 가학으로 전승된 사례는 영양남씨(英陽南氏) 문중에서도 찾아볼 수 있다. 남제명은 『가례집해』10권과 『제왕상례(帝王喪禮)』라는 예서를 편찬했다. 『가례집해』는 편찬자의 서문과 남용만(南龍萬, 1709~1784)의 발문과 이이순(李頤淳, 1754~1832)의 후서(後敍)만 전할 뿐 현존 여부는 알 수 없다. 10권이라는 적지 않은 분량의 『가례집해』는 서문

---

6) 『安陵世典』은 眠雲齋 李周遠(1714~1796)이 편찬하였다. 여기에 수록된 문집과 인물은 『存齋集』(李徽逸, 1619~1672, 李時明 문인)·『葛庵集』(李玄逸, 1627~1704, 이시명 문인)·『恒齋集』(李嵩逸, 1631~1698, 이시명 문인)·『密庵集』(李栽, 1657~1730, 이현일 문인)·『顧齋集』(李槾, 1669~1734, 이현일 문인)·『後溪集』(李榑, 1670~1735, 이현일 문인)·『魯溪集』(李復煥, 1692~1727, 이재 문인)·『潛窩散稿』(李槃, 1686~1718, 이현일 문인) 등이다.

에 의하면 1709년 부친상을 당했을 때부터 연구하기 시작하여 사망하기 몇 해 전에 탈고한 것으로 40여 년의 공력을 들인 역작이었다. 그는 예를 평소에 익혀 두지 않으면 일을 당했을 때 어려움에 처할 수밖에 없다면서 부지런히 익히도록 문인들에게 타일렀다. 그런 한편 『주자가례』를 바탕으로 강목(綱目)을 설정하고 삼례(三禮)의 주소(註疏) 및 우리나라 선비의 문답에 이르기까지 조목에 따라 배치하여 『가례집해』를 완성하고서 문인들에게 익히도록 하였다.[7] 『주자가례』를 근거로 하고 그 원류가 되는 근거를 삼례 경전에서 가져온 것은 기호지역의 『가례원류(家禮源流)』와 유사한 성격을 지닌 것으로 짐작된다. 한편, 『제왕상례』도 현존 여부가 불분명하지만 제왕의 상례를 별도로 성책했다는 점에서는 특별한 의미를 가지는 예서로 보인다. 재야의 학자가 제왕의 상례에 대한 제설을 수집하기로는 정구(鄭逑)의 『오선생예설분류(五先生禮說分類)』에 이미 그 전례가 있지만, 제왕가의 상례만을 별도로 성책한 데는 17세기 후반에 있었던 예송과 일정한 상관성을 가진 것이 아닌가 짐작된다.

남제명은 이현일의 문인록에 이름이 오르지 않았다. 그렇지만 남제명의 문집에 상례(喪禮)에 대해 질의한 내용이 이현일의 답변과 함께 수록되어 있고[8] 행장에도 예와 관련하여 취정(就正)한 사실이 기재된 점으로 보아[9] 이현일의 문인으로 보아도 될 듯하다. 이현일에게 질의한 3조목의 내용은 부재모상(父在母喪)의 연(練)·상(祥)·담(禫)을 세간에서 믿지 않는 것, 자식 없이 죽은 서모(庶母)를 위해서 신주를 만들지 않는지, 내사(內事)를 대신 주간했고 적자(嫡子)를 양육한 은혜가 있는 첩의 상례를 어떻게 치르는지에 대한 것이다. 이런 사례는 『주자가례』에 명시되지 않은 일종의 변례에 속한다. 변례에 대한 특별한 관심이 있었던 까닭으로 남제명이 동향(同鄕) 어른인 권상정의 『변례집설』 후서(後序)와 제문을 지은 것으로 보인다.[10]

---

7) 南景義, 『癡庵集』 卷5 「守約堂先生文集序」: 先生又惓惓乎愼終追遠之訓, 乃取朱子家禮書爲綱, 三禮註疏及古今儒賢之說, 窮搜彙輯, 勒成巨帙, 俾爲人子弟者有考而無憾, 豈非所謂孝悌博聞有道術者哉.

8) 南濟明, 『守約堂集』 卷1, 「上葛庵李先生問目」.

9) 南濟明, 『守約堂集』 卷4 「行狀」(李益運): 尤致力於禮變, 上稽前古聖賢之言, 旁搜歷代先儒之論, 參伍訂辨, 舍短取長, 合衆說而折衷之已. 又書疏就正於當世長德如葛庵孤山兩先生, 益求其所未至.

영양남씨 일문의 예학은 같은 문중에서 다른 지역으로 파급되어 경주권에 활동한 남용만에게 전해졌고, 남용만의 아들 남경희(南景羲, 1748~1812)는 『사례통고(四禮通攷)』를 편찬한 정백휴(鄭伯休)의 외조이자 스승이었다. 이들뿐만 아니라 영해 사람으로 『사례해의(四禮解義)』를 편찬한 남경훈(南慶薰, 1572~1612)이 있었고, 그의 현손인 남국주(南國柱, 1690~1759)도 『가례총설(家禮叢說)』을 편찬하는 등 이 지역 영양남씨 가문에서 가학으로 예학이 전승된 한 사례를 보여 준다.

이현일 당대의 안동권 예학자로는 이외에도 이유장(李惟樟)·김학배(金學培) 등이 있었고, 이현일의 뒤를 이은 이재(李栽) 세대에 와서는 김태중(金台重)·권두경(權斗經)·권구(權榘)·류승현(柳升鉉)·류관현(柳觀鉉) 형제·김성탁(金聖鐸)·이만(李槾) 등이 있어 예학 논의의 활성화에 기여하였다. 이재는 그 부친 이현일의 대를 이어 재령이씨·의성김씨·한산이씨 등이 주축이 된 이 시대 안동권 학맥 형성에 기여하였고, 그의 문인 권순경(權舜經)·이상정(李象靖) 등에 와서 예학 논의가 활발하게 재현되었다. 이현일과 이재의 문인들에 의해 지역이나 가문으로 분산되어 논의되었던 안동권의 예학은 18세기 중후반에 이상정이 계승하여 보다 종합적으로 체계를 수립하는 바탕이 되었다.

2. 이상정(李象靖) 학단

영남의 유학은 길재로부터 시작하여 이황과 조식에 이르러 큰 성황을 이루었고, 이황의 학문은 대산(大山) 이상정(1711~1781)에 이르러 새로운 진전을 보이게 된다. 이상정은 성리학에 있어서 탁월한 관점을 제시하였을

---

10) 남제명은 英陽의 趙德鄰·趙是光 등과 서신을 많이 왕복했으며, 鄭葵陽을 위한 만사를 지었다. 그리고 「居鄕雜儀」를 편찬하기도 하였다. 이는 呂氏鄕約과 朱子가 增損한 내용을 토대로 時宜를 참작하여 지은 것으로, 향약 중 禮俗相交에 해당하는 輩行之等, 相見之禮, 往還之數, 名帖之式, 進退之節, 迎送之禮, 拜揖之禮, 道塗之禮, 請召之禮, 齒位之序, 獻酢之禮, 勞餞之禮, 慶吊之禮, 獻遺之禮 등의 조목만으로 구성하였다.

•이상정_대산종택(안동시 일직면)•

뿐만 아니라 예서에 있어서도 지금까지의 논의를 종합하여 일정한 체계를 세운 대대적인 예서의 찬술을 시도하였다.[11] 이상정이라고 하면 '소퇴계(小退溪)'라는 이칭에서도 알 수 있듯이 퇴계학파의 적전으로 불리며 18세기 후반 영남학파의 주류를 형성한 것으로 널리 알려졌다. 그리고 사칠·이기·심성론 등에 있어서 새로운 학문 관점으로 통간(通看)의 방법을 제시하여 성리학의 본체론적 논의에 있어서 새로운 돌파구를 마련했다.[12]

이현일과 이재 이후 안동권의 학문은 이상정이 성리학에 있어서 통간의 방법을 제시하여 기왕의 학문 논의를 통합 조정하는 새로운 학풍을 진작함으로써 그 문인들에 의하여 엄청난 반향을 가져왔다. 이러한 새로운 학문 관점은 예학에 있어서도 새로운 전기를 마련하였다.

이런 반향과 성과를 검토하기 위해 먼저 이상정과 그의 문인들이 편찬한 예서의 전체 면모를 살펴보고, 특히 주목해야 할 몇 종의 예서를 들어

---

11) 金澤榮,『韶濩堂集』續集 卷2「二禮辨疑序(癸亥)」: 余惟嶺南之儒學, 始於吉冶隱氏, 盛於李退溪曺南冥二先生, 至退溪私淑弟子李大山之時, 集諸賢之說而有禮書之大撰述.

12) 이상정의 문학·역사·철학 방면의 연구 성과는 오용원의「考終日記와 죽음을 맞는 한 선비의 日常-大山 李象靖의「考終時日記」를 중심으로」(『대동한문학』 30, 大東漢文學會, 2009, 129쪽)에 상세하다. 이상정의 예학 성과에 대해서는 권진호의「『決訟場補』해제」(『한국예학총서』 49, 경성대 한국학연구소, 2008)가 있다.

그 특징과 의의를 살펴보고자 한다. 이상정과 그 문인들에 의해 제출된 예서는 결송(決訟)·상변(常變)이라는 독특한 표제를 내걸고 있다는 점에서도 예학사적으로 주목할 부분이다.

이상정이 문인들과 왕복한 서간문 가운데 예설 논의는 수없이 많기 때문에 일일이 거론하기조차 힘들다. 잡저 형태로 저술된 것만 살펴보면 「독이성호가례질서(讀李星湖家禮疾書)」·「논추후성복행연상지의(論追後成服行練祥之疑)」·「국휼복제사의(國恤服制私議)」 등이 있다. 이 중에서 주목할 저술은 이익(李瀷)의 『가례질서(家禮疾書)』를 읽고 작성한 「독이성호가례질서」이다. 이상정 학단과 성호학파는 학문적으로 사상적으로 긴밀한 관계를 유지하였다. 이상정은 생전에 이익을 찾아가 학문을 토론하였고 안정복(安鼎福)과도 자주 교류했으며, 이상정의 문인들도 안정복과 가깝게 지냈다. 이들의 친밀한 관계는 이후 19세기 류치명(柳致明)의 문인이 허전(許傳)에게 입문할 수 있는 바탕이 되기도 하였다.[13]

이상정이 이익의 『가례질서』를 읽고 자신의 견해를 남긴 것을 보면, 소후장자(所後長子)의 복(服)에 관한 한 조목으로 기본적으로 이익의 논의가 극명하다면서 존숭하는 입장을 취한다.[14] 내용 여부를 떠나서 영남남인과 근기남인을 대표하는 당대 지식인의 학술 교류가 이상정 시대에 와서 보다 활발하게 일어나고 이것이 19세기까지 면면히 이어지고 있다는 점에서 중요한 의미를 가지고 있다. 이와 관련하여 『상변통고(常變通攷)』(류장원), 『상변찬요(常變纂要)』(박종교), 『가례보의(家禮補疑)』(장복추), 『사례집요(四禮輯要)』(이진상), 『찬축고증(贊祝考證)』(윤주하), 『상변요의(常變要義)』(안정려) 등 인용서목이 제시된 영남지역 거의 모든 예서에서 이익의 저술이 주요한 항목의 하나로 채택되기도 하였다.

이상정의 문인은 『고산급문록(高山及門錄)』[15]에 273인이 수록되어 있

---

13) 강세구, 『성호학통 연구』, 혜안, 1999, 189-190쪽.
14) 李象靖, 『大山集』 卷41 「讀李星湖家禮疾書」: 今之議所後長子之服者, 每以正而不體養他子爲後不得三年之說爲證. 然終覺有未安者, 星湖所論, 極有證據, 足以破世俗流傳之誤. 且有一說焉, 父之爲長子三年, 將以繼體而傳祖重也. 夫旣繼體傳重而其服之也, 徒以己出與否而異斬齊之制, 則是所生之恩反重, 而繼體之義隱, 傳祖之禮輕矣, 恐其不然也. 當詢于禮家, 姑識之.

다. 문인의 분포를 살펴보면, 안동 56인을 중심으로 안동 외 경북(경주, 고령, 구미, 김천, 봉화, 상주, 선산, 성주, 순흥, 영양, 영주, 영천, 영해, 예천, 의성, 청도, 청송, 칠곡, 풍기, 흥해, 대구) 93인, 경남(거창, 고성, 김해, 밀양, 산청, 진주, 창녕, 함안, 합천) 18인, 서울 2인, 충남(청양) 1인, 평남(성천) 3인, 거주지 미기재 100인 등이다. 성씨별로 보면, 의성김씨(38인)·한산이씨(36인)·안동권씨(32인)·진성이씨(13인) 등 안동지역의 유력 가문에 집중되어 있다.16)

이상정과 그 문인의 예서 및 예설을 정리하면 이러하다.

표-10 <이상정과 그 문인의 예학 저술>

성명	거주지	예학 저술 (#는 현존 미상)	비고
大山 李象靖(1711~1781)	안동	『決訟場補』	
蘆厓 柳道源(1721~1791)	안동	『四禮便考』#	
川沙 金宗德(1724~1797)	의성	『禮書』#	
東巖 柳長源(1724~1796)	안동	『常變通攷』	
鶴齋 成啓宇(1724~1781)	거창	『喪禮抄』#	
弦庵 權以蕭(1725~1787)	청송	『祭儀』#	
梧山 徐昌載(1726~1781)	영주	『冠禮考定』/『家禮輯解』#	
屛村 柳泰春(1729~1814)	의성	『四禮考證』#/『四禮箚疑』#	
陶塢 朴忠源(1735~1787)	의성	『疑禮新編』#	
立齋 鄭宗魯(1738~1816)	상주		『先禮類輯』에 예설 수록
洛隱 徐命悅(1739~?)	안동	『疑禮問目』#	
芸齋 蔡蓍疇(1739~1819)	상주	『疑禮辨解』#/『喪禮疑辨』#	

---

15) 이 책은 이상정의 손자인 李秉遠과 이상정의 외증손인 柳致明이 共編한 것으로 3권 2책이다.
16) 윤동원, 「大山 李象靖이 門人錄 小考」, 『高山及門錄』下, 영남퇴계학연구원, 2011, 998쪽.

艮巖 李埁(1740~1789)	안동	『痛慕錄』	崔興遠 문인 / 이상정 아들
芝厓 鄭煒(1740~1811)	성주	『家禮彙通』	崔興遠 문인
廣瀬 李野淳(1755~1831)	안동	『溪山禮說類編』# / 『溪山禮說類編別集』#	李宗洙·金宗德 문인
槐潭 裵相說(1759~1789)	안동	『禮說』#未成書 / 「居家雜儀」 / 「湖上從學論」	
所庵 李秉遠(1774~1840)	안동	「讀柳誠伯禮疑叢話」	金宗德 문인 / 이상정 손사

이상정 학단의 주요 예서 중 『관례고정』을 제외하면 거의 모두 제가의 예설을 분류하여 휘편(彙編)한 예서이다. 이상정 학단에서 『가례』주석류나 행례규범류의 서적보다 예설류 예서 편찬이 대세를 이루고 있음은 당대까지 논의된 제가의 학설을 종합할 필요가 있었음을 반증한다. 그동안 각종 변례에 대한 제가의 학설이 축적되어 왔는데, 그 학설이 여러 책에 산견됨으로써 학설간의 동이(同異)와 새로운 학설에 대한 면밀한 검토가 필요하다는 인식하에 그 설을 부문별로 모아 일목요연하게 재정리함으로써 변례에 대한 대처를 명확하게 하고자 하는 의도가 작용하고 있다고 하겠다.

이렇게 제가의 학설을 부문별로 모아 종합적으로 검토한 것은 당대의 시대사정과도 무관하지 않은 것으로 보인다. 1728년 무신란(戊申亂) 이후 영남남인의 정계 진출이 사실상 좌절되고 노론의 공세로 인해 점차 수세적인 상황에 몰리면서, 이상정 학단을 중심으로 심성론과 의리론과 예학에 대한 이론적 실증적 학문체계를 재정립함으로써 사상적 정체성을 확고하게 하여 노론의 사상적 공세를 막아내려고 하였다.[17] 이런 상황 속에서 선학들에 의해 제기된 예설을 면밀하게 검토함으로써 자신들의 학문적 입지와 자존감을 확보하려는 의도가 작용했던 것으로 보인다. 이러한 점은 이황의 예설을 계승하면서 기호학파에 대응하려고 했던 성호학파의 경우도 비슷하다고 할 수 있다.[18]

---

17) 조성산, 「18세기 영·호남 유학의 학맥과 학풍」, 『국학연구』 9, 한국국학진흥원, 2006, 184·191쪽.
18) 이봉규, 「실학의 예론-성호학파의 예론을 중심으로」, 『한국사상사학』 24, 한국사상사학회, 2005 참조.

●이상정_결송장보●

이상정 학단에서 찬술된 20여 종의 예서 중에 예학사적으로 특별한 의미를 가지는 이상정의 『결송장보(決訟場補)』와 서창재(徐昌載)의 『관례고정(冠禮考定)』에 대해 검토하기로 하겠다.

『결송장보』는 이상정이 1748년 부친상을 당하여 편찬하기 시작한 책으로, 처음에 『결송장(決訟場)』이라는 이름으로 편찬되었다가, 이듬해 관례와 혼례를 추가하여 『사례상변통고(四禮常變通攷)』로 확대 개편하였다. 이 책은 이상정 사후 손자인 이병원(李秉遠)이 이상정이 친

구나 문인들과 주고받은 예론을 추가하여 『결송장보』라는 이름으로 정리하고서 1823년에 발문을 지었다.

이 책은 제목에 나타나듯이 아주 독특한 이름을 가지고 있다. 쟁송을 해결한다는 뜻의 '결송'이라는 표제를 뽑은 것은 지금까지 제기된 예설의 쟁점을 면밀히 검토하여 이에 대한 해결이나 단안을 내려야 할 필요성이 있었음을 의미한다. 예설 간의 대립이 첨예하던 상황에서 이를 종합하였다는 것은 예학 논의의 상당한 진전을 의미하는 것이다. 이상정은 예설 논쟁을 관통하는 기본적인 원칙으로 의리와 인정이 조화를 이루고, 절도의 형식으로써 고례와 시속이 참작되어, 상례와 변례가 통일되는 예제의 표준을 확립한다[19]는 기본방향을 설정하고, 이를 토대로 제가의 논의를 변증 절충하였다.

---

19) 금장태, 「퇴계학파의 학문(15)-大山 李象靖의 思想」, 『퇴계학보』 95, 퇴계학연구원, 1997, 260쪽.

이 책의 두 번째 명칭인 『사례상변통고』 또한 특별한 의미를 가지고 있다. '사례(四禮)'는 『주자가례』의 관혼상제 체계를 근간으로 하는 것이지만, '가례' 대신 '사례'라는 용어를 택하였다. 『주자가례』의 내용에 한정되지 않고 사대부 사족의 기본 의식을 사례의 범위에서 다양하게 강구하고자 하였던 18세기 조선예학의 일반적인 흐름 속에서 나온 것이다. '상변(常變)'은 상례와 변례를 함께 아우른다는 것인데, 이황 이후 영남남인 퇴계학파 내에서 논의된 변례에 대한 쟁점을 중심으로 다룬 것은 이전에 나온 『변례집설』의 의도를 계승한 것이면서 이상정의 문인이 『상변통고』를 편찬하는 것으로 연결됨으로써 영남지역 예학 흐름의 중요한 전환기를 마련하였다. '통고'는 앞선 시대의 예학 논의를 총합하여 살펴봄으로써 18세기 당대에 통용될 수 있는 전범을 만들려는 것이었고, 이 역시 『상변통고』의 편찬에 절대적인 영향을 미쳤다.

이상정은 성리학 논의에 있어서 분개간(分開看)과 혼륜간(渾淪看)에 치우친 영남과 기호의 편향적 관점을 극복하기 위해 '통간'이라는 방법을 내세워 회통(會通)을 주장했다. 통간의 방법은 제가의 상이한 학설들을 관통하는 일정한 관점을 잡아내어 제설을 절충 통합한다는 견해로 이해된다. '통고'의 예학 연구 방법론은 '통간'의 방법을 예학적으로 적용시킨 것이었다.

『결송장보』에는 총목 뒤에 특이한 글이 한 편 실려 있다. 이상정과 동시대 인물로 변례에 대한 학술 교류를 가졌던 김낙행(金樂行, 1708~1766)에게 답한 서간문이 그것이다.[20] 김낙행이 이 책을 편찬하도록 촉발시킨 인물도 아니고, 또 이 서간문이 『결송장보』의 편찬과 관련한 내용이 아닌데도 불구하고 편집 과정에서 이를 수록한 데는 나름의 이유가 있을 것으로 보인다.[21]

---

20) 李象靖, 『決訟場補』 「總目」(4판); 『大山集』 卷12(12판) 「答金退甫」. 김낙행과 이상정은 모두 李栽의 문인이다. 김낙행은 金聖鐸(李玄逸 문인)의 아들이며 李象靖·柳長源 등과 교유하였으며, 禮에 조예가 깊어 「禮論箚疑」·「禮說漫錄」 등의 예설을 남겼다.

21) 서문이 들어갈 부분에 서간문을 싣고 있는 또 다른 사례로는 溪堂 柳疇睦의 『全禮類輯』이 있다. 「答姜進士(應周)書」가 그것으로, 『전례유집』의 刪正을 부탁한다는 내용이다. 따라서 『결송장보』에서 김낙행에게 보낸 서간문

그러나 일찍이 듣기로 정자(程子)가 이르기를 "우선 다른 일은 줄이고 다만 선(善)을 밝혀서 오직 성심을 닦아 나가야 할 것이다. 그러면 문장이 비록 도리에 맞지는 않더라도 크게 벗어나지는 않을 것이다. 지키는 바가 요약되지 않으면 이리저리 넘치기만 하여 공효(功效)가 없게 된다."고 하였습니다. [주자(朱子)가 이르기를 "이 단락은 아마도 여여숙(呂與叔, 呂大臨)이 관중(關中)에서 와서 처음 정자를 뵈었을 때의 말씀인 듯하다. 대개 횡거(橫渠)에게서 배운 자들이 예문(禮文)과 제도(制度)와 관련된 일에만 마음을 쏟고 내면의 공부는 가까이하지 않은 경우가 많았으므로 이렇게 고해 준 것이다."고 하였습니다.] 대개 곡례(曲禮) 3천 가지 중에서 어느 것인들 지극한 이치가 깃들지 않은 것이 있겠습니까. 이를 연구하고 사색하여 하나하나 합당하게 만들 수 있다면 어찌 훌륭한 생각이 아니겠습니까. 그러나 시대가 고금이 다른지라 반드시 일치시킬 수 없는 것이 있고, 학문하는 본말과 완급 또한 조금이라도 어긋남이 있어서는 안 되는 것입니다. 오래도록 토론에 열중한 나머지 전소(箋疏)에 집착하고 자잘하게 따지는 일에 마음이 익숙해지고 생각이 쏠리게 되면, 혹 도리어 저 완양(完養) 응렴(凝斂)하는 공부에 해가 될지도 모를 일입니다.22)

이 책의 편찬 간행과 관련한 글로는 조긍섭(曺兢燮)의 서(序), 이병원(李秉遠)의 지(識), 김형모(金瀅模)의 후서(後敍) 등이 있지만, 정작 이상정이 편찬 과정이나 목적 등을 직접 언급한 글은 없다. 따라서 후대에 편집하는 과정에서 이상정이 평소 갖고 있었던 예학 연구에 대한 입장을 표명할 필요성이 있었기 때문에 추가한 것으로 보인다.

을 편입한 배경과는 차이가 있다.

22) 李象靖, 『決訟場補』 「總目」: 抑嘗聞之, 程子曰, 且省外事, 但明乎善, 惟進誠心. 其文章雖不中不遠. 所守不約, 汎濫無功. [朱子曰, 此段恐是呂與叔自關中來, 初見程子時語. 蓋橫渠學者多用心於禮文制度之事而不近裏, 故以此告之.] 夫曲禮三千, 誰非至理所寓. 考究商推, 一一恰好, 豈非美意. 然時異古今, 有不可以必同者, 而其本末緩急, 又不可或差也. 留精討論之久, 繳繞箋疏, 校量度數, 心路慣熟, 意緒流注, 則或反以害夫完養凝斂之功, 亦未可知也.(번역문은 권경렬·공근식 옮김, 『대산집』 제3책, 한국고전번역원, 2009, 166-167쪽 참조)

위 인용문의 "횡거에게서 배운 자들이 예문과 제도와 관련된 일에만 마음을 쏟고…"라는 말은 바로 관중(關中)에 살던 장재(張載) 문인들의 경문 해석에 대한 정자의 비판에서 나온 고사이다. 이상정은 다른 글에서

> 대저 예가(禮家)들을 취송(聚訟)이라고 이름하는데, 중론(衆論)을 빼곡하게 모아 놓아서 핵심을 끌어내기가 쉽지 않아서입니다. 그러나 경(經)과 전(傳)에 의거하여 의리의 귀착을 궁구하여 회통해야 마땅하니, 그런 뒤에야 거의 허물을 줄일 수 있을 것입니다. 만약 전주(傳註)를 뛰어넘어 별도로 고기(高奇)한 견해를 세우려 한다면 말한 내용의 득실을 막론하고 이러한 기상과 의사로는 타첩(妥貼)되기 쉽지 않으니, 다시 상량해 보시겠습니까.23)

라고 하여, 예경의 전주에서 벗어나 자기 마음대로의 해괴한 견해를 내세우는 것은 결국 취송의 구렁팅이로 빠지는 결과를 낳게 된다고 경계하였다. 출처와 고거(考據)를 분명하게 제시하고 그것을 바탕으로 논의를 전개해야지, 사사로운 의도가 개입되어 천착하거나 부회하는 예학 논의는 의미가 없다고 보았던 것이다.

이상정은 의장도수(儀章度數)와 주소(註疏)에 집착한 나머지 예의 대의를 망각한 채, 자신의 인격을 수양하여 완성하고 남의 인격을 완성하도록 이끌고자 하는 유학의 이념에서 멀어질까 염려하였다. 이상정이 김낙행에게 보낸 서간문은 예학을 탐구하는 이들의 병폐를 지적한 중요한 언급이었기에 편집 과정에서 채택되었다고 볼 수 있고, 예학 연구의 방향성을 제시하였다는 점에서 이상정 예학의 핵심을 구성하는 요소라고 하겠다.

『대산집』에는 김낙행과의 예학 문답이 몇 편 있는데24), 문답 과정에서

---

23) 李象靖, 『大山集』 卷15 「答崔進叔(丙戌)」: 大抵禮家名爲聚訟, 衆論叢互, 未易提撮. 然當依經據傳, 究義理之所歸而會通之, 然後庶幾寡過. 若欲超乎傳註之外而別立高奇之見, 未論所言之得失, 卽此氣象意思, 不平易穩貼, 未知更加思量否.

24) 李象靖, 『大山集』 卷11 「答金退甫別紙」: 月半奠値俗節/參禮及殷祭獻酌異儀/喪服補緝/頭巾汗漬澣洗及別製是否; 卷12 「答金退甫別紙」: 出納主主人自爲或執事行之/俗節行事祖廟殯宮先後/小祥正服亦變/賓客對食及再來用葷素之宜/練時腰經絞帶; 卷12 「別紙」: 練時絞帶布葛/祥後祔廟朔望參禮.

이상정이 김낙행에게 말했던 것은 '예경의 본문 그대로를 가지고 보기'와 '고례로 되돌림으로써 시속을 놀라게 하지 않기' 두 가지로 요약할 수 있다.[25] 이 두 가지는 모두 '취송'의 원인을 제공하는 것이기도 하다. 예경에서 언급되지 않은 부분을 가지고 억지로 자기 뜻에 맞추어서 결론이나 방법론을 도출하려고 하다 보면 성인의 본지에서 어긋나게 되는 경우가 발생한다. 또 현재 시속에서 널리 통행되는 예속을 바로잡는다고 고례의 회복을 추구하려고 하다 보면 화(和)를 지키면서 예(禮)를 갖추어야 하는[26] 일에 정면으로 배치되는 것이기도 하다. 게다가 현재의 상황을 고려하지 않은 채 일방적으로 복고하려는 자세를 16세기 이황이 늘 경계하였기 때문에 이상정은 결코 간과할 수 없었던 것이다.

상례(常禮)에 대한 논의나 예전부터 널리 논의되었던 변례에 대한 '선유정론(先儒定論)'이 있으면 더 이상 문제될 것이 없다. 그러나 변례의 속성상 '예를 어찌 쉽게 말하겠는가[禮豈易言哉]' 또는 '감히 드러내 놓고 말하지는 못한다[不敢質言]'라고 겸사해야 '함부로 과시한다[汰哉]'는 비방을 벗어날 수 있다. 그럼에도 불구하고 이상정이 과감하게도 '결송(決訟)'이라는 자칫 무모할 수도 있는 표제를 붙일 수밖에 없었던 이유는 무엇이었을까? 자신의 위치가 취송(聚訟)에 대해 결단을 내려서 '결송'으로 귀결시킴으로써 영남지역 예학 내에서 자신의 정통성을 확고하게 정립할 필요가 있었고, 또 기호학파에서 형성되던 정론 확정에 대하여 나름의 대응 전략을 마련해야 했기 때문인 것으로 해석할 수 있다. 이는 18세기에 당론의 고착화에 따라 상대 당파에 대한 예설을 인위적으로 배제하던 풍토와도 무관하지 않은 것이다.

오산(梧山) 서창재(徐昌載, 1726~1781)가 편찬한 『관례고정(冠禮考定)』

---

25) 李象靖, 『大山集』 卷12 「答金退甫(別紙)」: 今以世俗所行, 求合於經文不言之中, 未知其必得聖意以否, 則恐不若依文按本之爲可據而寡過, 未知此意不大悖否. 雖然, 此特論其理耳. 禮貴從宜, 不求變俗, 旣未知其必害於義, 則恐不必矯俗反古以取駭異; 『大山集』 卷12 「答金退甫別紙」: 恐不必以反古駭俗爲高也.

26) 李垍, 『痛慕錄』: 家亡, 禮先亡. 禮者, 所以維持家室者也, 男女之別, 少長之序, 上下之分, 其可以不嚴乎. 然禮之用, 和爲貴, 又豈可一向拘迫, 以至於離乎. 惟和而有禮然後, 爲保家之道也.

은 『주자가례』의 관례를 중심으로 삼례경전을 비롯한 제가의 학설을 종합하여 고증한 서적이다. 서창재의 벗이 자식의 관례를 치르기 위해 의절(儀節)을 문의하자, 서창재가 제가의 설을 모아서 정리하게 되었다.27)

사례(四禮) 중에서 하나만 가지고 성편한 예서로는 상제와 제례를 독립시킨 경우가 있다. 한 사람의 죽음을 맞아 3년 동안 치러야 할 상례와 그 후속 절차인 제례가 무엇보

●서창재_관례고정●

다 중시되어 그에 대한 예서 편찬이 집중되었던 것은 당연한 결과라고 하겠다. 반면 관례만 다룬 예서는 『관례고정』과 『삼가의절(三加儀節)』(이최수(李宧壽))뿐이고, 혼례만 전문적으로 다룬 예서는 보이지 않는다. 관례와 혼례에 대해서는 예전부터 '성인(成人)'과 '정시(正始)'라는 용어로 표현하면서 그 중요성을 강조했지만, 예를 치르는 과정에서 발생하는 의례(疑禮)나 변례의 문제가 상례나 제례에 비해 훨씬 미미하기 때문에, 관례나 혼례만

---

27) 徐昌載, 『冠禮考定』 卷首: 己亥正月, 有一友人冠其子, 以書來問儀節, 昌載不揆僭猥, 因搜集諸家說, 考定如左. 편찬 과정에 대해서는 조창규, 「『冠禮考定』 해제」, 『한국예학총서』 57, 경성대 한국학연구소, 2008 참조. 서창재는 동문인 柳長源과 變禮에 대해 심도 있는 논의를 주고받았다. 교유한 인물로는 權九淵·洪遵·權正運·裵是衫·金相寅 등이 있다.

을 다룬 예서가 아주 적거나 아예 없었던 것이다. 다시 말해서 대부분의 의절이 상례(常禮)이므로 학자들 사이에 논란이 될 소지가 적었다는 결론에 이르게 된다. 이런 측면에서 보자면 관례를 대상으로 하여 편찬한 『관례고정』은 독특한 의의를 가지는 예서라고 하겠다.

『관례고정』은 '고증'이라는 측면에서 행례의 본질과 행례 절차의 의의 등을 상세하게 고증하는 하나의 학풍을 반영한다. 관례는 『주자가례』에 명시되어 있으나 본질과 의의에 대해서는 상세한 설명이 없다. 서창재는 『관례고정』을 정리하면서 『주자가례』의 관례 절차에 기초하여 큰 조목을 서술하고, 「사관례(士冠禮)」・『가례고증(家禮考證)』・『가례회성(家禮會成)』・『가례의절(家禮儀節)』 등의 내용을 추가한 뒤, 제가의 설을 수집하여 각 조목 아래에 기록하고는 '우안(愚按)'이라는 자신의 설로 논란이 되는 부분을 매듭지었다. 『주자가례』를 자세하게 보아 익히고 『의례』・『예기』 등으로 고증하고 제가의 설로 융회방통(融會旁通)하는 예학 연구의 방법론은 이상정의 가르침을 충실하게 계승한 것이다.[28]

편찬 과정에서 서창재가 수집한 제가의 예설 중에는 의견이 서로 다른 것들이 있었다. 이견을 보이는 예설들을 그냥 병렬하여 써서 준다면 친구가 어느 것을 따라야 할지 모르게 된다는 난제가 발생하였다. 그래서 스승인 이상정에게 질의하였다. 질의 주제는 관례의 본행사가 시작되기 전에 주인이 사당에 가서 관례를 치르게 되었다는 사실을 아뢰는 절차인 '주인고우사당(主人告于祠堂)'에 관한 것이다. 서창재는 이 문답 과정에서 옛것에 얽매이는 태도에 대해 이상정으로부터 지적을 받았다. 그의 "읍양하여 계단에 이르기까지 만약 예를 준용하고자 한다면 문 안 뜰 가운데에 장대를 세워 고대의 가옥 구조를 대신하여 세 번 읍하는 예수(禮數)를 이루고자 한다."는 질문에 대해, 이상정은 "귀천의 형세가 다르고 고금의 마땅함이 다른바, 문에 들어가 뜰을 나누어 계단에 이르더라도 또한 세 번 사양하는 예수를 갖추기에 충분하니, 본주(本註)의 의도도 이런 데서 나온 것이 아니겠는가. 만약 하나하나 고적(古跡)에만 얽매인다면 의식절차가 아무리 분명하다 해도 성의가 도리어 부족하게 되기도 하여 관중역문(關中役文)의

---

28) 柳致儼, 『湖學輯成』 卷3 「窮理」: 家禮或有與先生定論不同, 然須仔細看到熟後, 取儀禮禮記, 參互考證, 又取諸家說, 融會旁通, 庶可得其詳備.

폐단에 흐르기 쉽다.”고 하면서 『주자가례』 본주 그대로의 의절을 지금에 와서 똑같이 시행하려고 하는 것을 경계하였다.[29] 이황은 주자가 정해 놓은 예제를 시행하는 과정에서 주자의 것 그대로 구현하는 것은 불가능하다고 하면서 주자의 예 정신과 본지에 충실하려고 했는데, 이상정 역시 이 점에 유의하였고 그것이 서창재에게 전수되어 하나의 일관된 맥락을 가지고 있었음을 보여 준다.

서창재가 『관례고정』을 편찬하는 과정에서 영남남인의 학설뿐 아니라 기호서인의 학설까지 깊이 검토한 흔적이 나타난다. 서창재는 “관자(冠者)가 종자(宗子)의 삼종제(三從弟)라면 관자의 소자출지조(所自出之祖)에게만 고한다.”는 박세채(朴世采)의 설[30]에 대해 질의하였다. 이상정은 “예(禮)에, ‘일이 있으면 고한다’고 하였다. 종자가 주인이 되어 족인의 아들에게 관례를 행하면서 고조에게만 고하고 종자의 증조·조·부에게 두루 고하지 않는다면 되겠는가? 『주자가례』 축문에 4대를 나열하여 쓰고 ‘모친지자모(某親之子某)’라고 칭한다고 하였으니, 삼종제도 그 안에 포함되어 있다.”고 하여 박세채의 설을 따를 수 없다는 입장을 표명하였다. 그러면서 이상정은 근래에 제가의 예설이 매우 많은데도 다만 박세채의 설만 취하다 보니 도리어 총잡(叢雜)스럽게 되었다면서, 그 중에서 정밀하고 합당한 것을 취하여 미비한 제가의 예설을 보완하는 쪽으로 가는 것이 좋겠다고 하였다.[31] 1년 뒤, 서창재는 이상정의 이 답변에 대해 재차 질문한다.

(문) 살펴보건대, 예설이 매우 많기는 하지만, 『퇴계집』·『한강집』·『여헌집』에

---

29) 李象靖, 『大山集』 卷27 「答徐尙甫己亥(別紙)」: (문)揖讓至階, 如欲準禮, 則門內庭中立竿以代之而成三揖. (답)貴賤異勢, 古今殊宜, 入門分庭至階, 亦足以備三讓之數, 本註之意, 或出於此歟. 若一一泥於古跡, 則儀節雖若分明, 而誠意或反不足, 易有關中役文之弊, 如何.

30) 朴世采, 『南溪先生禮說』 卷3 「冠禮」 6판.

31) 徐昌載, 『梧山集』 卷2 「上大山先生(己亥)」 主人告于祠堂: (문)南溪說, 冠者是三從弟, 則只告冠者所自出之祖. (답)禮, 有事則告. 宗子爲主人, 冠族人之子, 而只告高祖, 不遍告於曾祖祖父, 可乎. 家禮祝, 列書四代而稱某親之子某云云, 則三從弟亦包在其中矣. 近來諸家禮說甚多, 而只取南溪, 又逐疑攻破, 轉成叢雜. 此等未可截去, 取其最精當者, 以補諸說之未備, 如何.

서 관례를 논한 것은 또한 아주 없거나 극히 일부분만 있으니, 관례가 폐해진 지 오래되었음을 알 수 있습니다. 유독 남계(南溪)의 예설 중에 왕복하여 논변한 말들이 많이 있으니, 예경의 뜻에 합치되어 후인의 의혹을 깨뜨릴 수 있는 것은 아무리 많아도 해로울 것이 없습니다. 예경의 뜻에 합치되지 않는 것도 옛것을 인용하여 지금의 것을 증명하여 대략 변파하여 예를 행하는 자로 하여금 적확히 따라야 할 바를 알게 하여 지켜야 할 바를 현혹되게 하는 지경에 이르지 않게 하면 됩니다. 이 때문에 총잡(叢雜)함을 피하지 않고 인용한 것인데, 어떨지 모르겠습니다.

(답) 남계의 예설 중에는 더러 굳이 채택하지 않아도 될 것도 있는데 왜곡하여 변설하여 일만 많아지는 듯하기 때문에 내가 그렇게 말했던 것이다. 그렇지 않고 이치에 합당한 말이라면 아무리 많아도 해로울 것이 없다.[32]

위의 문답이나 류장원(柳長源)의 설[33]을 보면, 박세채의 설이 영남지역 예학자 사이에 널리 익혔고 박세채의 견해에 대해 대체로 수긍하는 경향이 강했다는 사실을 알 수 있다. 서창재는 이황·정구·장현광 등 영남지역 선현이 관례에 대해 논한 것이 거의 없기 때문에 차선책으로 박세채의 설을 끌어와서 근거를 갖추고자 하였다. 그런데 그가 그 설을 취사하는 과정에서 무비판적으로 수용하려고 하자, 이상정은 올바르지 못한 태도라며 경계하고 있다.

이상에서 살펴본 바와 같이 이상정 학단에서는 영남지역 예학의 새로운 전환기를 마련하였다. 이상정은 이황 예학을 계승하여 기호학파 예론에 대응하는 중심 역할을 하였고, 취송으로 각인된 예학 논의를 결송의 방법을 통해 적극적으로 해결하려 하였으며, 상변의 진로를 모색함으로써

---

32) 徐昌載,『梧山集』卷2「上大山先生(庚子)」近來禮說甚多而只取南溪又逐疑攻破轉成叢雜: (문)按, 禮說雖甚多, 而其論冠禮處如退溪寒岡旅軒集中, 亦絶無而僅有, 可知冠禮之廢久矣. 獨南溪說中, 多有往復論辨之語, 其合於經義而可以破後人之疑者, 雖多而不厭. 其不合經義處, 亦不免引古證今, 略加辨破, 使行禮者有所之從, 不至眩於所守. 此所以不避叢雜而冒爲之者. 伏未知如何. (답)南溪說往往有不必采者, 而曲爲辨說, 似涉多事, 故妄有云云, 然其理到之言, 雖多而何厭耶.

33) 柳長源,『東巖集』卷1「答大山先生」: 近世南溪朴氏, 亦頗有見於疑文變節.『常變通攷』에도 박세채의 설이 다수 인용되어 있다.

예학 연구의 새로운 방향을 제시하였다. 이황→김성일…→이현일→이재→이상정으로 이어지는 영남지역 퇴계학파의 학맥 속에서 이상정은 18세기에 영남지역의 학풍을 주도하여 많은 제자를 길러낸바, 그 문하에서 호문삼로(湖門三老) 또는 호문삼종(湖門三宗), 그리고 남한조(南漢朝) 등 걸출한 학자군이 나왔다. 그의 문인들은 이상정 예설을 근거로 통간(通看)의 학문 방법을 기축으로 하여 유취(類聚) 변증(辨證) 절충(折衷) 종합(綜合)이라는 새로운 움직임을 보여 주었다. 이상정의 예학은 아래에서 살펴볼 류장원을 통해 적극적으로 계승되면서 확산되었다.

3. 류장원(柳長源) 학단

동암(東巖) 류장원(1724~1796)은 이상정의 제자이므로 '이상정 학단'에 포함시켜 논의할 수도 있지만, 류장원과 그가 편찬한 『상변통고(常變通攷)』가 특별한 의미를 갖기 때문에 별도의 학단으로 독립시켜 논하기로 하겠다. 류장원의 예 관련 잡저와 그의 집안의 예학 풍토에 대해서는 별도의 논문이 있으므로 따로 논의하지 않겠다.[34]

이상정의 문인록인 『고산급문록(高山及門錄)』에는 문인들이 이상정과 주고받은 대표적인 서간문 한두 편을 소개하고 있다. 이 서간문에는 문인들의 학문 성향이나 성취도를 언급하고 있는데, 류장원에 대해서는 유독 '예학의 전문명가(專門名家)'라고 일컫고 있다. 이로 볼 때 급문록 편찬을 주도한 이병원(李秉遠)·류치명[35]이 판단하기에도 류장원이 예학에 있어 탁월한 존재로 각인되었음을 알 수 있다. 『고산급문록』에 인용된 류장원 관련 서간문의 내용은 다음과 같다.

---

34) 『상변통고』에 대한 연구로는 유권종, 「近代 嶺南 禮制와 常變通攷」, 『동양한문학회 제82차 학술발표회 자료집』, 동양한문학회, 2004; 정경주, 「『常變通攷』 해제」, 『국역 상변통고』, 신지서원, 2009; 권진호, 「영남학파의 『주자가례 수용 양상-東巖 柳長源의 『常變通攷』를 중심으로」, 『국학연구』 16, 한국국학진흥원, 2010 등이 있다.

35) 이병원과 류치명은 모두 『상변통고』 교정과 간행에도 적극적으로 참여하였던 인물이다.

대저 그대는 예학에 있어서 거의 옛말에 이른바 '전문명가(專門名家)'라 하겠습니다. 고거(考据)가 두루 갖추어졌고 의리가 심오하기 때문에 갑작스레 설을 세워 간파할 만한 것이 아닌 데다 어리석고 막힌 나로서는 왕왕 견문이 미치지 못하는 부분이 있어 두세 번 묻지 않으면 그 미묘하고 심오한 곳을 알 수가 없기에 번거로움을 꺼려하지 않고 다시 번거로이 서찰을 보내니, 바라건대 그대가 끝내 나를 멀리 외면하지 않고 강설을 잘 듣는 초평(初平)이 될 수 있도록 해 준다면 그 얼마나 다행이겠습니까.36)

송나라 주돈이(周敦頤)의 상관이었던 이초평(李初平)이 주돈이에게서 2년 동안 강설을 듣고 터득한 바가 있었다는 고사를 인용하여, 자신이 스승이기는 하지만 예학에 있어서는 '전문명가'인 류장원의 견해를 배울 자세가 되어 있다고 하였다. 류장원이 예학에 있어 꽤 높은 수준의 견식을 갖춘 인물임을 확실히 인정하는 말이다.

류장원이 편찬한 『상변통고』 30권 16책(1830년 간행)은 16세기 이후 영남지역 예학의 연구 결과를 집대성한 가장 수준 높은 예서이다. 이 예서는 이황과 이황의 문인은 물론 류장원 당대까지 제기된 조선의 중요한 예설을 거의 망라하였다. 뿐만 아니라 그동안 논의된 예학의 주요한 주제와 관점을 반영하여 새로 편성한 종합 가례서로서 유례를 찾아보기 힘들 정도로 방대하고 완결된 체재를 갖추었다.

이 책은 19세기 이후 영남지역 예학 논의의 가장 중요한 전거 문헌이 되었을 뿐만 아니라 이와 관련한 다양한 예서들이 편찬 간행되었다. 즉 『상변통고』는 그 책의 명칭에서부터 '가례(家禮)' 내지 '사례(四禮)'라는 이름을 벗어남으로써 가례학의 새로운 준거를 만들었고, 『상변찬요(常變纂要)』(박종교)·『상변요의(常變要義)』(안정려) 등의 수많은 후속 성과가 나올 수 있는 전례를 제공하였다.37)

---

36) 李象靖, 『大山集』 卷17 「答柳叔遠」: 大抵高明之於禮, 殆古所謂專門名家者. 其考据該悉, 義理深到, 非卒然立說所可破, 而愚蒙觝滯, 往往有看未到處, 不再三叩問, 無以窺其微奧, 不憚煩複, 復有繳紛, 幸高明, 終不遐棄, 使得爲聽說之初平, 其何幸如之.

37) 정경주, 「상변통고 해제」, 『국역 상변통고』 제1책, 신지서원, 2009, 17쪽.

『상변통고』는 『주자가례』의 중요 항목을 상례(常禮)로 놓고 16세기 이후 논의된 예학자의 여러 설에서 중요하게 다루어진 변례를 대거 채록하였다. 주석이나 고증 등의 단계에서 한 걸음 더 나아가 행용 과정에서 발생하는 변례에 대한 중요성을

•류장원_상변통고(국역)•

인식한 것은 류장원 이전부터 논의되었던 일이다. 앞서 살핀 권상정의 『변례집설』이 대표적인 것으로, 이상정도 『변례집설』에 대해 언급한 적이 있고, 류장원은 이 책의 교감을 의뢰받기도 하였다. 정선(鄭鏥)이 편찬한 『예의보유(禮儀補遺)』도 바로 상변의 문제에 입각하여 저술된 것이다. 이전부터 산발적으로 강구되었던 변례에 대한 논의가 『상변통고』에 와서 총 정리되었다는 점은 예학 논의가 단선적이 아닌 복선적인 과정을 통해 수수되었다는 점을 잘 보여 주는 것이다.

류장원이 '상변'이라는 예서의 명칭을 사용한 것 역시 일정한 유래가 있다. 17세기에 이미 학자들 사이에서 일상적인 통행규범을 상례(常禮)로 보고 상례에서 벗어난 특수한 사례로서의 변례를 강구 대상으로 인식하여 많은 논의가 있어 왔지만, 이상정이 저술한 『사례상변통고』에서 결정적인 영향을 받았다고 할 수 있다. 『상변통고』에 이상정(선사(先師)로 지칭)의 변례에 대한 설이 130회 가량 수록되어 있다는 점은 이를 반증한다.

류장원이 얼마나 세밀하게 변례를 강구했는지에 대해서는 '위인후자(爲人後者)'의 한 가지 사례로 증명할 수 있다. 위인후자에 대한 논의는 통(統)의 문제와 관련하여 조선조 예학에서 주요하게 다루어졌던 주제이다. 류장원은 류관현(柳觀鉉)의 아들로 태어나 족숙 류신적(柳信迪)의 후사로

계출(出繼)하였고, 그의 중형 류도원(柳道源)도 백부 류승현(柳升鉉)에게 출계하였다. 류장원 자신이 위인후자를 경험한 적이 있었으므로 이 문제에 대해 관심을 갖고 상당히 깊이 파고들었다. 류장원의 행장을 쓴 남한조가 류장원의 특징 있는 예설을 요약하면서 위인후자 부분을 특별히 언급하였고, 이상정과 문인들의 문답에도 출계의 문제가 자주 등장하고 있다.38)

`정선_예의보유`

『상변통고』「목록」에 따르면, 위인후자(爲人後者)가 본생제친(本生諸親)을 위해 입는 상복으로는 본생부모(本生父母) 외에 본생구고(本生舅姑), 본생조부모(本生祖父母), 본생형제(本生兄弟), 본생고자매(本生姑姊妹), 본생백숙부모(本生伯叔父母)를 비롯하여 아버지 본생의 제친을 위한 상복[爲父本生諸親服], 출계한 아들의 아들이 다시 출계하여 그 본친을 위해 입는 상복[出繼子之子又出繼爲其本親服], 아들이 먼저 출계하고 아버지가 뒤에 출계한 경우에 아버지의 소후부를 위해 입는 상복[子先出繼父後出繼爲父之所後父], 출계한 아들의 딸이 시집가서 본생조부모를 위하여 입는 상복[出繼子之女旣嫁爲本生祖父母服] 등 총 10항목이 설정되어 있

---

38) 李宗洙, 『后山集』卷5「答柳叔遠(別紙)」; 柳長源, 『東巖集』卷2「答李學甫(宗洙○庚辰)」.

고, 그중 본생부모를 위한 상복에서 다시 조목을 8가지[39]로 세부적으로 구분하여 목록의 세목화(細目化)를 꾀하고 있다. 발생 가능한 변수의 경우를 최대한 확보하여 그에 대한 선현이나 자신의 설을 채택 정리함으로써 하나의 백과사전적 예서로 총결하고자 했던 것이다.

예설의 방대한 집성과 목록의 세목화는 예학 논의의 활성화와 새로운 예서의 편찬에 큰 영향을 끼쳤다. 18세기 영남에서 편찬된 대표적인 예서인 『상

●류장원_상변통고

변통고』와 『가례증해(家禮增解)』는 당대까지 논의된 선현들의 변례 논의를 가능한 한 대폭적으로 수렴하여 예의 탐구와 실행에 필요한 근거 자료를 충분히 제공하였다. 그러나 이는 실제로 관혼상제의 의식을 진행하는 데는 고거(考據)하기에 불편함이 따른다. 이에 따라 19세기 후반에는 요(要)·초(抄)·약(約)·약(略)·선(選) 등의 이름으로 간소화된 형태의 예서가 다수 편찬되었지만, 상기 두 예서에 필적할 만한 종합 예서는 더 이상 간행되지 않

---

39) ①상중에 출후한 자가 제복하거나 그대로 행하는 경우[喪內出後者除服或仍遂], ②파계 후에 본생의 상을 당했다가 다시 환계하는 경우[罷繼後遭本生喪又還繼], ③예부의 문안이 완성되기 전에 본생의 상을 당한 경우[未成禮部文案而遭本生喪], ④소후부가 죽은 뒤에 출계한 자가 본친을 위하여 무거운 복을 입는 잘못[所後父亡而出繼者爲其本親服重之非], ⑤파계 후에 돌아와서 본친을 위해 추복하는 것의 합당성 여부[罷繼後還爲本親追服當否], ⑥본생의 상에 상장을 짚는 잘못[本生喪具杖之非], ⑦파계하고 본종으로 돌아간 뒤의 소후에 대한 상복[罷繼還本後服前所後者], ⑧기년복을 입다가 출계한 자는 그대로 상복을 입음이 마땅함[周服內出繼者當遂其服].

앗다. 그것은 그만큼 두 예서의 성과가 절대적이었음을 의미한다.

『상변통고』는 19세기 이후에 편찬된 영남지역 예서에 가장 많이 등장한다고 해도 과언이 아닐 정도로 그 영향력이 대단하였다. 이는 예서의 서문이나 발문에 『상변통고』가 언급된 부분만 보아도 쉽게 확인할 수 있다.

표-11 <『상변통고』 언급 예서>

禮書名	編著者	『상변통고』 언급 부분	수록내용 / 사승
四禮輯要	知足堂 權萬斗 (1674~1753)	跋-柳廷鎬	冠昏喪祭 / 부친 重載는 李徽逸 문인
決訟場補	大山 李象靖 (1711~1781)	序-曺兢燮	冠昏喪祭 / 柳長源 스승
大山先生喪祭禮答問	素隱 柳炳文 (1766~1826)	後識-柳炳文	喪祭 / 柳長源 문인
家禮輯解	定齋 柳致明 (1777~1861)	序-柳致明	冠昏喪祭 / 柳長源 문인
常變纂要	可庵 朴宗喬 (1789~1856)	序-權璉夏 / 跋-權世淵	冠昏喪祭 / 柳致明 문인
喪祭義輯錄	直齋 金翊東 (1793~1860)	序-李敦禹	喪祭 / 柳致明 문인
喪禮要解	絅齋 崔祥純 (1814~1865)	序-李敦禹 / 序-崔祥純	喪禮 / 柳致明 문인
常變要覽	鵝山 權行夏 (1815~1855)	跋-權相翊	冠昏喪祭 / 柳致明 문인
家禮補疑	四未軒 張福樞 (1815~1900)	凡例	冠昏喪祭+邦國臣民鄕學禮
禮疑續輯	素山 李應辰 (1817~1886?)	인용서목	冠昏喪祭 / 洪直弼·俞莘煥 문인
四禮輯要	寒洲 李震相 (1818~1886)	序-李震相	冠昏喪祭 / 李源祚 문인
典禮攷證	近庵 柳致德 (1823~1881)	序-金道和	邦禮 / 柳致明 문인
通攷二禮纂要	昌厓 李秀榮 (1845~1916)	序-李秀榮	喪祭 / 李雲益·李圭薺 문인

家禮增說	息軒 崔憲植 (1846~1915)	序-崔憲植	冠昏喪祭 / 金興洛·張福樞 문인
聞韶家禮	秀山 金秉宗 (1871~1931)	書後-金秉宗 / 編例	冠昏喪祭＋國禮 / 金興洛·金時洛 문인
常變要義	晦山 安鼎呂 (1871~1939)	序-安鼎呂	冠昏喪祭 / 郭鍾錫 문인
四禮要選	松圃 洪在寬 (1874~1949)	序-洪在謙 / 凡例	冠昏喪祭 / 張福樞·李鉉汶·郭鍾錫·柳道獻 문인
四禮儀	栗溪 鄭琦 (1879~1950)	序-權載圭	冠昏喪祭 / 鄭載圭 문인
四禮抄要	金章煥 (19C~20C중반)	識-金章煥	冠昏喪祭 / 金誠一 후손

『상변통고』는 지역적으로 보면 안동권 뿐만 아니라 영남 전역에 걸쳐 널리 인용되었다. 영남지역에서 편찬 간행된 예서 중에서 동암(東巖)·『동암집(東巖集)』·『상변통고』가 선유성씨·인용서목으로 등재된 경우로는 『상변찬요(常變纂要)』(박종교)·『사의(士儀)』(허전)·『가례보의(家禮補疑)』(장복추)·『사례집요(四禮輯要)』(이진상)·『찬축고증(贊祝考證)』(윤주하)·『상변요의(常變要義)』(안정려)·『사례요선(四禮要選)』(홍재관) 등이 있다. 뿐만 아니라 영남 이외의 지역에서도 류장원의 예설이 인용되었는데, 김원송(金源松)의 『상례집해(喪禮輯解)』와 이응진(李應辰)의 『예의속집(禮疑續輯)』 등이 그것으로 그 파급 범위는 전국에까지 미쳤다.

『상변통고』의 특징 중 하나는 도해(圖解)가 나타나지 않는 대신 주자(朱子)의 「가례서(家禮序)」 외에 정이천(程伊川)의 「예서(禮序)」를 붙이고, 『예기』와 정이천, 장횡거(張橫渠), 주자 등의 학설에서 취한 「예총론(禮總論)」을 추가하고, 각 편과 절차마다 '총론'을 두어 예학의 본질과 시의(時宜)에 따른 예식 절차 변통의 원칙을 밝히고 그 의의를 논하는 데 치중하였다. 이는 사대부 사족과 관련된 예제를 모두 망라하여 그 의식의 본질과 유래와 절차에 관련된 중요한 예설을 널리 수집 분류 절충하여 가례학의 학문 체계를 세우려고 노력한 결과이다.40) 『주자가례』의 편찬 의도가 행례를 위주로 한 것이었다면, 『상

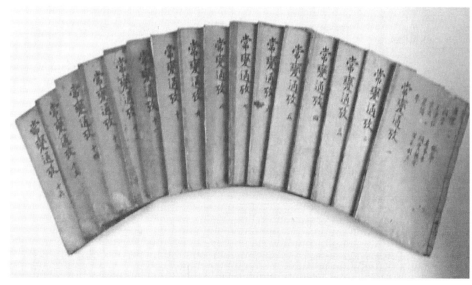

•류장원_상변통고•

변통고』는 새로운 하나의 예설고증서이며, 고증이 대단히 상세하고 넓게 이루어졌고 행례 그 자체보다는 사전적 편람이라는 목적에 더 기울어진 예서이다.[41]

『상변통고』는 편찬 의도와 성격이 예설을 종합하여 총합(總合) 광박(廣博)을 지향하였기 때문에 이에 따른 문제가 없지 않았다. 분량이 너무 방대한 데다, 제가의 설을 채록해 놓고 그 예설의 당부(當否)에 대한 결단을 내리지 않은 곳이 더러 있으며, 도식(圖式)·홀기(笏記)가 없어 행례에 참고하기에 불편하다는 점이 그것이다. 또한 『주자가례』의 본문에 대한 주석 체례를 따르지 않고 독자적인 분절 체재를 수립함으로써 『주자가례』와의 동이(同異)를 대조하는 데 불편하다는 지적이 있다. 이런 문제는 뒤집어 보면 예설의 집성과 새로운 체재를 강구한 것이 『상변통고』의 특징적인 면모라 할 수 있다.

류치명의 「연보」에 따르면, "『상변통고』는 동암 선생이 편찬한 것인

40) 정경주, 「『상변통고』 해제」, 『국역 상변통고』 1, 신지서원, 2009.
41) 유권종, 「近代 嶺南 禮制의 事例와 그 特徵-『家禮補闕』을 중심으로」, 『한국사상사학』 23, 한국사상사학회, 2004, 382쪽.

데, 선생(류치명)은 이 책에 대하여 산보(刪補)의 공력을 크게 쏟고 또 대야(大埜) 류건휴(柳健休)·호고와(好古窩) 류휘문(柳徽文)·수정재(壽靜齋) 류정문(柳鼎文) 등과 함께 10년 동안 마주 앉아 교감하고 뜻을 다하여 교정하고서 이때에 와서 간행했으며, 선생이 발문을 지었다."고 하였다.42) 「행장」에 따르면, "동암 선생은 거질의 책 두 종류『상변통고』와『사서찬주증보(四書纂註增補)』를 편찬했는데,『상변통고』는 집안에서 일상으로 사용하는 상례(常禮)와 관련되는 것으로 선생(류치명)이 대야호고와수정재 등과 함께 마주 앉아 교감하여 간행하였다."고 하였다.43)『상변통고』는 전주류씨(全州柳氏) 수곡파(水谷派) 예학을 대표하는 것인 동시에 영남지역 예학을 대표하는 예서로 높이 평가되었다. 이에 따라 수곡파 후학들이나 영남남인 예학자 사이에서는『상변통고』의 단점과 미비점을 보완하려는 노력이 끊임없이 이어졌다.

이상정 이후의 예학 계통을 논하자면, 이상정의 예학이 정종로(鄭宗魯)정나 남한조(南漢朝)로 이어진다는 설이 있으나44), 이는 류장원과『상변통고』에 대한 소개나 연구가 미흡한 데서 빚어진 속단인 듯하다. "근세에는 동암 류 선생이 친히 호문(湖門, 이상정)의 지결을 받아서 제가의 설을 모아 엮어서『상변통고』를 저술하여 제가의 설을 절충하고 본인 견해를 첨가했으니 고금 예가의 서적들이 이 책에 모두 갖추어져 있다."45)는 평가에서 보듯이 이상정의 예학은 류장원이 계승하였다고 보는 것이 타당하다. 안동권 예학을 논하는 과정에서 류장원을 별도의 학단으로 추출한 이유도

---

42) 柳致明,『定齋集』附錄 卷1「年譜」54세: 通攷, 東巖先生所編也. 先生於是書, 煞用趂那刪補之功, 而又與大埜好古壽靜諸公, 十年對校, 極意訂隲, 至是刊行, 先生撰跋文.

43) 柳致明,『定齋集』附錄 卷3「行狀」(金興洛): 東巖先生有二大書, 曰常變通攷, 曰四書纂註增補. 通攷一書, 尤有關於有家日用之常, 先生與大埜好古靜窩諸公, 對同勘校, 首尾十年, 以至鋟布.

44) 금장태는 <17세기 영남 예학파의 하통>을 '이상정-징종로'로 연결시켰고(『유교의 사상과 의례』, 예문서원, 2000, 240쪽), 류준정은 <영남예학자의 계보>를 '이상정-남한조-류치명'으로 연결시켰다.(「朝鮮朝 禮書의 編纂方法 研究-범례를 중심으로」, 부산대 석사학위논문, 1991, 59쪽)

45) 金章煥,『四禮抄要』,「四禮抄要識」: 近世東巖柳先生, 親受湖門旨訣, 裒輯諸家說, 著常變通攷, 折衷群言, 參以己見, 古今禮家之書, 儘備盡於此篇也.

바로 이 부분에 있는 것이다.

류장원의 예학은 그의 문인 및 가문의 학자들에 의해 널리 계승되었다. 류장원의 문하에서 류정문·김회운(金會運)이 예설 문답을 남겼고, 김호운(金虎運)이 「양촌논례후변(陽村論禮後辨)」을 남겼으며, 류건휴는 「상례비요의의(喪禮備要疑義)」를 남겼다. 그리고 『대산선생상제례답문(大山先生喪祭禮答問)』을 편찬한 류병문(柳炳文), 『가례고정(家禮攷訂)』·『관복고증(冠服攷證)』·『사례작고(四禮酌古)』·『의례보편(儀禮補篇)』을 편찬한 류휘문 형제를 비롯하여, 『가례집해(家禮輯解)』를 편찬한 류치명 등이 가학으로서 예학을 이어받아 크게 활성화하였다. 류치명은 별도의 학단으로 설정하여 뒤에서 검토할 것이므로, 아래에서는 류병문과 류휘문의 예학 저술과 특징에 대해서 살펴보기로 하겠다.

류장원의 문인 소은(素隱) 류병문(柳炳文, 1766~1826)은 『대산선생상제례답문』을 편찬하였다. 이는 류병문이 상중에 있을 때 이상정의 문집 중에서 예를 논한 대목을 추출하여 변례에 대처할 수 있도록 하기 위해 만든 책이다. 류병문은 편찬 경위를 다음과 같이 말하고 있다.

> 예(禮)에는 상(常)과 변(變)이 있는데, '상'은 근거를 가져올 수 있지만 '변'은 알기 어렵다. 병인년(1806)에 내가 상중에 있을 때 『대산집』을 빌려 보다가 예를 논한 여러 조목을 손수 초록하여 조기백(趙起伯)이 편집한 『퇴계상제례(退溪喪祭禮)』를 대략 본떠 상하 2책으로 정리했으니, 집안에서 '변'에 대해 의심이 생길 때 살필 수 있도록 하기 위함이었다. 인하여 가만히 생각하니, 선사(先師)의 『상변통고』가 세상에 나와 전현(前賢)의 예가(禮家)가 진실로 이미 모두 포함되어 그 속에 없는 것이 없는데, 또 어찌 이 책을 만들겠는가. 그러나 그 책은 권질(卷帙)이 많아 언제 판각될지도 모르고 베껴 쓰기가 쉽지 않음이 늘 안타까웠으니, 도리어 일가(一家)의 책을 취하여 조목에 따라 수록하고서 먼저 여기에서 터득한 연후에 다음으로 그 책을 통해 유추하고 넓혀도 또한 늦지 않을 것이다. 다만 구구하게 사적인 편의를 도모한 것이기에 나도 모르게 참람한 짓을 저질렀으니 이것이 두려울 따름이다.46)

---

46) 柳炳文, 『素隱集』 卷4, 「大山喪祭禮問答後識」: 禮有常有變, 常可據而變難知也. 丙寅, 炳文在憂服中, 借看大山集, 手抄其論禮諸條, 略倣趙起伯所

이 책은 이황의 문인 조진(趙振)이 편집한 『퇴계선생상제례답문(退溪先生喪祭禮答問)』을 본떠 만든 것이다. 『퇴계선생상제례답문』의 체재를 본떴다는 것은 표제가 '퇴계'에서 '대산'으로 바뀐 것 외에 '선생의 예설'을 행례에 편리하도록 재편집한 형식적 측면이나 '변례의 강구'라는 내용적 측면에서는 그대로 계승되었음을 의미하는 것이다. 류장원이 이상정 문하에서 예를 강구한 인물 중 '전문명가'라고 높이 평가되었던 만큼, 스승으로부터 이상정의 예학에 대해 익숙하게 들었을 것으로 보인다. 하지만 이 책을 편찬할 당시는 스승의 『상변통고』가 간행되지 못한 시점이라서 다른 대안을 마련할 필요가 있었고, 따라서 『대산집』(1802년 간행) 중 상제례를 행할 때 준거로 삼을 만한 변례에 관한 설을 중심으로 수록하여 행례 지침서로 사용하고자 한 것이다.

『대산선생상제례답문』은 류장원 학단의 예학에 있어서 이상정의 위상을 잘 보여 주고 있다. 특정한 선생의 예설을 별도로 성책하여 편찬 간행하는 사례는 영남학파의 경우 이황에 집중되어 있고, 정구·안여경(安餘慶)·장현광 등의 경우로 한정되어 있으며, 18세기 이후 인물의 사례는 극히 드물다.[47] 류병문이 자신의 집에서 변례가 발생했을 때 준거로 삼기 위해서 이 책을 만든다고 표방한 점으로 볼 때, 학통의 친밀성 외에 이상정의 예설이 당시 안동권 학자들에게 대단히 중시되었음을 알 수 있다. 여기에는 영남지역의 예학을 대표할 인물로 부각시켜 기호학파에 대응한다는 측면에

編退溪喪祭禮, 釐之爲上下二冊, 凡人家之疑於變者, 於是可按而攷也. 仍竊惟先師通攷書出, 而前賢之家, 固已包擧, 其中無所不有, 又安用此編爲哉. 然其書卷帙夥而鋟板無期, 常病其傳寫之不易, 則顧取一家書, 隨條隨錄, 先有所得於此, 然後次以推廣於彼, 亦未爲晚矣. 但區區便私之計, 不覺其僭竊之歸, 是則可懼也已.

47) 二先生禮說(朱熹, 1130～1200 / 李滉, 1501～1570), 李先生禮說類編(이황), 退溪寒岡星湖三先生禮說類輯(이황 / 鄭逑, 1543～1620 / 李瀷, 1681～1763), 玉川安先生禮說(安餘慶, 1538～1592), 旅軒先生禮說(張顯光, 1554～1637), 尤菴先生禮說(宋時烈, 1607～1689), 南溪先生禮說(朴世采, 1631～1695), 寒水齋先生禮說(權尙夏, 1641～1721), 星湖先生禮說(李瀷), 梅山先生禮說(洪直弼, 1776～1852), 全齋先生禮說(任憲晦, 1811～1876), 艮齋先生禮說(田愚, 1841～1922).

서도 이상정 예설의 편찬이 대두될 수밖에 없었던 것으로 보인다. 예서는 아니지만 류건휴의 『계호학적(溪湖學的)』이나 류치엄(柳致儼)의 『호학집성(湖學輯成)』48)도 이황과 이상정의 학술을 일목요연하게 정리함으로써 퇴계 학맥의 적통이 이상정으로 계승되고 있음을 각인시키려는 의도가 작용한 점에서는 『대산선생상제례답문』과 궤를 같이하는 것으로 볼 수 있다.

호고와 류휘문(1773~1827)은 스승 류장원의 『상변통고』를 교정하는 한편 4종의 예서를 편찬하였거나 편찬하려고 하였다. 『관복고증』·『가례고정』·『의례보편』·『사례작고』가 그것인데, 앞의 2종만 『호고와별집(好古窩別集)』에 수록되어 전하고, 뒤의 2종은 현재 그 현존 여부를 알 수 없다. 그는 1794년에 친형인 류병문과 함께 족조(族祖)인 류장원을 찾아가서 학업을 청했다. 이때 『대학』·『대학혹문(大學或問)』·『성학십도(聖學十圖)』·『논어』·『맹자』 등에 대해서 사제 간에 질의 응답한 내용들을 「암재기문(巖齋記聞)」으로 기록하였다.

『관복고증』은 고증의 방법을 통한 예학 논의의 한 단면을 보여 준다. 이 책은 태고에서부터 하은·주·한당에 이르기까지 역대의 관(冠)과 복(服)에 대해서 고경(古經)의 자료를 널리 채록하여 재료·치수·제도 등을 고증해서 도식화한 것이다. 류휘문은 주나라 때 크게 갖추어졌던 관복제도가 후대로 내려가면서 오랑캐의 제도를 따름으로써 고의(古意)를 잃은 점을 개탄하였다. 그리하여 태백관(太白冠)·치포관(緇布冠)·주현관(周玄冠)·진현관(進賢冠) 등 모자를 비롯하여 허리띠·신 등 20여 조목으로 분류하였는데, 천자제후의 관복은 제외하고 대부(大夫)와 사(士)의 관복으로만 범위를 한정하였다.49) 그동안 복식 제도에 대한 관심은 심의제도

---

48) 『溪湖學的·湖學輯成』, 한국국학진흥원 영인, 2009. 金興洛의 문인 清石 徐錫華(1869~1924)가 李滉·李玄逸·李象靖·柳致明의 경학 논설을 모아 『經說類編』을 편찬한 것도 현실의 당면과제를 유학 경전의 이해에서 찾으려는 의도에서이고, 학문의 역사성과 정체성을 확보해 서구사조에 대응하는 주도적 위상을 보장받으려는 의도도 담겨 있다.(설석규, 「『경설유편』 해제」, 『經說類編』, 한국국학진흥원, 2004, 962쪽)

49) 류휘문의 「연보」에 따르면 『관복고증』이 완성되자 『釋宮補』와 함께 族子인 柳致儼에게 주었다고 하는데, 이에 관한 기록은 「贈族姪致儼序」(『호고와집』 권18)에 상세하다. 류휘문은 이 글에서 宮廬와 冠服의 제도를 편차하게 된 것이 류치엄의 질문에 의해 촉발되었음을 명시하였다.

●류휘문_가례고정●

(深衣制度)에 집중하여 논의되었다. 그러던 것이 『관복고증』을 시점으로 심의 이외의 다른 복식 분야에까지 논의의 범위를 확장하여 면밀하게 검토하였다. 『관복고증』 19세기 후반 성주권의 도한기(都漢基)가 편찬한 『관복집설(冠服輯說)』과 함께 영남지역의 복식 관련 예서로 주목할 만한 성과이다.

『가례고정』 역시 고증을 통한 예설 비판의 한 사례를 보여 준다. 이 책은 『주자가례』 내용 중에서 학자들 사이에 논란이 되었던 대목에 대해, 경전에 근거하여 주자의 정론에 맞도록 상정하고 고금의 예서를 두루 참작하여 상충되는 논설을 고정(考訂)해서 정리한 책이다. 속례에 대해서도 『주자가례』와는 다를지라도 고례와 근사하다면 따르는 포용적인 입장을 취했다. 여기에는 이상정과 류장원의 설이 다수 인용되어 있다. 이 책은 영남지역에서 『주자가례』를 묵수하지 않고 다양하게 변통하였던 하나의 단면을 보여 준다.

류휘문은 이외에도 『의례보편』과 『사례작고』를 편찬하려 했지만[50]

---

50) 柳徽文, 『好古窩集』 附錄 卷2 「家狀」(柳致皜): 凡禮家未決之訟, 必據儀禮爲正. 曰衆言殽亂, 折諸聖人可也, 遂著家禮攷訂. 又言, 古宮室制度, 廢壞已久, 今欲行古禮, 多室礙難通處, 作釋宮補宮廟圖, 授族子致皜致儼等, 俾講其制. 又言, 秦漢以來, 禮壞樂崩, 胡元亂夏, 衣冠制度, 蕩然無復存者. 搜采經傳註疏吉凶之制, 著冠服攷證. 在燕居時, 着緇布冠頍項靑組纓, 晚考周制, 着

완성되지는 못했다. 『의례보편』과 관련하여 『호고와집』 권15에 수록된 「석궁보(釋宮補)」를 살펴볼 필요가 있다. 이 글은 의례학(儀禮學)의 한 부분으로 옛날 궁묘(宮廟)제도를 연구한 자료이다. 서두에서 이를 짓게 된 배경에 대하여, 이여규(李如圭)가 수집 정리한 고인들의 궁실(宮室) 제도를 바탕으로 주자(朱子)가 참작하고 바로잡아 『의례석궁(儀禮釋宮) 』을 만듦으로써 궁실 각 부분의 위치와 명칭 등을 또렷하게 살펴볼 수 있게 되었지만 거기에는 출처가 미흡한 부분이나 설명이 누락된 부분이 없지 않아, 자신이 이를 보완하여 후대에 옛 제도를 회복하려는 이들이 채택하는 데 일조가 되기를 바란다고 하였다. 그리고 말미에는 궁묘도(宮廟圖)를 삽입하여 각 부분의 명칭을 일목요연하게 소개하고 있다. 류휘문은 고대의 궁실제도가 오랫동안 폐기됨으로써 당대에 고례를 행함에 장애가 되는 부분이 많아서 석궁보(釋宮補)·궁묘도를 지어서 족자(族子)인 류치호(柳致皡)·류치엄(柳致儼)에게 주어 그 제도를 익히도록 하였다. 고례의 원형인 『의례』를 중시하여 당대에 부합하는 예제로 절충하려고 했던 그의 예학 경향을 단적으로 드러내 주는 사례이다.

4. 류치명(柳致明) 학단

안동 수곡(水谷)에 세거한 전주류씨(全州柳氏) 집안은 문풍이 융성했는데, 그 가운데 정재(定齋) 류치명(1777~1861)은 19세기 영남학파의 종장으로 일컬어진다.[51] 류치명 학단의 학맥은 이상정→남한조→류치명→김흥락(金興

玄冠, 襞積無數, 跨頂前後, 武二十四寸, 有纓有緌. 人或謂今人當服今人衣服, 先生笑曰, 此亦復古之一端, 若以此見周公, 周公必莞爾而笑矣. 又欲著儀禮 補篇, 以補朱門之所未逞, 著四禮酌古, 定爲一家之式, 未及就.

51) 류치명에 대해서는 권오영, 「유치명 학파의 형성과 위정척사운동」, 『한국근 현대사연구』 10, 한국근현대사학회, 1999; 강윤정, 「定齋學派의 現實認識과 救國活動」, 단국대 박사학위논문, 2006; 윤동원, 「定齋 柳致明의 생애와 『평 상제현급문록』에 관한 연구」, 『도서관』 379, 국립중앙도서관, 2007; 김미영, 「 조선후기 상례의 미시적 연구-정재 류치명의 상례일기 『考終錄』을 중심으로 」, 『『실천민속학연구』 12, 실천민속학회, 2008; 柳榮洙, 「定齋 柳致明 研究

•류치명_정재 현판•

洛)으로 이어지는 것으로 보는 것이 일반적이다. 그런데 예학의 경우에 있어서는 남한조 자리에 류장원(柳長源)이 들어가야 한다는 것은 앞에서 검토한 바와 같다. 류치명의 예학은 류장원에게서 절대적인 영향을 받았다.

류치명은 류장원의 종증손(從曾孫)이자 문인으로 『상변통고(常變通攷)』 교정 및 간행에 공력을 쏟았다. 그리고 『가례집해(家禮輯解)』와 「가례집해서(家禮輯解序)」·「상변통고발(常變通攷跋)」 등 예서와 예서 서발문을 지었고, 「예의총화(禮疑叢話)」를 비롯한 10여 편의 잡저를 저술하여 19세기 전반 안동권은 물론 영남 전역에 걸쳐 강력한 영향력을 발휘하였다. 류치명의 예학에 대해서는 그의 예학 성과가 가장 잘 집약된 『가례집해』와 「예의총화」 두 저술을 통해 살펴보기로 하겠다.

『가례집해』는 말 그대로 『주자가례』에 대한 주해(註解)를 모은 책이다. 류치명이 이 책을 편찬했을 때는 본디 8권 4책이었다. 나중에 그의 제자인 류치엄(柳致儼)이 스승의 허락을 받아 홀기(笏記)와 도식(圖式)을 정리하여 『가례집해홀기(家禮輯解笏記)』 2권 1책을 완성하였다. 이에 따라 현존하는 『가례집해』는 사제 간의 저술을 합쳐서 10권 5책으로 합편되어 있다.

류치명은 『가례집해』를 편찬하면서 『주자가례』 주석에 다시 손을 대는

---

(1)」, 『동방한문학』 44, 동방한문학회, 2010; 류영수, 「定齋 柳致明 經學 硏究」, 경북대 박사학위논문, 2012 참조.

•류치명_가례집해•

이유로 두 가지를 들었다. 첫째는 『상변통고』에 「가례고의(家禮考疑)」라는 부분이 있지만 『주자가례』에 대한 간략한 주석에 머물고 말았다는 점이다. 둘째는 『상변통고』를 제대로 이해하기 위해서는 『주자가례』를 먼저 이해해야 한다는 점이다. 류치명의 「연보」에 따르면, 『주자가례』는 주자가 교감하지 못한 책이라서 후인들이 함부로 손을 대어 본문을 바꾸었고, 부주(附註)의 경우에는 증(增)·출(黜)하기도 하여 차오(差誤)가 있다고 판단하여, 주자의 초년설과 만년설에 나아가 채집하고 고사(古事)와 명물(名物) 중 꼭 해석해야 할 곳에 대해 상세하게 주(註)를 달았다고 하였다.[52]

　　표면상으로 보면 『가례집해』는 『상변통고』의 「가례고의」를 보완할 목적으로 지어진 것으로 보인다. 그러나 그가 『상변통고』를 이해하기 위해서는 『주자가례』를 먼저 이해해야 한다고 한 점은 단순히 「가례고의」를 보완하려

---

52) 柳致明, 『定齋集』 附錄 「年譜」 60세: 先生以家禮是朱先生未勘之書, 因被後人妄加手分, 改易本文, 至於附註, 或增或黜, 種種差誤, 乃就先生初晚議論, 而採輯之, 古事名物之不能無待於解釋者, 一一詳註, 凡八卷四冊, 有序文.

는 의도만이 아닌 것으로 보인다. 이미 다양한 종류의 『가례』주석서가 유포된 상태에서 별도로 『가례』주석서를 편찬한 이유는 무엇이었던가. 이는 『상변통고』의 저술 성과를 바탕으로 『주자가례』를 재해석하려는 의도가 담긴 것으로 보인다. 『상변통고』가 『주자가례』를 둘러싼 방대한 예설을 채록하였기에, 류치명은 그동안에 집적된 예설들을 바탕으로 『주자가례』를 재해석할 여건이 충분히 숙성되었다고 판단한 것이다. 한편으로 행례규범서로는 『주자가례』가 가장 간결하다는 재래의 평론이 있었던 만큼 『상변통고』의 성과를 토대로 『주자가례』를 재해석함으로써 이를 행례의 표준으로 정착하려는 의도를 담고 있었다고 생각된다.

『가례집해』의 발문을 쓴 조긍섭(曹兢燮)은 "상세함을 고찰하고자 하면 『상변통고』만큼 갖추어진 것이 없고 간략함을 지키고자 하면 이 책만큼 요약된 것이 없으니, 아름다운 일이구나! 예는 류씨 집안에서 오래도록 전해진 것이다."[53]고 하였다. 여기서 『상변통고』의 상세함과 더불어 『가례집해』의 간략함을 지적한 것은 예설 집성 서적으로서의 『상변통고』의 성격과 행례규범서로서의 『가례집해』의 성격을 잘 드러낸 것이라 하겠다.

「예의총화」는 의문변절(疑文變節)에 대한 차록(箚錄)으로, 모두 124조에 이른다. 이를 그 내용에 따라 구분하면 예총론(禮總論)(1-12조), 『주자가례』 오류 및 진위 여부(13-15조), 통례(通禮)(16-28조), 관혼(冠婚)(29-40조), 상례(喪禮)(41-87조), 제례(祭禮)(88-116조, 93-102조는 제찬(祭饌)), 기타(117-124조, 120-124조는 논례(論禮) 태도)로 나눌 수 있다. 「예의총화」에 대한 저술 동기는 「행장」에 간단하게 적고 있다.[54] 등위(等位)를 분별하고 애경(愛敬)을 실천하기 위해서는 예의 경위(經緯)를 모두 익혀야 하기 때문에 의문변절에 대해서 강론하지 않을 수 없다는 입장에서 「예의총화」를 저술한 것이다.

류치명의 논례의 방향과 태도는 「예의총화」 끝부분에서 집중적으로 논의되고 있다. 그는 번(煩)과 간(簡)에 대한 오해를 푸는 것으로 말문을 연

---

53) 曺兢燮, 『巖棲集』 卷23 「家禮輯解跋」: 欲考其詳乎, 無如通攷之備, 欲守其簡乎, 無如是書之約, 媺矣哉, 禮之爲柳氏之長物也.
54) 柳致明, 『定齋集』 附錄 卷3 「行狀」(金興洛): 又以爲禮有經有緯. 非經則等威不辨, 非緯則愛敬不行. 今人謂文繁可省者, 非也. 然其疑文變節, 不容不更加綿蕝, 於是作禮疑叢話.

다. 주례(周禮) 이래 예학에서 '고(古)'와 '시(時)'의 문제는 북송대 예학과 이를 이은 남송대 주자 예학의 발전과정에서도 여전히 중요한 주제였다.[55] 사람들은 고례가 번거로운 겉치레와 너무 세세한 예식으로 구성되었다고 규정하고, 오늘날의 시대에는 전혀 통용할 수 없는 것이라고 말하기도 한다. 그러나 류치명은 존장(尊長)을 만났을 때 절하는 것을 사례로 들면서 오늘날의 예가 오히려 고대의 예보다 훨씬 더 번잡한 점이 있다고 지적하였다.

> 사람들은 모두 고례가 너무 번잡하다 하는데, 실제로는 고인이 행한 예가 간편하고 금인이 하는 예는 번잡하다. 고인은 절문(節文)이 번잡한 부분에 대해서 번잡함을 삭제하고 간편함에 나아갔는데, 금인은 이렇게 할 줄은 모르고 매양 하나의 절차가 있으면 모두 그대로 따라 하기만 하여 간편함으로 조절하지 못한다. 예컨대 고인은 3인 이상의 존장을 만나면 세 번 재배하고 말았으니, 여러 사람 속에서 세 곳을 향해 절하고 말았던 것이다. 금인은 존장 한 분을 만나면 한 번 절하고, 존장 열 분을 만나면 열 번 절하니, 존장 백 분을 만나면 백 번 절해야 한다. 이것이 금인의 번잡함이 고인의 번잡함보다 훨씬 더한 경우이다.[56]

번잡함[煩]과 간략함[簡]의 차이가 고례(古禮)와 금례(今禮)의 차이와 등식이 되는 것은 아니다. 고례가 지금 시대에 그대로 행해지지는 못한다. 그래서 지금의 제도와 풍속에 맞도록 수정 변통해 나간다. 이것이 시의(時宜)이다. 시의에 합당한 방향으로 절충하는 과정에서 고례의 원의를 곡해하여 잘못된 방향으로 키를 잡거나 고례의 원의를 몰라서 엉뚱한 방향으로 몰아가는 경우도 발생한다. 류치명은 인용문에서 많

---

55) 정경희, 「朱子禮學의 형성과 『朱子家禮』」, 『한국사론』 39, 서울대 국사학과, 1998, 86쪽.
56) 柳致明, 『定齋集』 卷20 「禮疑叢話」 120條: 人皆謂古禮太繁, 其實古之爲禮也簡, 今之爲禮也繁. 古人於節文叢委處, 卻會刪繁就簡, 今人不知爲此, 則每有一節, 便一直承用, 無以簡節. 且如古人遇尊長三人以上, 三再拜而止, 衆中旁三拜而止. 今人遇一尊長, 一拜, 十尊長十拜, 以至百尊長也, 須百拜. 是今人之繁, 繁於古人遠矣.

•류치명_정재종택(안동시 임동면)•

은 사람들을 대상으로 절할 때 사람 숫자대로 모두 절하는 풍속을 비판하였다. 이런 풍속이 발생하게 된 것은 바로 고례의 예문이 번잡하다고 매도해 버리는 데서 찾을 수 있다. 류치명은 전에는 간략했던 것이 후대로 올수록 자꾸 번잡해짐으로써 예의 실행을 저해하는 시대적 분위기를 지적하여, 간략함을 통해 행하기 수월한 예제를 마련하고자 하였다.

류치명은 '고례는 번잡하고 금례는 간략하다'고 인식하는 세인의 생각을 지적하고 나서, 신중한 논례 태도를 말하였다.

　　선사(先師) 동암(東巖) 선생이 말하기를 "이(理)를 논하다가 어긋나는 것이야 음양가의 경우처럼 그 재앙이 그래도 관대하지만, 예(禮)를 논하다가 어긋나는 것은 의원의 약방문이 그 자리에서 사람을 죽일 수도 있는 것과 같다."고 하였으니, 이 말씀은 참으로 예를 논하는 사람이라면 알아야 마땅하다.57)

57)　柳致明, 『定齋集』 卷20 「禮疑叢話」 121條: 先師東巖先生言, 論理而差

류치명이 류장원의 언급을 인용한 데서 알 수 있듯이 그는 논례에 있어서 정확한 진단과 그에 따른 신중한 처방을 강조하였다. 그는 우리나라 현실과 개인·가문의 처지를 정확하게 고려하여 그에 꼭 맞는 예의 실행을 제시하는 것이 예학자의 사명이라고 인식하였다. 고금의 마땅함이 다르고 번간(煩簡)이 다르므로, 고례에만 너무 빠지게 되면 시속을 놀라게 할 염려가 있고, 번거로운 예문만 따르게 되면 번쇄한 폐단이 있게 마련이다. 주자가 『주자가례』를 편찬하면서 바로 이 지점에서 고(古)와 금(今), 번(煩)과 간(簡)의 절충점을 찾아내었기에 만세의 의칙(儀則)으로 추앙을 받았던 것이다.[58]

위와 같은 입장에서 류치명은 시속의 큰 병폐 중 하나로 인습(因襲)을 지적하였다. 무지한 사람이야 그렇다 치더라도 유가의 학문을 배워서 아는 자도 구태의연하게 인습에 젖어서 변통할 줄 모르는 것을 통탄하면서 『맹자』에 나오는 '상제종선조(喪祭從先祖)'라는 구절로 비유하였다. 그는 이 경문을 인용하여 인습의 폐단이 예전부터 있었던 일이라고 하면서도, 가부(可否)와 대소(大小)를 제대로 살피지 않고 무턱대고 고례로 되돌아가자고 주장하는 것은 시속을 놀라게 할 수밖에 없다고 하였다.[59] 시속을 놀라게 하는 폐단뿐만 아니라 시속을 바로잡는다는 명분 아래 고례로 되돌아가려고 하는 것도 예의 근본을 잃은 처사라고 하거나 예가인(禮家人)으로 자처하며 함부로 떠들어 대는 이들에 대한 비판[60] 역시 류장원의 신중한 태도

者, 如陰陽家, 其禍猶緩, 論禮而差者, 如醫方當下殺人, 誠哉是言, 論禮者
之所宜知也.

58) 鄭煒, 『家禮彙通』「序」: 第古今異宜, 煩簡殊制, 泥古昔則有駭俗之患, 循
煩文則有繁碎之歎. 此朱夫子所以酌古今之宜, 裁煩簡之中, 著爲家禮數篇,
以惠後學永垂萬世之儀則也.

59) 柳致明, 『定齋集』卷20「禮疑叢話」122條: 因襲之陋, 俗之大患也. 學之不進,
禮之不行, 職此之由, 不知者, 固不足道, 知之者, 亦苟安而不知變. 且如滕之父兄
百官, 非不知文公之爲是, 卻云吾有所受之, 是其弊自昔已然, 但亦須視事之可否,
力量之大小, 苟不忖度而欲返古之道, 則孔子所謂栽及其身者也. 故曰行禮不可駭
俗.

60) 柳致明, 『定齋集』卷20「禮疑叢話」123條: 君子行禮, 非徒駭俗之是懼.
苟不顧自己力量, 而惟欲矯俗而返古, 則只此一心非禮矣. 雖所行者是, 亦
失其所以爲禮之本矣. / 124條: 禮之承訛, 非但俗失, 世有習於禮者子弟,

를 계승한 것이다. 이는 또한 현재 진행형의 풍속에 근간을 두고서 일부 비례·과례·결례의 요소는 제거하고 미흡한 점은 개선하며 건전한 점은 권장하였던 이황의 절충적 논례 관점[61]과도 일맥상통하는 논의라고 하겠다.

류치명은 예의 실행을 제고하기 위하여 변화된 시대에 적의한 논설을 많이 제시하였다. 「예의총화」를 비롯한 잡저 등에 산견되는 그의 예설은 『주자가례』의 틀이나 내용을 그대로 수용하는 입장이 아니다. 『주자가례』에 명시되어 있는 조문조차도 고례나 속례를 끌어와서 변통 절충하는 사례가 많이 발견되는 점에서 이를 확인할 수 있다. 특히 「예의총화」에 수록된 예설이 '삼대(三代) 이후 이런 말씀이 없었다'[62]는 평가를 받은 것은 위에서 언급한 몇 가지 사례를 통해서 충분히 증명이 가능하다.

잡저에는 류치명이 평소에 관심을 갖고 연구했던 예설이 13편이 수록되어 있고[63], 잡저 외의 예 관련 자료로는 『학기장구(學記章句)』, 왕조전례(王朝典禮, 실전), 『대산선생실기(大山先生實紀)』 등이 있는데, 이는 일일이 소개하지 못한다. 류치명의 예설이 인용서목으로 채택된 것은 박종교(朴宗喬)의 『상변찬요(常變纂要)』와 장복추(張福樞)의 『가례보의(家禮補疑)』를 들 수 있다.

545인의 류치명 문인은 안동·영주 등 인근 지역뿐만 아니라 영남 전체에 널리 포진하여 당시 영남지역을 통틀어 가장 큰 학단을 형성했다. 그의 문인으로 예학 저술을 남긴 인물의 면모를 정리하면 다음과 같다.

未必善於箕裘, 猶自處以禮家人, 率用己意, 以依微不的者, 指爲先故所行, 人亦鮮有覷破者, 吾見多矣. 深可懼也.

61) 拙稿, 「退溪의 折衷的 論禮 관점」, 『동양한문학연구』 33, 동양한문학회, 2011, 28쪽.

62) 柳致明, 『定齋集』 「年譜」 58세 著讀書瑣語禮疑叢話: 壽靜公見之曰, 所論皆從身親經歷中出來, 至於禮疑則三代以下無此說話.

63) 柳致明, 『定齋集』 卷19 「讀深衣諸說」·「程子冠制」; 卷20 「禮疑叢話」; 卷21 「曾玄孫承重孫妻曾孫妻幷服及其妻從服不從服辨」·「小記宗子母在爲妻禫疏說疑義」·「婦人本親宗服疑義」·「父死未殯服祖周及題主辨」·「國恤後陞朝官制服當否議」·「包特說」·「禘祫享辨證」·「祭祀鬼神說」·「祭饌說」·「深衣考定辨」.

표-12 <류치명 문인의 예학 저술>

성명	예학 저술	성명	예학 저술
可庵 朴宗喬 (1789~1856)	『常變纂要』	直齋 金翊東 (1793~1860)	『喪祭儀輯錄』
潢皐 李彙廷 (1799~1876)	『喪祭雜儀』	菊隱 林應聲 (1806~1866)	『溪書禮輯』
危齋 趙相憙 (1808~1870)	「儒禮編解」	萬山 柳致儼 (1810~1876)	『家禮輯解笏記』
絅齋 崔祥純 (1814~1865)	『喪禮要解』『四禮集說』	鵝山 權行夏 (1815~1855)	『常變輯要』『常變要覽』
黙庵 裴克紹 (1819~1871)	『四禮簡要』	近庵 柳致德 (1823~1881)	『典禮攷證』
西山 金興洛 (1827~1899)	「家祭儀」	愚軒 金養鎭 (1829~1901)	「禮疑私笏」
月室 權重淵 (1830~1883)	『禮疑箚錄』	俛窩 鄭來源 (1845~1916)	『疑禮攷正』

위에 제시한 저술 중에서 예서 10여 종을 살펴보면 독특한 면모가 나타난다. 그것은 '가례(家禮)'의 명칭이 붙은 것이 1종, '사례(四禮)'의 명칭이 붙은 것이 2종인 데 비해 '상변(常變)'의 명칭이 붙은 것이 3종이나 된다는 점이다. 그것도 모두 '상변' 뒤에 '요(要)' 자를 붙이고 있다. 이는 『상변통고』의 위력을 말하는 것이고, 이를 교정 출간한 류치명의 영향임은 부언할 필요가 없을 것이다. 또 하나는 19세기의 시대 분위기를 반영한 것이기도 하다. '요(要)' 외에 '약(略)' '간(簡)' 자를 붙인 예서가 많이 보이는데, 이 시대는 예설의 종합보다는 행례를 위한 간요(簡要)가 실질적으로 더 요구되었다는 말이다. 앞 시대에도 요·약간 등의 명칭이 붙은 예서가 없지는 않았지만, 19세기 이후에 집중적으로 나타난다는 점이 이를 말해 주고 있다.

류치명 문인들의 예학 성과 중에서는 이황의 예설을 편집한 『계서예집(溪書禮輯)』과 방례 논의를 전문으로 다룬 『전례고증(典禮攷證)』이 주목된다. 국은(菊隱) 임응성(林應聲, 1806~1866)이 편찬한 『계서예집』은 『퇴계집』 가운데 예에 대해 논한 내용을 상례에서 국휼례까지 28조목으로 나눈 예서이다. 임응성은 과거 공부에 전념하다가 무익함을 깨닫고는 류치명의 문하에

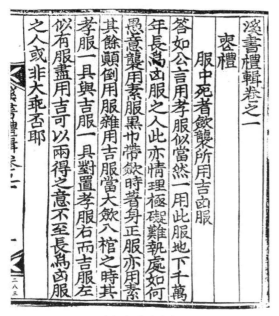

●임응성_계서예집●

나아가 『심경』·『근사록』 등의 의의(疑義)에 대해 질의하였다. 부모상을 마칠 때까지 흉차(凶次)를 떠나지 않았고 혹시나 예법을 다하지 못할까 염려하여 이황의 예론을 초집(抄輯)하여 법도로 삼았다.

조선조 예학자 중에 이황의 예설을 인용하지 않은 이는 없을 것이다. 그런데 『퇴계집』의 규모가 방대하고 예설이 문집 속에 분산되어 있기 때

문에 예의 실행을 위해 찾아보려고 할 때 불편하다는 단점이 있었다. 이를 해결하기 위해서 『퇴계선생상제례답문(退溪先生喪祭禮答問)』과 『계산예설유편(溪山禮說類編)』 등의 예서가 만들어지기는 했지만, 전자는 소략한 면이 있고 후자는 상세하기는 하나 간행되지 못하였다. 그래서 임응성은 행례의 편람을 도모하는 데 초점을 두어 새로운 형태의 예서를 마련하고자 하였다.

『계서예집』에는 임응성의 안설(按說)이 반영되지 않았다는 한계가 있지만, 이황의 문집에서 예문답(禮問答) 내용을 담고 있는 서간문을 특정한 기준에 따라 분류하여 편집함으로써 이황 문인부터 19세기에 이르기까지 이황의 예문답이 퇴계학파 예학의 기준으로 적극 활용되고 이황 예설이 스승의 설로 존숭되었던 맥락을 짚을 수 있다는 점에서 의의를 찾을 수 있다.

근암(近庵) 류치덕(柳致德, 1823~1881)의 『전례고증』은 류장원이 『상변통고』에서 다루지 못한 방례 부분을 보완한 『상변통고』의 '보유(補

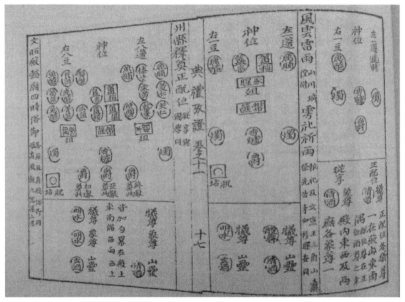

•류치덕_전례고증•

遺)' 성격을 갖는 예서이다. 류치덕은 예가(禮家)의 저술이 모두 '사례(士禮)'에만 상세하고 왕조(王朝)의 대례(大禮)는 논급하지 않은 점을 유감으로 생각하여 오례(五禮)의 기강을 세우고 여러 가지 의식을 취합하여 모두 36편에 수백천조(數百千條)에 이르도록 편집하였다고 밝히고 있다.[64]

　『전례고증』이 방례를 전문적으로 다룬 예서인 만큼 첫머리에 우리나라 서적과 인물을 정리한 '인용서목'과 '재록성씨'는 가례서의 그것과 다른 면모를 보인다.

　이를 도표로 정리하면 다음과 같다.

표-13 <『전례고증』의 인용서목(引用書目)과 재록성씨(載錄姓氏)>

引用書目	麗制, 五禮儀, 麗史, 經國大典, 續大典, 大典通編, 國制, 國朝寶鑑, 輿地勝覽, 喪禮補編 / 筆苑雜記, 晦齋集, 退溪集, 言行錄, 栗谷集, 家禮考證,

---

64) 柳致德, 『典禮攷證』「後識(癸酉)」.

43종	鶴峯集, 西厓集, 懲毖錄, 忠武錄, 五先生禮說, 喪禮備要, 家禮輯覽, 疑禮問解, 眉叟記言, 尤庵集, 磻溪隨錄, 疑禮問答, 炭翁集, 葛庵集, 洪範衍義, 星湖僿說, 農巖集, 錦水記聞, 刊補, 大山集, 聖學正路, 常變通攷, 周禮漫記, 冠服攷證, 家禮輯解, 定齋集, 國朝故事
載錄姓氏 39인	鄭夢周, 徐敬德, 許稠, 奇大升, 趙憲, 曺好益, 張顯光, 鄭經世, 金長生, 朴世采, 李廷龜, 韓百謙, 金尙憲, 金集, 權相一, 李栽, 李粹光, 崔鳴吉, 元斗杓, 李漢輔, 李縡, 許磊, 柳馨遠, 尹拯, 李玄逸, 崔錫鼎, 李益炡, 金若魯, 兪拓基, 李光靖, 金樂行, 權尙夏, 李瀷, 安鼎福, 南漢朝, 尹東奎, 柳徽文, 姜世綸, 柳鼎文

위의 표에 수록된 서적과 인물 중에서 인용서목 후반부의 『대산집(大山集)』(이상정)·『성학정로(聖學正路)』(김종덕)·『상변통고(常變通攷)』(류장원)·『주례만기(周禮漫記)』(류건휴)·『관복고증(冠服攷證)』(류휘문)·『가례집해(家禮輯解)』(류치명)·『정재집(定齋集)』(류치명)·『국조고사(國朝故事)』(류건휴)와 재록성씨의 이광정·김낙행·남한조·류휘문·류정문 등은 모두 류장원의 사(師)·우(友)·제(弟)이고, 특히 류씨는 모두 류장원의 문인들이다. 전체적으로 보면 안동권 출신, 그것도 전주류씨 수곡파의 저서와 인물로 채워져 있다는 점은 전주류씨 집안에서 저술이 성대하게 이루어졌고 논의의 수준도 상당했음을 말해 준다. 이들 외에 18세기 이후 서목이나 인물 중에 이익·안정복·윤동규 등 성호학파에 속하는 이들이 많다는 것은 이상정 이후 끈끈하게 유지되어 온 학맥의 친연성을 반영한 것으로 보인다.

『전례고증』은 가례·향례·학례까지 다룬 『상변통고』에서 한 걸음 더 나아가 방례까지 정리함으로써 전주류씨 수곡파 내에서 예학의 전체를 종합하였다. 이 책은 비슷한 시기에 상주권의 류주목(柳疇睦)이 『전례유집(全禮類輯)』에서 가례와 방례를 아우른 것과 더불어 '예학의 총합'을 추구한 영남지역 예학의 건실한 면모를 잘 보여 주는 사례라고 하겠다.

류치명은 이상정과 류장원으로 이어진 학통을 계승하여 예학 논의에 있어서 이들을 전범으로 삼았다. 또한 류장원과 류휘문 등 전주류씨의 가학으로 계승된 예론도 충실하게 반영하였다. 위에서 살펴본 예서와 그와 관련한 업적을 통해서 볼 때, 류치명은 퇴계학파의 적전이라는 학맥상의 위치 외에 안동권의 예학 흐름에 있어서도 중요한 인물로 꼽을 수 있다.

•김흥락_가제의•

그의 문인들은 이황의 예설을 행례에 적합하도록 편집하거나, 선현의 업적을 계승하여 상변(常變)의 예서에 집중하여 시의성(時宜性)을 확보하려고 하였으며, 이제까지 접근 시도가 드물었던 방례서의 편찬까지 이루어 내면서 활발한 모습을 보여 주었다.[65]

류치명을 계승한 서산(西山) 김흥락(金興洛, 1827~1899)은 김성일(金誠一)의 11대 종손으로 김도화(金道和)와 함께 큰 학단을 형성하며 19세기 후반 안동권의 퇴계학맥을 이끌었다. 안동권의 예학은 이황부터 류치명에 이르기까지 활발한 논의가 지속되어 영남지역 전역에 큰 영향을 끼쳤다. 류치명 사후에는 성주권·밀양권·진주권에서 예학 논의가 대단히 활성화되어 안동권은 이들 권역에 비해 다소 침체되었던 것으로 보인다. 이 시기에 안동권 예학의 구심점이 되었던 이가 김흥락이었다. 김흥락은 예서를 편찬한 적은 없고 「가제의(家祭儀)」와 「서동자례후(書童子禮後)」를 남겼다. 「가제의」는 사당(祠堂)·사시제(四時祭)·기일(忌日)·묘제(墓祭)·토신제(土神祭)로 구성되었는데, 이는 김흥락 집안에서 내려오는 제례 의식을 정리한 것이다.

---

65) 류치명과 관련하여 본문에서 언급하지 못한 두 가지만 정리한다. 李秉遠은 류치명이 지은 「예의총화」 전체를 읽고서 쓴 「讀柳誠伯禮疑叢話」(『所菴集』 권13)라는 글에서 자신의 생각을 7조목에 걸쳐 정리하였는데, 류치명의 의견에 수긍하거나 추승하는 부분도 있고 의문을 품고 이의를 제기한 부분도 있다. 또 류치명은 성주의 李震相과 만나서 예학 논의를 전개하였는데, 이들 사이에는 昭穆尊卑 문제가 주요 논의 대상이었다.

『동자례(童子禮)』는 김성일이 중국에 사신으로 갔다가 도희영(屠羲英)이 편찬한 『향교예집(鄕校禮輯)』을 가지고 돌아와서, 자제들의 교육에 절실한 것으로 판단하여 동자례(童子禮)와 거향잡의(居鄕雜儀) 부분을 발췌하도록 한 것이다.

童子禮

易曰蒙以養正聖功也而養正莫先於禮蓋
人之自幼其正以自外於聖人之道者率以
童幼之年不聞禮教則耳目手足無所持循
作止語默無所撿束及其就長沿習嬌狃
情性氣如已浚之水不可隄防已放之條不
可般馭何所不至哉是故朱子小學必先灑
掃應對之節程子謂即此便可達天德信非
誕也世之父兄既以姑息恩而爲之師者不
日役役焉以課程爲善故一切禮教廢閣不

•김성일_동자례•

19세기 말에 살았던 인물이 대체로 그렇듯이 김흥락의 예설이 후대에 인용되는 사례는 적을 수밖에 없다. 그렇지만 문인이자 족인인 김병종(金秉宗)의 『문소가례(聞韶家禮)』에 그의 예학 논의가 수록되어 있고, 문인 송준필(宋浚弼)의 『육례수략(六禮修略)』에 일부 내용이 보이는 것으로 보아 김흥락의 예설은 후대 학자들에 의해 꾸준히 계승되었다.

김흥락의 문인으로는 이상룡(李相龍)·이중업(李中業)·류연박(柳淵博) 등 안동 인물을 비롯하여 김동진(金東鎭, 영주)·노상직(盧相稷, 창녕)·송준필(성주)·조긍섭(曺兢燮, 창녕)·최정기(崔正基, 진주) 등이 있어 지역적 범위가 넓었고, 이들 중 일부는 독립운동에 투신하기도 하였다.[66] 서간문을 통해 예학 논의를 주고받은 인물로는 최정기·최헌식(崔憲植)이 대표적이다.

김흥락의 문인 중에 예학 저술을 남긴 인물들을 정리하면 다음과 같다.

---

66) 권오영, 「학봉 김성일과 안동 지역의 퇴계학맥」, 『퇴계학맥의 지역적 전개』, 보고사, 2004, 83-84쪽.

표-14 <김흥락 문인의 예학 저술>

성명	예학 저술	거주, 사승
睡山 金輝轍(1842~1903)	「呂氏鄕約講義」	영주
可川 崔正基(1846~1905)	「就正日錄」	진주
息軒 崔憲植(1846~1915)	「言行總述」「師門問答」	선산, 張福樞 문인
勿窩 金相頊(1857~1936)	『禮疑攷證』	창원
恬庵 柳淵龜(1861~1938)	『常變要解』	안동
省齋 權相翊(1863~1934)	『冠禮儀抄』『新定五服圖』	봉화
恭山 宋浚弼(1869~1943)	『六禮修略』	성주, 張福樞 문인
秀山 金秉宗(1870~1930)	『聞韶家禮』	안동, 金時洛 문인
濟西 李貞基(1872~1945)	『八禮輯要』	성주, 張福樞 문인

김흥락의 안동권 문인 중에서 관심을 끄는 인물은 『문소가례』를 편찬한 수산(秀山) 김병종(金秉宗, 1870~1930)이다. '문소'는 김병종의 본관인 의성(義城)의 옛 이름이다. 즉 이 책은 안동 천전(川前)을 중심으로 자리 잡은 의성김씨 선대의 문집에 산견되는 예설을 『주자가례』의 편차에 맞추어 편집하고, 『상변통고』의 편차를 따라 '국휼례'와 '향교례' 등도 다루었으며, 유례(類例)는 『안릉세전(安陵世典)』에 의거했으며, 상속이나 부조의 규모, 제사비용까지도 상세하게 기록되었다는 특징이 있다.[67]

●김병종_문소가례●

1916년에 쓴 김병종의 발문은 이 책에 수록되지 않았고 그의 문집에 「

서수초문소가례후(書手抄聞韶家禮後)」라는 제하에 수록되었다. 이 책은 재령이씨의 『안릉세전』과 영천이씨의 『영양가례(永陽家禮)』와 함께 가문에서 전해 온 예의 규범을 수록한 일가지례(一家之禮)의 대표 저서로 꼽힌다.

5. 기타

이상에서 살펴본 큰 학단을 형성한 예학자 외에도 예학사적으로 중요한 예학 저술을 낸 학자들이 있다. 이들이 제기한 예설이나 그 저술은 예설의 지역적 당파적 교류 양상을 점검하는 데 중요한 의미를 가지므로 별도로 논급할 필요가 있다. 이러한 인물로 안동권에서는 홍석(洪錫)과 강필효(姜必孝)를 들지 않을 수 없다.

홍석을 살펴보기에 앞서 청음(淸陰) 김상헌(金尙憲)에 대해 잠깐 살펴본다. 김상헌은 주로 한양에서 관직에 몸담거나 양주(楊州)에 머물렀다. 그는 생부의 상을 당한 1618년에 안동 풍산(豊山)으로 갔고, 이듬해 권태일(權泰一)에게 서간문을 보내 안동 삼태사(三太師)의 향헌의(享獻儀)를 논하였다. 그리고 1621년 봄에 양주로 돌아갔다. 이후 1637년 성하지맹(城下之盟)이 이루어지고 백형 김상용(金尙容)이 순절하자 다시 풍산의 서미동(西美洞)으로 갔다. 4월에 호서(湖西)로 가서 백형의 궤연(几筵)에 곡하고 가을에 풍산으로 갔다. 이후 파직·삭탈관작·직첩 환급·서용(敍用) 등의 곡절을 겪다가 1640년에는 심양으로 압송되었다.

김상헌은 그의 선대가 안동 출신인 인연으로 상란(喪亂)과 난국(亂局)을 당해 잠시 안동에 우거하였고, 그가 안동에 우거한 기간을 합쳐야 몇 해 남짓에 불과하다. 따라서 김상헌을 안동권 예학자로 논하기에는 무리가 있다. 다만 그의 예서 『독례수초(讀禮隨鈔)』가 상주 사람인 안진석(安晉石, 1644~1725)의 『사례고증(四禮考證)』 인용서목에 올라 있고[68], 이보다 앞

---

67) 이승연, 「『聞韶家禮』 해제」, 『한국예학총서』 110, 경성대 한국학연구소, 2011.

68) '淸陰抄記(文忠公金尙憲著)'로 기록되어 있다. 祔祭 절차에서 "淸陰抄記曰, 大祥後一日告遷, 又一日祔祭."라는 대목을 인용하였는데, 부제를 지내

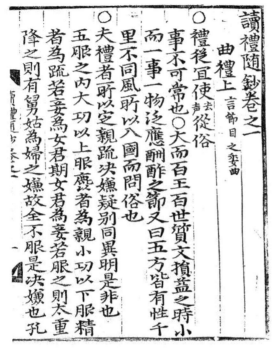

●김상헌_독례수초●

讀禮隨鈔卷之一

○曲禮上 言節目之委曲

○禮從宜使[去声]從俗

事不可常也○大而百王百世質文損益之時小

而一事一物泛應酬酢之節又曰五方皆有性千

里不同風所以八國而問俗也

○夫禮者所以定親疏決嫌疑別同異明是非也

五服之內大功以上眼應者爲親小功以下服精

者爲疏若妾爲女君期女君爲妾若服之則太重

降之則有舅姑爲婦之嫌故全不服是決嫌也孔

서 『사례고증』에서 인용한 대목과 관련하여 김응조(金應祖, 1587~1667)의 논의가 있는 것으로 볼 때69), 김상헌의 예설이 영남지역에 일부 소통되었음을 알 수 있다.

김상헌을 언급한 더 중요한 이유는 바로 홍석·김계광(金啓光)과의 학문 수수 관계 때문이다. 김상헌은 윤근수(尹根壽)의 문인이고 윤근수는 이황의 문인이다. 김상헌은 김장생의 예서인 『의례문해(疑禮問解)』의 서문을 썼고, 송시열의 『화양연원록(華陽淵源錄)』의 '사우(師友)' 조에 이름이 올라 있다. 김상헌의 문인으로 예학 성과가 큰 인물로 박세채(朴世采)와 홍석이 있다. 박세채는 윤증(尹拯)과 함께 소론 예학의 주도자로 알려진 인물이다.

손우(遜愚) 홍석(洪錫, 1604~1680)은 김집(金集)·김상헌의 문인이다. 그의 집안은 대대로 고관을 역임하며 한양에 거주했는데70), 홍석이 병

는 시기에 대한 언급이다.

69) 金應祖, 『鶴沙集』 卷4 「答柳仁卿別紙」: 大祥明日行祔祭, 虛位用紙榜, 祫祭前日告遷, 此三款, 已有先儒定論. 淸陰抄記, 則必大祥後卽行遞遷, 故其勢不得不告遷於祔祭前日也.

70) 홍석의 가계는 默齋 洪彦弼(1476~1549, 영의정, 趙光祖와 내외종간)→忍齋 洪暹(1504~1585, 영의정, 趙光祖 문인)→洪耆英(府事)→洪敬昭(庶尹)→洪錫으로 이어진다. 어머니 淸州韓氏는 鄭光弼의 손자이자 金尙憲의 외조

자호란 이후 봉화에 은거한 것이 영남과 인연을 맺은 계기가 되었다. 그는 22세에 김상헌의 문인이 된 이후, 『예기』의 내용을 유회(類會)하여 편찬하려는 뜻을 아뢰었다. 김상헌은 홍석의 예학 성과뿐만 아니라 출처대절에도 큰 영향을 미쳤다. 홍석의 묘갈을 쓴 이재(李縡)가 '석실선생(石室先生)의 문인'이라고 대서특필하겠다고 천명했고[71], 『손우집』서문을 쓴 전우(田愚)가 홍석의 생애를 병의(秉義)와 명례(明禮)로 요약한 것에서 확인할 수 있다.[72]

홍석과 교유했던 인물로는 두곡(杜谷) 홍우정(洪宇定)·각금당(覺今堂) 심장세(沈長世)·포옹(抱翁) 정양(鄭瀁)·잠은(潛隱) 강흡(姜恰) 등이 있는데[73], 이들은 대명의리(對明義理)를 공유하는 동지였다. 홍석과 예학으로 교유했던 거의 유일한 벗은 송시열이었다.[74] 29세에 회덕(懷德)으로 송시열을 찾아가 인연을 맺은 뒤로 49세에는 화양동(華陽洞)으로 찾아가기도 하였고, 홍석을 벼슬에 추천한 이도 송시열이었다.[75] 홍석은 자신의 예학 저술이나 예설에 대해 송시열에게 자문을 구하거나 서문과 발문을 받은 것이 여러 종에 이

인 林塘 鄭惟吉(1515~1588)의 외손이다. 홍석의 생애에 대한 자료는 『遜愚集』의 「年譜」, 「行狀」(洪熙績), 「諡狀」(金學性), 「墓誌」(金壽興), 「墓碣銘」(李縡) 참조.

71) 李縡, 『陶菴集』 卷32 「司䆃遜愚洪公墓碣」: 銘曰, 太白之山高巃嵸, 誰其隱者遜愚公. 擊節高歌何所思, 蹈海之士茹芝翁. 畢竟出處何必同, 乃心未忍忘君民. 七十七歲坐讀書, 林巒無恙猿鶴親. 我將大筆書其墓, 石室先生之門人.

72) 田愚, 『艮齋集』 後編 卷18 「遜愚先生文集序(辛酉)」: 公師事淸陰金文正公, 聞春秋之義, 丁丑以後, 慨然有蹈海之志, 遂入太白山, 與鄭公瀁姜公恰洪公宇定沈公長世爲友, 世稱太白五賢, 同春先生贈詩, 有遯世守貞之獎, 可不謂之秉義乎. 專精禮書, 裒輯成編, 行之家者旣敦, 惠諸人者亦廣, 故尤菴先生推公禮學, 爲同志中第一, 可不謂之明禮乎. 義且禮焉, 可不謂大體之立乎.

73) 이들은 홍석이 37세 때 태백산 春陽洞(봉화)에 은거한 뒤에 교유했던 인물로, 한양 출신 인사들이다.

74) 宋時烈, 『宋子大全』 卷45에 「答洪君敍(錫○甲辰十二月)」을 비롯하여 24편의 서간문이 있다.

75) 『華陽淵源錄』 第1編 '師友' 洪錫: 字君敍, 號遜愚, 南陽人, 領相暹之曾孫, 淸陰門人. 丁丑以後, 慨然有蹈海之志, 遂入太白山, 與姜恰鄭瀁洪宇定沈長世爲友, 世稱太白五賢. 孝廟己亥, 先生秉銓, 請待以不次, 擬水部, 移主簿司䆃, 後屢贈, 至吏判, 諡貞文, 居奉化.

른다. 홍석의 손자 홍가상(洪可相)이 송시열의 문인이 된 것도 홍석과 송시열의 친분에서 비롯된 것으로 보인다.[76]

8권 3책으로 구성된 『손우집』 권5에는 국왕상제(國王喪制), 국가혼제(國家昏制) 등 잡저 17편이 실려 있는데, 학문의 요체에 대한 대체적인 내용 외에 예학에 관한 논의가 다수를 차지한다. 권6에는 서(序) 3편(喪祭要錄序, 禮記類會序, 日省錄序), 기(記) 4편(禮叢要說記, 五服沿革圖重刊記 등), 변(辨) 4편(大小斂絞布辨, 雞狗馬血辨, 同牢辨, 格物辨), 의(議) 5편(飯含議, 結棺議, 虞祭議, 居喪議, 行祭議)이 있는데, 자신이 찬술한 예서의 서발문과 예 실천에 있어서의 문제점을 논한 것이 대부분이다. 권7에 실린 설(說) 20편(深衣說, 卜葬說, 立後說, 時務說, 瞽說, 朋黨說, 山水說 등) 역시 예설이 다수이고, 권8에 실린 논(論) 8편(葬具論, 遷柩就轝論 등)은 모두 예학 논의이다.

이런 면모를 통해서 볼 때 홍석의 학문은 예학에 집중되었다고 할 수 있다. 이는 문집 외에 『상제요록(喪祭要錄)』·『예기유회(禮記類會)』·『예총요설(禮叢要說)』 등의 예서를 통해서도 확인할 수 있는데, 『예기유회』와 『예총요설』은 현존 여부를 알 수 없고, 『상제요록』은 『손우집』 뒤에 합편되어 간행되었다.

문집에 수록된 홍석의 논설은 두 가지 측면으로 정리할 수 있다. 하나는 병자호란 이후 흐트러진 기강과 제도를 바로잡아 국가의 기틀을 바로 세워야 한다는 제도적 측면의 논의이고, 다른 하나는 조선의 미풍양속을 유지 발전시키고자 하는 예학적 측면의 논의이다. 그는 이 두 가지 논의에서 공통적으로 수시변통(隨時變通)을 강조하였다. 아무리 좋은 제도나 예법이라도 세월이 한참 지난 뒤에 그대로 적용할 수는 없는 만큼, 옛것을 그대로 고수하는 것은 성현의 가르침을 제대로 계승하는 것이 아니라고

---

76) 송시열 외에도 宋浚吉·權諰·李惟泰 등과도 교유하였다. 송준길과의 만남은 43세 때로 聞慶에서 만나 강학하고 유람한 적이 있고, 49세에 화양동으로 송시열을 찾아갔을 때 송준길도 함께 참석한 바가 있으며, 68세에 司禦에 제수되었을 때 송준길이 홍석이 그린 節氣圖를 조정에 바친 적이 있다. 『손우집』에는 「與宋同春」이라는 서간문이 2편 있다. 권시와 이유태와의 교류는 權諰, 『炭翁集』 卷2 「贈龍潭倅洪公敍(丙午)」; 李惟泰, 『草廬集』 卷19 「與洪君敍(錫)書(丙辰三月)」 참조.

보았다. 문집에 산견되는 그의 예학 논의는 예서인 『상제요록』에 다수 반영되어 있다.

홍석의 문집에는 송시열과 왕복한 글이 몇 편 남아 있는데, 학문적 내용의 서간문으로는 홍석이 정구(鄭逑)의 『오선생예설(五先生禮說)』을 바탕으로 요약한 『예총요설』에 대해 몇 조목을 검토해 달라고 하고, 『이기록(理氣錄)』은 정밀하지 못한 부분이 있어 고칠 예정이고, 『예기유회』·『상제요록』의 서문을 요청한다는 내용이 들어 있다.77) 이외에 송시열에게 보낸 서간문에서는 남창군(南昌

●홍석_손우집●

君) 홍진문(洪振文, 1599~1653)의 제사권(祭祀權)에 대해 묻는 대목이 있다. 홍진문은 초년에 자식이 없어 아우의 차자 홍위(洪渭)를 후사로 삼았지만 자식을 두지 못하고 죽었다. 홍진문은 만년에 홍호(洪灝)와 홍연(洪演) 두 아들을 낳았는데, 홍진문 부부가 죽자 홍호가 상례를 주관하고 그 신주에 방제(旁題)하였다. 그러자 홍위의 처가 홍진문의 며느리로 자처하며 복상(服喪)하고는 입후하여 제사를 주관하려고 하였다. 이런 상황에서 누가 제사를 주관해야 하는지 의견을 물었다.78) 이에 대한 답변은 『송자대전』에 수록되었다.79)

홍석이 예의(禮疑)에 대해 답변한 것으로는 종질(從姪)에게 답한 서간이 1통 있다. 내용은 출계(出繼)한 자식은 본생부모(本生父母)에게 부장기복(不杖期服)을 입고 1년 뒤에는 참색(黲色)의 입(笠)과 영(纓)과 대(帶)를

---

77) 宋時烈, 『宋子大全』卷137「模範錄序」·「日省錄序」, 卷146「四賢傳跋」·「理氣錄跋」·「禮叢要說跋」은 모두 홍석의 청탁을 받고 쓴 서발문이다.

78) 洪錫, 『遜愚集』卷4「與宋尤菴(丙午)別紙」.

79) 宋時烈, 『宋子大全』卷45「答洪君敍」; 卷45「答洪君敍(甲寅十二月十日)別紙」.

착용하고서 심상(心喪)으로 3년을 마친다는 것, 부제(祔祭)는 『주자가례』에 따라 졸곡(卒哭) 뒤에 지내되 부(祔)한 뒤에 다시 궤연(几筵)에 신주를 모셨다가 상을 마친 뒤에 고묘(告廟)하고 사당에 들이는데 이는 종가의 제도이긴 하지만 소종(小宗)에서도 이에 준거하여 행함이 마땅하다는 것이다.[80]

홍석은 장례(葬禮)와 풍수설(風水說)의 관계에 대해 여러 차례 논하고 있다. 그는 효종이 승하하고 현종이 즉위하는 시점에서 군신의 상복·길복의 제도가 올바르지 않았다는 점을 지적하고는, 풍수설에 미혹되어 국상이 날 때마다 산릉(山陵)을 점치느라 남의 묘소를 파내거나 남의 전답을 침탈하는 등의 폐해가 발생하는 문제점을 꼬집었다. 그에 대한 대안으로 건원릉(健元陵)이나 장릉(長陵) 내에도 산릉으로 쓸 만한 곳이 있으므로 검토해 달라는 의견을 제시하였다.[81] 잡저에도 풍수설에 관한 설이 여러 편 보인다.

홍석의 예서 중 현존하는 『상제요록』은 상례와 제례에 대한 고전(古典)을 조술하고 시의(時宜)를 참작하며 선세(先世)로부터 행해 오던 예제를 준수하는 선에서 정리된 것인데, 여기에 반영된 몇 가지 예설을 살펴본다.

『상제요록』의 논의 가운데 매장(埋葬)과 관련된 부분이 다른 항목에 비해 상세한 편인데, 본

●홍석_상제요록●

---

80) 洪錫, 『遜愚集』 卷4 「答從姪」.
81) 洪錫, 『遜愚集』 卷3 「議服制山陵疏」.

문 중에서 가장 긴 문장으로 구성된 항목 중의 하나가 '구견지사(求見地師)'이다. 이는 후손들이 발복을 바라면서 지관의 말을 따라 길지를 차지하려고 하는 폐해를 지적하는 내용이다. 이밖에 제찬(祭饌) 조목에서, 반(飯)은 백반(白飯)을 쓰는 것이 옳다고 한 대목은 다른 예서에서 보기 드문 말이다. 그는 사람들이 적두(赤豆)가 벽사(辟邪)를 한다고 하여 제삿밥에 적두를 사용하지 않는 것으로 여기는 것을 비판하면서, 이는 밥을 짓는 과정에서 혹시라도 백반에 오물이 섞이게 되면 금방 표시가 나기 때문에 적두를 섞지 않는 것이지 벽사와는 아무 관계가 없는 것이라고 하였다. "학문이란 것은 의심을 품는 것이 중요하니, 의심을 품으면 늘 생각하게 되고, 늘 생각하면 결국 의심이 풀려서 관통하게 된다."[82]는 그의 생각이 반영된 한 사례라고 볼 수 있다.

당시 시속에서 많이 행하던 생일차례(生日茶禮)에 대한 그의 입장은 대단히 부정적이다. 돌아가신 부모의 생신에 제사를 마련하는 것은 고례에는 없던 것으로, 인정에 근거하여 후대에 일으킨 시속의 예이다. 그는 생일이라는 말은 부모가 살아 계실 때에나 부르는 말이지 죽은 뒤에는 생일이라는 말이 성립할 수 없다고 하였다. 그러면서 "우리나라의 선각대유(先覺大儒)인 퇴계도 이를 행하지 않았는데, 퇴계보다 어질지 못하고 학문이 넉넉하지 못한 자가 해서야 되겠느냐."고 질타하였다. 게다가 자손들의 생일이 되어 부모의 은혜를 생각하며 예를 표하는 것도 불경(不敬)하기는 마찬가지이므로 두 가지 모두 폐하는 것이 옳다고 보았다. 이러한 입장은 고례의 원론적인 입장을 고수하는 측면이 강하다고 할 수 있다.[83] 이런 경향은 장기(葬期)에 대한 언급에서도 엿볼 수 있는데, 고례에는 대부(大夫)는 삼월장(三月葬), 사(士)는 유월장(踰月葬)으로 규정하였지만 요즘 사인(士人)들은 거의 삼월장을 시행한다고 비판한 것이 그것이다.[84]

17세기 전반은 정구와 김장생이 예학 연구의 범위를 획정하고 폭넓고 정밀한 예학 저술을 편찬함으로써 조선 예학의 일대 전환기를 마련한 시기였다. 『상제요록』을 편찬한 홍석은 정구의 업적이 민멸될 것을 우려해서

---

82) 洪錫, 『遜愚集』 卷3 「世子勸學疏」.
83) 洪錫, 『喪祭要錄』 下卷 「俗節茶禮」.
84) 洪錫, 『喪祭要錄』 上卷 「求見地師」.

『오복연혁도(五服沿革圖)』를 다시 판각하였고, 김장생의 『상례비요(喪禮備要)』를 계승한 측면도 있다. 다만 『상제요록』은 그가 편찬한 『예총요설』과 표리가 되는 것으로, 『상례비요』와 달리 상제례에 대한 행례 의절은 물론 그 근원인 고례의 제도까지 요약하였다는 점에서 의의가 있다.

그의 예학적 성과에 대해서는 송시열이 '동지 중에 예학의 1인자'라고 추앙할 만큼 높이 평가하였고, 전우가 쓴 문집 서문에 '명례(明禮)'라는 언급[85]이 있을 만큼 그 열정과 수준은 상당한 경지에 도달했다. 이러한 그의 예학 성과에는 스승인 김상헌의 영향이 일정 정도 작용하였다. 앞서 보았듯이 김상헌은 『독례수초』를 편찬하였다. 이재(李縡)는 홍석의 예서 중에서 『상제요록』과 『예기유회』를 특기하면서 "『상제요록』은 세상에 전해지고, 『예기유회』는 청음에게 취증(取證)한 것"이라고 하여[86] 홍석의 『예기유회』가 김상헌의 지도 아래 정리된 점을 강조하였다. 이런 점에서 볼 때 당시 『예기』에 대한 새로운 접근 방식이 이 학단에서 시도되었다고 할 수 있다.

김상헌에서 박세채로 이어지는 계통의 예학은 면면히 이어졌다.[87] 하지만 김상헌에서 홍석으로 이어지는 봉화(奉化) 지역의 예학 학단은 연속성을 잃었다.[88] 위에서 보았듯이 홍석은 봉화 춘양(春陽)에 은거하면서 주로 서인 학자들과 사우 관계를 맺었기 때문에 봉화 인근 지역 학자들의 당파나 학파의 입장에서 볼 때 가까이하기에는 어려운 점이 있었다. 그리고 선대로부터 이 지역에 뿌리를 내린 집안이 아니라 홍석 당대에 한양에서 이곳으로 와서 은거하며 살았기 때문에 17세기 후반 당쟁의 소용돌이에서 이방인으로 취급

---

85) 田愚, 『艮齋集』 後編 卷18 「遜愚先生文集序(辛酉)」.

86) 李縡, 『陶菴集』 卷32 「司禦遜愚洪公墓碣」: 公博究羣書, 所著述亦多, 惟喪祭要錄行于世, 禮記類會則實取證於文正先生者也.

87) 박세채의 예학은 桐湖 李世弼(1642~1718), 黙齋 梁處濟(1643~1716), 厚齋 金榦(1646~1732), 明谷 崔錫鼎(1646~1715), 白賁堂 趙仁壽(1648~1692), 霞谷 鄭齊斗(1649~1736), 約軒 宋徵殷(1652~1720), 儉齋 金楺(1653~1719), 敬庵 尹東洙(1674~1739), 省菴 朴弼傳(1687~1752), 直菴 申暻(1696~?) 등을 통해서 계승되었다.

88) 홍석의 문인으로 거론되는 이는 鳩齋 金啓光(1621~1675)과 沈橞(1617~?) 두 사람이다. 홍석의 연보에는, 문인 김계광·심덕 등과 崏德巖(奉化)을 유람하고(54세), 김계광과 半日巖(龍潭)을 유람하였다(62세)는 기록이 있다.

되기도 했을 것이다.

홍석의 문집과 『상제요록』은 1933년에 와서 간행되었고, 또 다른 예서인 『예기유회』와 『예총요설』은 현존 여부를 알 수 없다. 이런 결과 그의 예학이 세상에 널리 알려지지는 못했지만, 전문(傳聞)이나 전사(轉寫)를 통하여 세간에 통용된 흔적이 남아 있다.

홍석이나 그의 예서가 인용서목이나 선유성씨로 등장하는 경우는 허전(許傳)의 『사의(士儀)』 '동유성씨(東儒姓氏)'에 '손우홍씨(遜愚洪氏)'라고 기록한 것이 있다. 『사의』에는 인용서목이나 선유성씨 아래에 그에 대한 간략한 소개글을 첨부하고 있으나, 홍석의 경우에는 '손우홍씨' 4자 외에 이름이 무엇인지조차 밝히지 않았는데, 이는 허전이 홍석의 예설이 수록된 2차 자료를 보고 『사의』에 편입시켰을 가능성이 높다는 점을 말한다. 『사의』에 인용된 홍석의 설은 "제사에는 말하지 말고, 웃지 말고, 돌아보지 말고, 용모를 더디고 굼뜨게 하지 말며, 기르는 개를 때리거나 쫓아 미친 듯이 짖게 하지 말라."는 말이다.[89] 사시제(四時祭)의 재계(齊戒) 부분에서 홍석의 이 예설을 인용한 것에는 나름 의의가 있어서일 텐데, 세세한 부분까지 면밀히 검토하였던 근기남인의 예학경향과 부합하는 점이 있어서일 것으로 본다. 『사의』 외에 허전의 문인 중에 홍석의 설을 채록한 경우가 있고[90], 편자 미상의 『예의통고(禮宜通考)』에도 홍석의 설이 수록되어 있다.

17세기 중후반은 인조반정으로 인한 북인의 몰락과 서인의 집권, 효종의 죽음을 둘러싸고 벌어진 남인과 서인의 첨예한 복제 논쟁 등으로 당색이 명확하게 갈라졌던 시기이다. 그에 따라 학자들은 자신이 속한 당파나 학파의 학술 이론을 확고하게 지키려는 경향이 강했다. 그런 반면에 몇몇 학자들은 당파에 따른 학술적 대립을 비판하면서 서인과 남인의 학술을 접목 내지 소통하려는 움직임도 보였는데, 홍석이 그런 경우이다. 홍석은 영남지역 인사들과 정서적·학문적 접촉은 미미했지만, 그가 추구했던 예학이 당파성에 따른 편협한 논의가 아니라 예 실행에 적의한 실용적인 예학으로서의 분발을 촉구했다는 점은 주목할 부분이다.

---

89) 한국고전의례연구회 역주, 『국역 士儀』 3, 보고사, 2006, 393쪽: 遜愚曰, 當祭, 勿言, 勿笑, 勿顧視, 勿遲重容止, 毆出畜犬, 勿令狂吠.
90) 全奎煥, 『小心亭集』 卷4 「禮言」. 진주권의 許傳 문도 참조.

김상헌과 홍석 사제(師弟)는 영남에 잠시 머물렀던 사람들이다. 따라서 이들의 예학 성과는 영남에서 큰 주목을 받지는 못하였다. 하지만 김응조(金應祖)·안진석(安晉石)이 김상헌의 예설을 인용하고, 『사의(士儀)』의 전통을 이어 허전(許傳)의 문인 전규환(全奎煥)이 홍석의 설을 여러 조목 기록해 둔 것으로 보아, 그들의 예설이 일정 부분 탐독되었던 상황을 확인할 수 있었다.

홍석에 이어 해은(海隱) 강필효(姜必孝, 1764~1848)에 대해 살펴보기로 하겠다. 영남지역 전체를 살펴보면 남인의 예학이 주류를 이루었고 서인노론 계열이 조선말까지 끊어지지 않고 명맥을 유지한 반면, 소론(少論)의 예학은 18세기 초 영천을 중심으로 하는 학자들에게서 잠시 사승 관계가 드러날 뿐 큰 두각을 드러내지는 못하였다. 이런 점에서 봉화 법전(法田)의 진주강씨(晉州姜氏) 집안에서 대를 이어 소론 인사들과 사승을 맺었다는 것은 특이한 일이 아닐 수 없다.

진주 강씨가 봉화에 정착한 것은 병자호란 때 강필효의 6대조 도은(陶隱) 강각(姜恪)과 강각의 백형 잠은(潛隱) 강흡(姜恰)이 한양에서 낙향하여 이곳에 자리를 잡으면서부터이다. 강각은 김장생(金長生)의 문인이고, 강흡도 김장생·신흠(申欽)의 문인이며 두곡 홍우정(홍가신(洪可臣)의 손자)·각금당 심장세(심의겸(沈義謙)의 손자)·포옹 정양(정철(鄭澈)의 손자)·손우 홍석(김상헌·김집 문인) 등과 도의지교를 맺었던 인물이므로 이들 형제는 정치적으로 보면 서인에 속한다. 그러다가 강각의 아들 성건재(省愆齋) 강찬(姜酇, 1647~1729)이 윤증(尹拯)의 제자가 되고, 강필효가 윤증의 제자 강찬 및 소곡(素谷) 윤광소(尹光紹, 1708~1786)의 문인이 되는 등 소론의 학문에 접맥하여 영남지역에서는 보기 드문 학통을 이어 갔다.[91] 그리고 강필효의 학맥은 과재(果齋) 성근묵(成近默)에게 전해졌다.[92] 뿐만 아니라 이 집안에서는 입재(立齋) 강재항(姜再恒, 1689~1756, 윤증 문인), 파서(琶西) 강택일(姜宅一, 1726~1808, 윤광소 문인) 등도 소론 학자의 문하에서 학문

---

91) 강필효의 가계는 恪→酇→再周→最一→澋→植→必孝로 이어진다. 강필효의 생애와 그 집안의 가계에 대해서는 成近默, 『果齋集』 卷8 「海隱姜先生行狀(壬子)」 참조.
92) 강필효와 성근묵의 예학 문답은 成近默, 『果齋集』 卷4 「上海隱姜先生」 참조. 『과재집』에는 강필효의 족친들과 문답한 서간문도 다수 들어 있다.

을 닮았다.93) 강필효의 아들(姜必魯에게 出系)인 농려(農廬) 강헌규(姜獻奎
, 1797~1860)도 가학을 계승하고 「삼례고증(三禮攷證)」이라는 잡저를 남겼
다.

강필효는 이런 사승관계를 통해 영남지역에서 소론 예학을 전개하였다.
그는 『가례후편(家禮後編)』·『학적육례대략(學的六禮大略)』·『이례정의(二禮
訂疑)』 등의 예서를 편찬하였다.94) 「이례정의서(二禮訂疑序)」를 보면 그의
학통 의식이 명확하게 제시되어 있다. 예교(禮敎)가 크게 갖추어졌다는 말
도 흔하게 볼 수 없는 것이려니와 이산(尼山, 윤증)의 『명재선생의례문답
(明齋先生疑禮問答)』과 『가례원류(家禮源流)』에 따라 예를 준행하면 어긋
남이 없을 것이라고 높이 평가하였다.95) 1785년 그가 윤광소를 찾아갔을
때의 일을 기록한 「사유록(四遊錄)」에는 승중처(承重妻)의 복제(服制)를 말
하는 대목에서 서인과 남인의 입장이 확연하게 다르다고 논한 부분이 주
목된다.96) 이외 예학 성과물로는 「답이지백하상문목(答李支伯(廈祥)問目)」·
「답이치영장발문목(答李穉英(長發)問目)」·「답한치선보연(答韓穉善(輔衍))」·「
답김문옥진호별지(答金文玉(鎭澔)別紙)」·「답주경문별지(答朱景文別紙)」·「답
이인두별지(答李寅斗別紙)」·「답주병순별지(答朱秉純別紙)」·「답족질순여대중
문목사관례(答族姪舜如(岱重)問目(士冠禮))」·「답자문규문목(答子文奎問目)」
등의 예의(禮疑) 문답이 있고, 「시습록(時習錄)」·「안동향음주례서(安東鄉飲
酒禮序)」·「적라향음주례서(赤羅鄉飲酒禮序)」·「서정자체설후(書程子禘說後)」
·「서주례폐흥서후(書周禮廢興序後)」 등의 잡저 및 서발문을 남겼다. 이러한

---

93) 姜再恒은 백부 姜鄜에게 배운 뒤 윤증 문하에서 수학하였다. 경학·예학 관계
   자료로는 「魯之郊禘非禮」·「問禮於老子」·「孟子於禮文制度亦甚疎略」·「喪禮從
   先祖辨」 등이 있다.
94) 姜必孝, 『海隱遺稿』 卷15 「家禮後編小序」·「二禮訂疑序」. 「학적육례대략
   」은 成近默이 지은 행장에만 보일 뿐 강필효의 문집에는 서문이나 발문이
   없다. 그리고 이 3종의 예시가 현존히는지는 미상이다.
95) 姜必孝, 『海隱遺稿』 卷15 「二禮訂疑序」: 今則禮敎大備, 既有儀禮爲經而
   禮記爲傳, 家禮爲本而書儀爲參. 復有連門之備要問解, 尼門之問答源流,
   好禮之家, 但當遵而行之, 則庶乎其不畔矣.
96) 姜必孝, 『海隱遺稿』 卷13 「四遊錄」: 問, 齊衰不杖朞章, 婦爲舅姑, 家禮則斬衰
   三年, 註曰, 其義服則婦爲舅姑, 夫承重則從服也. 今西一邊勿論彼此, 承重之妻,
   皆服三年, 東一邊皆從古制服周, 此西南一大判別者也.

성과에도 불구하고 강필효의 예설이 영남지역에서 인용된 사례는 찾을 수 없다.

강필효는 인근의 남인과도 무리 없이 교유하였다. 영주(榮州)에 살았던 가암(可庵) 박종교(朴宗喬, 류치명 문인)가 아버지 일포(逸圃) 박시원(朴時源, 1764~1842)과 동갑인 강필효를 찾아갔고, 이상황(李相璜)·윤광안(尹光顔)·이태순(李泰淳)·이병원(李秉遠)·류희(柳僖) 등도 강필효와 교유하였다.

이상의 안동권 예학의 흐름을 간략하게 정리하면 다음과 같다. 안동권은 이황이 예학의 학풍을 일으킨 이후 이황의 영향이 가장 강하게 작용한 곳이다. 후대에 이황의 예설을 고람(考覽)과 실용(實用)에 편리하도록 재편한 예서가 가장 많이 등장한 것도 이런 이유에서이다. 이황의 예학은 직전 제자인 조목·김성일·류성룡·정구·조호익 등에 의해서 안동권을 비롯하여 상주권·성주권·경주권으로 확산되었다.

이 중에서 안동권의 예학은 김성일의 학통을 이은 학단의 주도로 진행되어 왔다. 김성일 생존시나 그 직전·재전문인 때까지는 약간 침체의 길을 걷기도 했지만, 장흥효가 221인의 문인을 길러 내며 학문의 흐름은 지속되었다. 그러다가 장흥효에게 배운 아버지 이시명과 형 이휘일의 가학을 계승한 이현일에 와서 이황 적전의 위치를 차지하였다. 이후 18세기 이상정을 거친 뒤 류장원·류휘문·류치명으로 이어지는 전주류씨 수곡파 가문이 예학의 학풍을 주도하며 널리 진작시켰고, 19세기 후반에 들어 류치명의 학통을 계승한 김흥락이 그 뒤를 이었다. 다만 류치명 사후에 성주권·밀양권·진주권에서 예학 논의가 활발하게 전개된 반면, 안동권에서는 전에 비해 약간 소강 국면을 맞이하였다.

이현일, 이상정, 류치명 등은 대규모 문인을 양성하며 예학 연구의 분위기를 진작시켰다. 이들은 한 시대의 전범으로 자리하여 문인들의 예학 저술에 큰 영향을 끼쳤고, 이는 후대까지 각 지역에서 면면히 계승되며 보완 발전하였다. 안동권 내에서의 예학 논의의 주요 거점은 안동이었고, 인근의 영주·봉화·영덕·의성 등지에서도 구심점이 되었던 안동 지역 학자와 사승·교유 관계를 맺으면서 예학 연구의 분위기를 이어 갔다. 이런 가운데 류장원 집안은 예학을 가학(家學)의 중요한 부분으로 인식하여 집중적인 연구를 함으로써 안동권에서 가장 활발한 활동을 전개하였다.

안동권 예학에서 특기할 것은 '예설의 집대성'을 통해 조선조 예학사상을 총괄하고자 시도한 『상변통고』이다. 이 책이 갖는 독특한 점은 『주자가례』 일변도의 예학 연구 경향에서 한 걸음 더 나아가 향례와 학례까지 두루 섭렵했다는 것에 있다. 이러한 점은 후대에 저술되는 영남지역의 예서에서 가례와 향례·학례를 모두 아우르는 형태의 예서가 다수 출현하게 된 모태가 되었다는 점에서도 확인할 수 있다. 또 19세기 이후 『상변통고』의 영향 아래 이를 보완 절요(節要)한 형태의 예서가 대거 출현하기도 하였다. 그리고 변례에 중점을 두고 논했던 『변례집설』이 이상정과 그 문인에 의해 『사례상변통고』(=『결송장보』)→『상변통고』로 이어져서 완성되었다는 점은 변례에 대한 집중적인 연구가 일회성이 아닌 연속성을 띠었음을 의미한다.

또 하나 특기할 것은 『주자가례』의 조문을 그대로 수용하지 않고 고례나 시왕지제(時王之制) 또는 속례를 근간으로 하여 다양한 논의를 전개함으로써 조선조 가례학이 『주자가례』에만 얽매일 수 없다는 점을 명확하게 보여 주었다는 점이다. 여기에는 현재 진행형 예속에 근간을 두고서 삼례(三禮)·『주자가례』와의 절충을 추구하였던 이황의 예학 태도가 많은 영향을 미쳤다고 할 수 있다.

한편으로는 『계서예집』·『대산선생상제례답문』처럼 이황과 이상정의 예설을 편집하여 예학 논의의 구심점으로 삼으려는 노력도 있었고, 선대로부터 내려온 집안의 예법을 하나의 예서 속에 총집한 『안릉세전』·『문소가례』와 같은 예서도 계속 편찬되었다. 뿐만 아니라 『전례고증』을 통해 방례까지 연구의 폭을 확대함으로써 그야말로 예학의 전 분야가 산출되었다.

남인 일색이던 안동권에서는 김상헌의 학통을 이은 홍석이 등장하여 신선한 바람을 일으켰고, 강필효처럼 소론의 학통을 이은 부류도 있어 주목된다. 이들은 큰 학단을 형성하지는 못하였고 후대에 미친 예학적 영향도 크지 못했다. 그렇지만 다양한 당파와 학파가 공존하였다는 사실과 그들이 인근의 남인 학자들과도 일정한 교유관계를 맺으면서 소통한 측면을 확인할 수 있다는 점에서 의미가 있다고 본다.

4

상주권 예학의 전개 양상

　상주·문경·김천을 아우르는 상주권에서는 예로부터 명현이 많이 배출되었는데,　황희(黃喜)·홍언충(洪彦忠)·노수신(盧守愼)·김담수(金聃壽)·고상안(高尙顔) 등이 그들이다. 상주권은 동쪽으로는 안동권, 서쪽으로는 충청도 보은, 남쪽으로는 성주권, 북쪽으로는 충청도 괴산과 경계를 이루는 지역이다. 이러한 지리적 여건으로 인하여 안동권과 성주권의 영남은 물론 충청도의 기호학파 인물들과도 교류가 활발하였다.

　상주권의 예학은 류성룡(柳成龍)→정경세(鄭經世)→류진(柳袗)→정도응(鄭道應)→박손경(朴孫慶)→정종로(鄭宗魯)→류심춘(柳尋春)→류주목(柳疇睦)으로 이어지는 계보에서 알 수 있듯이 풍산류씨(豊山柳氏)·진양정씨(晉陽鄭氏) 두 성씨가 구심점이 되어 가학적(家學的) 사승 속에서 전개되었다. 상주의 풍양조씨(豊壤趙氏) 일문의 학자들도 이들과 학연(學緣)이나 통혼(通婚) 관계를 맺으면서 예학 논의를 전개하였지만 위의 두 집안처럼 큰 문파를 형성하지는 못했다.

　이들 외에 상주권 예학에서 반드시 기론해야 하는 인물은 18세기 이의조(李宜朝)이다. 김천에 거주했던 그는 19세기 후반 진주권의 정재규(鄭載圭)와 더불어 영남지역 예학에서 가장 두각을 드러낸 노론 계열의 학자이다. 당파 간의 학술 교류가 가장 경직되었던 18세기에 활약한 이의조는 『가례증해(家禮增解)』를 편찬하였는데, 이 책은 노론예학자의 설을 대폭적으로 취택하였다는 점에서 여타의 영남지역 예서와 확연하게 변별된다.

1. 정경세(鄭經世) 학단

류성룡이 상주목사로 재직하면서 형성된 상주권 류성룡 계열의 문인들은 이황과 류성룡에 대하여 비판적인 대북파(大北派) 인사들에게 강하게 저항하는 동시에, 이언적과 이황 그리고 류성룡의 학문과 사상을 기리고 확대하는 일에 적극적이었다.

류성룡의 상주권 문인 중에 유명한 인물로는 정경세·이준(李埈)·전식(全湜)·김홍미(金弘微)·조우인(曺友仁)·성영(成泳)·류진(柳袗)·고인계(高仁繼)·이전(李㙉) 등이 있고, 이 중에서 특히 이준과 정경세가 두각을 드러내며 17세기 전반에 큰 영향력을 발휘하였다. 류성룡의 학통이 안동권에서는 다소 주춤했던 반면에 상주권에서 크게 부각될 수 있었던 데는 이준과 정경세의 역할이 컸다.

창석(蒼石) 이준(李埈, 1560~1635)은 『향음주례홀기고증(鄕飮酒禮笏記考證)』이라는 예서를 남겼고, 그의 문집에도 예학 논의가 제법 수록되어 있다. 상주의 안진석(安晉石)은 『사례고증(四禮考證)』에서 이준

●류성룡_상례고증●

의 예설을 다수 채록하고 있다. 이준의 예설이 인용서목에 등장하는 경우는 『사례고증』이 유일하다는 점에서 이준의 예설이 영남지역 전체에 큰 영향을 미친 것은 아니지만, 지역적 전범으로 자리하여 후대 예학자에게 계승될 수 있었다.

상주권의 예학은 우복(愚伏) 정경세(1563~1633)라는 탁월한 예학자의 출현으로 인하여 하나의 독립된 권역으로서의 위상을

●안진석_사례고증●

가졌다. 정경세는 류성룡 사후 영남지역을 대표하는 관료 중 한 사람이었으며, 정구·장현광과 더불어 17세기 전반 영남지역 예학을 이끌었던 구심점이었다.

정경세 예학은 이황·류성룡의 예설을 충실히 계승하고, 『주자가례』 외에 고례도 포용하는 절충적 입장을 취했으며, 예를 이기심성론과 연관시키려고 하였고, 구체적인 예학 문답에 있어서는 부재위모복(父在爲母服)에 대한 내용이 가장 많았다.1) 정경세는 『사문록(思問錄)』·『상례참고(喪禮參考)』·『양정편(養正篇)』 등의 예서를 편찬하였다. 『상례참고』는 현존 미상이고, 『사문록』은 『예기』해설서로 기존 논문에서 상세히 논의되었다.2)

---

1) 고영진, 「17세기 전반 남인학자의 사상-정경세·김응조를 중심으로」, 『조선시대 사상사를 어떻게 볼 것인가』, 풀빛, 1999.
2) 『思問錄』과 『養正篇』의 체재와 내용에 대해서는 유권종, 「愚伏의 禮學思

『양정편』은 명나라 도희영(屠羲英)이 편찬한 『향교예집(鄉校禮輯)』의 동자례(童子禮) 내용에서 조금 가감한 것으로, 아동들이 『소학』을 배우기에 앞서 기초적으로 배워야 할 28조목의 예절 항목을 수록하였다.[3] 이 책은 『우복집』(별집 권2)에 한문본으로 전해지는데, 1926년에 후손 정훈묵(鄭訓黙)이 동몽(童蒙)을 교양(敎養)하는 방도가 어지러워짐을 개탄하여 구두를 붙이고 언해를 달아서 여항(閭巷)의 부유(婦孺)들도 모두 알 수 있도록 하였다.[4]

『양정편』은 김성일(金誠一)의 『동자례(童子禮)』와 유사하다.

표-15 <『동자례』와 『양정편』의 항목 비교>

『童子禮』	『養正篇』
盥櫛 整服 叉手 肅揖 拜起 跪 立 坐 行 走 言語 視聽 飲食(以上初撿束身心之禮)	盥櫛 整服 叉手 揖 拜 跪 立 坐 步趨 言語 視聽 飲食(以上撿束身心之禮)
灑掃 應對 進退 溫凊 定省 出入 饋饌 侍坐 隨行 邂逅 執役(以上入事父兄出事師長通行之禮)	灑埽 應對 進退 溫凊 定省 出入 饋饌 侍坐 隨行 邂逅 執役(以上入事父兄出事師長通行之禮)
受業 朔望 晨昏 居處 接見 讀書 寫字(以上書堂肄業之禮)	受業 會揖 居處 讀書 寫字(以上書堂肄業之禮)

想」, 『우복정경세선생연구』, 태학사, 1996 참조. 이외에도 정경세의 예학에 대한 논문으로는 고영진, 위의 논문; 유권종, 「愚伏 鄭經世의 禮學 研究-禮 관념의 분석」, 『동양철학』 6, 한국동양철학회, 1995 등이 있고, 이 외에 서현아·최미현·최남정, 「愚伏 鄭經世 養正篇에 나타난 유아예절교육의 현대적 의미」, 『유아교육학논집』 10권 3호, 중앙유아교육학회, 2006; 정시열, 「愚伏 鄭經世 祭文 研究-祭文의 哀傷性과 관련하여」, 『우리어문연구』 29, 우리어 문연구회, 2007 등이 있다.

3) 鄭經世, 『養正篇』 卷首 「養正篇原跋」: 古人所謂方知父母恩者, 豈但於養子而知之耶. 余旣悲且懼, 欲依先訓, 課以小學, 則又慮其憚於文字, 不可以猝語也. 遂就明儒所撰鄉校禮輯童子禮篇中, 稍加刪改, 令稚騃者易曉, 手寫以敎之, 名之曰養正篇, 蓋冀其涵揉於此而不至於驕惰壞了也.

4) 鄭經世, 『養正篇』 卷末 「識」(朴海徹): 先生後孫訓黙, 憂近世養蒙之昧方, 拈出是書于原集中, 句以讀之, 諺以釋之, 俾閭巷婦孺, 便於覽解, 就海徹而謀其剞劂, 以廣于世.

『동자례』와 『양정편』의 항목을 비교해 보면, '서당이업지례' 부분에서 '삭망' '신혼' '접견' 항목이 『양정편』에는 없고 대신 '회읍' 항목이 설정되어 있는 것 등이 조금 다를 뿐이다. 세부 내용에 있어서는 『양정편』보다 『동자례』가 약간 상세한 편이다.

　이 책은 상주 지역의 초등 교재로 널리 활용되었던 듯하다. 귀천(龜川) 이세필(李世弼)이 상주목사로 부임하여 『양정편』을 당숙(黨塾)의 학동들에게 나누어 주어 익히도록 하였고, 이만부(李萬敷)는 이에 감발 받아 자신의 자질들에게 한 통씩 베껴 조석으로 익히도록 하고는 짧은 발문을 덧붙이기도 하였다.[5]

　정경세는 이외에도 예와 관련된 잡저를 남겼다. 상례(喪禮) '복(復)'의 절차에서 『주자가례』의 시자(侍者)라는 말은 영하(鈴下)의 친근한 사람 가운데 나이가 어린 자가 상의(上衣)를 입고서 복을 하고 내상(內喪)의 경우에는 여복(女僕)에게 복을 하게 한다는 것으로 유추할 수 있다는 「복자조복(復者朝服)」, 곡을 그치고 복을 하는 것이 효자의 도리라는 「곡선복 복이후행사사(哭先復復而後行死事)」, 광(壙) 아래에 회(灰)를 쓰는 것은 습기를 막는 목적이라는 「회격(灰隔)」, 숙부의 장례 때 석회를 구워서 썼던 일을 기록한 「번석회기사(燔石灰記事)」, 외관에 송진을 사용하는 방법을 기록한 「외관용송지방(外棺用松脂方)」 등 5편이 있다. 「회격」 이하 3편은 류성룡이 남긴 장례 관련 잡저[6]와 연관되는 부분이 많아 스승의 예설을 계승 발전시킨 것으로 보인다.

　정경세와 예의(禮疑)에 관하여 서신을 왕복한 이로는 류성룡·정구·김장생을 비롯하여 신식(申湜)·한준겸(韓浚謙)·이정귀(李廷龜)·최명길(崔鳴吉)·권반(權盼)·오윤해(吳允諧)·윤흔(尹昕)·이준(李埈)·임흘(任屹)·강응철(姜應哲)·김안

---

5) 李萬敷, 『息山集』 卷18 「書養正篇後」: 南州子弟以余有一日之長, 執經來問者若干人. 余無善可及人, 而諸子之勤有不可謝矣. 諸子所肄業之室, 在天雲堂南上數十步, 仍取蒙之象, 命之曰養正齋. 適李侯世弼司牧本州, 其政務尊儒化, 以鄭愚伏所跋養正篇, 頒于黨塾, 用勸靑衿, 李侯之意固美矣. 書名與不佞扁齋合, 有所感焉. 且其訓辭明簡精切, 可作造端指南, 於是令諸子各寫一通, 朝夕誦翫溫習, 而書此以識之.
6) 柳成龍, 『西厓集』 卷13 雜著○喪葬質疑 「治棺」·「秫灰」·「灰漆」·「瀝靑」·「炭末」·「石灰 細沙 黃土」·「淡酒」·「鐵釘 鐵鐶」·「作灰隔」·「實灰」·「藏明器」.

절(金安節)·김원진(金遠振)·김률(金瑮)·정영후(鄭榮後)·정영방(鄭榮邦)·홍호(洪鎬)·신즙(申楫)·성여송(成汝松)·이돈선(李敦善)·전극항(全克恒)·노준명(盧峻命)·이문규(李文圭)·황면(黃緬)·송준길(宋浚吉) 등이 있다. 이 중에서 한준겸은 정구의 문인록에 등재된 인물이다. 이외에도 정경세는 『오한예집(聱漢禮輯)』을 편찬한 손기양(孫起陽)과도 교유하였고, 조호익(曺好益)의 「지산선생사우록(芝山先生師友錄)」에도 포함되어 있으며, 류성룡의 문인 이준(李埈)과 정구의 문인 이윤우(李潤雨) 등과 교류가 깊었다. 정경세는 정구에게도 예의(禮疑)를 질의하여 문묘(文廟)에 사용할 보궤뇌작(簠簋罍爵)의 형체와 제도에 대해 가르침을 청하고, 정구가 사망하자 "관중(關中)의 학자 중엔 장자(張子) 같은 이 없는데, 호외(湖外)에는 선생 있어 그 우익이 되었네."라고 예학 성과를 칭송하였다.[7]

정경세의 예학은 16~17세기 전반까지 조선조 예학 논의의 중요한 성과로 간주되었다. 그러므로 그의 예서나 예설은 영남뿐만 아니라 조선후기에 편찬된 대부분의 예서에서 반드시 인용할 정도로 그 파급력은 상당하였다.

아래의 몇 가지 예서를 보면 이를 확인할 수 있다.

표-16 <정경세의 예설이 집중 인용된 예서>

예서명	편저자	예설 인용 인물
四禮問答	鶴沙 金應祖(1587~1667)	이황·김성일·류성룡·정구·장현광·정경세
喪祭禮問答	警廬 孫處恪(1601~1677)	이황·정구·정경세
禮疑答問分類	恥恥堂 李益銓(?~1679)	이황·정구·김장생·장현광·정경세
四先生喪禮分類	晦南 朴洬(?~?)	이황·정구·장현광·정경세
先禮類輯	審庵 鄭夏默(鄭宗魯 5대손) 編 鄭昌默(정하묵 三從弟) 成	정경세·정종로

위의 몇 가지 사례는 정경세의 예설을 집중적으로 고찰한 대표적인 것

---

7) 鄭經世, 『愚伏集』 卷2 「鄭寒岡挽詞」: 三百三千禮與儀, 可陳其數義難知. 關中學者無張子, 湖外先生有翼之.

만 골라서 제시한 것에 불과하다. 정경세는 이황 이후 정구, 장현광을 이어 영남지역 예학을 이끌었던 핵심 인물이었고, 김장생과 함께 17세기 전반 조선조 예학을 선도한 예학자였다. 앞서 언급한 그의 3종의 예서가 후대 학자들에 의해 크게 주목받지는 못하였지만, 문집 속에 수록된 예설은 조선조 내내 중요하게 인식되었다. 『우복집』이 인용서목에 오른 경우를 살펴보면, 정경세보다 6년 연하인 오휴(五休) 안신(安玔)의 『가례부췌(家禮附贅)』에 『우복집』이 최초로 인용서목에 채택된 이래 인용서목이 제시된 모든 영남지역의 예서에 수록되어 있다.(인용서목이 6종에 불과한 『상변집략(常變輯略)』은 제외) 특히 『상변통고(常變通攷)』에는 정경세의 예설이 70회 이상 인용되었다.

정경세는 정계에 나가서나 학문의 전수에 있어서나 당파에 구애되지 않고 폭넓은 인사들과 접촉하여 한쪽에 편향되지 않고 절충적 입장을 취하였다. 이는 예설에도 그대로 반영되었다. 또한 풍산류씨와 진양정씨로 대표되는 상주의 두 가문이 학연이나 통혼 관계를 맺으며 조선조 말까지 끈끈한 학문적 결속력을 맺어 상주지역 학단이 계승되는 데 초석을 놓았다.

김장생은 "우복의 예학은 퇴계보다 뛰어나, 금일에 함께 예학을 논할 사람은 이 사람뿐이다."[8]고 하였다. 정경세의 예학이 기호에 널리 전파될 수 있었던 것은 서인 중심의 조정에서 벼슬하면서 개진했던 그의 예설과 서간문을 통한 문답 교류가 있었기 때문이다. 또한 사위 송준길을 통해서 김장생을 비롯한 일군의 서인 학자들과도 학문적으로 소통하였다. 송준길이 김장생과 문답한 내용에서 정경세의 설을 인용한 빈도(27건)가 이황의 설을 인용한 빈도(16)보다 많다는 사실이 이를 말해 주고 있다.[9]

고금당(古今堂) 노덕규(盧德奎, 1803~1869)는 그의 예서 『예설유집(禮說

---

8) 宋浚吉, 『同春堂集』 卷19 「正憲大夫吏曹判書兼知經筵義禁府事弘文館大提學藝文館大提學知春秋館成均館事世子左賓客贈崇政大夫議政府左贊成兼判義禁府事知經筵事弘文館大提學藝文館大提學知春秋館成均館事世子貳師愚伏鄭先生行狀」: 沙溪先生每稱愚伏自是質直人, 禮學淹博, 過退陶, 當今可與論學者, 惟此一人.

9) 한기범, 「朝鮮中期 湖西·嶺南 禮家의 禮說交流-『疑禮問解』의 分析을 중심으로」, 『조선시대사학보』 4, 조선시대사학회, 1998, 16-17쪽. 이 논문 20-23쪽에서 정경세의 예학에 대해, 가례와 고례를 존중하고 이를 철저히 고례로써 고증하려는 예학경향을 보인다고 하였다.

類輯)』에서 영남지역의 학문 계통과 특장을 4자로 요약하면서 정경세의 학문을 고명지식(高明之識)이라 규정하였다.[10] 외재(畏齋) 정태진(丁泰鎭, 1876~1960)은 정경세와 정종로(鄭宗魯)의 예설을 합편한 『선례유집(先禮類輯)』 서문에서 "퇴계의 재전제자로 사도(斯道)의 중임을 맡았고 예학에 깊은 조예가 있다."고 하면서, 그의 예설이 산출(散出)되어 통서(統緖)가 없음을 안타깝게 여겨 예설모음집의 형태로 분류 편집하게 되었다고 하였다.[11] 위의 평가들을 통해 17세기 전반 정경세의 학문과 예론의 영향력을 확인할 수 있다.

정경세의 문인은 110인에 달한다.[12] 문인 중에서 예서나 예설을 내어 주목받은 인물은 『사례문답(四禮問答)』을 편찬한 학사(鶴沙) 김응조(金應祖)와 『상복고증(喪服考證)』을 편찬한 졸재(拙齋) 류원지(柳元之)이다. 『사례문답』은 관혼상제에 대한 이황·김성일·류성룡·정구·장현광·정경세의 예설을 사례별로 분류한 문답류 예서이고, 『상복고증』은 효종에 대한 복제 논쟁이 치열하던 당시의 상복 문제를 다룬 방례 관련 예서이다. 『사례문답』에는 정경세의 예학이 이황 이후 퇴계학파의 적통을 계승했다는 도통의식이 내재되어 있고, 『상복고증』은 풍산류씨 일문의 예학이 국가 전례에 대해 적극적으로 의견을 개진하는 방향성을 보여 주고 있다. 특히 『상복고증』의 경우에는 19세기에 와서 영남에서 류성룡 이후 처음으로 정승 반열에 올랐다는 류후조(柳厚祚), 그의 아들로서 가례는 물론 방례까지 전면적으로 검토한 『전례유집(全禮類輯)』의 편찬자 류주목(柳疇睦)에 이르기까지 그 전통이 이어져서 국가 전례에 대한 관심과 연구가 꾸준하게 지속되었다.

정경세의 영향과 관련하여 문경의 목재(木齋) 홍여하(洪汝河, 1620~1674)를 언급하지 않을 수 없다. 그는 정경세의 문인 무주(無住) 홍호(洪鎬)의 아들로, 정경세의 문인록에는 올라 있지 않다. 그러나 그가 어렸을

---

10) 盧德奎, 『禮說類輯』「序」: 逮及我朝, 有如退溪夫子眞正之學, 寒岡先生的確之論, 旅軒先生精粹之見, 愚伏先生高明之識, 金文元公綜核之辨, 靡不致謹而致詳, 以爲吾儒家燭幽之鑑, 指南之車.

11) 鄭經世·鄭宗魯 원지, 『先禮類輯』「序」(丁泰鎭): 愚伏鄭文莊先生, 承陶山再傳之緒, 旣任以斯道之重, 而尤深於禮學. 其來孫立齋先生, 淵源家學, 多所發揮. 兩先生平日論禮諸條, 見於文集中知舊門人問答及雜著諸說者, 甚備, 惟其散出無統, 臨事倉卒, 茫然不知其所考, 爲其後承者, 亦或不能盡識其先訓之所在而必從之也, 以是恒斷斷焉.

12) 『愚伏先生門人錄』, 한국국학진흥원 소장본.

때 정경세를 배알한 일이나 아버지의 사승으로 볼 때 정경세의 영향을 상당히 받았을 것으로 추정된다. 정경세와 홍호의 사승관계에 이어 정경세의 6대손 정종로는 홍여하의 증손녀와 혼인하였다. 홍여하는 영남지역에서는 보기 드물게 방례 관련 저술로 추정되는 『의례고증(儀禮考證)』을 편찬하였다.

홍여하의 문인 고세장(高世章)의 서간문에는 『의례고증』에 대한 추숭의 내용이 있는데, "천하의 큰 시비를 밝혀서 후인들의 의혹을 풀어 주었으니 사림에 전파한다면 시비가 바른 데로 귀결될 것"이라고 언급하였다.[13] 그러면서 『의례고증』에서 논한 조변(條辨) 중에서 몇 가지를 추출하여 절요본(節要本)을 만들어 강습의 자료로 삼고자 하였다. 홍여하의 문인 중에는 안진석(安晉石)이 『사례고증(四禮考證)』을, 김시태(金時泰)가 『예설유편(禮說類編)』을 편찬하여 예학 논의를 이어 갔다.

홍여하의 『의례고증』은 상주권 예학 논의와 밀접한 관련을 가지고 있다. 이 책은 류원지의 『상복고증』과 더불어 왕실의 전례를 중요한 주제로 채택하고 있고, 전례 논쟁이 한창 진행 중일 때 편찬되었다는 특징을 가지고 있다. 두 사람이 이런 저술을 내었다는 것은 국가 전례에 대한 적극적인 의견 개진이 성행하였던 상주권의 예학 흐름을 잘 말해 준다.

정경세의 예설은 다른 권역에서도 적극적으로 검토되었다. 1900년에 성주권의 장석영(張錫英)은 『우복집』을 읽다가 의심이 드는 조목을 골라 자신의 설을 보태어 정성진(鄭誠進)에게 질의하였는데, 네 번째 조목에서 사칠이기(四七理氣)에 대해 논의한 것을 제외하면 모두 예에 대한 것이다.[14] 이 글에서 정경세와 문답한 이는 김장생(金長生)(1조), 오윤해(吳允諧)(2·3조), 조우인(曺友仁)(4조), 김안절(金安節)(5조), 황뉴(黃紐)(6조), 홍호(洪鎬)(7조), 신즙(申楫)(8·9조), 이돈선(李敦善)(10조)이고, 마지막 11조는 연보 계해년(인조 즉위년, 1623)의 의례소(議禮疏)에 관한 것이다. 논의 전개는 정경세가 예문을 해석 적용하고 근거 자료를 제시한 것에 대해서 오류를 범했

---

13) 高世章, 『浪翁集』 卷2 「上木齋洪先生」. 서간문 본문 중에 '孝廟貶紬受辱之變'이라는 말이 있는 것으로 보아 기해년(1659)의 服制 禮訟과 관련한 저술로 보인다.

14) 張錫英, 『晦堂集』 卷4 「與鄭誠進(庚子)」(別紙[愚伏集記疑]). 정성진은 鄭宗魯의 5대손으로 『先禮類輯』을 편찬한 鄭夏默을 말한다.

거나 논의가 미흡하다고 생각되는 부분을 제시하는 방식을 취하고 있다.

정경세의 예설은 근기남인에서도 검토되었다. 그런 점에서 주목되는 것이 이익(李瀷)이 남긴 2편의 잡저와 발문이다.[15] 「독정우복선생논례기의(讀鄭愚伏先生論禮記疑)」는 6조목을 수록하고 있는데, 1조·2조·3조의 내용은 앞서 살핀 장석영의 논의 3조·9조·10조와 같은 문제를 논하고 있다. 4조는 증폐(贈幣)할 때 현육훈사(玄六纁四)에 대해 노준명(盧峻命)에게 답한 내용이고, 5조와 6조는 담제(禫祭)의 축문과 고비병제(考妣並祭)에 대해 송준길에게 답한 내용으로 이루어져 있다. 「발정우복선생논례서(跋鄭愚伏先生論禮書)」는 아버지가 적자(嫡子)로서 거상하다가 사망한 경우에 손자에게 전중(傳重)하지 못한다는 설에 대한 자신의 의견을 정리한 글이다. 장석영과 이익이 정경세의 예설을 검토했다는 것은 정경세의 예설이 영남지역의 다른 권역뿐만 아니라 영남 외의 지역까지 널리 파급되었음을 보여 준다.

2. 이만부(李萬敷) 학단

상주지역 남인 중에서 특별히 하나의 예학 유파를 형성한 이는 식산(息山) 이만부(1664~1732)이다. 그의 선대는 한양에 거주하던 관료 출신 집안이었는데, 예송의 여파와 맞물리면서 이만부는 1697년 상주에 정착한 이후 영남남인의 삶을 살아갔다.[16] 이만부의 부친 이옥(李沃)은 예송 때 송시열의 처벌 수위를 두고 남인이 청남(淸南)과 탁남(濁南)으로 갈라질 때 아버지 이관징(李觀徵)과 함께 허목·윤휴 중심의 청남에 속하여 송시열의 극형을 주장하다가 유배된 적이 있었다. 이러한 친분관계로 허목은 이관징의 부친 이심(李禪)의 묘갈명을 짓고, 허목의 학통을 이은 이익(李瀷)은 이만부의 행장을 지었다. 이만부가 이익의 형인 이잠(李潛)·이서(李漵)와 교유하고, 이익은 이만부를 추도하는 만사에서 이만부를 찾아뵌 이래 수십 년

---

15) 李瀷, 『星湖集』 卷38 「讀鄭愚伏先生論禮記疑」; 卷54 「跋鄭愚伏先生論禮書」.

16) 이만부에 대한 연구사 검토는 김주부, 「息山 李萬敷의 山水紀行文學 研究-『地行錄』과 『陋巷錄』을 중심으로」, 성균관대 박사학위논문, 2009 참조.

동안 교분이 두터웠던 사실을 언급하고 있다.[17]

이만부는 영남에 이주하여 당대의 영남학자들과 교유를 넓힘으로써 영남학파의 일원이 되었다. 그는 어려서 조부 이관징에게 배우고 뒤에 정시한(丁時翰)에게 수학했으며, 40세 때는 이현일(李玄逸)을 방문하였다. 이들 외에도 이현일의 아들 이재(李栽), 한때 상주에 우거하기도 한 영천의 이형상(李衡祥) 등 당대의 명유들과 교유하며 학문의 폭을 넓혀 나갔다.

이만부는 예학에 대한 중요한 몇 가지 저술을 남겼다. 그는 부친이 남긴 미완성 원고인 『사례종요(四禮綜要)』를 정리하고 그 서문을 지었다.[18] 28세 때는 계고(稽古)·의절(儀節)·식례(式例)·부록(簿錄)으로 구성하여 석채의 절(釋菜儀節)을 설명한 『태학성전(太學成典)』을 지었고, 『예기』를 읽으면서 번복(繁複)된 부분을 산삭하여 『예기상절(禮記詳節)』로 남겼다.[19] 『식산지서(息山志書)』에도 거향잡의(居鄕雜儀)를 비롯한 예학 논의를 찾아볼 수 있으며, 「복제경중변(服制輕重辨)」·「국휼복제사의(國恤服制私議)」·「종통적통설(宗統嫡統說)」·「상제잡록(喪祭雜錄)」이라는 잡저를 남겼고, 문집에 수록된 문목 형태의 서간문에도 예학 논변이 다수 수록되어 있다.

위의 여러 예서 중에서 『사례종요』는 이옥이 1695년 부친상을 당해 상례와 제례에 대하여 초록하고 관례와 혼례마저 초록하여 합할 것으로 여기고 이름을 『사례종요』라 한 것으로, 그 자신은 완성을 보지 못하고 아들들에게 완성을 부탁하였다. 이만부는 1700년 아우 이만유(李萬維)·이만지(李萬祉)와 함께 선친의 초본을 반복참고(反覆參考)하여 상례와 제례를 완

---

17) 李瀷, 『星湖集』卷3「挽息山李先生(萬敷 ○三首)」: 我昔摳衣瞻懿範, 年今垂老困迷途.(2수) 數十年來交契盡, 後生無涙灑空阡(3수).

18) 李沃, 『博泉集』附錄 卷1「過庭錄」: 府君好禮, 居致政公憂, 博考疑文變節, 皆有所證據, 送終追遠, 定爲一家之制, 復使不肖續成, 名曰四禮綜要, 每日必晨謁祠堂, 非甚病不少廢焉; 李萬敷, 『息山集』卷22「先府君家狀」: 丙子, 守廬于坡山, 撰定喪祭禮, 合冠昏爲四禮綜要; 속집 卷6「先考嘉善大夫禮曹參判府君墓誌」: 詩文雜著二十卷, 合爲博泉集, 幸已刊布, 進修錄一卷, 四禮綜要四卷, 藏于家; 李萬敷, 『息山集』부록(上)「家狀」(盧啓元): 續成博泉公所撰四禮綜要, 以相宗家享先之禮; 「行狀」(李瀷): 續成家藏四禮綜要, 定爲家範.

19) 李萬敷, 『息山集』卷3「答舍弟持國」: 近讀禮記, 刪其繁複, 自寫成一帙, 名曰禮記詳節. 若借官儲活字, 印得一二本, 與一家子侄分看, 則似不爲無益, 而不可得, 可歎可歎.

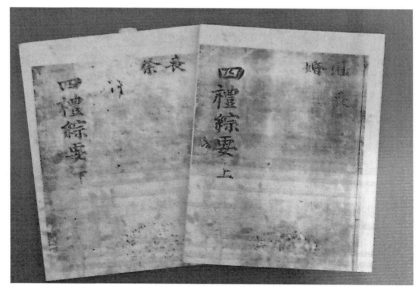

●이만부_사례종요●

성하고 거기에 관례와 혼례 의절을 초록하여 모두 7권으로 만들었는데, 관례 1권, 혼례 1권, 상례 3권, 제례 2권이었다. 부자의 공동 작업으로 이루어진 『사례종요』에 수록된 안설(按說) 중에는 '우안(愚按)'으로 된 부분과 '근안(謹按)'으로 된 부분이 있는데, '우안은 이옥의 안설이고 '근안은 이만부의 안설이다.[20]

이 책은 『주자가례』를 바탕으로 구준(丘濬)의 『가례의절(家禮儀節)』과 김장생의 『상례비요(喪禮備要)』 및 제가(諸家) 제유(諸儒)의 예설을 종합하여 이해하기 쉽고 간략하게 만든 것이다. 이만부는 예서란 쉽게 알 수 있어야 실행에 착오가 없고, 간략해야 실행에 어려움이 없다는 취지로 편찬하였다.[21] 따라서 예의 의미에 대한 이론적 논의나 고증적 해석은 가급적

---

20) '謹按'으로 표기된 부분을 하나 소개하면 다음과 같다. 『四禮綜要』 卷6「祭禮」1 祠堂: 謹按, 家禮以祠堂儀錄在卷首, 爲通禮一篇, 蓋四禮之行, 皆在祠堂故也. 然祠堂參獻等節目, 要之亦不過祭禮之一事, 是以先考所定草稿中, 移在祭禮上, 今不敢變易焉.

21) 李萬敷, 『息山集』 卷17「四禮綜要序」: 故是書本之於家禮, 參之於儀節備要, 又參之於諸家諸儒之說, 不嫌文字之猥瑣, 而務易曉, 不求節目之繁多,

배제하고, 행례에 실질적으로 필요한 절차, 도구, 제물, 축문, 도식 등을 주로 정리했다. 이를 통해 보면『사례종요』는 집안에서 행하기 위해 만든 일가지례(一家之禮)의 성격이 짙다고 하겠다.

『사례종요』는 집안에 보관되어 필사본으로 전해진 관계로 후세에 널리 알려지지 못하였던 듯하다. 이에 따라『사례종요』에 나타난 예설은 후대에 언급된 적이 없고,『식산집』의 예설도 주목받지 못하였다. 그렇지만 그의 집안이 허목-이익의 근기남인과 밀접한 관계를 맺었고,『사례종요』가 행례 위주의 실용성을 강조한 간편 예서로 편찬되었다는 점까지 고려하면, 예학의 학통에 있어서도 근기남인과의 연결고리를 찾을 수 있을 것으로 짐작된다.

이만부는 영남지역 인사들과 예학 논의를 주고받았는데, 대표적인 이가 경주권의 이형상(李衡祥)이다. 이형상과 논의한 예의(禮疑)는『식산집』권4에「재답별지(再答別紙)」(26판; 관례 11조목),「여병와(與甁窩)」(31판; 심의(深衣) 4조목),「답병와(答甁窩)」(36판; 심의),「답병와」(38판; 심의),「답병와」(49판; 장(杖)과 담(禫)),「답병와」(50판; 하옥(厦屋)),「답병와」(50판; 심의),「답병와」(51판; 심의) 등이 있다. 대체로 이형상이 질문하고 이만부가 답변하는 형식이며, 논의 주제는 심의에 집중되어 있다. 이들 외에 문목이나 별지 형태로 조자경(趙自敬)·오상흠(吳尙欽)·김계상(金季商)·신준(申濬)·전유(全游)·오제운(吳濟運)·황익재(黃翼再)·신경제(申慶濟)·김사문(金斯文)·오수재(吳秀才)·이생(李生)·조인경(趙寅經)·이자형(李子馨)·이명천(李命天)·조현명(趙顯命)·이생(李生) 등과 예학에 대한 의견을 주고받았다. 이러한 일련의 문답들은 이만부가 상주권 영남학자로서 같은 권역 및 지역 내 다른 권역의 학자들과의 교유를 통하여 예학적 위상을 정립했다는 증거이다.

이만부의 문인으로는 노계원(盧啓元)·조천경(趙天經)·황익재·오상원(吳尙遠)·조복경(趙復經)·조인경(趙寅經)·김응경(金應慶)·홍성(洪晟)·홍상조(洪相朝)·최수인(崔壽仁)·이만용(李萬容)·이만굉(李萬宏) 등이 거론된다. 이들 중에서 황희(黃喜)의 10대손인 화재(華齋) 황익재는 이만부·이재(李栽) 외에 이익(李瀷)과 예의(禮疑)를 질의한 서신을 왕복한 적이 있고(「與李星湖子新(瀷)問疑禮」),「

而崇簡約. 易曉則無錯認之患, 簡約則無難行之弊, 此又先子纂輯之本意也.

향약절목(鄕約節目)」·「양사재절목(養士齋節目) 부상읍례홀기(附相揖禮笏記)」
등의 잡저를 남겼다. 황익재의 예설은 장복추(張福樞)의 『가례보의(家禮補疑)
』에 인용서목으로 올랐다.

3. 이의조(李宜朝) 학단

경호(鏡湖) 이의조(1727~1805)는 18세기 영남지역의 노론 학단을 대표
하는 예학자이다. 조선조에 편찬된 예서 가운데 이의조 부자가 편찬한 『가
례증해(家禮增解)』만큼 정밀한 『가례』주석서는 없다. 『가례증해』는 부친
이윤적(李胤績, 1703~1756)이 마련한 초편(初編) 원고를 아들 이의조가 계
승하여 성편(成編)한 역작이다.

이의조는 『가례증해』 외에도 여러 종류의 저술을 하였던 것으로 보인
다. 성담(性潭) 송환기(宋煥箕)가 지은 이의조의 행장에는 "유집 10여 권이
집에 갈무리되어 있다."라고 하여 문집의 구체적인 권수까지 밝혔고, 『교남
지』(권17 「지례군(知禮郡)」)에는 "저서에 『가례증해』『의요보유(儀要補遺)』·
『경의수차(經義隨箚)』[22] 등이 있고, 문집이 있는데 성담이 행장을 지었다."
고 기록하고 있다. 위의 두 기록에 따르자면 분명히 이의조의 문집이 존재
한다는 얘기다. 하지만 그의 문집은 현존 미상이다. 우재악(禹載岳, 1734~
1814)은 이의조의 제자인 하시찬(夏時贊)과 친분이 두터웠고 「경호이공언
행록(鏡湖李公言行錄)」이라는 글을 남겼다.[23] 이 글과 현재 전하는 이우세
(李禹世)의 가장(家狀)과 송환기의 행장 및 단편적인 글을 통해서 이의조
의 생애와 학문을 개괄할 수는 있겠지만, 문집이 전하지 않는 관계로 세부
적인 면모에 대해서는 살펴볼 수 없고, 그의 또 다른 저술인 『의요보유』『

---

22) 1788년에 송환기가 이의조에게 보낸 서간문에 따르면 '經義'라는 단어가 나
    오는데, 『의요보유』와 비슷한 시기(1789)에 『경의수차』도 지어진 것으로 보
    인다. 宋煥箕, 『性潭集』 卷6 「答李孟宗(戊申)」: 今此示來禮書經義, 奉閱
    以還, 殊覺開發, 顧何下於對討爛熳, 不恨相會之差池也. 高明之前後所纂
    輯, 可見良工獨苦之心, 而先賢所謂禮家宗匠者, 恐今不在他矣.
23) 禹載岳, 『仁村集』 卷3.

경의수차』 역시 현존 여부를 알 수 없다.

『가례증해』는 간행 연대가 명확하지 않다. 서문을 통해서 볼 때 1792년에 원고가 완성되었던 것으로 보이는데, 간행이 이루어지기 전까지 이의조의 문인이 필사하여 탐독하였다. 우재악은 『가례증해』 10책을 3월에 시작하여 9월에 이르러 모두 필사하

●이의조_가례증해(국역)●

고 13세의 손자를 시켜 도식을 베끼게 하고서는, 김집(金集)이 김장생(金長生)을 이어 『의례문해속(疑禮問解續)』을 편찬한 것에 비유하며 『가례증해』를 편찬한 공을 높이 평가하였다.24) 또 변석홍(邊錫洪, 1828~1903)이 『가례증해』를 등사(謄寫)하였다는 기록이 있다.25)

『가례증해』의 중요성은 이 책이 간행된 후 이 책의 내용을 보완하거나 절요(節要)한 저술이 나온 것으로도 입증할 수 있다. 이런 종류의 서적으로는 박성양(朴性陽, 1809~1890)의 『가례증해보유(家禮增解補遺)』, 편자 미상의 『가례증해약선(家禮增解略選)』, 편자 미상의 『가례증해절요(家禮增解折要)』 등을 들 수 있다. 뿐만 아니라 후인들이 이 책을 읽고 의문 나는 사항을 기록한 단편적인 글도 여럿 있는데, 이항로(李恒老, 1792~1868)의 「가례증해빈자

24) 禹載岳, 『仁村集』 卷2 「書家禮增解小叙後」.
25) 柳麟錫, 『毅菴集』 卷49 「進士竹西邊公行狀」.

관자조기의(家禮增解賓字冠者條記疑)」, 남정우(南廷瑀, 1869~1947)의 「답권사인가례증해차의(答權士仁家禮增解箚疑)」·「가례증해차의(家禮增解箚疑)」, 장화식(蔣華植, 1871~1947)의 「이경호가례증해기의(李鏡湖家禮增解記疑)」가 그것이다. 그리고 정재규(鄭載圭)의 문인 이종홍(李鍾弘)은 『가향휘의(家鄉彙儀)』를 편찬하면서 『가례증해』의 관례·계례·혼례 및 향음주례를 많이 참고하였다. 또한 20세기 전반에 가면 정세영(鄭世永, 1872~1948)의 「가례증해의목(家禮增解疑目)」·「가례증해교본총목(家禮增解校本總目)」·「가례증해교본변례목록(家禮增解校本變禮目錄)」·「가례증해교본권(家禮增解校本卷)1-9」·「서가례증해교본후(書家禮增解校本後)」, 정대수(丁大秀, 1882~1959)의 「가례증해첨의(家禮增解籤疑)」, 김택술(金澤述, 1884~1954)의 「가례증해의목(家禮增解疑目)」, 권순명(權純命, 1891~1974)의 「가례증해기의(家禮增解記疑)」 등 전우(田愚)의 문인으로 영남지역 출신이 아닌 이들에 의해서 집중적으로 논의되기도 하였다.

『가례증해』는 후인들에 의해 높이 평가되었다. 홍직필(洪直弼)의 문인 조병덕(趙秉悳)은 영남지역의 주요 예서로 『상변통고』와 『가례증해』를 언급하고서, 노론은 『가례증해』를 사용하고 남인은 『상변통고』를 사용한다고 하였다.[26] 이진상(李震相) 역시 위의 두 예서를 동시에 언급하면서 "백가의 설을 종합하여 꿰고 종류대로 분류함으로써 상례와 변례를 모조리 모았으니, 페르시아 시장에 온갖 상품이 모두 모여 있어 구하려는 게 있으면 반드시 찾을 수 있는 것과 같다."[27]고 하였다. 또 조긍섭(曺兢燮)은 "『심경부주(心經附註)』는 자못 지리하여 『근사록』의 정밀함보다 못하며, 『가례증해』의 상세함은 『상변통고』보다 더하다."[28]고 하였다. 이 외에도 『가례증해』의 상세함에 대해 논평한 자료는 수없이 많다.

---

26) 趙秉悳, 『肅齋集』 卷5 「答金參判公翼」: 向所仰懇安東常變通攷, 雖是午人所編, 而常禮變禮, 俱收幷蓄. 嶺南禮書中, 與家禮增解幷行, 而老論用增解, 南人用通攷云矣.

27) 李震相, 『四禮輯要』 卷首 「四禮輯要序」: 近世有花山通攷之書, 鏡湖增解之編, 綜貫百家, 彙分類選, 以盡其常變, 譬如波斯之市, 百貨咸萃, 有求者必得.

28) 曺兢燮, 『巖棲集』 卷34 「先考素履齋府君行略(辛亥)」: 心經附註頗支冗, 不若近思錄精密, 家禮增解詳覈, 過於常變通攷.

이러한 『가례증해』의 성과는 18세기 영남지역의 학문 분위기에서 배태된 것이다. 기호지역에서도 다양한 예설이 제출되었고 이를 분문유취(分門類聚)한 저술이 없었던 것은 아니다. 이재(李縡)의 문인 박성원(朴聖源)이 편찬한 『예의유집(禮疑類輯)』이 그것인데, 이는 『가례증해』 편찬에도 주요 예서로 채택되었다. 그런데 『예의유집』은 『가례』주석서가 아니고 의례(疑禮)와 변례에 대한 예설 모음집이었다. 『주자가례』

家禮增解引用禮書目錄

儀禮經傳註疏 鄭玄註 賈公彦疏
禮記註疏 鄭玄註 孔頴達註疏
通典 杜佑所纂
司馬氏書儀 溫公所著
儀禮經傳通解 朱子所纂
程氏遺書 兩程子夫所著
理窟 橫渠子張所著
朱子語類
家禮儀節 丘濬文莊公瓊山所纂

周禮註疏 鄭玄註 賈公彦疏
開元禮
周元陽祭錄
韓魏公祭儀
儀禮經傳續通解 勉齋黃所纂
朱子大全 同上
程氏外書 同上
禮記集說 東匯澤陳澔所纂
家禮會成 魏堂所纂

●이의조_가례증해●

를 절대시하였던 기호지역에서 정밀한 『가례』주석서가 나오지 않고 영남지역에서 나온 것은 영남지역의 예학풍토와 관련하여 논의될 필요가 있다. 『가례증해』는 『주자가례』의 본문과 의절 내용을 준수하는 노론예학의 기본입장을 충실하게 고수한다는 측면에서 기호예학의 기본방향을 유지하고 있다. 그리고 기존의 예학 논의를 『주자가례』 속에 편입시켜 한 권의 책으로 편찬하였던 『가례증해』의 시도는 17세기 중반 유계(兪棨)와 윤선거(尹宣擧)에 의해 시도된 『가례원류(家禮源流)』에서 그 연원을 찾아볼 수도 있다. 하지만 이는 또한 제가의 예설을 유취(類聚)·변증(辨證)·절충(折衷)하여 새로운 하나의 예서로 편찬하려는 18세기 영남지역 예학의 한 조류와도 맞물려 있는 것이다.

아래에서는 이의조의 예학 학단을 스승, 지우(知友), 제자 등 세 부분으로 살펴본다.

조선조에 편찬되었던 예서 중에서 가장 비중 있게 취급되고 널리 읽혔던 예서는 6종을 꼽을 수 있다. 김장생(金長生)의 『상례비요(喪禮備要)』, 류장원(柳長源)의 『상변통고(常變通攷)』, 허전(許傳)의 『사의(士儀)』 외에 『사례편람(四禮便覽)』·『예의유집(禮疑類輯)』·『가례증해』가 그것이다. 6종 중 3종이 이재(李縡)와 그 문하에서 나왔다는 자체만으로도 그들이 예학에 굉장한 열의를 가졌다는 것을 알 수 있다. 그리고 이재의 문인 중 빠뜨릴 수 없는 인물이 바로 『가례증해』를 초편(初編)한 이윤적(李胤績)이다. 그는 숭례처사(崇禮處士)라고 일컬어질 정도로 예를 중시하고 예학에 깊은 관심을 기울였고, 경학에도 뛰어나 영우홍유(嶺右鴻儒)라고 칭송되었던 만큼 학술적으로 조명하기에 충분한 인물이지만, 그에 관한 글이 거의 남아 있지 않다는 한계가 있다.

이윤적이 이재의 문인이었다면, 그의 아들인 이의조는 송능상(宋能相, 1710~1758)의 문하에 나아가 예학을 학습함으로써 경상도 지역에 노론 예학을 널리 전파하는 데 결정적인 역할을 하였다. 이의조는 송능상의 문집을 간행할 때 깊이 관여했고, 송능상 사후에(1805) 상소하여 포증(褒贈)을 청하기도 하였다. 『운평집』에는 이의조에게 주는 시와 서간문 각 1편이 실려 있다. 송능상은 이의조가 정사(精舍)를 지었다는 소식을 듣고 명성당(明誠堂)이라는 당호를 직접 써서 주었고, 안동의 이상진(李象辰)[29]이라는 인물이 지은 사칠변(四七辨)의 내용이 아주 훌륭하다면서 이의조에게 보내주고는, 이전에 이런 견식을 가진 사람을 알지 못했던 것은 당론(黨論)의 폐해라고 하였다.[30] 이 서간문을 쓰기 한두 달 앞서 송능상은 이의조가 살

---

29) 下枝 李象辰(1710~1772)을 말하는 것으로 보인다. 안동 풍산(豊山) 사람으로 權榘·權相一의 문인이며, 諸家의 居喪儀節을 모아 『企勉錄』을 만든 것으로 전한다.

30) 宋能相, 『雲坪集』 卷6 「與李孟宗(宜朝○癸酉四月)」: 新建精舍入處, 而聞未有顏號, 寫呈明誠堂三字, 筆法雖甚拙, 所以寓戒則甚至, 幸以掛之座右, 以爲莊修之符如何. 安東士人李象辰曾聞名否. 近得其四七辨, 讀之不覺斂袵前膝, 不圖今世乃有如此見識也. 雖使退栗二先生有知, 不可不謂子雲堯夫, 其文字送之茂叔所, 蚤晚取見如何. 其曰後之賢者猶復論辨, 以下論說灑然, 可見其眞能知退翁而眞知爲己之學矣. 豊山山川奇秀, 前旣爲淸陰老先生攸芋, 今復生出如許人才, 地不滿半千, 而吾輩前此, 未能知有如

•가례증해 판목(한국민족문화대백과사전)•

던 김천으로 가서 수석(水石)을 완상하였고, 이듬해에는 이의조가 송능상의 서당으로 가서 주돈이의 「태극도설(太極圖說)」을 강론하기도 하였다.[31]

이의조는 송환기와 가장 깊이 사귀면서 인간적·학문적으로 친밀한 관계를 유지하였다. 확인할 수 있는 이의조의 문인 중 많은 사람들이 송환기의 문하에 나아가 학습한 사실을 보더라도 두 사람 사이의 친밀도를 알 수 있다. 『성담집』에 실린 이의조 관련 글을 보면, 이의조의 예학 업적과 식견을 높이 평가하는 부분이 여러 군데 있다. 송환기 외에 이의조와 학문을 토론하면서 가깝게 지냈던 인물로는 권진응(權震應)·이의관(李宜觀)·최남두(崔南斗) 등도 꼽을 수 있다.

이의조의 예학은 영남지역에서 그 문인들에 의해 일정 부분 전수되었다. 그의 문인은 문집이나 문인록이 없는 상태에서 찾아내기가 쉽지 않다.

此人如此見識, 甚矣黨論之弊也.

31) 宋能相, 『雲坪集』 卷1 「宋德秀李宜朝二賢來住書堂講讀濂翁圖說而以余之病不得對討爲恨少間也邀之子舍剪燭極論遂題小詩以志(甲戌)」: 荒年風雪夜, 湫宇遠方賢. 語極天人際, 迢迢山月懸.

도처에 산재한 자료를 통해서 정리하자면, 이의조의 문인은 대체로 김천 지례(知禮)를 거주지로 하는 연안이씨 가문의 일족들이 대부분을 차지하고, 또 인근의 대구와 경산 등지에서도 문인이 된 이가 있었다.

그의 문인 중에서 예학 저술을 남긴 인물을 중심으로 정리하면 다음과 같다.

표-17 <이의조 문인의 예학 저술>

성명	거주지	예학 저술
損庵 李遂元(1734~1815)	김천	『喪禮補編』
進菴 李遂浩(1744~1797)	김천	『四禮類會』·『四禮類會圖式』·『禮記疑處問答』·『家禮增解疑義問答』·『家禮釋疑』
三願齋 李秉中(1762~1848)	김천	『經禮問答』·『禮疑輯解』
悅菴 夏時贊(1750~1828)	대구	『八禮節要』
石淵 李禹世(1751~1830)	성주	『鄕約增解』·「禮疑問答」·「鏡湖李公家狀」·「請褒李鏡湖先生疏」

이의조의 문인 중에서 예학 방면에서 이름을 드러낸 인물로는 김천의 이수호와 대구의 하시찬을 들 수 있다. 이수호는 이의조의 주선으로 송환기 문하에 나아가기도 하였다. 이수호가 스승보다 먼저 죽자 이의조는 행장을, 송환기는 묘갈명을 지어 죽음을 안타까워하였다.

이수호(李遂浩)는 『사례유회(四禮類會)』 외에도 『사례유회도식(四禮類會圖式)』·『예기의처문답(禮記疑處問答)』·『가례증해의의문답(家禮增解疑義問答)』 등의 예서를 편찬했으며, 『가례석의(家禮釋疑)』를 편찬하려 했지만 뜻을 이루지는 못했다.[32]

하시찬(夏時贊)은 그의 성(姓)에서 보듯이 독특한 이력의 소유자다. 송나라 대도독(大都督)을 지낸 하흠(夏欽)이 처음으로 고려 인종 때 귀화하였고, 그의 아들 하용(夏溶)이 북호(北胡)를 정벌한 공으로 달성군(達城君)에 봉해진 이래 대대로 대구에 세거하였다.[33] 그는 관혼상제의 가례에 향음주례·투호

32) 김시황, 「進菴 李遂浩 先生의 生涯와 學問」, 『동양예학』 13, 동양예학회, 2004. 이수호의 『사례유회』에 대해서는 이승연, 「進菴 李遂浩의 四禮類會 』에 관한 一考察」, 『동양예학』 13, 동양예학회, 2004 참조.
33) 하시찬의 생애와 학문에 대해서는 백도근, 「대구 서인 열암 하시찬의 삶과

례·향약사상견례의 향례를 합한 『팔례절요(八禮節要)』를 저술하였고, 「심의찬(深衣贊)」·「심의제도(深衣制度)」 등도 지었다. 이외에도 「상경호선생대학문목(上鏡湖先生大學問目)」, 「상경호선생서(上鏡湖先生書)」(신해·갑인), 「상경호선생의례문목(上鏡湖先生疑禮問目)」, 「상경호선생서」(기미·경신) 등의 글을 남겨 이의조와 경학과 예학에 대해 심도 있는 논의를 주고받았다. 그리고 이의조의 아들 이수부(李遂溥)와 손자

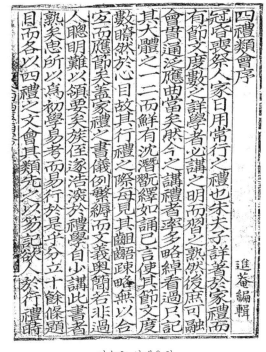

●이수호_사례유회●

이병기(李秉紀), 『가례증해』 발문을 쓴 과재(過齋) 정만석(鄭晚錫), 매산(梅山) 홍직필(洪直弼) 등과도 서간을 왕복했으며, 특히 대구의 우재악(禹載岳)과는 가장 많은 13편의 서간문을 주고받았다.

한편 우재악은 이채(李采, 도암 이재의 손자)·홍직필 등과 서간문을 주고받았고, 「송홍매산서(送洪梅山序)」, 「발도암선생간첩후(跋陶庵先生簡帖後)」, 「서가례증해소서후(書家禮增解小叙後)」, 「제경호이공의조문(祭鏡湖李公(宜朝)文)」, 「경호이공의조언행록(鏡湖李公(宜朝)言行錄)」 등의 글을 지었다. 이들 외에 김낙현(金洛鉉)·정현유(鄭顯裕) 등과 교유한 호상(湖上) 이연성(李淵性, 1824~1893)도 김천 사람으로 「심의제도고증(深衣制度考證)」·「변례설(變禮說)」 등을 지었다.[34]

───────────

학문」, 『윤리교육연구』 27, 한국윤리교육학회, 2012 참조.

34) 이들 외에 이의조의 문인으로는 百忍齋 李遂涵(1739~1809), 李遂澤(1746~180

19세기 노론예학을 이끌었던 홍직필이 이의조에게 보낸 서간문에 "영남 전 지방은 오현(五賢)이 창도(倡道)한 이후로 추로(鄒魯)의 고장으로 일컬어지는데, 그 가운데 한 가닥 정론(正論)을 능히 부지할 이는 오직 집사뿐"35)이라고 하였듯이 이의조는 홍직필에게 대단한 존숭을 받았던 것으로 보인다. 위에서 언급한 하시찬우재악도 홍직필과 교유가 있었던 점에서 볼 때, 김천과 대구를 중심으로 하는 이의조

●하시찬_팔례절요●

학단이 홍직필과도 일정한 학문 수수관계가 있음을 알 수 있다.

『가례증해』는 여러 가지 점에서 의미 있는 저술이다. 17세기까지 조선조 예학 논의의 틀이 거의 갖춰진 후, 18세기에는 그동안 논의가 미비했던 변례 부분과 조선에 합당한 예제를 절충하는 흐름이 주류를 이루었는데, 김천에서 나온 『가례증해』가 바로 그런 흐름을 잘 반영한 예서이다. 행례

5), 懦潭 李遂泰(1747~1788, 李宜朝 아들), 李遂沆(1748~1827), 德峯 慎必儉(1756~1831), 李遂浚(1758~1814), 李遂溥(1759~1804, 李宜朝 아들), 愛日軒 李秉瓚(1761~1821), 李天復(1777~?), 短翁 李秉紀(1780~1829, 李宜朝 손자), 杜陵 李坤復(1781~1861), 李秉瑞(1786~1834, 이상 김천), 默山 文海龜(1777~1849, 합천) 등이 있다. 그리고 宋煥箕의 문인이기도 한 士農窩 河益範(1767~1813, 진주)은 『家禮增解』 편찬에 참여한 바 있다.

35) 洪直弼, 『梅山集』 卷7 「與鏡湖李公(宜朝○癸亥六月)」: 山南全省, 自五賢倡道之後, 以鄒魯稱. 君子澤斬, 士趨不端, 蜿蜿百怪, 無所不有, 而挺然特立於衆楚之中, 能維持得一脈正論者, 惟執事是已.

의 편의라는 측면에서 『상례비요(喪禮備要)』를, 고증과 훈고라는 측면에서 『가례집람(家禮輯覽)』을, 변례의 정리라는 측면에서 『의례문해(疑禮問解)』를 집성한 것으로 행례와 고증과 변례를 한 책에 구현한 '조선판 『가례의 절』'로 평가되고 있다.36) 그렇지만 『가례증해』는 『주자가례』 본문을 한 글자도 변동하지 않을 정도로 교조적인 색채가 짙다. 송시열과 이재(李縡) 이후 『주자가례』를 절대시하며 경직화되었던 노론예학의 분위기에서 벗어나기는 쉽지 않았을 것으로 보인다. 이는 17세기 후반 이후에 살았던 영남남인의 예설을 전혀 반영하지 않았던 데서도 드러난다.

그럼에도 불구하고 이의조가 당대까지의 예학 성과를 서인노론의 예설을 중심으로 망라하려고 시도하는 과정에서 변례를 논의하고 이설(異說)을 절충하는 면모를 보면, 스승의 설이라고 해도 절대적으로 존신한 것은 아니었다.37) 스승의 설을 재검토하고 새로운 논의를 제시한 그의 안설(按說)이 나올 수 있었던 것은 그가 영남지역에 거주하며 현실 정치에 참여하지 않았던 처지였기 때문에 다소 객관적인 입장에서 예학 논의를 전개할 수 있었다고 본다.

---

36) 장동우, 「『家禮』 註釋書를 통해 본 朝鮮 禮學의 進展過程」, 『동양철학』 34, 한국동양철학회, 2010, 261쪽.
37) 하나의 사례를 소개한다. 晜日의 '하루 전에 재계한다'는 조목 아래에, "고인들은 재계하는 복색을 흑색으로 했는데, 기제의 치재 때에도 이를 사용했는지는 모르겠다. 나는 素服을 사용해도 무방하다고 생각한다."는 송시열의 설을 인용한 뒤, "시세를 지내기 하루 전에 신위를 설치하고 기물을 진설하는데, 주인은 深衣를 입는다. 여기 기제에서는 하루 전에 재계하고 신위를 설치하고 기물을 진설하면서 모두 '禰祭와 같다'고 하였다. 녜제는 시제와 같으니, 그 복색이 심의임이 분명하다. 심의는 이미 길흉에 공통으로 입는 옷이고 화려하거나 성대하지도 않으니, 심의를 입음이 아마 마땅할 듯하다. 또 아래 글에서 '제사지내는 날에 검푸른 색[黪色]의 옷으로 바꿔 입는다'고 했으니, 하루 전에는 素服을 입는 의리가 없음을 알 수 있다."고 하였다.(한국고전의례연구회 역주, 『국역 가례증해』 6, 2011, 250쪽)

4. 정종로(鄭宗魯) 학단

상주권에서 정경세의 예학을 계승하여 18세기 후반에서 19세기 초까지 영남지역 남인예학을 주도하였던 사람은 입재(立齋) 정종로(1738~1816)이다. 그는 가학을 계승하면서도[38] 18세기 영중삼로(嶺中三老)로 일컬어지던 이상정(李象靖, 안동)·최흥원(崔興遠, 대구)·박손경(朴孫慶, 예천)에게 모두 배웠으며[39], 세 스승 중에서 이상정의 훈도가 가장 많았다.[40] 정종로는 이상정·박손경·최흥원이 사망한 이후 영남 학계를 대표하는 인물로 부각되었고 경학과 문장으로 일세를 풍미하였다. 또한 이상정의 문인 이종수(李宗洙)·김종덕(金宗德)과 함께 호문삼종(湖門三宗)으로도 칭송되었고, 더 나아가서는 '좌대산우입재(左大山右立齋)'로 병칭될 정도로 학문적 위상이 높았다.

정종로는 정만양(鄭萬陽)·정규양(鄭葵陽)의 문집 서문과 정중기(鄭重器)의 문집 발문 등 영천 지역 인사들은 물론, 조식(曺植)을 사숙하고 김장생(金長生)의 예학을 배운 죽당(竹塘) 최탁(崔濯, 진주)의 행장을 짓는 등 지역과 당파를 초월하여 당시 학계에서 구심점 역할을 하였다. 그는 채제공(蔡濟恭)의 건의로 정조(正祖)의 징소(徵召)를 받았지만 적극적으로 출사하는 자세를 보이지는 않았다. 하지만 당색에 구애되지 않는 개방적인 학문

---

38) 鄭宗魯, 『立齋別集』 卷7 「墓碣銘」(鄭元善): 東方道學之傳, 集成於陶山, 陶山之門, 有西厓柳文忠公, 西厓之門, 有愚伏鄭文莊公, 寔陶門嫡傳. 文莊公之後, 世有聞人, 子杋翰林, 孫道應諮議, 曾孫錫僑縣監, 玄孫胄源除參奉不仕, 俱以文學行誼, 爲朝家所擧擢. 以是山南士大夫家學之正, 首稱晉陽之鄭, 至立齋先生, 道益尊學益邃, 蔚然爲一代宗師.

39) 나중에 최흥원의 손자는 정종로의 孫壻가 되었다. 최흥원의 문인록에는 정종로의 이름이 없고, 이상정의 문인록에는 44번째로 수록되어 있는데 "丁酉(1777)에 선생을 뵙고 『중용』·『대학』을 강론하였고, 『大山書節要』를 편찬하고 「師友見聞錄」을 지었다"고 하였다.

40) 우인수는 정종로가 이상정의 문인이었음은 분명하나, 학통은 柳成龍-鄭經世-柳袗-鄭道應으로 이어지는 계통을 가학으로 계승한 것으로 파악하였다. 우인수, 「立齋 鄭宗魯의 嶺南南人 學界內의 位相과 그의 現實對應」, 『동방한문학』 25, 동방한문학회, 2003, 122쪽.

풍조를 보였던 상주권의 분위기를 그대로 계승하면서 자신의 학문적 위상을 제고시켰다. 정종로의 학문 논변은 이기심성론과 사서학(四書學) 및 『심경』·『근사록』에 집중되어 있다. 그의 성리설에 대해서는 주리론과 주기론의 절충적 견해를 가졌다는 견해와 주리적 입장이었다는 상반된 주장이 있다.[41]

정종로는 예서를 편찬하거나 독자적인 예설을 피력한 잡저는 없고, 서간문을 통해 문인지우들과 예의 문답을 주고받았다. 교유한 인물 중에는 김종덕(金宗德)·김종경(金宗敬)·황계희(黃啓熙)·남한조(南漢朝)·조술도(趙述道)·최화진(崔華鎭)·안정복(安鼎福) 등이 있고, 『사례고의(四禮考疑)』를 편찬한 선산(善山)의 국은(菊隱) 허준(許晙, 1749~1817)과도 교분이 있었다.

서간문의 별지나 문목 등을 통해 정종로와 예의(禮疑)를 논한 인물로는 강자혜이화(姜子惠(履和)), 황자화재휴(黃子厚(載休)), 강공서세규(姜公敍(世揆)), 이시응경(李時應(坰)), 허덕무강(許德懋(堈)), 이대언승배(李大彦(升培)), 거창용산재사유생(居昌龍山齋舍儒生), 김순수희분(金舜叟(熙奮)), 이계순(李啓淳), 박경후상중(朴景厚(尚重)), 정공간의선(丁公簡(義選)), 조낙응귀섭(趙洛應(龜爕)), 박이귀(朴頤龜), 정시회(鄭時晦) 등이다.[42] 이 중에 용산재사 유생에게 답한 글은 동계(桐溪) 정온(鄭蘊)의 묘향(墓享)과 관련된 의식 절차에 관한 답변으로, 정구(鄭逑)와 장현광(張顯光)이 정한 도동서원(道東書院)·오산서원(吳山書院) 의식에 의거하여 행하고자 문인 현와(弦窩) 윤동야(尹東野, 1757~1827)의 발의로 제기된 것이다. 이것을 제외한 대부분의 문답은 가례(家禮)의 변례 문제에 대한 논의인데, 세부적인 것은 절차나 변례의 변통에 대한 문제이기 때문에 여기서 논하기에는 적절치 않으므로 생략한다.

---

41) 우인수, 위의 논문, 111쪽. 절충적 견해를 가졌다는 것은 현상윤(『조선유학사』, 심산, 2010, 607-609쪽)의 견해인데, 절충적 입장을 가지게 된 배경에는 정경세의 후손이라는 점도 작용한 것으로 보았다. 주리적 입장은 최영성(『한국유학사상사』Ⅳ, 아세아문화사, 1995, 16-17쪽)의 견해이다.

42) 鄭宗魯, 『立齋集』卷11「答姜子惠別紙」; 卷12「答黃子厚別紙」; 卷14「答姜公敍喪禮問目」·「答李時應問目」·「答許德懋喪祭問目」; 卷18「答李大彦問目」·「答居昌龍山齋舍儒生問目」·「答金舜叟(熙奮)問目」·「答李啓淳問目」·「答朴景厚(尚重)問目」; 卷21「答丁公簡(義選)問目」; 卷22「答趙洛應龜爕問目」·「答朴頤龜喪祭問目」; 卷23「與從君時晦別紙」.

정종로의 예설을 인용한 사례는 이진상(李震相)의 『사례집요(四禮輯要)』와 윤주하(尹胄夏)의 『찬축고증(贊祝考證)』이 있고, 송준필(宋浚弼)의 『육례수략(六禮修略)』에서도 인용되었다. 이 중에서 『육례수략』에 인용된 내용은, 처의 상이 나서 대청(大廳)에 설빈(設殯)한 것은 근거가 있는 조처인데, 선대의 제사를 대청에서 지냈다면 지금 처를 위해 설빈했다는 이유로 선대의 중대한 제사를 다른 장소에서 지내는 것은 미안하다는 설이다.[43]

산림으로 징소(徵召)되며 영남남인의 상징적 존재로 인정받았던 정종로가 배출한 문인은 255인으로 전한다.[44] 문인 가운데 상주의 류심춘(柳尋春)은 손자 류주목(柳疇睦)에게 류성룡(柳成龍)의 가학을 전수하고,[45] 성주의 이원조(李源祚)는 조카 이진상(李震相)에게 가학을 전수하는 등 19세기 후반 영남을 대표하는 인물이 나올 수 있는 바탕을 마련해 주었다.

정종로의 재전문인으로 상주의 위재(危齋) 조상덕(趙相悳, 1808~1870)은 「유례편해(儒禮編解)」를 저술하였다. 조상덕의 학맥은 이황→류성룡→정경세→박손경(朴孫慶)→정종로→지헌(止軒) 최효술(崔孝述, 1786~1870)로 연결되며, 어려서는 삼종조(三從祖) 가은(可隱) 조학수(趙學洙, 1739~1823)에게 배우고, 뒤에 류치명(柳致明)의 문인이 되기도 하였다. 「유례편해」는 오륜(五倫)의 편목에 따라 배열한 특이한 책이다. 특히 오륜 중에서도 '붕우유신'을 편목의 첫머리에 배치하고 있다. 뿐만 아니라 사족이 지켜야 할 규율과 가정 내에서의 규범을 근간으로 하면서도 향당과 국가와 관련된 예의 일반 원칙 및 변통의 사례까지 함께

---

43) 宋浚弼, 『六禮修略』 卷3 「喪禮」 大斂 '祭廳不設輕殯': 立齋(掌令鄭宗魯字士仰晉陽人)曰, 妻殯之設於大廳, 固有據, 而但先代祭祀, 前此既行於此, 則今以設殯之故, 使重祭行於他所, 此莫無未安耶. / 鄭宗魯, 『立齋集』 卷14 「答許德懋喪祭問目」: (문)｛圖設妻殯于大廳, 盖古禮殯于正寢之義, 而但行祀時有碍, 未知如何. (답)妻殯之設於大廳, 盛意固有據, 而但前此先代祭祀, 既行於此, 則今以設殯之故, 而使重祭行於他所, 此莫無未安耶. 이 서간문의 질문자인 默庵 許｛圖(1766~1822)이 지은 잡저에는 「先山祭式」이 있다.

44) 김병호, 『儒學淵源錄』, 유학연원록간행소, 1981, 314-324쪽.

45) 柳尋春의 『江臯集』에는 122인의 문인이 수록되어 있는데, 199번째에 류주목의 이름이 올라 있다.(『퇴계학자료총서』 88(『강고집』Ⅱ), 안동대 퇴계학연구소, 2005, 827-833쪽.

거론하고 있다는 점이 특별하다.[46]

5. 류주목(柳疇睦) 학단

19세기 중후반 상주권에서 예학 논의를 주도한 이는 계당(溪堂) 류주목(1813~1872)이다. 그는 경학(經學)에 뛰어나 중망을 받았던 인물이다. 류성룡의 9세손으로 조부 류심춘(柳尋春)과 부친 낙파(洛坡) 류후조(柳厚祚)의 가학을 계승하여 『전례유집(全禮類輯)』이라는 방대한 분량의 예서를 편찬하였는데, 이는 19세기 상주권의 예학 성과를 대표하는 걸작이다.[47]

『전례유집』은 그 분량 면에서만 보더라도 가례 39권(도식 1권 포함)과 방례 40권 등 총 79권에 이르는데, 한 개인의 학문적 열정으로 편찬한 단독 예서로는 타의 추종을 불허한다. 개인의 관심과 노력에 의해 편찬된 방례 전문 서적은 안동권에서 살펴본 류치덕(柳致德)의 『전례고증(典禮攷證)』 25권이 있는데, 류주목과 류치덕은 비슷한 시기에 생존하였고 모두 영남지역에 거주한 인물이라는 점에서 영남지역의 방례 연구에 있어서 주목할 인물이다.

『전례유집』은 그 편찬 체례와 규모에 있어서 유취·변증·절충을 지향하였던 영남지역 예학의 흐름을 반영한 저술이다. 이 시기에 이르러 예학 논의가 가례는 물론 향례·학례에 머물지 않고 방례까지 연구의 대상을 확장하였다. 말 그대로 예에 관한 전체를 망라한 '전례(全禮)'의 완성을 꾀하였다는 것이 이 시기 예학의 한 성과라고 할 수 있다.

---

46) 拙稿, 「危齋 趙相憙의 「儒禮編解」 연구」, 『국학연구』 18, 한국국학진흥원, 2011.

47) 류주목에 대한 연구로는 백도근, 「擬上六條疏를 통해 본 계당 류주목 선생의 사상」, 『상주문화연구』 5, 경북대 상주문화연구소, 1995; 도민재, 「溪堂 柳疇睦의 禮學思想」, 『퇴계학과 한국문화』 44, 경북대 퇴계연구소, 2009; 우인수, 「溪堂 柳疇睦과 閩山 柳道洙의 학통과 그 역사적 위상」, 『퇴계학과 한국문화』 44, 경북대 퇴계연구소, 2009; 홍원식, 「서애학파와 계당 유주목의 성리설」, 『퇴계학과 한국문화』 44, 경북대 퇴계연구소, 2009; 정경주, 「『全禮類輯』 해제」, 『한국예학총서』 87, 경성대 한국학연구소, 2011 등이 있다.

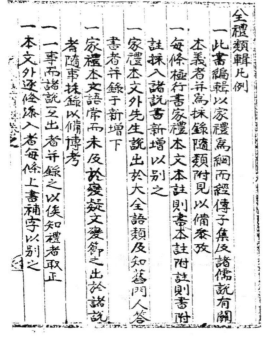

『전례유집』은 범례
(凡例), 답강진사응주서
(答姜進士(應周)書), 총
목록(總目錄), 본문(本
文), 발(跋)의 순으로 구
성되어 있다. 서문이 들
어가야 할 자리에 서간
문을 수록하고 있는데,
류주목이 생전에 미처
서문을 작성하지 못했
고, 마침 강응주48)에게
답한 서간문에 『전례유
집』의 편찬 목적과 교정
과정이 수록되어 있기
때문에 후인들이 편집
과정에서 이를 서문 대
신으로 삼은 것으로 보
인다.

•류주목_전례유집•

서간문의 내용을 세 단락으로 나누어 살펴보기로 하겠다.

① 제가 편집한 예서가 감히 별도로 문호를 세워 옛사람들보다 많은 것을 구
하려고 한 것이겠습니까? 다만 우리나라의 선배들이 피차를 막론하고 예
설을 찬집(纂輯)한 이들이 많은데, 지금 세간에 통행하는 책들을 보면 끝
내 당색에 치우치거나 지역에 얽매여서 끊임없이 나오는 의문변절(疑文變
節)에 대해 회통(會通) 참증(參證)할 수가 없었기 때문에 가만히 일찍부터
이에 뜻을 두었습니다.

② 대개 모아 편집하여 이름을 『전례유집』이라 한 것은 방례(邦禮)로 방례의

<hr>

48) 姜應周(1824~?)는 자가 公雁, 본관이 晉州로, 溫陽에 살았으며, 復泉 姜
鶴年(1585~1647)과 三休堂 姜世龜(1632~1703)의 후손으로, 이들을 모신 龍
湖書院(懷德 소재)을 중건한 뒤 류주목에게 重建記를 청탁한 적이 있다.(柳
疇睦, 『溪堂集』 卷9 「龍湖書院重建記」)

(邦禮儀)의 원집(原集)과 속집(續集)을 앞에 놓고, 가례(家禮) 통례(通禮) 및 사상견(士相見), 향사(鄕射), 향음주(鄕飮酒), 향약(鄕約), 학교(學校)를 다음에 두었기 때문입니다. 원강(原綱)과 본주(本註)·부주(附註)·소주(小註)는『심경』의 사례를 사용하고, 의문변절에 대한 문답은『통감(通鑑)』의 사단(史斷)의 사례를 사용하여, 그 문류(門類)에 따라 휘분(彙分) 채보(採補)하여 스스로 한 질을 이루었지만, 그 분량이 너무 많고 명목(名目)도 번잡한 상태에서 정력은 따르지 않고 기구도 많이 부족하여 빨리 마칠 수가 없었습니다.

③ 지난겨울 원근의 제군들이 함께 도와 한 달 가량 공력을 더하여 베끼고 교감하여 두어 걸음 함께 나갔으나 겨우 3분의 1의 공력을 이루었습니다. 이로 인하여 그치지 않고 계속하여 끝마치기를 기약할 수 있을 듯하였지만, 사적인 일과 세상일에 의해 방해받기도 하고 게으른 습관에 뜻이 무너져서 책을 덮어 둔 채 잊어버리기도 하였으니, 뭐라고 말하겠습니까? 노성한 집사의 공변된 마음과 밝은 눈을 얻어 좌우에서 받들면서 산정(刪定)을 부탁하면 공수(拱手)하고 완성하기를 바랄 수 있을 것이지만 그럴 길이 없으니, 어찌합니까?49)

①은『전례유집』을 편찬하게 된 배경이다. 여기에서 그는 기존에 나온 예서들이 당파성에 치우친 것과 지역성에 매몰된 데 문제가 있다고 지적하였다. 이제까지의 예서와 예설이 상대 당파에 대한 설은 비판적으로 보거나 인용 자체를 회피하는 경우가 많았다는 얘기다. 또 지방색에 구애되어 타 지방의 풍속을 하찮은 것으로 여기고 자신들의 풍속이 올바른 것이

---

49) 柳疇睦,『全禮類輯』卷首「答姜進士(應周)」: 鄙所輯禮書, 何敢別立門戶, 求多於古人耶. 但我東先輩無論彼此, 禮說纂輯者多矣, 然今世見行諸本, 終是偏於色目拘於地方, 而生生不窮之疑文變節, 無以會通參證, 故竊嘗有意於斯. 蓋其裒輯名全禮類輯者, 先之以邦禮儀原續, 次以家禮通禮士相見鄕射鄕飮酒鄕約學校. 原綱及本註附註小註, 用心經例, 疑變問答, 用通鑑史斷例, 以其門類彙分採補, 自成一裘, 而篇裘浩穰, 名目繁密, 精力不逮, 器具多艱, 未可猝然以了斷也. 客冬遠近諸君, 合同助發, 相守爲一朔之功, 而寫過校勘, 兩道俱臻, 僅得三分一功力矣. 若因此而接續不已, 出末可期, 而其於私宂世故隨處妨奪, 頹志懶習, 掩卷忘置, 謂之何哉. 如得執事老成之心公眼明, 奉之左右, 託以刪正, 庶乎其拱手仰成, 而末由焉奈何.

라고 여기는 것을 비판하였다.

②는 『전례유집』의 수록 내용과 편집 체재에 대한 말이다. 방례를 앞에 두고 가례 및 향례·학례를 뒤에 배치하여, 예에 관한 전 분야를 총체적으로 다룬다는 야심찬 포부를 천명하였다.

③은 도움을 청하는 말이다. 문인들과 함께 교감하였지만 3분의 1 정도만 마무리할 수 있었고, 이후에는 여러 가지 일에 얽매이는 바람에 제대로 손을 댈 겨를이 없었다.

이 서간문에서 보는 바와 같이 『전례유집』은 학파와 당색을 뛰어넘어 기존에 제출된 예설들을 총체적으로 종합하려는 의도를 담고 있다. 이는 척양(斥洋)의 대외 문제가 시국의 중심사로 등장하고 있었던 19세기 후반에 당파성에 매몰된 예학 입장에서 벗어나 학파와 당색을 아울러 '조선의 예서'를 만들어 보려는 시도가 담긴 것으로 보인다. 또 하나 주목할 것은 가례나 향례나 방례를 통틀어 하나의 전서로 총결하려는 의도를 담고 있다는 점이다. 그동안 간혹 국휼례와 향례 일부를 가례서에 편입시킨 경우는 있지만, 방국(邦國)의 전례(典禮)에 대해서 전체적으로 섭렵하여 가례와 함께 하나의 예서로 만든 경우는 『전례유집』이 유일하다. 류치덕의 『전례고증』이라는 책도 방례를 다룬 것인데, 이는 류장원이 『상변통고』에서 다루지 못한 방례 부분을 보완한 '『상변통고』의 보유(補遺)'라는 점에서 그 성격이 『전례유집』과는 다르다.

이 책의 명칭과 규모에 대해서는 몇 가지 설이 있다. 류도수(柳道洙)가 지은 행장에 '전례유보(全禮類補) 육칠십책(六七十冊)'이라 하고, 이학수(李學洙)가 지은 행장에 '전례유편(全禮類編) 50권'이라 하고, 김상인(金相寅)이 지은 언행록에 "이에 날마다 문하의 제생을 모아서 각기 유집하고 끝에 선배의 논단을 붙인 것이 50책인데 이름을 '전례유집'이라 하였다."고 했는데, 류도귀(柳道龜)와 이탁영(李鐸韺) 등의 제문에는 '전례유보(全禮類補)'라고 했으니, 당초 만들어진 초고는 50여 권이었고, 책 이름은 유보(類補), 유편(類編), 유집(類輯) 등으로 일컬어졌음을 알 수 있다.[50]

류주목의 문인 이탁소(李鐸韶, 1836~1885)는 스승 류주목의 예학에 대

---

50) 정경주, 「『全禮類輯』 해제」, 『한국예학총서』 87, 경성대국학연구소, 2011.

한 생각과 『전례유집』의 편찬 의도를 다음과 같이 전하였다.

> 예는 보본(報本)을 위한 것이다. 사람이 예를 모르면 종효(終孝)의 도리를 다
> 할 수 없다. 근세에 예학이 괴멸되어 사람마다 가정마다 예가 달라서 어느
> 것이 경례(經禮)이고 어느 것이 변례(變禮)인 줄 몰라 헷갈리고, 세속을 어지
> 럽히고 고금을 뒤섞어 놓아 의(義)가 우선이고 정(情)이 나중인 줄도 모른다.
> 말할 때마다 예를 일컫는다는 것은 본래 이와 같지 않은 것이다. 또 이른바
> 예설을 모아 편집한 것이 얼마나 많을까마는 이 또한 진정한 안목으로 한 것
> 이 아니라서 고례는 상세하게 다루고 금례는 소홀하게 다루며, 금례는 갖추
> 면서도 고례는 소략하게 하기도 하며, 방례에는 소홀하고 사의(士儀)에는 밝
> 기도 하며, 그가 높이는 설은 떠받들고 그가 미워하는 설은 제거한다. 비록
> 입론이 정밀하고 정정당당하여 후세의 법칙이 되는 대현군자의 설이라도 모
> 두 사사로운 견해에 따라 막아 버린다. 무릇 경례는 천하 고금이 같은 것이
> 고 천자부터 서인에 이르기까지 똑같다. 시대에 따라 손익하며 의리에 처하
> 여 짐작한 것이 변례이다. 능히 변례의 절도를 알고 조처의 마땅함을 얻어
> 경례에 합당하게 한 연후에 예의 본말을 말할 수 있다. 이것이 『전례유집』을
> 편찬한 까닭이다.[51]

요컨대 고례(古禮)와 금례(今禮), 방례(邦禮)와 사의(士儀), 경례(經禮)와
변례(變禮) 중 그 어느 것도 소홀하게 해서는 안 된다는 입장에 입각하여
『전례유집』에서 모든 분야를 다루었다는 말이다. 그는 특히 아무리 정밀한
입론으로서 후세의 법칙이 되고도 남는 대현의 설이 있더라도, 후대의 학
자들이 자기가 속한 당파적·학파적 견해에 따라 임의로 재단하여 자기 입
맛에 맞는 설만 채택함으로써 공변되지 못하고 이기적인 풍토로 변질되었

---

51) 李鐸韶, 『一山集』 卷6 「先師行狀」: 又曰, 禮者, 所以報本也. 人而不知禮,
　　無以盡終孝之道. 挽近禮學乖廢, 人異而家異, 迷不知何者是經而何者是變,
　　眩亂世俗, 淆泥今古, 不知義勝情輕之端. 言必稱禮禮之云云, 本不如是矣. 且
　　所謂裒輯禮說者何限, 亦不以眞正眼目, 或詳於古而忽於今, 備諸今而略於古,
　　或忽於邦禮而明士儀, 或宗其所尊而祛其所憎. 雖有大賢君子, 立論精到,
　　亭亭當當, 可爲後世法則者, 皆以私意而沮之. 夫經禮者, 天下古今之所同, 自
　　天子至於庶人一也. 隨時損益, 處義而斟酌者, 是變也. 能知變之節而處之得
　　當, 以合於經, 然後可以語禮之本末矣. 此全禮類輯之所以撰也.

던 당시까지의 예학 풍토를 공박하였다. 이런 풍토로는 보본(報本)을 추구하는 예의 본질에서 자꾸 멀어질 수밖에 없다고 보았던 것이다.

한편 19세기에는 영남지역에서 류장원의 『상변통고』와 이의조의 『가례증해』처럼 그동안의 예설을 종합한 예서가 통행되고 있었다. 류주목의 『전례유집』은 이들 예서의 예설을 매우 중요한 참고자료로 활용하고 있지만, 이 두 종 역시 일정한 당파성을 가진 것이라고 판단하였던 듯하다. 또한 이들 예서는 방례를 아예 다루지 않았다. 따라서 류주목은 이들이 '예서(禮書)의 대전(大全)'이 되기에는 부족하다고 여겨서 가례뿐 아니라 방례를 포괄하여 정리하였다.

『전례유집』의 편집 체재는 「범례(凡例)」를 통해 알 수 있다.[52] 『주자가례』의 내용을 강(綱)으로 삼고 경전과 선유의 설로 보완하고 있음은 여타 예서와 별반 다를 것이 없다. 이 중에서 서로 다른 설이 나올 경우에 함께 기록해 두어 예를 아는 자가 취정(取正)하기를 기다린다고 한 조목이 이 책의 예설 수록 방침을 명확하게 말해 주고 있다. 이 책은 시비와 득실을 한눈에 알아볼 수 있도록 하기 위하여 상세하고도 널리 채록하였다. 따라서 어떤 한 가지 예학 논점에 대하여 서로 다른 견해가 있을 경우에 그것들에 대한 당부(當否)는 판단을 내리지 않고 모두 실어 둠으로써 독자가 선택할 수 있는 폭을 열어 두었다.

---

52) 柳疇睦, 『全禮類輯』 卷首 「凡例」: ①此書編輯, 以家禮爲綱, 而經傳子集及諸儒說有關本義者, 幷爲採錄, 隨類附見, 以備參攷. ②每條極行, 書家禮本文, 本註則書本註, 附註則書附註, 採入諸說, 書新增以別之. ③家禮本文外, 先生說出於大全語類及知舊門人答書者, 幷錄于新增下. ④家禮本文, 語常而未及於變, 疑文變節之出於諸說者, 隨事採錄, 以備博考. ⑤一事而諸說互出者, 幷錄之, 以俟知禮者取正. ⑥本文外逐條添入者, 每條上, 書補字以別之. ⑦先儒說有關於本文者, 隨事採入, 不避重複, 而或節略之, 或一說而傍及數事者, 分書于各條. ⑧改葬合葬吉祭儀, 家禮不載, 故幷採丘儀備要諸說補入. ⑨國恤禮入於邦禮, 而儀節之係於臣民者, 幷附於家禮之下. ⑩引用先儒問答說, 或書標號, 或書表德, 皆因本書相處之義. ⑪服制諸條之不在家禮而出於備要便覽等書者, 幷書補字, 以別於家禮本文. ⑫先儒說引用, 或不免先後失次者, 各因文勢之緊慢輕重, 覽者恕之. ⑬諸具條, 幷合丘儀備要便覽所錄, 以附於各章之下. ⑭依儀禮首士冠禮例, 以家禮爲內篇, 以邦禮爲外篇. ⑮邦禮以儀禮本文爲綱, 幷引五禮儀文獻備考磻溪隨錄及諸家說, 取其有關於風化者, 分門類釋, 以待識務者參攷.

이는 자칫 독자에게 혼란을 가져다 줄 소지도 있는데, 『상변통고』의 경우에 편자 자신의 설이 있기는 하지만 서로 다른 설을 제시하고 결단을 내리지 않은 점이 있다고 문제를 제기한 이도 있기 때문이다. 류주목도 이런 문제 제기가 있을 것이라는 것을 예상했을 텐데, 자기의 주관적인 판단에 맡기지 않고 이설(異說)을 함께 수록함으로써 최종 판단은 독자에게 맡겼다. 류주목의 예학이 객관적이고 합리적인 측면에서 전개되었다[53]고 하는 것은 이를 두고 하는 말인 듯하다.

이 책을 편집하면서 대거 수록한 예서는 『가례의절(家禮儀節)』·『상례비요(喪禮備要)』·『사례편람(四禮便覽)』 등이다. 『가례의절』은 개장·합장·길제·제구(諸具)에, 『상례비요』는 개장·합장·길제·복제(服制)·제구에, 『사례편람』은 복제·제구에 각각 편성함으로써 기존에 제출된 예서의 특장을 십분 활용하고 있다. 뿐만 아니라 방례에 있어서는 『의례』를 강(綱)으로 삼고 『국조오례의(國朝五禮儀)』·『문헌비고(文獻備考)』·『반계수록(磻溪隨錄)』 및 제가의 설을 취하여 널리 참고할 수 있도록 배려하였다.[54]

『전례유집』은 초고가 마련된 뒤에 몇 차례에 걸쳐 정리되었다. 이 책은 류주목이 생전에 3분의 1 정도만 마무리를 지은 것을 그의 손자 류만식(柳萬植)과 증손자 류우국(柳佑國) 등이 당대 학자들의 도움을 받아 가례편은 마무리하였다. 류주목 사후에 정리 작업에 참여하여 가장 많은 힘을 기울였던 사람은 이중담(李中聃)과 외재(畏齋) 정태진(丁泰鎭, 1876~1960)이다. 그리고 공산(恭山) 송준필(宋浚弼), 조진연(趙晉衍), 제서(濟西) 이정기(李貞基, 1872~1945), 화강(華岡) 장상학(張相學, 1872~1940), 이돈영(李墩永), 정창묵(鄭昌黙), 견산(見山) 장명상(張命相, 1865~1937) 등이 힘을 보탰다. 지리적으로 볼 때 상주에서 가까운 칠곡과 김천 등지에 살았던 인물들을 중심으로 교정 작업이 이루어졌음을 알 수 있다.

위에 언급된 인물 외에 밀양권의 노상직(盧相稷)도 일정한 역할을 하였다. 노상직이 류주목의 장손 류만식에게 보낸 서간문에, 문집과 『전례유

---

53) 도민재, 「溪堂 柳疇睦의 禮學思想」, 『퇴계학과 한국문화』 44, 경북대 퇴계연구소, 2009.
54) 柳馨遠의 『반계수록』은 예서에는 좀체 등장하지 않고, 방례서인 柳致德의 『典禮攷證』에 주요 문헌으로 인용되었고, 許傳의 『士儀』와 李震相의 『四禮輯要』에 인용서목으로 올라 있다.

집』이 곧 출간될 것을 기대한다고 하면서 『전례유집』은 『가례원류(家禮源流)』나 『가례증해(家禮增解)』와는 성격이 다른 책이므로 굳이 그 체례(體例)를 따를 필요가 없다고 하였다. 그리고 권12부터 권19까지 산삭하거나 이동해야 할 조목들을 세심하게 일러 주고 있는 것으로 보면 정리 교정 작업에 적지 않은 역할을 하였음을 알 수 있다.[55]

『전례유집』의 정리에 참여한 예학자들은 영남 전역에 걸쳐 있다. 정태진은 영주에 살았는데 정경세·정종로의 예설을 모은 『선례유집(先禮類輯)』 서문을 썼고, 성주권의 송준필은 『육례수략(六禮修略)』을 지었으며, 이정기는 장복추의 『가례보의(家禮補疑)』를 간행하고 『팔례집요(八禮輯要)』를 저술했으며 국은(菊隱) 허준(許晙)의 『사례고의(四禮考疑)』 후서(後敍)를 지었다. 역시 성주권의 장상학은 『이례통편(二禮通編)』을 지었고, 이돈영은 『의례고증(疑禮攷證)』을 저술한 학포(鶴圃) 이재균(李在均, 1812~1880)의 손자이다. 상주권의 정창묵은 정종로의 5대손인 우암(寓庵) 정하묵(鄭夏黙)의 삼종제이고, 성주권의 장명상은 『가례보의』를 교감하였다.

이러한 인물들의 면면을 볼 때 『전례유집』의 교정 작업에는 당대 영남지역 예학의 전문가들이 대거 참여하였고, 영남지역 예학자들의 역량을 집결하여 완결된 예서를 편찬하려고 하였음을 알 수 있다. 예학의 위기를 맞이하였던 20세기 초반에는 각 권역의 학자들이 자신이 속한 어느 하나의 학통을 고집한 것이 아니었다. 예학의 중요성을 공감한 거대 집단의 공동 작업을 통해 당대에 절실한 예서를 마련하는 일에 뜻을 함께 하였던 것이다. 이는 조선 말기 영남지역 예학이 갖는 건실하고도 발전적인 면모이다.

『전례유집』은 여러 차례의 수윤 과정을 거쳤지만 최종적인 결말을 보지 못한 책이다. 그럼에도 불구하고 이 책은 당대에 여러 가지 측면에서 반향을 일으켰다. 이 책의 특징을 한마디로 말하자면 '예설 종합서'라고 할 수 있다. 어떤 부분에 대한 학자들의 예설을 찾아보기 위해서 굳이 선현의 문집이나 예서를 찾을 것 없이 이 책만 보면 많은 부분을 참고할 수 있도록 하였기 때문이다. 때문에 노상직은 「사복고(師服考)」에서 『전례유집』에 수록된 내용을 상당수 인용하고 있다.[56] 류주목의 문인 이탁소(李鐸韶)는

---

55) 盧相稷, 『小訥集』 卷7 「與柳建一(萬植)」·「答柳建一」·「答柳建一」·「答柳建一(別紙)」 등 4편 참조

『전례유집편고(全禮類輯便攷)』라는 책을 새로 만들어 핵심 사항을 살펴보기에 편리하게 하였다. 이탁소는 이와 별도로 사례(士禮)뿐만 아니라 방례(邦禮)도 알아야 한다는 스승의 가르침을 본받아 『동례경변(東禮經變)』(5책)을 짓기도 하였으며, 『예기』 중 상의(喪儀)와 제의(祭儀)를 모아 『예기유집(禮記類集)』을 편찬하여 류주목의 예학을 계승하였다.[57]

이탁소 외에 류주목의 문인으로 두각을 드러낸 인물로는 송라(松羅) 이긍연(李兢淵, 안동), 침산(枕山) 이세강(李世鋼, 예안), 율산(栗山) 홍지수(洪智修, 부계), 방산(舫山) 허훈(許薰, 김해·선산), 남주(南洲) 조승기(趙承基, 영양), 위고(渭皐) 노근수(盧近壽, 함양), 동려(東旅) 안창렬(安昌烈, 예천), 민산(閩山) 류도수(柳道洙, 안동), 석호(石湖) 류도성(柳道性, 안동), 회은(晦隱) 류도발(柳道發, 안동), 전원(田園) 류도헌(柳道獻, 안동), 극암(克庵) 류흠목(柳欽睦, 상주), 학산(鶴山) 류응목(柳膺睦, 안동), 극재(克齋) 노필연(盧佖淵, 창녕) 등이 있다. 이들 중에서 허훈과 노필연은 밀양권의 허전(許傳) 학단에서 언급할 것이고, 기타 인물에 대해서는 별도의 고찰이 필요하다.

이상의 상주권 예학의 흐름을 간략하게 정리하면 다음과 같다. 상주권의 예학은 시대마다 중요한 인물들이 배출되었고, 다양한 학맥이 공존했으며, 영남 이외의 기호지역과도 예설 소통이 활발했다는 점이 특별한 의의를 가진다.

류성룡의 아들인 류진(柳袗)이 상주로 이거한 이래로 우천파(愚川派)를 형성하며 정경세(鄭經世)·이준(李埈) 등 류성룡의 문인과 본격적인 통혼 관계를 맺기 시작하였다. 류진의 아들 류천지(柳千之)가 이준의 사위가 되고, 류진은 정경세의 손자 정도응(鄭道應)을 사위로 맞아 학통을 전하였다. 이

---

56) 盧相稷, 『小訥集』 卷20 「師服考」. 여기에는 『전례유집』 25조, 『五先生禮說』 1조, 『常變通攷』 3조를 인용하고 있는데, 『전례유집』이 대다수를 차지한다는 점에서 '예설 종합서'로서의 면모를 확인할 수 있다.

57) 李鐸韶, 『一山集』 卷7 「家狀」(李鐸遠): 又博涉禮學, 纂東禮經變五冊, 盖世之知禮云者, 或忽於古而詳於今, 或昧於邦禮而明於士儀, 夫經禮者, 古今上下之所通行而不相悖也. 必隨時損益, 能知變通之節, 而使合於經, 然後可以得此篇之旨矣. 又撮禮記中喪祭儀, 纂禮記類集, 又采得先師全禮類輯中要語, 編之曰全禮類輯便攷.

후 정종로를 거치면서 상주권 학맥이 결집되었고, 그의 문인 중에 상주의 류심춘(柳尋春)과 성주의 이원조(李源祚)가 큰 흐름을 이어 갔다.

상주권 학문의 특징은 가학으로 이어지는 경향이 강하고, 풍산류씨와 진양정씨로 교차하면서 학통이 전수되었다는 점이다. 그리고 영남에서 류성룡 이후 300년 만에 정승에 오른 낙파 류후조가 나옴으로써 현실 대응 인식이나 자세에 있어서 조정에 협조적인 태도를 취하였다는 것이다.[58] 이들 학단에서 류성룡의 아들인 류원지가 방례 관련 저술인 『상복고증』을 편찬하였고, 정경세는 『예기』주석서인 『사문록』을 비롯하여 『상례참고』·『양정편』을 편찬하여 17세기 영남지역 예학의 큰 축을 형성하였다.

18세기 후반에는 김천의 이의조가 등장하여 영남지역에서 본격적인 노론예학의 학단을 형성하며 큰 성과를 이루었다. 이 학단에 소속된 이들은 남인들과의 교유나 남인의 예설을 수록하는 부분에서 경직화된 면모를 보였지만, 잠시 반짝하고 그친 학단이 아니라 홍직필을 매개로 명맥을 유지하였다. 19세기 경주권에서 한운성(韓運聖)·서찬규(徐贊奎) 등이 홍직필의 문인이 되었는데, 이의조의 문인들도 홍직필과 교유함으로써 이의조 사후 영남지역 노론예학의 한 흐름이 홍직필을 통해 전수된 연결고리가 존재했음을 알 수 있다. 이런 점에서 18세기 이의조 학단과 19세기 영남지역의 홍직필 문도와의 연관성 논의도 가능할 것이다.

19세기 후반에 들어와서 상주 지역의 예학을 주도하였던 인물은 류주목이었다. 그는 동시대 류치명·허전·장복추·이진상·김흥락 등 영남지역에서 큰 학단을 형성하였던 이들에게 뒤지지 않을 만큼 많은 문인을 배출하였다. 류주목의 학문은 허전의 문인이기도 한 허훈(許薰), 류운룡(柳雲龍)의 후손인 류도수(柳道洙) 등이 이어 갔다. 그가 지은 『전례유집』은 당색에 얽매이지 않은 초당적 입장에서 고금과 지역과 당파와 가향학·방례를 총체적으로 수용하여 절충한 거작이라 할 수 있다.

---

58) 우인수, 「溪堂 柳疇睦과 閩山 柳道洙의 학통과 그 역사적 위상」, 『퇴계학과 한국문화』 44, 경북대 퇴계연구소, 2009, 14-16쪽.

5

성주권 예학의 전개 양상

성주는 경상도의 낙동강 중류에 위치한 큰 고을로, 조선 태조 때 경상도 6계수관(界首官) 중 하나였다. 낙동강 중류에 위치한 성주권은 상류의 안동권·상주권 및 하류의 밀양권·진주권 및 경상도 동부의 경주권 등의 중심에 위치하고 있어서 각 권역간의 예설 소통에 중요한 거점이 되었다.

성주·고령·칠곡구미(인동)·선산군위를 포괄하는 성주권은 17세기에 정구(鄭逑)와 김우옹(金宇顒)·장현광(張顯光)이 예학의 토대를 마련하였고, 18세기에는 다소 주춤한 모습을 보이다가 19세기에 이르러 장복추(張福樞)와 이진상(李震相)이 큰 문호를 형성하였다.[1] 따라서 하나의 권역으로 따로 설정해서 논해야 할 만큼 영남지역 예학의 전개에 있어서 중요한 위치를 차지하는 곳이다.

성주의 정구 학단은 이윤우(李潤雨)를 통해 계승되고 경주권·밀양권으로 확산되었으며, 정구의 학문은 허목(許穆)과 이익(李瀷), 허전(許傳)으로

---

[1] 성주권의 학맥과 학풍에 대해서는 정순우, 「성주지역의 퇴계학맥-한강과 동강을 중심으로」, 『퇴계학맥의 지역적 전개』, 보고사, 2004; 김성윤, 「조선시대 星州圈 유림층의 동향-학맥·학풍·향전·향약을 중심으로」, 『역사와 경제』 59, 부산경남사학회, 2006 참조.

상징되는 근기남인의 학풍을 형성하는 데 결정적인 역할을 하였다. 칠곡·인동·선산 지역은 장현광의 영향 아래2) 장석우(張錫愚)→장복추→장석신(張錫蓋)·장석영(張錫英)→장윤상(張允相)으로 이어지는 인동장씨(仁同張氏)의 가학적 경향이 두드러진다. 19세기 후반 이진상 학단의 경우에는 안동의 이상정(李象靖)을 계승하여 정종로(鄭宗魯)→류치명(柳致明)·이원조(李源祚)→이진상→이승희(李承熙)·장석영 등으로 연결된다. 이진상의 문인 곽종석(郭鍾錫)은 성주권·밀양권 학자들과 소통하는 한편, 진주권에서 많은 문인을 양성하고 이진상의 예설을 계승 발전시키는 데 크게 공헌하였다.

1. 정구(鄭逑) 학단

한강(寒岡) 정구(1543~1620)는 조선후기 예학의 전개 과정에서 가장 큰 영향력을 끼쳤던 인물 중 한 사람이다. 그는 주된 강학처인 성주권뿐만 아니라 창녕·함안·창원 등의 고을 수령으로 부임하거나 선현의 유적을 찾는 일을 통해서 밀양권과 진주권 등의 지역 인사들과도 밀접하게 접촉하면서 많은 문인을 양성하였고, 그의 문인 중 허목(許穆)은 근기지역 인사로 이익(李瀷)→안정복(安鼎福)→황덕길(黃德吉)→허전(許傳)으로 이어지는 근기남인의 학맥을 형성하였다.

정구는 이황의 예학이 영남지역에 널리 전파될 수 있도록 핵심적인 역할을 한 사람이었다. 그의 전 생애는 예학에만 침잠했다고 해도 과언이 아닐 정도이다. 그는 이황 이후 영남지역 예학파의 종장으로 영남지역 예학의 학풍을 확립하였다. 따라서 영남지역 예학에 관한 연구 중 이황과 더불어 가장 많은 연구가 이루어졌다.3) 정구는 김장생과 더불어 17세기 전반

---

2) 우인수, 「旅軒 張顯光과 善山地域의 退溪學脈」, 『한국의 철학』 28, 경북대 퇴계연구소, 2000.

3) 서수생, 「寒岡 鄭逑의 禮學」, 『한국의 철학』 13, 경북대 퇴계연구소, 1985; 금장태, 「寒岡 鄭逑의 禮學思想」, 『유교사상연구』 4·5, 한국유교학회, 1992; 이완재, 「寒岡 鄭逑先生의 禮學」, 『동방한문학』 10, 동방한문학회, 1994; 배상현, 「寒岡 鄭逑와 그의 禮學思想」, 『유학연구』 3, 충남대 유학연구소, 1995; 이범직, 「寒岡 鄭逑의 學問과 禮學」, 『도산학보』 6, 도산학술연구원, 199

조선을 대표하는 예학자로 『가례집람보주(家禮輯覽補註)』『오선생예설분류(五先生禮說分類)』『예기상례분류(禮記喪禮分類)』『오복연혁도(五服沿革圖)』『퇴계선생예설문답(退溪先生禮說問答)』 등 여러 종의 예서를 편찬하였다.

정구의 예서 가운데 『오선생예설분류』는 그의 예학의 특징적 면모를 가장 잘 보여 주는 것으로 여러 학자에 의해 논의되었다.

五先生禮說分類序

●정구_오선생예설분류●

이 책은 송나라의 다섯 사람, 즉 사마광(司馬光)·장재(張載)·정호(程顥)·정이(程頤)·주희(朱熹)의 예설을 『의례경전통해(儀禮經傳通解)』의 사례에 의거해 방례와 향례와 가례 및 잡례로 구분하여 선집한 것으로, 우리나라에서 중국 송대 학자들의 예설만 모은 예서로는 유일하다.

7; 노인숙, 「寒岡 鄭逑의 禮學에 관한 研究」, 『유교사상연구』 12, 한국유교학회, 1999; 김현수, 「寒岡 鄭逑의 敬義夾持와 禮」, 『한국철학논집』 9, 한국철학사연구회, 2000; 김현수, 「寒岡 鄭逑의 禮學思想-『五先生禮說分類』를 중심으로」, 『동양예학』 6, 동양예학회, 2001; 彭林, 「寒岡 鄭逑의 『五先生禮說』 初探」, 『남명학연구』 11, 경상대 남명학연구소, 2001; 홍우흠, 「寒岡의 「上退溪李先生書」 一考」, 『동양예학』 6, 동양예학회, 2001; 도민재, 「寒岡 鄭逑의 學問과 禮學思想」, 『한국사상과 문화』 18, 한국사상문화학회, 2002; 유권종, 「寒岡 鄭逑의 修養論-禮學과 心學의 상호 연관의 고찰」, 『민족문화』 29, 민족문화추진회, 2006.

●정구_오복연혁도●

정구가 방례와 향례까지 다루었던 점은 후대 학자들이 이와 관련한 예서를 편찬할 수 있는 계기를 마련했다는 점에서 의의가 있는데, 방례서인 류치덕(柳致德)의 『전례고증(典禮攷證)』에서 사대부가 국가 전례에 대해 논의할 수 있는 근거를 『오선생예설분류』의 선례에서 찾은 것에서 확인할 수 있다.

『오복연혁도』는 정구 만년의 저작으로 복잡한 오복제도의 변화과정을 도식으로 알아보기 쉽게 정리한 책이다. 이 책은 상복제도를 논의하는 데 간편히 참고할 수 있는 자료이기 때문에 정구의 문인뿐만 아니라 예학자들 사이에 널리 유포되었다. 정구의 문인 이윤우(李潤雨)가 정구와 함께 동래온천에 갔을 때 정리하고, 1629년 담양도호부사(潭陽都護府使)로 있을 때 『오선생예설분류』와 함께 간행하면서 발문을 지었다. 정구 문인 후천(朽淺) 황종해(黃宗海)도 1635년에 「한강오복연혁도발(寒岡五服沿革圖跋)」을 지었다는 기록이 있는 것으로 보아 문인들 사이에 널리 유포된 것으로 보인다.

이외에도 손우(遜愚) 홍석(洪錫)이 1664년 무렵에 용담현령으로 있으면서 송시열의 발문을 받아 재차 판각하였던 것으로 보면 이 책에 대한 수요가 많아 당파를 넘어 널리 유포되었음을 알 수 있다. 『오선생예설분류』와 『오복연혁도』는 조선인에 의해 편찬된 최초의 전문 예설 연구 저작으로 17세기 전반 예학자들 사이에 예학 논의를 촉발시키는 계기를 마련하였다. 이들은 행례가 아닌 연구를 위한 목적에서 편찬된 것들이다.

『오선생예설분류』와 『오복연혁도』 등 전문 예설 연구 저작과 달리 정

•정구_회연서원(檜淵書院, 성주군 수륜면)•

구 자신이 피력한 예설은 『한강집』 답문 서간에 실려 있다. 문집에 실린 정구의 예설은 조선조 내내 중요한 예설로 간주되어 널리 인용되었다. 정구의 예문답은 후대에 와서 『한강선생사례문답휘류(寒岡先生四禮問答彙類)』로 정리되어 간행되었다. 정구의 예학을 연구하기 위해서는 『한강집』 외에도 위의 3종의 예서를 유기적 종합적으로 검토할 때 비로소 그 전모를 파악할 수 있다고 본다.

정구의 예학은 그 문인들에 의해서 널리 전파되었다. 문인록 소개된 정구의 342인 문인[4] 가운데 예의(禮疑) 문목을 작성한 것으로 기록된 이는 다음과 같다.

표-18 <정구 문인의 예의(禮疑) 문목>

성명	예의 문목	성명	예의 문목
樂齋 徐思遠 (1550~1615)	喪祭禮問目3조	慕堂 孫處訥 (1553~1634)	상제례문목4조

4) 정구의 문인록인 『檜淵及門諸賢錄』의 편찬과정과 342인의 문인 구성에 대한 연구는 권연웅, 「『檜淵及門諸賢錄』 小考」, 『한국의 철학』 13, 경북대 퇴계연구소, 1985 참조.

龍潭 任屹 (1557~1620)	祭禮문목10조	畏齋 李厚慶 (1558~1630)	상제례문목9조
投巖 蔡夢硯 (1561~1638)	婚禮문목1조 喪禮문목2조 經義문목1조	認齋 崔晛 (1563~1640)	상제례문목26조
敬堂 張興孝 (1564~1633)	상제례문목33조	菖翁 全士憲 (1565~?)	상제례문목2조
東湖 李濬 (1566~1651)	상제례문목8조	槎翁 朴明胤 (1566~1650)	상제례문목7조
白川 李天封 (1567~1634)	상제례문목7조 혼례문목1조	浣亭 李彦英 (1568~1639)	상제례문목5조
石潭 李潤雨 (1569~1634)	經義문목10조	藏谷 權泰一 (1569~1631)	상제례문목7조
知足堂 朴明榑 (1571~1639)	상제례문목9조	心遠堂 李堉 (1572~1637)	상례문목8조
松巖 韓應南 (1572~?)	상제례문목4조	藤庵 裵尙龍 (1574~1655)	상제례문목11조
退隱 金橈 (1575~1639)	상제례문목10조	隴雲 李時馪 (1575~1660)	상례문목1조
朽淺 黃宗海 (1579~1642)	상제례문목24조	陽村 李善立 (1584~1628)	상제례문목6조
素庵 盧亨運 (1584~1650)	상제례문목31조	西峯 河澗尙 (1586~?)	상제례문목2조
陶谷 朴宗祐 (1587~1654)	상제례문목3조	鑑湖堂 李道長 (1607~1677)	제례문목1조

　　조선조에 논의되었던 예의 문목을 검토해 보면 상례와 제례에 대한 것이 압도적으로 많다. 이는 정구의 문인뿐만 아니라 모든 이들이 그렇다고 보아야 할 것이다. 상례와 제례가 오랜 기간에 걸쳐 행해지고 빈번하게 행해지기 때문에 그것이 갖는 복잡성과 변통 가능성이 아주 많다는 것을 말함이다. 반면 관례나 혼례에 대한 질의는 흔하지 않는데, 이런 점에서 채몽연(蔡夢硯)·이천봉(李天封)의 혼례 문목이 눈길을 끈다.

　　채몽연의 질의는 혼인한 지 3년이 넘어 우귀(于歸)할 때 묘현(廟見)의 예를 『주자가례』 조문처럼 사흘 만에 해야 하는가에 대한 것으로, 정구는 우귀 이튿날에 묘현하는 변통론을 제시하였다.[5] 그리고 이천봉의 질의는 신부측에 혼사를 주관할 이가 없고 동성(同姓)의 근친(近親)도 없을 경우에 혼서(婚書) 겉봉에 무엇이라 쓰고 신부의 혼사를 외조부와 어머니의 친족 중 누가 주관하는가에 대한 것으로, 정구는 어머니의 친족이 주관하는 세속의 관행을 일러 주었다.[6] 이 두 가지는 모두 혼변례(昏變禮)에 속하는 것이다. 정구의 답변에 나타난 것을 보면, 전자의 경우에는 '우귀 당일 묘현(于歸當日廟見)'이라는 이황의 답변을 그대로 따르지 않고 '우귀 익일 묘현(于歸翌日廟見)'으로 변통하여 존양(存羊)의 취지를 보존하려 하였고, 후자의 경우에는 '세속의 풍습'을 존중한다는 측면에서 논의하고 있음을 알 수 있다.

문목을 통한 질의 외에 예서나 예설을 통하여 두각을 드러내었던 인물의 면모를 정리하면 다음과 같다.

---

5) 鄭逑, 『寒岡集』 卷6 「答蔡靜應」: (문)蔡靜應問, 蔡梾今當春歸. 謹按禮曰, 三日主人以婦見于祠堂云, 此謂親迎也. 梾則娶婦已過三年, 雖然, 抑從三日之禮歟, 其明日行之, 何歟. 但於其來之之日, 旣飮從者, 則其明日行之, 又似未從容, 使之齋宿於道上, 而入門卽令廟見, 如三日之制亦如何. (답)逑昔以此事, 稟于李先生曰, 娶妻經年而歸, 或積年而歸, 則入門拜舅姑訖, 使之卽拜祠堂, 何如. 蓋古之必待三月者, 未成婦也. 今之時異於古, 雖未歸而久修婦道, 又或生子而後始歸. 如是而尙待三月, 無乃執泥不通乎. 存羊之義, 亦不可不取, 不知何如. 先生答曰, 此處存羊之義, 恐用不得. 然今以淺見思之, 初歸入門, 卽詣祠堂, 亦似太遽, 入門而拜舅姑, 宿齋而廟見, 恐爲穩當.

6) 鄭逑, 『寒岡集』 卷6 「答李叔發」: (문)娶婦時, 彼家旣無主昏之人, 又無同姓强近之親, 昏書外面, 何以書之. 新婦外祖主之耶, 抑其母親主之耶. (답)遠族中, 亦無姓同者耶. 世俗無姓親, 則不免母親主之.

표-19 <정구 종유·문인의 예학 저술>

성명	사승 관계	예학 저술	거주지
玉川 安餘慶 (1538~1592)	鄭逑 從遊 / 安玑 재종숙	『玉川安先生禮說』	창녕
慕堂 孫處訥 (1553~1634)	鄭逑 문인 張顯光·徐思遠 교유	『喪祭禮纂』·『講說』	성주
畏齋 李厚慶 (1558~1630)	鄭逑 문인	『疑禮問解』	창녕
聱漢 孫起陽 (1559~1617)	鄭逑·曺好益 문인 孫英濟 조카	『聱漢禮輯』(『聱漢孫先生禮解』)	밀양
愚伏 鄭經世 (1563~1633)	鄭逑·柳成龍 문인	『喪禮參考』·『養正篇』·『思問錄』	상주
苔翁 全士憲 (1565~?)	鄭逑 문인	『四禮條辨』·『家儀』	칠곡
黙軒 李芬 (1566~1619)	鄭逑 문인 ·李舜臣 조카	『家禮剝解』·『邦禮類編』	온양
五休 安玑 (1569~1648)	安餘慶·鄭逑·張顯光 문인	『家禮附贅』	밀양
石潭 李潤雨 (1569~1634)	鄭逑 문인	「泗濱護喪錄」	칠곡
菊潭 朴壽春 (1572~1652)	孫起陽 문인 鄭逑·張顯光 토론	『疑禮見問解』	밀양
道谷 安侹 (1574~1636)	鄭逑 문인	『家禮附解』	함안칠원
朽淺 黃宗海 (1579~1642)	鄭逑·金長生 문인	『答問』	목천
眉叟 許穆 (1595~1682)	鄭逑·張顯光 문인	『經禮類纂』	연천
耻耻堂 李益銓 (?~1679)	鄭逑 문인	『禮疑答問分類』	성주
竹坡 李而楨 (1619~1679)	許穆 교유 朴壽春 사위	『家禮節要』	밀양

위의 표를 보면 정구의 문인들이 성주권을 비롯하여 상주권과 밀양권
에 많이 분포하고 있음을 알 수 있다. 또 이분(李芬)과 황종해(黃宗海)처럼

충청도 인물도 포함되어 있다는 것은 당시 예설 교류가 지역적 한계를 넘어 널리 이루어지고 있었음을 보여 준다. 정구의 문인 중에서 독특한 행력을 가지고 있는 인물은 목천(木川, 지금의 천안)의 황종해이다. 그는 정구에게 예의(禮疑)를 질의한 내용을 모아 『답문(答問)』으로 엮었고, 동문인 온양(溫陽)의 이분이 지은 『가례박해(家禮剝解)』의 발문을 쓰기도 하였으며, 기호의 김장생에게도 예의를 질의하며 영남의 예학을 기호학자들에게 소개하는 창구 역할을 하였다.7)

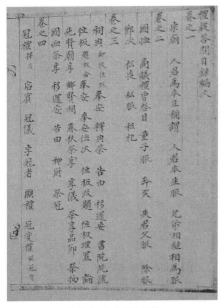

●이익전_예의답문분류●

위의 인물 중에서 아직 학계에 알려지지 않았지만 주의 깊게 살펴보아야 할 대상은 『예의답문분류(禮疑答問分類)』를 편찬한 이익전(李益銓)이다. 이 책은 이익전이 이황·정구·김장생·장현광·정경세의 예설을 수록한 18권 6책의 필사본이다. 이 책은 이익전의 종제(從弟)인 이유전(李惟銓)이 편찬했던 것인데, 나중에 이익전이 미비한 점을 보완 정리하고 1672년에 서문을 썼다. 이 책은 1732년에 이익전의 손자 이석경(李石經)이 발문을 쓴 시점에 완전히 성편된 것으로 보인다.

『예의답문분류』는 몇 가지 중요한 의미를 갖는다. 첫째, 변례를 당했을 때 합당하게 조처할 근거를 확보하고자 했던 조선조 예서의 전체적 흐름으로 보면, 이황 이하 정경세에 이르는 당대까지의 예학적 성과를 포괄적으로 정리하고자 한 것에 있다. 둘째, 정구의 『오선생예설분류』가 왕조례와 가례를 함께 수록하였듯이, 이 책 역시 권1부터 권3까지 종묘(宗廟)·국

---

7) 한기범, 「朝鮮中期 湖西·嶺南 禮家의 禮說交流-『疑禮問解』의 分析을 중심으로」, 『조선시대사학보』 4, 조선시대사학회, 1998, 11-15쪽.

휼(國恤)·사전(祠典)[8] 등 방례와 향례를 먼저 수록하고 그 뒤에 사례(四禮)와 거기에 포함시키기 어려운 것들을 잡례(雜禮)로 정리하고 있다는 점이다. 정구가 예학사에서 중요한 전환기를 마련했다고 평가받는 결정적인 이유 중 하나가 이 부분에 있다.

이익전은 『육례의집(六禮疑輯)』을 통해 방례와 가례를 함께 정리했던 박세채(朴世采, 1631~1695)보다 생년이 조금 앞설 것으로 추정된다. 이익전이 방례·향례와 가례를 함께 다루면서 우리나라 선현들의 예설을 정리했다는 점에서 본다면, 그 당시에 어느 정도 방례·향례에 대한 논의도 성숙되었다는 예학의 발전상을 의미하는 것이고, 그 성과들을 합쳐서 하나의 예서 안에 포괄한 것은 조선조 예학사에서 중요한 시도가 아닌가 한다. 여기에 정구의 저술과 영향이 절대적으로 작용했다는 점은 부언할 필요가 없을 것이다.

첨언하자면 『오선생예설분류』는 허목(許穆)의 『경례유찬(經禮類纂)』 편찬에도 일정한 영향을 줌으로써 영남지역 외의 다른 지역까지 파급되었다.

2. 장현광(張顯光) 학단

여헌(旅軒) 장현광(1554~1637)은 17세기 초반 칠곡·인동·선산 지역을 중심으로 큰 학단을 형성하여 정구와 더불어 성주권의 예학을 선도하였다. 그는 나중에 경주권의 영천(永川) 입암(立巖, 지금의 포항시 북구 죽장면 입암리)에 거처하며 영천 지역의 문인들도 많이 배출하였다. 그의 학문에 대한 연구는 성리학·역학·문학 분야를 중심으로 논의되어 왔고, 10여 년 전에 예학과 관련한 논문이 제출되기 시작하여 지금까지 모두 4편 정도가 보고되었다.[9]

---

8) 권3에 수록한 祠典은 祭禮에 속하지만 향교와 서원의 의례를 기록한 鄕禮(公禮)이므로 家禮(私禮)와 뒤섞기가 곤란하다는 입장에서 국휼 아래에 편입시켰다. 祠典은 정구의 『오선생예설분류』에 설정된 항목이기도 하다.

9) 유권종, 「旅軒 張顯光의 예학사상」, 『동양철학』 20, 한국동양철학회, 2003; 장동우, 「旅軒 張顯光의 禮說과 禮學的 問題意識」, 『유교사상연구』 24, 한국유교학회, 2005; 유권종, 「여헌 장현광 禮學思想 연구의 성찰과 전망」, 『韓國人物史硏

학문으로 말씀드리자면, 그 공력을 쏟던 바는 마음을 다스리는 것을 먼저 하였습니다. 좌우(座右)의 벽에 심법(心法) 12조목을 죽 적어 놓았는데, 도덕과 성경(誠敬)으로 시작하여 박후(博厚)와 고명(高明)으로 끝나는바, 늘 지키며 자성(自省)하는 요체로 삼았습니다. 실천의 공(功)은 발현되어 책으로 지어졌는바, 「경위설(經緯說)」·「성리설(性理說)」·「우주설(宇宙說)」·「오선생예발(五先生禮跋)」·「도서발휘(圖書發揮)」 등의 편들은 모두 이수(理數)의 본원을 밝힌 것입니다. 그리고 오묘한 이치를 연구한 공은 역학에 더욱 정밀했으니, 도(圖)를 그려 종횡으로 섞고 종합하며 설을 붙여 명백하고 자세히 하였으니, 권수는 9권에 불과하지만 그 해설은 방대하기가 수천 자나 됩니다. 천지의 도를 참구(參究)하고 사물의 이치에 통달하여 오도(吾道)의 본원을 미루어 만사와 만물의 현상을 하나의 이치로 귀결시켰으니, 후학을 개도한 공은 주자의 『역학계몽(易學啓蒙)』의 지결(旨訣)을 깊이 체득한 것이고, 「상제수록(喪制手錄)」과 「정혼의(正婚議)」 등 여러 편은 모두 『의례』에 근본한 것이긴 하지만 또 『가례』를 가지고 절충한 것이 많아 민가에서도 행해지고 국가에서도 쓰이고 있습니다.[10]

위 인용문은 장현광을 문묘에 배향할 것을 청하는 유생 이능년(李能秊)의 상소 내용 중 일부이다. 역학과 예학을 장현광 학문의 주요 부분으로 제시하고 있는데, 예학에 대해서는 「오선생예발」과 「상제수록」·「정혼의」 등을 거론했고, 예학의 논의 방향은 『의례』에 근본하고 『주자가례』로 절충했으며, 끼친 영향이 커서 민가와 국가에서도 행해진다는 점을 칭송하였다.

장현광의 예설은 다양한 방면에 걸쳐 있다. 그의 예설은 「청침추숭소(請寢追崇疏)」·「청정부묘소(請停祔廟疏)」·「서부묘상소하비후(書祔廟上疏下批後)」·「병인상례설(丙寅喪禮說)」 등 전례에 대한 것과 「제시조잉유성중노소설(祭始祖仍喻姓中老少說)」·「관의(冠儀)」·「혼의(婚儀)」·「분찬중사망의략(奔竄中事亡儀略)」

究』13, 한국인물사연구소, 2010; 김시황, 「旅軒 張顯光 先生의 禮學思想」, 『동양예학』24, 동양예학회, 2011. 2006년까지의 장현광 관련 논문은 '여헌 장현광 관련 연구논저 목록'(『여헌 장현광의 학문 세계2-자연과 인간』, 예문서원, 2006, 423-425쪽)에 상세하게 수록되어 있다.
10) 『국역 승정원일기』 고종 25년 무자(1888, 광서14) 4월 10일(신묘).

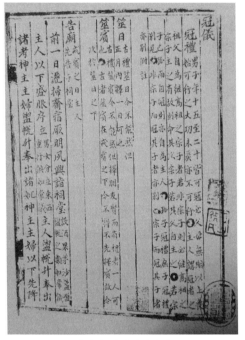

•장현광_여헌선생예설•

등 가례에 대한 것으로 대별할 수 있다. 기타 정구의 예서에 쓴 「오선생예설발(五先生禮說跋)」과 「상제수록(喪制手錄)」·『여헌선생예설(旅軒先生禮說)』 등을 꼽을 수 있다. 이 중에서 「상제수록」은 28세에 모부인의 상을 당하였을 때 기록한 것으로 현존 여부를 알 수 없다.[11]

『여헌선생예설』은 후대에 누군가가 장현광의 예설 「관의(冠儀)」·「혼의(昏儀)」·「장의(葬儀)」를 모은 것이다. 『여헌선생예설』에 수록된 「관의」와 「혼의」는 『여헌집』의 본문 그대로이므로 장현광의 예설임에 틀림없다. 다만 「장의」는 장현광이 지었다는 근거자료가 보이지 않고 장현광이 지은 정구의 행장에 정구가 지었다는 기록이 보인다.[12]

알려진 바와 같이 장현광은 청주정씨(淸州鄭氏) 정괄(鄭适, 정구의 백형)의 딸과 혼인했으므로 정구의 질서(姪壻)가 된다. 정구의 저술을 장현광이 보았을 가능성이 높다고 전제할 때, 『여헌선생예설』에 포함된 「장의」는 장현광의 저술이 아니라 정구의 저술일 가능성이 높을 듯하다. 장현광이 정구의 저술을 필사하여 가지고 있던 것이 나중에 편집 과정에서 장현광

---

11) 『五洲衍文長箋散稿』(李圭景)에는 '喪禮手錄'으로 기재되어 있으나, 許穆이 지은 神道碑銘과 朴泰茂의 師友錄에는 '상제수록'으로 되어 있다.
12) 張顯光, 『旅軒集』 卷13 「皇明朝鮮國故嘉善大夫司憲府大司憲兼世子輔養官贈資憲大夫吏曹判書兼知義禁府事寒岡鄭先生行狀」: 其所抄定者, 有冠儀婚儀葬儀及契儀等件, 而好禮者今或倣而行之, 亦可以見先生之禮學矣.

의 것으로 착오하여 함께 수록하고 『여헌선생예설』이라고 이름을 붙인 것이 아닐까 하는데, 확정할 수는 없다.[13] 장현광의 후손인 장복추의 『가례보의(家禮補疑)』 인용서목에 장현광의 「관의」·「혼의」만 수록한 것에서도 「장의」는 장현광의 것이 아닐 가능성이 높다.

장현광의 아들 장응일(張應一, 1599~1676)의 「추정록(趨庭錄)」에, 장현광은 산 자로서 죽은 자에 대한 추원보본(追遠報本)의 도리를 강조하였고, 종중(宗中)의 화합과 가범(家範)의 확립에 힘을 쏟았으며, 백성을 교화하고 향리의 풍속을 진작시키는 데 힘을 쏟았다[14]고 한 것으로 보아 예속 교화와 예문의 강구에 힘썼음을 짐작할 수 있다.

1620년 정구의 장례 때 460여 인이 회장(會葬)하였다. 정구의 맏아들 장(樟, 1569~1614)이 정구보다 먼저 죽었기 때문에 상주는 사손(嗣孫) 휴암(休庵) 정유희(鄭惟熙, 자는 경집(景緝))가 맡게 되었는데 그도 과애(過哀)하여 요절하고 말았다. 상중에 또 상을 당하는 변례가 발생하자 당시 호상소(護喪所)에서는 장현광에게 조처 방법을 물었다. 장현광은 정구를 '선생'이라는 칭호로 존중

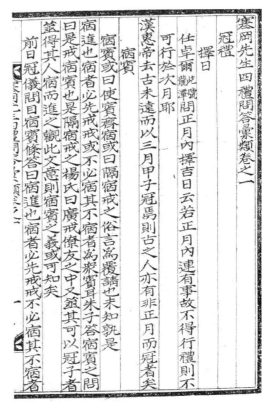

• 정구_한강선생사례문답휘류 •

---

13) 葬儀는 遷柩부터 祔까지의 의식절차를 간단하게 정리한 의식집이다.
14) 張應一, 『聽天堂集』 卷4, 「趨庭錄(戊寅)」.

하면서, 장손이 죽었으면 차손(次孫, 유숙(惟熟))이 승중(承重)하는 것이 올바른 예법이라면서 두 상(喪)에 상복을 입는 방법에 대해 일러 주었다.[15] 이보다 앞서 정구의 장례 때에도 개토제(開土祭)의 절목과 축문 내용, 발인과 조전(祖奠)·견전(遣奠) 등에 대해서 일러 주기도 하였는데[16] 이 내용은 나중에 정구의 8대손 졸수(拙叟) 정완(鄭坑)에 의해 『한강선생사례문답휘류(寒岡先生四禮問答彙類)』에도 수록되었다.

뿐만 아니라 도내의 서원에서 행하는 의례와 관련한 문답이 여러 편이 있어 주목된다. 그는 「서원설(書院說)」을 지어 간략함에 힘쓰고 질(質)을 숭상하며 담박함을 지켜야 서원 창설의 본의를 지켜 갈 수 있다고 말한 바 있다. 그의 서간문에 등장하는 서원을 순서대로 나열하고 봉향 인물과 관련 내용을 요약하면 아래와 같다.

표-20 〈장현광의 서원 의례 관련 서간문〉

서원명(소재지)	배향인물	서간문 내용
吳山書院(인동)	吉再·(장현광)	음복주를 보내준 일에 감사
臨皐書院(영천)	鄭夢周·(장현광)	①位版追造 / 告由文청탁 ②畵像摹寫
鼎山書院(예천)	李滉·趙穆	군자들을 서원에 배향하거나 鄕賢으로 別祠
新溪書院(함양)	盧禛·姜翼	세 고을 사림의 의견 불일치
屛山書院(안동)	柳成龍	공론에 따라 서원 제향을 결정할 것
川谷書院(성주)	程頤·朱熹·金宏弼·李彦迪·鄭逑·(장현광)	配享을 조정에 아뢸 필요가 없고 배향했다가 黜享함은 미안한 일
檜淵書院(성주)	鄭逑	中丁에 천곡서원과 회연서원의 제향을 함께 행함

---

15) 張顯光, 『旅軒集』 卷5 「答鄭喪主(惟熙)護喪所別紙」: 示詢奠物, 姑當用素膳, 則酒不可用, 酌水代酒行之, 以待有所考究, 有所質問, 然後定之, 何如. 先生之喪, 旣失喪主, 次孫代爲承重, 自是常經也. 姑以前服行事, 待前喪主葬後, 或先生喪小祥時改服, 其或爲宜耶. 然當此變禮, 不可率易料定, 伏願僉須商議酌指何如.

16) 張顯光, 『旅軒集』 卷5 「答寒岡先生葬時問」.

紫川書院(청도)	金克一·金馹孫·金大有	위판을 다시 쓸 때의 조처
臨皐書院(영천)	鄭夢周·(장현광)	국휼 중 서원 제향 중지
廬江書院(안동)	李滉·柳成龍·金誠一	配位의 위판이 正位보다 커서는 안 됨
臨皐書院(영천)	鄭夢周·(장현광)	봉안하는 일에 참석하지 못함
臨皐書院(영천)	鄭夢周·(장현광)	국상 중이므로 三獻과 受胙는 하지 않음 / 齋服과 祭服의 착용 형태
臨皐書院(영천)	鄭夢周·(장현광)	비석 세우는 일을 잘 주선할 것
玉山書院(경주)	李彦迪	국상 중이므로 單獻하고 受胙는 하지 않음 / 齋服과 祭服의 착용 형태
玉山書院(경주)	李彦迪	서원의 藏書를 崔監司에게 보내줄 것
玉山書院(경주)	李彦迪	하문한 내용에 답함(답신 내용 없음)
紫川書院(청도)	金克一·金馹孫·金大有	位版을 改造한 사유는 봉안 당일 고유문을 통해 고함
玉山書院(경주)	李彦迪	문집을 중간할 때 추가할 내용의 當否(총 15조목)
西岳書院(경주)	薛聰·金庾信·崔致遠	三賢의 사적을 한 책으로 만들어야 함 / (별지)孝悌忠信講論契의 초안을 만들어 의논하기를 청함
禮林書院(밀양)	金宗直·朴漢柱·申季誠	서원 移安에 따른 절차 / 향사 시기 / 서원 명칭 등(총 11조목)

위에 제시된 서원의 지역적 분포를 통해서도 장현광의 영향력이 어디까지 미쳤는지 짐작할 수 있다. 이 중에서 임고서원(5회)과 옥산서원(4회) 사림에게 답한 내용이 가장 많은데, 장현광이 입암(立巖)에 은거하며 강학하였던 영향이 작용한 것으로 보인다. 그 내용은 위판을 만들거나 봉안할 때의 조처, 국휼을 당했을 때의 서원 제향의 변통, 제향 시기 등이 주류를 이루고 있다.

장현광은 별도의 예학 저서를 남기지 않았지만, 그가 문답한 서간문에는 의례(疑禮)나 변례에 대한 논의가 많이 포함되어 있고, 이에 따라 『여헌집』에 실린 예설은 후대의 예학자들 사이에 폭넓게 인용되었다. 장현광의 예설은 이황·정구·정경세의 예설과 함께 조선조 예학자에 의해 높이 평가되어 학파와 당파를 막론하고 각종 예서에 단골로 등장한다. 특히 김응조(金應祖)의 『사례문답(四禮問答)』, 이익전(李益銓)의 『예의답문분류(禮疑答問分類)』, 박순(朴洵)의 『사선생상례분류(四先生喪禮分類)』에는 장현광의 예설이 주요 인용항목으로 설정되었다.

장현광의 학문은 그 문인들에 의해 계승되었다. 그의 문인들은 그보다 10여 년 연장인 조호익(曺好益)과 정구(鄭逑)와 중복되는 경우가 많다. 이는 경주권의 조호익과 성주권의 정구가 장현광보다 일찍 세상을 떠났기 때문에 이 권역의 학자들이 장현광에게 집중되었음을 의미한다. 조호익·정구·장현광의 문인 중에서 두 곳 이상의 문인록에 포함된 이가 75인이나 된다. 이를 분류하면 다음과 같다.

표-21 <조호익·정구·장현광 문인의 중복>

중복집단	문인 성명
조호익·정구(7인)	朴暾 孫起陽 任屹 鄭湛 鄭樟 曺以復 蔡先見
조호익·장현광(6인)	朴有文* 孫宇男 李䵒 全有性* 鄭四震 曺以咸*
정구·장현광(58인)	郭衛國 權濤 金烈 金光繼 金光岳 金寧 金大振 金尙瑗 金是聲 金瀁 金應鳴 金宗一 金柱宇 金震護 金就礪 金孝可 盧景倫 盧景任 盧亨運 都世純 柳袗 朴敏 朴晋慶 裵褧可 裵尙龍 裵尙虎 徐强仁 徐思選 徐時立 宋時詠 申適道 呂煜 呂焯 禹鎭 禹熙吉* 李道長 李善立* 李心弘 李彦英 李廷郁* 李䌖 李之英 李忠民 張乃範 蔣文益 張以兪 張悌元 鄭惟熹 鄭惟熟 趙遵道 蔡先謹 崔東亮 韓夢參 許墩 許穆 許厚 黃元祿 黃中信
조호익·정구·장현광(4인)	朴敏修 鄭克後 鄭四勿 鄭四象

중복 집단이 많다는 것은 조호익·정구·장현광 3인이 강학하던 곳이 인접하여 있었기 때문이기도 하거니와 조호익과 정구 사후 장현광이 이 지역 학문 논의의 구심점이 되었음을 의미한다.

장현광의 문인 중에는 여문십현(旅門十賢)이라 불리는 인물군이 두각을 드러내었다. 류진(柳袗), 김응조(金應祖), 정사진(鄭四震), 장경우(張慶遇), 신열도(申悅道), 정극후(鄭克後), 조임도(趙任道), 김경장(金慶長), 권봉(權對), 안응창(安應昌)이 그들이다.17) 여문십현을 비롯한 제자들과의 예학 문답은 『여헌집』 원집 권5와 속집 권2에 '답문목(答問目)'이라는 제하에 집중적으로 수록되어 있다.

여문십현 중에서 예서를 남긴 이로는 김응조(『사례문답(四禮問答)』), 정극후(『문묘향사지(文廟享祀志)』), 조임도(『봉선초의(奉先抄儀)』), 안응창(『사

退溪先生喪祭禮答問,
答李仲久 湛 甲子
有後母生存而遭父喪者前後孤哀之稱果
似互有嫌礙而未有經據可斷然鄙意來示所
舉一朝官只稱孤子者爲得之蓋士大夫後要
之分故稱於後母生事喪祭一如已母而無異
何可以非已出而遽稱哀於其生之日乎況人
之孤哀之稱出於至痛而不得已也其稱出於
不得已則其猶可不稱慶所不忍稱之無疑矣

●조진_퇴계선생상제례답문●

례집설(四禮集說)』·『상제례해(喪祭禮解)』)이 있다. 정극후(경주권)·조임도(밀양권)·안응창(진주권)에 대해서는 뒤에서 살펴보기로 하고, 여기에서는 김응조와 장경우에 대해 검토하기로 한다.

학사(鶴沙) 김응조(金應祖, 1587~1667)는 류성룡·장현광·정경세 등 당대를 대표하는 영남학자에게 두루 수학했는데, 예학에 관해서는 가장 오래도록 출입한 장현광에게 배운 것으로 알려져 있다. 안동권 인물인 김응조가 장현광의 예학을 전수받은 것은, 17세기 초반 성주권의 정구와 상주권의

---

17) 『永嘉世稿』 卷4 『省齋公逸稿』 「旅軒先生門下十賢錄」; 김학수, 「17세기 초반 永川儒林의 學脈과 張顯光의 臨皐書院 祭享論爭」, 『조선시대사학보』 35, 조선시대사학회, 2005, 70쪽.

정경세가 활발한 활동을 보이다가 그들 사후에 성주권의 장현광이 구심점으로 부각된 데서 찾을 수 있을 것이다.

그가 편찬한 『사례문답』 4권 2책은 59세 되던 1645년 3월에 편찬을 마치고 자신이 발

•김응조_사례문답•

문을 썼다. 문답에 인용한 인물들은 주희·이황을 위시하여 류성룡·정구·장현광 등으로, 그들이 제자에게 보낸 서간문으로만 구성하였다. 전체적으로 보면 이황의 설이 대다수를 차지하며, 간혹 주자의 문답 내용도 삽입하여 논의의 권위를 더하였다. 김응조는 이황의 문인 조진(趙振)이 편찬한 『퇴계선생상제례답문(退溪先生喪祭禮答問)』에 실린 내용과 편차가 체계가 없어서 사례(事例)를 찾기에 매우 불편함을 느꼈다. 그리하여 관혼상제를 4강(綱)으로 세우고 절목(節目)을 46으로 나누어서 이를 『사례문답』이라 하였다.18)

이 책은 김장생의 『의례문해(疑禮問解)』처럼 사례(四禮)의 체계를 갖춘 문답류(問答類) 예서의 초창기적 형태를 갖추고 있다는 점에서 의미가 있으며, 이황이라는 한 인물에서 예설 인용 대상자를 확장하였다는 점에서도 가치 있는 예서로 평가할 수 있다. 즉 자신의 예학 학통을 위로는 주자와 이황, 아래로는 장현광에 이르기까지 연결시키고 있는 것으로 보아 퇴계학파 내에서 사상적인 정리 작업이 이루어지기 시작하였음을 의미하며, 예설

---

18) 金應祖, 『鶴沙集』 卷5 「四禮問答跋」: 余於十數年前, 見有溪門問答印本, 而或說道理, 或講文義, 或論人出處, 或論事是非, 而其於四禮, 渾淪抄錄, 又未嘗有次第節目之可尋. 欲考一件事, 必須盡閱一卷書, 披覽未半而昏然思睡者多矣. 余之愚竊嘗慨然於此久矣. 今年春, 乃始下手編次, 凡得四卷, 以爲一家考閱遵行之地, 而名之曰四禮問答, 爲綱有四, 爲目凡四十有六.

에서도 학맥에 따른 경향성과 정체성을 가지게 되었음을 나타낸다.[19]

장현광의 예학은 가학으로도 전승되었다. 그런 사례의 하나로 만회당(晚悔堂) 장경우(張慶遇, 1581~1656)를 들 수 있다. 장경우는 장내범(張乃範, 1563~1640)의 아들이다. 장내범은 11세의 어린 나이에 장현광의 문하에서 수학한 뒤, 예학에 정통하여 『주자가례』를 근본으로 하고 군언(群言)을 참작하여 상행(常行) 제식(祭式)을 만들기도 했다. 이런 집안 분위기에서 자란 장경우 역시 9세에 장현광의 문하에서 쇄소(灑掃)의 예를 익힘으로써 부자가 모두 장현광의 제자가 되었다.

장경우는 예서나 잡저를 통한 예설을 별도로 제출하지는 않았지만, 장복추의 『가례보의』에서 그의 설을 인용한 대목을 찾을 수 있다. 지석(誌石)을 새길 적에 실상에서 벗어나 과장되게 기록하는 폐습을 지적하고는, 한 글자라도 어긋날 경우에는 조상을 속이는 짓이므로 실상만을 기록할 것[20]을 주장하였다. 또한 세상 사람들이 '칭가유무(稱家有無)'라는 공자의 말을 빌미로 삼아서 조상 제사에 제수를 박하게 차리곤 하는데, 이는 매우 부끄러운 짓이라고 꼬집고는 제품(祭品)을 기일에 앞서 미리 준비하여 정결함에 힘쓰도록 해야 한다[21]고 강조하였다. 장현광을 비롯하여 장경우의 예설은 17세기 전반 인동 장씨의 가례를 형성하는 데 큰 기여를 하였고, 19세기 이후 가문의 후학들에 의해 다시 한 번 널리 부각되기에 이른다.

3. 장복추(張福樞) 학단

장현광의 가학을 계승하여 19세기 성주권에서 탁월한 예학자로 활약한

---

19) 고영진, 「17세기 전반 남인학자의 사상」, 『조선시대 사상사를 어떻게 볼 것인가』, 풀빛, 1999, 264쪽.

20) 張福樞, 『家禮補疑』 卷3 「喪禮」 治葬 '刻誌石': 晚悔堂曰, 每觀世人有鋪張先世耀諸墓道者, 吾甚不取焉. 苟或一字有爽, 則是誣也. 爲其子孫者, 尚忍誣其祖先乎. 夫誌碣文字, 只欲表識於後, 則當撫實而已.

21) 張福樞, 『家禮補疑』 卷4 「祭禮」 (補)奉先雜儀: 晚悔堂曰, 祖先享需, 世人以稱家有無四字爲薄道之藉口, 甚可愧也. 粢盛庶品, 前期辦備, 務從豊潔.

인물로 사미헌(四未軒) 장복추(1815~1900)를 들 수 있다. 장복추는 『가례보의(家禮補疑)』라는 매우 독특한 예서를 편찬하고, 그 문하에 다수의 예학자를 배출함으로써 이 시대 예학의 독특한 면모를 보여 주었다.

장복추의 저술인 『가례보의』에 대해서는 몇 편의 논문이 제출되었는데,[22] 그 예학의 경향은 '종합'과 '절충'이라는 용어로 수렴된다. 당대까지 논의된 예학의 제설(諸說)을 종합적으로 채택하고, 그 과정에서 이설(異說)을 절충했다는 말이다. 따라서 그가 인용한 문헌은 대단히 포괄적인 양상을 보인다. 『가례보의』의 인용서목과 선유성씨는 다음과 같다.(중국서목과 중국인물은 제외)

○인용서목: 麗制, 五禮儀(我世宗朝命撰成宗五年書成), 經國大典(世祖朝命撰成宗辛卯書成後有續錄通編), 喪禮補編(英宗朝命撰), 文廟享祀錄(英宗御編), 奉先雜儀(晦齋李文元公彦迪撰), 擊蒙要訣(栗谷李文成公珥著), 五服沿革圖(寒岡鄭文穆公述撰), 家禮考證(芝山曹文貞公好益著), 冠昏儀(先祖旅軒文康公撰), 家禮輯覽(沙溪金文元公長生撰), 喪禮備要(沙溪因申氏義慶所輯而修飾之), 疑禮問解(沙溪問答禮說), 問解續(愼獨齋金文敬公集問答禮說), 三禮儀(南溪朴文純公世采撰), 疑禮問答(明齋尹文成公拯撰), 疑禮通攷(鄭塤叟萬陽籛叟葵陽同撰), 改葬備要(籛叟著), 四禮便覽(陶庵李文正公縡撰), 家禮輯要(鄭梅山重器撰), 常變通攷(柳東巖長源撰), 家禮增解(李鏡湖宜朝撰), 喪祭撮要(張新齋錫愚撰) / 麗史(我世祖朝命鄭麟趾撰), 國朝寶鑑(世祖朝命撰列聖朝皆有之), 圃隱集(鄭文忠公夢周著), 冶隱集(吉先節公再著), 佔畢齋集(金文忠公宗直著), 彛尊錄(江湖金文康公叔滋實錄佔畢齋撰), 師友錄(一蠹鄭文獻公汝昌行錄姜介庵翼撰), 景賢錄(寒暄堂金文敬公宏弼行錄李軰巖楨撰), 攷事撮要(魚叔權撰李息山萬敷修正), 靜庵集(趙文正公光祖著), 慕齋家訓(金文敬公安國著), 晦齋集, 竹亭年譜(張竹亭潛年譜), 退溪集(李文純公滉著), 言行錄(溪門諸子所錄), 講錄(溪門諸子所錄),

22) 정경주, 「四未軒 張福樞 禮說의 論禮 경향-『家禮補疑』를 중심으로」, 『어문논총』 45, 한국문학언어학회, 2006; 拙稿, 四未軒 張福樞家 禮學의 家學源流, 『영남학』 14, 경북대 영남문화연구원, 2008; 이승연, 「四未軒 張福樞의 예학과 『家禮補疑』」, 『영남학』 14, 경북대 영남문화연구원, 2008; 정경주, 「家禮補疑에 반영된 조선후기 家禮學의 성과와 문제」, 『영남학』 14, 경북대 영남문화연구원, 2008; 정경주, 「『家禮補疑』 해제」, 『한국예학총서』 91, 경성대 한국학연구소, 2011.

南冥集(曺文貞公植著), 月川集(趙月川穆著), 荷谷粹言(許荷谷篈撰), 栗谷集, 鶴峯集(金文忠公誠一著), 西厓集(柳文忠公成龍著), 耻齋集(洪耻齋仁祐著), 東岡年譜(金文貞公宇顒年譜), 寒岡集, 旅軒集, 愚伏集(鄭文莊公經世著), 石潭實記(李石潭潤雨行錄), 桐溪集(鄭文簡公蘊著), 眉叟記言(許文正公穆著), 趨庭錄(聽天堂先祖撰), 存齋集(李存齋徽逸著), 葛庵集(李文敬公玄逸著), 睡隱集, 華齋集(黃華齋翼再著), 顧齋集(李顧齋槾著), 密庵集(李密庵栽著), 錦水記聞(密庵撰), 屛谷集(權屛谷榘著), 大山集(李大山象靖著), 小山集(李小山光靖著), 南岡遺集(張南岡萬紀著), 克齋集(申克齋益愰著), 過庭錄(張寄庵大胤撰), 黙軒集(李黙軒萬運著), 痛慕錄(李艮庵垸錄大山言行).

○선유성씨: 秋江南氏(孝溫字伯恭 以下東儒), 冲庵金氏(淨字元冲諡文簡), 新堂鄭氏(鵬字雲程), 葛川林氏(薰諡孝簡), 西峯柳氏(藕字公養), 河西金氏(麟厚字厚之諡文正), 頤庵宋氏(寅字明仲諡文端), 蘇齋盧氏(守愼字寡悔諡文懿), 牛溪成氏(渾字浩源諡文簡), 龜峯宋氏(翼弼字雲長), 貢趾南氏(致利字義仲), 謙庵柳氏(雲龍字應見諡文敬), 芝齋李氏(晬光字潤卿), 高峯奇氏(大升字明彦諡文憲), 柏潭具氏(鳳齡字景瑞), 重峯趙氏(憲), 困齋鄭氏(介淸), 孤靑徐氏(起字待可), 朽淺黃氏(宗海字大進), 久庵韓氏(百謙字鳴吉), 茅溪文氏(緯), 澤堂李氏(植字汝固諡文靖), 晩悔堂張氏(慶遇字泰來), 遜溪許氏(厚字重卿), 同春宋氏(浚吉字明甫諡文正), 尤庵宋氏(時烈字英甫諡文正), 遂庵權氏(尙夏字致道諡文純), 西庵呂氏(孝曾字魯而), 桐湖李氏(世弼), 芝村李氏(喜朝字同甫諡文簡), 巍巖李氏(柬字公擧諡文正), 南塘韓氏(元震字德紹), 冶谷趙氏(克善字有諸), 農巖金氏(昌協字仲和諡文簡), 屛溪尹氏(鳳九字瑞膺), 霽山金氏(聖鐸字循夫), 龍岡黃氏(壽一字用五), 星湖李氏(瀷字子新), 九思堂金氏(樂行字退甫), 百弗庵崔氏(興遠字太初), 俛庵李氏(㙫字稚春), 定齋柳氏(致明字誠伯).

여기에는 예서 23종, 문집·잡기 46종, 인물 42인 등 모두 111종의 서적과 인물이 인용서목에 제시되어 있는데, 이는 영남지역에서 나온 예서 중에서 가장 많은 것이다. 특히 김낙행(金樂行)·최흥원(崔興遠)·이우(李㙒)·류치명(柳致明) 등 18-19세기 영남지역 인물들의 예설까지 적극적으로 인용하였다.

종합·절충의 방향은 예학 세부 분야에서도 이루어졌다. 『가례보의』가 '가례'를 표방하기는 하였지만 가례 외에 별집(別集) 속에 국휼례(國恤禮)·

家禮補疑序

人所常行者禮而禮之最要者有四曰冠昏喪祭以成
人昏以正始喪以愼終祭以報本其經其儀優乎大矣用
於家而家化之用於鄕而鄕化之用於國而國化之達之
天下莫不皆然凡天地間事事物物至理寓焉因其理而
公書儀之以合乎人情其不可須臾廢也明甚于朱子因溫
節卽其變而生疑者也然而人家事爲多端如儀禮之喪祭禮
爲禮家三尺者也然而人家軍爲多端往往反於常而
變卽其變而生疑者也然而人家軍爲多端
記之曾子問猶不能以盡之矣是故漢唐以來至于我東
諸賢相與辨難開示後學昭乎若皆燭筭其爲書

•장복추_가례보의•

학례(學禮)·향음주례(鄕飮酒禮)·투호례(投壺禮)·향약(鄕約)·사상견례(士相見禮)·상읍례(相揖禮)·백록동규(白鹿洞規)·학칙(學則)까지 수용함으로써 사족의 행례 범주를 최대한 수록하려고 하였다.

인동장씨(仁同張氏) 장복추 집안의 학문이 장현광 이래로 전수된 가학의 전통 속에서 전개되어 왔음은 널리 알려진 사실이다.23) 그 집안의 학문 수수 과정 중 특히 예학 분야에 있어서는 장복추 이후 장석신(張錫藎)·장석영(張錫英)·장윤상(張允相) 등으로 이어지면서 보완 발전된다. 인동장씨의 예학은 장현광 이래의 가학 외에도 18세기 영천(永川)의 정만양(鄭萬陽)·정규양(鄭葵陽) 형제, 정중기(鄭重器) 등의 예학과도 친연성을 가지고 있다.

가학으로 전승된 인동장씨 집안의 예학자들이 저술한 예서에는 공통적으로 나타나는 특징이 있다. 그 중의 하나는 변례를 맞았을 때 그것을

---

23) 장현광 이하의 인동장씨 가문의 가학은 『영남지방의 퇴계학맥도』(한국국학진흥원, 2002)에 의하면 다음과 같다. 張顯光(旅軒, 仁同, 1554~1637)→張慶遇(晚悔堂, 仁同, 1581~1656), 張應一(聽天堂, 仁同, 1599~1676)→張錄(訴梅堂, 仁同, 1622~1705)→張大臨(六宜堂, 仁同, 1663~1730), 張大說(賁叟, 漆谷, 1678~1747)→再傳 이상→張儔(覺軒, 漆谷, 1771~1832)→再傳 이상→張福樞(四未軒, 漆谷, 1815~1900)→張錫龍(遺軒, 漆谷, 1823~1908), 張心澤(角旅, 漆谷, 1833~1895), 張升澤(農山, 漆谷, 1838~1916), 張錫藎(果齋, 漆谷, 1841~1923), 張錫贇(橫溪, 漆谷, 1845~1913), 張錫英(晦堂, 漆谷, 1851~1926), 張志淵(韋庵, 漆谷, 1864~1921), 張允相(野村, 仁同, 1868~1946), 張相學(孔室山人, 漆谷, 1872~1940).

변통하는 방법의 하나로 축문이나 고유문 등의 자구를 적절하게 바꿔 가면서 대처하려고 했다는 점이다. 이는 『가례보의』에서 먼저 시도된 적이 있고, 장윤상의 『가례보궐(家禮補闕)』에서도 특징적으로 드러나는 면이다. 하나의 사례를 제시해 본다.

표-22 <『주자가례』와 『가례보궐』의 관례(冠禮) 삼가축사(三加祝辭) 비교>

	初加祝辭	再加祝辭	三加祝辭
『朱子家禮』	吉月令日 始加元服 棄爾幼志 順爾成德 壽考維祺 以介景福	吉月令辰 乃申爾服 謹爾威儀 淑愼爾德 眉壽永年 享受遐福	以歲之正 以月之令 咸加爾服 兄弟具在 以成厥德 黃耇無疆 受天之慶
『家禮補闕』	吉月令日 始加元服 **責以成人 入于聖學** 棄爾幼志 順爾成德 壽考維祺 以介景福	吉月令辰 乃申爾服 **責以成人 勉于聖學** 謹爾威儀 淑愼爾德 眉壽永年 享受遐福	歲正月吉 咸加爾服 **責以成人 克勤聖學** 兄弟俱在 以成厥德 黃耇無疆 受天之慶

위에서 보듯이 『주자가례』의 축사(祝辭)에 없는 '責以成人 入于聖學'(초가축사), '責以成人 勉于聖學'(재가축사), '責以成人 克勤聖學'(삼가축사)이라는 2구씩을 보입(補入)하였다. 이런 경우는 다른 예서에서 찾기 어려운 것인데, 장윤상은 이 2구를 보입한 이유에 대해서 특별한 언급을 하지 않았다. 그것이 장윤상 자신의 철학이 반영된 것인지 아니면 시대적 배경이 작용한 것인지는 알 수 없지만24), 『가례보궐』의 성격이 기본적으로 자기 집안에서 실제로 행하기 위해 만들어진 것이라는 점에서 볼 때, 『주자가례』의 문구에 얽매일 필요는 없었던 듯하다.

그리고 또 하나의 특징으로 홀기(笏記)의 편입을 들 수 있다. 홀기는 행례의 편의성을 위해, 절차의 오류를 막기 위해, 시비의 근원을 방지하기

---

24) 이에 대해 유권종은, 聖學이란 성리학적 소양에 입각한 聖人이 되는 공부를 말한다. 여기서 젊은이에게 곧 聖人이라는 理想을 강조함으로써 이상적인 인격체로서의 성숙을 요청하는 뜻을 발견할 수 있다. 이는 당시의 儀禮가 단지 형식에 치우친 것이 아니라 인격적 성숙이라는 내실과 이상을 지향하는 방편으로 이해되었음을 시사한다고 보았다.(유권종, 「近代 嶺南 禮制의 事例와 그 特徵-『家禮補闕』을 중심으로」, 『한국사상사학』 23, 한국사상사학회, 2004, 403쪽)

위해 작성된다. 주목할 것은 홀기가 전문 예서에 편입되어 기록되는 경우가 흔하지 않다는 것이다. 장복추 이전 시대에도 홀기가 전문 예서에 편입된 사례가 간혹 있기는 하지만, 이는 아주 특수한 경우라고 할 수 있다. 대부분의 경우에는 행례 당시에만 잠시 홀기를 이용할 뿐이었고 예서에는 싣지 않았다. 그런데 장복추에 와서 『가례보의』에 홀기 항목이 설정된 이후로 장석영의 『구례홀기(九禮笏記)』나 장윤상의 『가례보결』에서도 홀기가 예서의 항목으로 편입되었다. 이런 점에서 홀기의 예서 편입을 장복추 학단 예학자의 한 특징으로 거론해도 무리가 없을 것이다.

장복추는 19세기에 안동의 김흥락(金興洛)과 산청의 곽종석(郭鍾錫) 등과 함께 700인이 넘는 문인을 양성한 거유였다. 장복추 자신이 『가례보의』라는 중요한 예학 업적을 남겼고, 『사미헌급문록(四未軒及門錄)』에 수록된 그의 문인들도 열정적으로 예서를 산출하였다. 장복추 문인의 예학 저술을 정리하면 다음과 같다.

표-23 <장복추 문인의 예학 저술>

성명	예학 저술	비고
農山 張升澤(1838~1916)	『四禮考證』	
晦山 諸慶根(1842~1918)	『喪祭攝要』『疑禮證解』	
息軒 崔憲植(1846~1915)	『家禮證說』	金興洛 문인
膠宇 尹冑夏(1846~1906)	『贊祝考證』	許傳·李震相 문인
稽軒 李璟均(1850~?)	『養老禮』	
陶溪 李元實(1850~?)	『歸厚錄』	
靜山 洪在謙(1850~1930)	『四禮要覽』『常變撮要』	
晦堂 張錫英(1851~1926)	『儀禮集傳』『四禮汰記』『九禮笏記』『四禮節要』『戴禮管見』	李震相 문인
小庵 李鈝均(1855~1927)	『禮記集說註疏同異考』『先聖先師釋奠儀』『家鄕鄕禮經禮』	
遯山 李相懿(1857~?)	『四禮要覽』	

野村 張允相(1868~1946)	『家禮補闕』	
恭山 宋浚弼(1869~1943)	『六禮修略』	金興洛 문인
濟西 李貞基(1872~1945)	『八禮輯要』	
華岡 張相學(1872~1940)	『禮書』 5권	
怡齋 張相貞(1873~?)	『常變鄕約』 20권	
仰山 宋鴻訥(1878~1944)	『三禮通纂』	

　장복추의 문인들은 몰년이 늦은 관계로 그들이 편찬한 예서의 현존 여부를 알 수 없는 경우가 많다. 위의 몇 종의 예서 목록을 가지고 보면, 장복추 문인의 예서에 나타나는 특징 중 하나로 향례에 대한 관심도가 높다는 점을 들 수 있다. 장복추 자신이 『가례보의』 별책에 향례·학교례·국휼례를 편입하였던 것이 일정 부분 영향을 끼쳤을 것으로 보인다. 이는 장복추 학단만이 아니라 이진상(李震相) 학단을 비롯한 19세기 후반 영남지역 전체에서 보여 주었던 큰 흐름이었다.

　장복추의 문인 중에 예학 연구에 가장 적극적이었던 인물은 장석영이다. 그는 이진상의 영향을 훨씬 많이 받았기에 '이진상 학단'에서 논하기로 한다. 그 외 장복추의 문인 중에서 이석균(李鉐均)·장윤상(張允相)·송준필(宋浚弼) 세 사람의 예서와 거기에 나타난 특징을 살펴보기로 하겠다.

　소암(小庵) 이석균(李鉐均, 1855~1927)은 『가례증해』를 편찬한 이의조와 같은 집안 같은 지역 사람이지만 이의조와는 달리 남인의 학맥을 이어 나갔다. 그의 저술로는 『사미헌급문록』에 『예기집설주소동이고(禮記集說註疏同異考)』·『선성선사석전의(先聖先師釋奠儀)』·『가향향례경례(家鄕鄕禮經禮)』 등이 기재되어 있다. 『소암집』에는 「예기집설참고략발(禮記集說參攷略跋)」이라는 글이 확인되는데 『예기집설주소동이고』의 발문으로 추정되고, '한국예학총서'에 수록된 『가향이례참고략(家鄕二禮參考略)』은 『가향향례경례』와 같은 책으로 추정되며, 학교례를 수록한 『선성선사석전의』는 현존 여부를 알 수 없다.

　『가향이례참고략』은 가례와 향례를 수록한 예서인데, 가례에는 관례·혼례·시제·기제를 수록하고, 향례에는 향음주례·향사례·사상견례·주학생속수례

•경성대학교 한국학연구소_한국예학총서•

(州學生束脩禮)를 수록하였다. 가례 부분에서 상례가 빠진 점이 특이한데, 상례에 대한 저술이 따로 있기 때문에 의도적으로 빠뜨린 것인지는 알 수 없다. 또 하나 특이한 것은 제후의 천묘(遷廟)와 흔묘(釁廟)의 예를 말미에 수록한 것인데, 이는 주자의 『의례경전통해』를 대본으로 보(補)·부(附)한 한원진(韓元震)의 『의례경전통해보(儀禮經傳通解補)』에만 보일 뿐 여타의 가례서에는 거의 언급이 없다는 점에서 독특한 구성이라고 할 수 있다. 이석균은 천묘·흔묘에 대해 "예서에 드물게 보이는 것이지만 옛날 유교(遺敎)의 지의(至意)를 볼 수 있다."는 점을 채택 이유로 들었다. 그는 향음주례·향사례·사상견례·관례·혼례의 내용을 『의례』를 통해 강구하고자 했으나 마치지 못했는데, 동문인 장석영의 『의례집전(儀禮集傳)』에 이와 관련한 내용이 잘 정리되어 있음을 확인하고 이를 바탕으로 증손하여 정리하였다. 그리고 홀기를 편입하여 잊을 것에 대비하였다.25)

---

25) 李銶均, 『家鄕二禮參考略』 「跋」: 家鄕二禮者, 家禮鄕禮也. 鄕飮酒鄕射士相見州學生束脩此四者, 鄕禮也, 冠昏時祭忌祭此四者, 家禮也. 鄕飮鄕射士相見冠昏五者, 皆儀禮而其文簡奧, 且多上下文之互見, 註疏亦或失於

이석균은 이 책에서 가례와 향례에 관한 내용을 독자들이 보기 편하도록 개요와 의의는 물론 세부 절차, 두주, 홀기, 예를 시행하는 장면까지 도식으로 그려 실제 의식을 시행할 때 편리하게 이용할 수 있도록 실용적인 측면에 신경을 많이 쓰고 있다.[26] 가례뿐만 아니라 향례와 학례까지 두루 회통하려고 했던 영남지역 예학의 분위기에 걸맞게 그도 스승인 장복추의 영향을 받아 그것을 예서의 항목으로 편입하여 보조를 맞추었다. 그의

●이석균_가향이례참고략●

또 다른 예서인 『예기집설참고략』은 『예기』 독서기(讀書記) 중의 하나이다.[27]

야촌(野村) 장윤상(張允相, 1868~1946)은 장현광의 11대손이다. 그는 장복추의 문인 중에서 역학에 뛰어났던 인물로 평가되고, 장복추의 예학

略, 傷於煩, 惟可以意會行之, 不可以按文直行, 愚嘗講之而未究也. 近見張晦堂儀禮集傳, 其爲文博考而參訂微文, 細節曒然, 畢擧足以羽翼經文. 遂取編之於此, 而間亦不無己見之增損焉. 冠昏二禮, 特據通解門目而錄之者, 爲是簡便也. 凡註疏之有通解案者, 見輒收入之, 爲是朱子之勘定也. 笏記備忘忽而附於本章之下者, 爲是得失之易考見也. 時祭之尸禮, 今之難行也. 忌祭, 宋儒之義起也, 并從朱子家禮之文也. 末附以諸侯之遷廟釁廟者, 爲其禮書之罕見也. 凡此數編, 雖不齊整於禮書, 然亦可見古昔遺敎之至意, 不病其不備而推究其義於家塾習儀之餘哉. 甲子至月上旬, 延安李鈱均, 書于西周老民社.

26) 김순미, 「『家鄕二禮參考略』 해제」, 『한국예학총서』 106, 경성대 한국학연구소, 2011.
27) 李鈱均, 『小庵集』 卷7 「禮記集說參攷略跋」.

●장윤상_가례보궐●

계승에도 한몫을 거들어서 『가례보궐(家禮補闕)』이라는 예서를 남겼다.[28] 장윤상이 『가례보궐』을 편찬한 목적을 밝힌 글이 없어 그 의도를 정확히 파악할 수는 없지만, 장복추의 『가례보의』에서 강구되지 않은 미비점을 보완 발전시킴으로써 일제강점기라는 극변의 시대에 간편하면서도 실행 가능한 실용 예서를 만들려는 의도가 작용한 듯하다. 상례(喪禮) '초종(初終)' 절차에서 습전(襲奠)을 올릴 때 『주자가례』에는 포해(脯醢)를 올리도록 되어 있으나 미즙(米汁)을 올려도 무방하다고 하거나, 조조(朝祖)할 때 혼백을 받들고 가는 풍속이 매우 간편하므로 영구(靈柩)를 받들고 갈 필요는 없다고 하거나, 제례에서 초조제(初祖祭)·선조제(先祖祭)·녜제(禰祭)를 산삭하고 사시제·기제·묘제만 수록한 점 등을 통해서 실용적 면모를 확인할 수 있다. 상례에서 목욕(沐浴)·습(襲)·반함(飯含)·소렴(小斂)·대렴(大斂) 항목에 홀기(笏記)를 설정한 것도 특이한 점인데, 축(祝)이 홀기를 잡고 절차에 맞추어 읽으면 어자(御者)가 그 소리에 따라 실행함으로써 슬프고 경황이 없는 와중에서 잘못되는 폐단이 없도록 하였다.

---

28) 『가례보궐』의 체재와 내용상의 특징에 대해서는 유권종의 「近代 嶺南 禮制의 事例와 그 特徵-『家禮補闕』을 중심으로」(『한국사상사학』 23, 한국사상사학회, 2004)를 참조.

장윤상은 족조(族祖)인 장복추의 문하에 들어가서 가르침을 받으면서 듣고 보았던 내용을 그의 문집 속에 정리하여 두었다.[29] 장복추의 출처 의리, 이기론, 효우, 봉선(奉先), 교육, 대인(待人), 시문(詩文), 저술, 독서 등 생애와 학문의 전반에 대해서 짤막하게 19조목에 걸쳐 기술하고 있으며, 『가례보의』의 저술 목적과 의의에 대해서도 빠뜨리지 않고 수록하였다.

> 선생은 예서(禮書)에 있어서 그 종핵(綜核)을 모아 『가례보의』를 저술했다. 『주문공가례(朱文公家禮)』의 관혼상제 네 절목을 강(綱)으로 삼고, 고금의 제설(諸說)을 목(目)으로 삼으며, 간혹 자기 의견을 붙여 안설(按說)로 삼아서, 변례를 분변하고 의례(疑禮)를 보입(補入)하여 후학들이 살펴보도록 하였으니, 지남(指南)처럼 밝다.[30]

변례와 의례에 대한 조문의 강구가 『가례보의』의 편찬 의도라는 것이다. 장복추는 실생활에서도 가묘를 세우고서 춘추로 풀을 제거하고, 제기를 별도로 관리하고, 재계하며 여재지성(如在之誠)을 다하고, 추수를 하면 제수로 쓸 것을 먼저 챙겨 두는 등 봉선(奉先)에 힘을 쏟았다.[31] 예서를 통해 익혔던 조목을 일상생활 속에서 그대로 실천하는 장복추의 자세가 장윤상에게는 유자의 전범으로 각인되었다. 그는 장복추 사후에 장복추의 문인 장승택(張升澤)의 문하에 나아가서 가학을 더욱 심화시켰다.

공산(恭山) 송준필(宋浚弼, 1869~1943)은 1885년 이진상의 단산서당(丹山書堂) 강회에 참석하고, 18세 때부터 장복추의 문하에서 배우며 예의(禮疑)를 질의하였고[32], 30세에는 김흥락에게 배우기도 하는 등 당시 영남의

---

29) 張允相, 『野村文集』(乾), 「四未先生言行記門錄(壬午)」.

30) 張允相, 『野村文集』(乾), 위와 같은 곳: 先生於禮書, 纂其綜核, 著家禮補疑. 蓋取諸朱文公家禮冠婚喪祭四節爲綱, 證古今諸家說爲目, 間或竊付己意以爲按說, 辨其變, 補其疑, 使後學覽之, 瞭然如指南.

31) 張允相, 『野村文集』(乾), 위와 같은 곳: 建家廟二間于正寢之東, 以茅覆之, 春秋手除階草, 祭器別藏, 不使混置於家用什物. 至齊日, 前期處潔, 以致如在之誠. 秋穡登場, 則計一年內粢盛之需, 先藏于瓶橐中, 次計公課而特爲區劃, 餘不支旬月, 糧苦不犯縮. 其爲先奉公, 如此截嚴也.

32) 宋浚弼, 『恭山集』 卷3 「上四未軒先生問目(丙申)」; 「答四未軒先生(丁酉)」 참조.

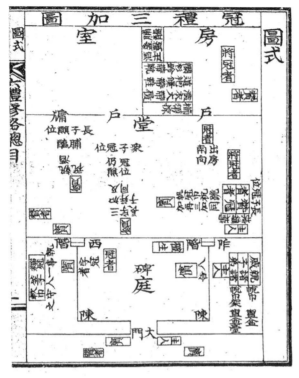

●송준필_육례수략●

석학들 문하에 폭넓게 내왕하며 수학하였다. 그는 곽종석(郭鍾錫)·장석영·이승희(李承熙)·이종기(李種杞)·윤주하(尹胄夏)·김도화(金道和)·허유(許愈)·류필영(柳必永)·이만도(李晩燾)·허훈(許薰)·전우(田愚) 등과 학술 토론을 하고, 『심통성정삼도발휘(心統性情三圖發揮)』, 『사물잠집설(四勿箴集說)』, 『속속자치통감강목(續續資治通鑑綱目)』, 『오선생휘언(五先生徽言)』 등을 편찬했다.

송준필은 예서로 『육례수략(六禮修略)』을 저술하였다.[33] 『육례수략』이라는 이름은 정이천(程伊川)의 '육례대략(六禮大略)'에서 따온 것이다. 송준필은 정이천이 관례·혼례·상례·제례·향음주례·사상견례 등 육례를 편수(編修)했지만, 『이정전서(二程全書)』에 혼례와 제례만 남아 있는 것을 아쉽게 여겼다. 또 주자가 『가례』를 지었지만 교정을 마치지 못했다는 문제가 있고, 명나라 유학자와 우리나라 제현들이 예서를 지어 규모가

---

33) 『육례수략』 외에 문집에 수록된 예설이나 예문답 중에는 『恭山集』 卷4 「答李丈景文(民永)喪禮疑目」; 卷12 「祭說書與晦侄」; 卷12 「族契約條」; 『恭山續集』 卷4 「答李聖循(起轍)常變通攷問目」; 卷6 「母喪未練而父卒伸母服三年辨」 등이 주목된다.

크게 갖추어졌지만 궁벽한 곳에서는 서적이 항상 미비하고, 예서 분량이 방대하여 고람(考覽)에 불편하고, 변설(辨說)이 서로 달라 취사선택이 어렵다는 여러 가지 난관이 있었다. 이를 극복하고자 하여 '간생(簡省)'에 주안점을 두어 고금의 예서를 두루 참고하여 사례(四禮)에 일부 향례(鄕禮)를 포함시켜 편차를 정하였다.

『육례수략』의 구성 원칙은 범례를 통해서 살펴볼 수 있다.[34] 범례 첫머리에서 밝혔듯이 예문(禮文)을 자세히 살피는 데 편리하도록 한다는 것과 예를 차례에 맞게 실행한다는 두 가지 목적에서 출발한다. 따라서 도식 39개를 분할하여 두지 않고 제일 앞머리에 일괄 배치하고, 『가례』에서 통례(通禮)에 기재한 사당장(祠堂章)을 제례(祭禮)로 편입시켰다. 이 책의 특징으로는 관례·혼례·사상견례·향음주례에 홀기를 대거 수록하고, 고축식(告祝式)을 상세하게 다루었다는 점과 관혼상제 외에 사상견례·향음주례 등의 향례를 추가하여 전체를 육례로 구성한 것 등을 꼽을 수 있다.

가례서(家禮書)에 향례를 포함시켜 편성한 예서는 이보다 앞서 몇 편이 존재하였다. 박세채(朴世采)는 『육례의집(六禮疑輯)』(후집)에서 관혼상제 외에 향례(鄕禮, 鄕飮酒·旅酬·鄕約·鄕射), 상견례(相見禮), 잡례(雜禮)까지 추가하여 다룬 적이 있다. 그러나 이는 『육례수략』처럼 행례를 위한 목적

---

34) 宋浚弼, 『六禮修略』 「凡例」: ㉠此書之作, 蓋欲便於考禮而行之有次序, 故每章拈取古今書, 立以爲綱, 而各以書名識之, 其下分註古禮及先儒說, 以發明正文之義, 蓋一章袞似, 一篇笏記, 文雖各取, 而意實相續. ㉡每條正文之下, 低一格, 附見常儀, 略於器物之具, 而詳於告祝之式, 又其下低二格, 採錄疑變, 各有條目, 以略備常變之攷. ㉢此編雖博採羣書, 而必以家禮爲主, 故其引用處, 不分經註, 混以家禮稱之, 至若古禮, 則其可遵行者, 隨節收錄, 不可遵行者, 多不記載, 而惜其全沒名目, 則加大圈而略存制度, 俾見古今之異宜. ㉣幷引諸說, 則略以世代爲序, 但於立綱處, 不計今古, 先書立綱之文, 而次及於諸說. ㉤拈書立綱處, 古今書皆有, 則識以古書, 或義出於古書, 而文備於今書, 則識以今書, 又或文不見而義不可闕者, 附入淺說而書補字. ㉥此書旣以六禮名篇, 不敢純用家禮之規, 故通禮祠堂章, 移置於祭禮之首, 如居家雜儀居喪雜儀, 皆家禮之原書, 而移作附篇, 或略加刪節, 或別爲序次, 覽者恕之. ㉦六禮諸篇, 各有圖式, 以總會之載諸首卷, 至於冠昏喪祭士相見禮鄕飮酒禮, 別爲笏記附之, 俾便於行禮. ㉧引用書目及先儒姓氏, 近世禮書之所必有, 而此書則務從簡寡, 不別立目, 略爲採錄於書中各條, 至於師說, 則加先師二字於姓諱上以別之.

•사당_죽유종택(고령군 쌍림면)•

은 아니었다. 또 1933년에 간행된 곽종석의 『육례홀기(六禮笏記)』는 관혼
상제와 향음주례, 사상견례 등 이 책과 똑같은 육례를 선정하였다. 그렇지
만 홀기만 중점적으로 다루었다는 점에서 『육례수략』과는 구별된다. 조선
조에서 대체로 18세기 이후부터 가례서에 향례를 편입시키는 경향이 있었
다. 이는 『주자가례』의 체재 외에 향촌에 거주하는 사족이 향례까지 필수
과정으로 인식하여 사례(士禮)의 틀에서 논의하고자 함이었다. 『육례수략』
역시 이런 이유에서 향례를 편입시켰다.

　　고축식(告祝式)을 상세하게 다룬 것도 특징인데, 사대부 집안이라면 집
에 반드시 사당이 있고 사당에는 신주가 있어, 일이 있으면 고(告)하고 제
사를 지내면 축(祝)을 읽는 일이 있기 때문에 역시 강구하지 않을 수 없었
다.

　　집안마다 내려오는 예법이 조금씩 다르므로 홀기(笏記) 역시 조금씩
다르게 나타나고, 또 시대가 변함에 따라서 변형된 형태로 정리된다. 송준
필과 비슷한 시기에 인근에 살았던 인동장씨 집안에서 『가례보의(家禮補

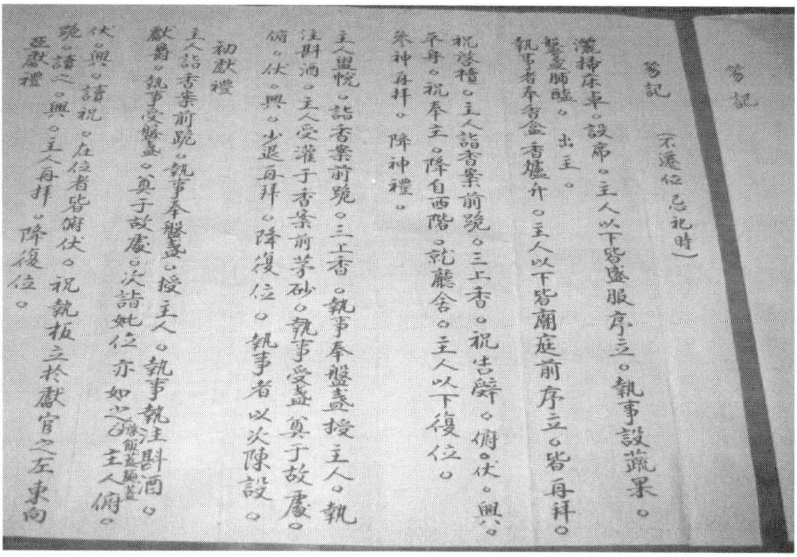

•홀기•

疑)』(장복추), 『구례홀기(九禮笏記)』(장석영), 『가례보궐(家禮補闕)』(장윤상) 등의 예서에 홀기가 집중적으로 정리되었던 것에서 알 수 있듯이 당시 이 지역에서도 홀기를 예서 속에 정식으로 편입시키는 것이 널리 유행하고 있었음을 알 수 있다.

『육례수략』에 인용된 서적 또는 인물 아래에 간단한 설명이 첨부된 경우를 살펴보면[35], 임훈(林薰)과 송희규(宋希奎) 등 예서에서 좀처럼 보기

35) 서적: 疑禮問解續, 常變通攷, 四禮便覽, 喪禮備要, 家禮考證, 士儀, 家禮輯要, 家禮補疑, 家禮增解, 家禮講錄, 四禮輯要, 家禮輯覽, 國朝五禮儀, 經國大典, 喪禮補編, 疑禮通考, 三禮儀, 疑禮問解, 擊蒙要訣, 痛慕錄, 退溪先生言行錄, 疑禮問答, 錦水記聞, 西山集, 趨庭錄.
인물: 宋時烈, 尹拯, 朴世采, 李象靖, 鄭逑, 李滉, 李綍, 鄭經世, 宋翼弼, 權尙夏, 金長生, 韓元震, 柳成龍, 李植, 張顯光, 金集, 李徽逸, 李栽, 李玄逸, 李彦迪, 林薰, 曺植, 洪仁祐, 趙光祖, 金宏弼, 宋希奎, 李恒福, 金樂行, 許穆, 李瀷, 金昌協, 宋寅, 宋能相, 鄭宗魯, 金麟厚, 南致利, 柳致明, 李珥, 尹鳳九, 李東, 成渾, 李喜朝, 李槾, 李萬運, 黃宗海, 李堣, 權榘, 張錫愚, 李世弼, 鄭重器, 黃壽一, 鄭葵陽, 蔡濟恭, 黃翼再, 李光靖, 崔錫鼎, 曺好益, 李種杞, 李弘祚.

드문 인물이 등장한다. 이들은 송준필과 지역적으로 가까운 곳에 살았거나 조선(祖先)에 해당하는 경우이다. 거가잡의(居家雜儀)나 거상잡의(居喪雜儀)에 주로 나타나는 이러한 인물들은 예설을 수록하기 위해서가 아니라 그들의 행동 규범을 제시하여 전범으로 삼고자 한 것이다. 이들 외에 정중기(鄭重器)와 정규양(鄭葵陽) 등 영천 인물의 예설이 인용된 것도 주목할 만하다. 18세기 초반에 경주권에서 영일정씨(迎日鄭氏) 집안을 중심으로 예서가 집단적으로 나왔지만 후대에 인용된 경우는 드물게 보인다. 이런 상황에서 경주권의 예학이 장복추·송준필 등 성주권의 학인들에게 계승되었다는 점은 두 권역의 예학적 친연성을 살펴볼 수 있는 부분이다.

『육례수략』에 인용된 예설 중에는 이진상의 『사례집요(四禮輯要)』와 장복추의 『가례보의』와 김흥락의 『서산집(西山集)』 등 스승의 설을 비롯하여 이상정(李象靖)의 설이 많으며, 영호남의 예설을 두루 망라하고 있기는 하지만 영남지역의 예서가 아무래도 자주 인용되고 있다. 주목할 점은 송준필이 『육례수략』을 편찬하면서 가장 큰 영향을 받았고 자주 많이 인용한 예서가 바로 류장원의 『상변통고』라는 점이다. 『상변통고』가 당대까지 논의된 상례와 변례를 가장 정밀하게 목록화하여 수록하였고, 가례뿐만 아니라 향례까지 다루고 있다는 점에서 이를 모범으로 채택한 것은 당연한 것인지도 모른다.

송준필이 살았던 19세기 후반부터 20세기 초반은 대내외적인 혼란과 도전에 직면했던 시점이다. 향촌의 지식인들은 이를 타계하기 위해 고민했고, 그 답안으로 알기 쉽고 행하기 쉬운 것부터 차츰차츰 확산시켜야 한다는 결론에 이르렀다. 그래서 도식, 홀기, 고축문 등을 정리하는 작업이 대대적으로 이루어져 집안마다 지역마다 하나의 정형성을 마련하기에 이르렀다. 뿐만 아니라 향내(鄕內)에서 자신들의 입지를 공고하게 재정립하고 전통문화에 대한 신념을 확보하기 위해 향례에 대한 강구와 실천도 게을리하지 않았다.

4. 이진상(李震相) 학단

한주(寒洲) 이진상(1818~1886)은 19세기 중후반 학술사에 큰 성과를 남김으로써 많은 관심을 받았다. 그는 서경덕(徐敬德), 이황(李滉), 이이(李珥), 임성주(任聖周), 기정진(奇正鎭)과 더불어 조선 시대 6대 성리학자로 꼽힐 정도로[36] 성리학 분야에서 독특한 설을 제기하였다. 뿐만 아니라 예학에 있어서도 새로운 관점을 제시함으로써 상당한 영향을 끼쳤다. 이러한 그의 학문적 성과가 있었기에 당시 성주권과 진주권을 중심으로 많은 문인들이 모여들었고, 이진상은 영남지역 학문의 중요한 구심점 역할을 담당하였다.

그동안 이진상에 대한 연구 논문은 '심즉리(心卽理)'를 천명한 그의 성리학에 집중되었다.[37] 그의 예학에 대해서는 근래에 나온 한 편의 해제를 통해 『사례집요(四禮輯要)』의 편찬 간행 과정과 그 의의에 대해 간략하게 소개되었다.[38] 이외에 이진상이 경학과 예학에 관심을 갖고 '차의(箚義)'라는 형식으로 논지를 전개하였다고 하면서, 『사례집요』는 선유설(先儒說)을 두루 통간(通看)하였다고 약술한 논문이 있다.[39]

이진상의 학문 연원은 이황의 학통에 근간을 두고 있다. 이진상은 류치명(柳致明)과 학술 토론을 한 적이 있고, 정종로(鄭宗魯)의 문인 이원조(李源祚)에게도 영향을 받았다. 이진상이 숙부 이원조의 제문에서 말한 '부

---

36) 현상윤 지음, 이형성 교주, 『현상윤의 조선유학사』, 심산, 2010, 99쪽.
37) 이진상의 학문에 대해서는 이형성, 『寒洲 李震相의 哲學思想』, 심산, 2006; 이상하, 『寒洲 李震相의 主理論 硏究』, 경인문화사, 2007; 홍원식, 『한주 이진상의 생애와 사상』, 예문서원, 2008; 이형성, 「한주학파 성리학의 지역적 전개양상과 사상적 특성」, 『국학연구』 15, 한국국학진흥원, 2009 참조.
38) 김순미, 「『四禮輯要』 해제」, 『한국예학총서』 95, 경성대 한국학연구소, 2011.
39) 이형성, 「寒洲 李震相과 그 學派 硏究의 現況과 展望」, 『유교사상연구』 39, 한국유교학회, 2010, 11쪽. 이형성은 각주에서 중국 서책 91권, 국내 서책 85권 등 총 175권을 두루 참고·인용하였다고 하였다. 이와 아울러 이진상과 그 문인들에 대한 연구 성과를 전체적으로 검토하였는데, 이진상에 대한 연구논문이 50여 편에 이른다고 하였다.

사지간(父師之間) 실유지음지락(實有知音之樂)'[40]이라는 언급 등을 근거로, 이진상이 이원조를 늘 가까이서 수행했으므로 학문을 논하거나 사상이 담긴 서신왕복의 기회가 없었지만 이원조에게 가장 많은 영향을 받았다는 논의[41]가 있다. 이처럼 가학으로서의 학문 전승 외에 '복학무사승(僕學無師承)'[42]이라는 문구 등을 인용하여 이진상의 자득적 경학을 논하는 이[43]도 있다.

이진상은 안동권의 류치명·김흥락, 진주권의 박치복(朴致馥)·김인섭(金麟燮)·정재규(鄭載圭) 등과도 만남이나 서간문을 보내 학문을 강론하는 한편, 당시 칠곡에서 큰 학단을 형성하고 있던 장복추(張福樞)와 함께 성주·칠곡·고령 등 경북 서남부 지역에서 잦은 강회를 열어 향음주례를 행하고『중용』·『심경』·『근사록』·『소학』 등을 강독하며 학풍을 진작시켰다. 그가 주로 강학했던 곳은 성주(星州) 대포(大浦)와 회연서원(檜淵書院)·선석암(禪石菴) 및 고령(高靈)의 종산재(鍾山齋) 등이었다.

이진상은 예학에도 심대한 정력을 기울여 중요한 저술과 논의를 남겼다. 그의 예학 저술은 '심즉리'와 '실(實)'[44]로 요약되는 성리학과 학문정신과 아울러 상당히 특징적인 면이 있다. 그 중에서 대표적인 것이 예학 저술인『사례집요』이다. 이외 여러 예설이 있지만 허전(許傳)의『사의(士儀)』에 대해 자신의 입장을 표명한 것이 당시 영남지역 학계의 주요 논의로 떠올랐고, 이는 모상중행부협제설(母喪中行父祫祭說)이라는 구체적인 예설을 통해서도 살펴볼 수 있다.

---

40) 李震相,『寒洲集』卷35「祭仲父凝窩先生文」.

41) 허권수,「凝窩 李源祚의 학문과 寒洲에 대한 영향」,『퇴계학과 한국문화』 39, 경북대 퇴계연구소, 2006, 65쪽.

42) 李震相,『寒洲集』卷7「答沈釋文(庚申)」.

43) 이영호,「寒洲 經學의 特徵과 그 經學史的 位相」,『퇴계학과 한국문화』 38, 경북대 퇴계연구소, 2006, 150쪽.

44) 李震相,『寒洲集』부록「年譜」65세: 建昌問爲學大方, 先生答曰, 爲學必須實心, 天下事事物物, 皆有實理, 有實心而後有實見, 有實見而後有實行, 實者誠而已. 이와 유사한 언급은 金鎭祜가 학술모임에 참석했다가 돌아오는 길에 청한「送金致受序」(『한주집』권29)에도 나온다.(권오영,「19세기 江右學界와 金鎭祜의 학문활동」,『물천 김진호의 학문과 사상』, 술이, 2007 참조)

『사례집요』는 16
권 9책의 목판본으로
간행되었는데, 권두에
이진상의 서문이 있
고 권말에 장석영(張
錫英)의 발문이 있다.
이 책의 구성은 권1-2
통례, 권3 관례, 권4
혼례, 권5-13 상례, 권
15-16 제례로 되어 있
다. 그리고 도식 70여
개와 인용서목이 붙
어 있다.

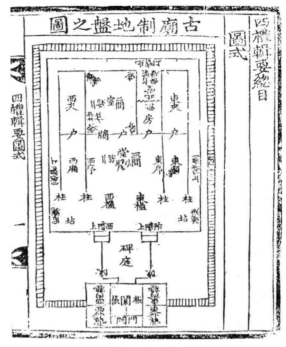

●이진상_사례집요●

『사례집요』는 부
친상 중에 편찬한 「독
례차의(讀禮箚疑)」와
이듬해 44세에 편집한
「상제편고(喪祭便攷)」
가 그 원형이다. 이진상은 이 두 종의 글을 48세에 『사례집요』로 완성할 때
합편하였다. 이후 여러 차례 교감하였고, 그가 사망했을 때는 이 책에 의거하
여 치상(治喪)했으며, 이승희(李承熙)·장석영·곽종석(郭鍾錫)·허유(許愈)·윤주하
(尹胄夏)·이두훈(李斗勳) 등이 8년 동안 10여 차례 교정하여 1906년에 간행하
였다.45)

이진상이 편찬한 『사례집요』는 조선조에 편찬된 여타의 가례서와는 변
별되는 독특한 점이 있는데, 그것은 『주자가례』 본위가 아니라 『의례』를
위주로 편찬했다는 것이다.

---

45) 李震相, 『寒洲集』 附錄 「年譜」: 43세(1860)-撰讀禮箚疑(後合四禮輯要). 4
8세(1865)-撰四禮輯要(一以儀禮爲本, 而參之於朱文公家禮, 其節目及我東
禮說, 多采於柳東嚴通攷李鏡湖增解之編.). 68세(1885)-重勘四禮輯要. 69세
(1886)-十五日子時, 考終于外寢, 張錫英李斗勳英勳等治喪事, 一依四禮輯
要. 丙午(1906)-刊四禮輯要.

조선조의 가례서는 대부분 『주자가례』 또는 주자 예설의 체재와 내용을 근저로 하여 편찬되었다. 『의례』를 본(本)으로 하여 편집한 것도 간혹 있었는데, 영남의 남인학자에게서 두드러지게 나타나는 현상이다. 경주의 뇌고(雷皐) 손여제(孫汝濟)는 이미 『가례석의(家禮釋義)』·『사례찬요(四禮纂要)』 등을 편찬하면서 『주자가례』를 이미 다루었기 때문에 굳이 『예서유편(禮書類編)』에서까지 그것을 가져올 일은 없었다.[46] 그러나 이진상과 장석영의 경우에는 그 배경이 전혀 다르다.[47] 그들이 『주자가례』를 두고 『의례』를 위주로 가례서를 편집하게 된 까닭은 무엇일까?

『주자가례』는 『의례』를 바탕으로 하면서도 『서의(書儀)』와 송나라 속례를 다수 차용한 데다 초년설과 만년설의 정론 시비가 있었던 만큼 불완전하다는 요소를 내포하고 있었다. 따라서 이진상은 『주자가례』를 그대로 차용하기에는 무리가 있다고 판단한 것이다. 더구나 주자가 만년에 『의례』에 큰 관심을 보였고, 임종할 때도 『의례』를 근간으로 상을 치르라고 하였기에, 『의례』를 통해 예제를 강구하려고 하였던 것이 주자의 본의라는 생각이 강하게 작용하였다.[48] 『주자가례』가 참고한 『서의』 역시 고금의 이의(異宜)를 참작하여 만들어진 것이기는 하지만, 질(質)보다는 문(文)으로 무게 중심이 너무 쏠려서 문질(文質)의 균형이 무너졌다는 점에서 높은 점수를 줄 수 없었다.[49] 이진상이 『의례』를 중시했던 이유는 바로 성인이 지은 예경을 통해 본질과 본원을 강구해야 논례(論禮)의 명징

---

46) 孫汝濟, 『禮書類編』「凡例」: 此書裒輯以儀禮爲主, 而各從門類, 附歷代諸書及先儒議論, 使觀者知所擇焉. / 近世禮家皆以家禮爲本, 而愚陋嘗輯釋義·纂要等篇, 故於此書不復條入云.

47) 李震相, 『四禮輯要』「凡例」: 此編以儀禮爲主, 而凡係古今異宜不可遵行處, 或不載, 而節文之尙可考据者, 先錄之, 以見古意. / 古禮與家禮稍異, 則先用古禮, 而後及家禮, 家禮與古禮同, 則擇其易曉者書之; 張錫英, 『四禮汰記』「跋」(李鉉淑): 竊伏讀晦堂張先生所撰四禮汰記, 本末兼該, 常變彈擧, 此本之儀禮, 參之家禮, 以集成一部書者也.

48) 금장태(『유교의 사상과 의례』, 예문서원, 2000, 274-275쪽)는 영남 예학파에서도 『주자가례』에 매우 높은 권위를 부여하기는 했지만, 그들은 『주자가례』의 완결성보다는 예경의 시원성에 더욱 주목하면서 예학적 관심에서는 예경을 더욱 원형적인 예론의 근거를 제공하는 것으로 받아들였다고 보았다.

49) 李震相, 『四禮輯要』「序」: 蓋儀禮得禮之本, 而間有古今之異宜, 書儀酌禮之宜, 而猶未適乎文質之中也.

성(明澄性)을 확보할 수 있 다고 판단했기 때문이다. 『 사례집요』의 '『의례』(本)-『 가례』(參)'이라는 예서 편찬 의 경향은 이진상의 문인 장석영의 『의례집전(儀禮集 傳)』을 통해서도 그대로 계 승된다는 점에서 이진상 학 단 예학의 특징이라고 규정 할 수 있다.

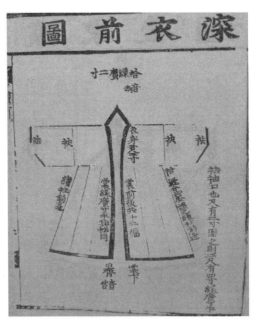

•주자가례의 심의전도•

이진상은 허전의 『사의』 에 대해 많은 부분을 수용 하면서도 심의(深衣)제도에 있어서는 부정적인 입장을 보였다. 이진상이 『사의』가 지어졌다는 사실을 안 것은 방산(舫山) 허훈(許薰, 1836~1907)을 통해서였다. 평소 심의와 상복 제도에 대해 의문을 품고 있었던 이진상이 『사의』에서 이 부분을 상세하게 논했다 는 소식을 듣고서, 허전에게 서간문을 보내 질의한 것이 두 사람의 예학 논 의의 시작이다.

가장 먼저 보낸 서간문은 작성 연도가 표기되지 않아 정확한 시기는 알 수 없지만, 허전이 김해부사를 마치고 한양으로 올라간 뒤 재상의 반열 에 오른 시기라고 했으므로[50] 1870년 무렵으로 추정된다. 이진상은 당시 허훈과의 문답을 통해서도 심의제도에 대한 논의를 진행 중이었다.[51]

---

50) 李震相, 『寒洲集』 卷6 「上許性齋(傳)」. 이진상의 구체적인 질문 내용은 수록되지 않았다. 허전은 답서에서 『가례』를 여러 선현들이 未定之書라고 하였는데, 그 중에서 심의가 가장 정리가 안 된 부분으로 지적되기 때문에 古經을 상고하여 논의를 펼쳤다고 하였다.(『性齋集』 卷5 「答李汝雷 震相」)
51) 李震相, 『寒洲集』 卷16 「答許舜歌別紙(庚午)」. 이 글에서 三袪·袼·喪服 裳幅·袵二尺五寸·爲人後者本親服 등 5조목에 대해 논하였는데, 『사의』에 대한 직접적인 언급은 없다. 「연보」에 따르면, 이진상은 51세(1868년) 가을에

이를 이어 두 번째로 보낸 서간문에서 본격적으로 『사의』 법복편(法服篇)과 논례편(論禮篇)에 실려 있는 심의에 대해 질의한다.[52] 허훈을 통해서 이미 『사의』에 앞사람이 드러내지 못한 부분을 발명한 것이 많다는 얘기를 들었고, 이진상도 문장이 정창(精暢)하고 이치가 소쾌(疏快)하다고 높이 평가하였다. 그러면서 자신의 견해와 맞지 않는 부분에 대해 15조목을 끌어와서 견해를 밝히고 있다. 『사의』에는 특히 심의의 삼거(三祛), 상복의 원메(圓袂)와 12폭(幅) 부분에 새로운 견해가 많았기 때문에 이진상이 의문을 가졌던 것이다.[53] 법복과 논례 두 부분에 대해서 질의한다고 했는데, 사실 이진상의 관심은 법복편에서 논한 심의와 상복이었다. 그가 실제 논의한 조목의 숫자를 보더라도 총 15조목 가운데 법복에 관한 것이 13조목이나 되는 것을 보면, 애초부터 허전에게 묻고 싶었던 것이 이것이었다는 점을 알 수 있다.[54]

세 번째로 보낸 서간문은 1874년의 일이다. 당시 허전은 78세의 나이로 경연에 입시하여 강관(講官)으로서 국가정책에 대해 자문하고 있었고, 57세의 이진상은 동당시(東堂試)를 보러 한양에 간 적이 있다. 이진상은

開寧(지금의 김천)으로 許薰을 방문하여 金烏山·採薇亭·冶隱吉先生遺墟를 돌아보았다. 『사의』 저술에 대해 들은 것은 이 시기로 추정된다. 허훈도 이진상의 논의에 대해 답변한 글이 있다.(許薰, 『舫山集』卷6「答李寒洲論士儀法服喪禮」)

52) 이진상이 본 『사의』는 1870년에 활자본으로 간행한 25권 12책 판본(『허전전집』, 아세아문화사)이었다. 이는 1909년 무렵에 목판본 21권 10책(『한국예학총서』, 경성대 한국학연구소)으로 다시 간행되었다.

53) 李震相, 『寒洲集』卷6「上許性齋」. ①喪冠, 古經及家禮, 何嘗有勿爲布武之證. ②三祛之外, 更有衣身裁制之一言乎. ③喪服記首言削幅, 削幅之外, 更無討衣身制度處. 外削者, 割布幅之外也, 內削者, 割布幅之內也. ④凡幅之斜裁而上狹下廣曰衽. ⑤前三後四, 果是古經耶. ⑥三絢二字, 必是著裳之制. ⑦祛尺二寸, 乃衣身一廂之度也. 尺二寸裁定而其外割去, 則寧有幾寸之歸袂. ⑧苟無袼縫之限界, 則經所云袼之高下者, 何指. ⑨法服篇疑條, 國語鉤近於祛. ⑩檀弓衡長祛. ⑪周禮磬圖註, 矩作鉤. ⑫織絲大帶與組帶, 共爲四寸. ⑬喪服圓袂袼. ⑭宗子編纂王太子條. ⑮異姓奉祀條. 『한주집』부록「연보」53세(1870): 與許性齋(傳)書, 論士儀法服篇(性齋著)疑義(士儀所論法服多創新, 如深衣三祛及喪服圓袂及十二幅之類, 先生屢書論辨之.).

54) 이에 대한 답변은 許傳, 『性齋集』續編 卷2「答李汝雷(震相)」참조.

이때 허전을 찾아가 예의(禮疑)를 강정(講訂)하였다.[55]

이진상이 허전의 『사의』에 대한 의문점을 총결한 저술은 「독허성재사의(讀許性齋士儀)」이다.[56] 저술 연대가 기록되지 않아서 앞 세 편의 서간문과 선후 관계를 정확하게 말할 수는 없으나 논례편·법복편 외에 『사의』에 수록된 전체의 내용을 거론하고 있다는 점에서 보면 가장 나중에 지은 것으로 보인다.

선왕(先王)의 법복(法服) 중에 제도가 남아 전하는 것은 심의가 유일했다. 따라서 허전과 이진상은 모두 심의에 대해 중요하게 인식했다. 하지만 그 구체적 제도에 대해서 이진상은 허전과의 논변을 통해 자신의 견해를 피력하는 한편, 그의 죽음을 앞두고서도 심의를 입었고 염(斂)을 할 때도 심의를 사용하였다.[57] 임종 2년 전인 갑신년(1884)에 조정에서 의제(衣制)를 바꾸어 사인(士人)들에게 소매가 좁은 주의(周衣, 두루마기)를 입으라는 명이 내려졌다. 이때 이진상은 금령(禁令)에 포함되지 않은 심의를 입었고[58], 의제 개혁의 부당성을 피력한 「의제론(衣制論)」이라는 글을 지어[59] 법복인 심의를 통용복으로 할 것을 주장하였다.

위에서 보았듯이 이진상은 주로 심의와 관련하여 『사의』의 설을 논하

---

55) 李震相, 『寒洲集』 부록 「연보」 57세(1874): 發四禮疑問于檜淵書堂(先生時爲講長). ○校正朱書節要輯解(梅山鄭公所著, 先生從妹壻鄭公致翼, 奉書至共校.). ○魁東堂策(時今上始親政, 朝野想望風采. 先生爲赴試, 及赴南省, 見氣象甚淯, 不樂投券卽歸. 金判書學性慨然欲筵奏而未果.) ○謁性齋許公(講訂禮疑, 相得甚懽.), 許公來訪(公語人曰, 吾雖老不可稽謝. 時公尙帶日講官, 屢以停講已久, 不能奏先生名爲愧.).

56) 李震相, 『寒洲集』 卷34 「讀許性齋士儀」.

57) 李震相, 『寒洲集』 부록 「연보」 69세(1886): 十五日子時, 考終于外寢(十四日疾轉劇, 連進參附飮, 夜遂革, 承熙泣請整席加深衣, 纔畢遂恬然而終.). 張錫英·李斗勳·英勳等治喪事(是日以次至), 一依四禮輯要(斂用深衣). 『사례집요』에 의거하여 治喪을 한 사람은 이진상뿐만 아니라 그의 고족인 곽종석도 마찬가지였다.(鄭載星, 『苟齋集』 卷9 「如齋執燭錄 己未」: 治喪諸節, 一遵四禮輯要.)

58) 李震相, 『寒洲集』 부록 「연보」 67세(1884): 朝命變衣制, 令士人服窄袖周衣, 先生只服深衣(惟深衣不入禁令), 作衣制論.

59) 李震相, 『寒洲集』 卷31 「衣制論(甲申)」: 我東衣制之上服三重, 果似煩剰. 如或改之, 當以古法服爲据, 而見今新制之頒, 反取秦隋間不雅之制, 以滋朝野之惑何哉也.

였다. 이진상은 『사의』의 예설 중에 자신의 견해와 합치하는 부분은 적극적으로 수용했지만, 그렇지 않은 독창적인 설에 대해서는 수긍할 수 없었다. 그것은 문자적 의미에서 구하는 것이 많다 보니 의리의 본원을 제대로 궁구하지 못했다는 판단에서였다. 따라서 이진상은 단점은 버리고 장점을 취하는 것이 마땅하지 존신하여 공의(公義)를 해쳐서는 안 된다[60]는 결론을 내렸다.

심의제도와 관련해서 허전 학단과 이진상 학단 사이에, 또는 이진상 학단 내부에서도 의문을 품고 이견을 제시하는 분위기가 팽배하였다. 특히 전자와 관련하여 이진상의 문인 곽종석이 『사의』의 심의제도에 대해 의문을 제기하자, 허전의 문인 박치복이 사단을 일으킬 필요가 없다고 한 일이 있다.[61] 이러한 논의는 의제 개혁의 부당함을 공유한 바탕에서 나온 것으로, 이견의 절충을 통해서 당대에 통용 가능한 심의제도를 마련하고자 한 것이었다.

'모상중행부협제설(母喪中行父祫祭說)'은 『사의』의 설에 대한 일종의 비판적 견해이다. 어머니의 상중에 아버지의 협제를 지낸다는 논의인데, 여기에서 말한 협제란 길제(吉祭)의 다른 표현이다. 일헌(逸軒) 정오석(鄭五錫, 1826~1869)이 세대의 차례를 잇는 일(협제)을 급하게 여겨서는 미안한 일이라고 하자, 이진상은 정위(正位)를 부위(祔位)에 오래도록 둘 수 없고 조위(祧位)가 예가 아닌 제향을 그대로 받아서는 부당하다는 뜻을 두루 거론하여 협제의 당위성을 말하였다.[62] 정오석과의 문답 내용은 『사례집요』

---

60) 李震相, 『寒洲集』 卷34 「讀許性齋士儀」 論禮篇: 通按此編論禮, 大抵多明正的確之旨, 其中論晦菴答曾無疑書辨, 鄙人曾於小禮書說入此意矣. 今見此辨, 節節相合, 尤可喜幸. 但此編所論, 多求於文字蹊徑之間, 不深究義理根源, 如不降本生祖之類是已. 學者當舍其短而集其長, 不當只事尊信, 以害公義耳.

61) 정경주, 「晩醒 朴致馥의 禮說에 대하여」, 『만성 박치복의 학문과 사상』, 술이, 2007, 125-127쪽. 이진상이 『사의』 내용에 대한 의문을 제기하고, 사후에 제자들 사이에 이르러서도 논변이 계속되었는데, 이에 대해서는 정경주, 「性齋 許傳의 士儀 禮說에 대하여」(『동양한문학연구』 19, 동양한문학회, 2004, 254-259쪽) 참조.

62) 李震相, 『寒洲集』 부록 「연보」 43세(1860): 答逸軒鄭公(五錫)書, 論母喪未畢, 當行父祫之義(鄭公槩以急於繼序爲未安, 先生歷擧正位之不可久處祔位, 祧位之不當仍受非禮之享之義, 再三申辨.) 및 『寒洲集』 卷13 「答鄭建叔」.

에서 『사의』의 설을 비판한 안설(按說)에 자세하게 수록하고 있다.[63]

이 논의의 핵심은 어머니의 상중에 아버지의 길제를 행하지 않는다는 『사의』의 설[64]에 대해, 이진상이 조모나 모의 상중에는 조부나 부의 합제를 지낼 수 있다고 정면으로 반박한 것에 있다. 그는 조모나 모의 상은 세대의 교체와 관계되는 바가 없고, 또 정위에 모셔야 될 아버지의 신주를 오래도록 부위(祔位)의 자리에 두거나 체천해야 할 최존조(最尊祖, 상인(喪人)의 5대조)를 계속해서 사당에서 받들 수는 없으므로 모상 중에 부의 길제를 행해야 한다는 결론에 도달하였다.

그런데 어머니의 상중에 아버지의 협제의 당위성을 말한 이진상의 설은 길흉(吉凶)이 도(道)를 달리하여 서로 간섭하지 못한다는 『예기』의 '길흉불상간(吉凶不相干)'[65]과 상충되는 말이었다. 그래서 정재규(鄭載圭)의 문인 남정우(南廷瑀)는 '이진상의 설은 고경(古經)에서 보지 못한 것이며 이진상이 처음 만들어 낸 설'이라고 비판하면서, 흉복(凶服)을 입고 길제를 지내는 것은 다시 살펴야 할 일이라고 이의를 제기하였다.[66]

---

63) 李震相, 『四禮輯要』 卷13 母喪中行父祫祭: 士儀, 三年不祭, 禮也, 則母喪中, 不行吉祭, 固也. 然父喪旣畢, 則不可不入廟, 入廟則不可不改題遞遷. 且親盡之主, 僭不可仍奉也. 然則後喪卒哭後, 殺禮行之, 恐合於無於禮之禮. (按, 此當先論祫之名義. 竊謂禫後之祫, 如虞後之祔, 正其位次, 欲其神之孚合於祖先也. 於是乎有改題遞遷之節, 有合櫝配祭之規, 初非以喪人服吉而祭者也. 大率祖喪中不可行父之祫祭, 子不可先躋正位也. 父喪中不可行祖之合祭, 以其有屬號之碍也. 蓋以喪人名改題, 則祖之曾祖不可題以五代, 父猶受象生之饋, 而又不容遽桃其高祖也. 惟祖母若母喪中, 恐不得不行祖與父之合祭. 蓋易世之事, 不係乎婦人之存亡, 而正位不可以久處旁祔, 最尊之祖不可以久處非禮之地. 若謂凶時不可行吉禮. 則祔與祥練, 已行吉禮矣. 若謂宗子喪哀 未遑正禮, 則家禮之祔祭告遷, 皆以衰服行之, 爲亡靈合祭, 初不可以喪哀之己私廢之也. 且人家之禍變難測, 安知其更無他故乎. 嶺中禮家有喪中不行吉祭之拘. 近世一士人家, 有三位顯考祔在東壁, 八代同一祠, 三十年仍奉者, 極可寒心. 以服則孝巾布深衣, 足以主奠獻, 以禮則不受胙不徹餕而已. 喪畢之祭, 行於喪中, 有何未安. 其祝辭但改歲及免喪, 爲父祖喪已畢.)

64) 이는 『사의』에서 創說은 아니다. 예컨대, 賀循은 "예에 喪이 있는 사람은 제사지내지 않으니, 제사는 吉事이기 때문이다. 길흉이 서로 범하는 것은 예가 아니다[賀循曰, 禮, 喪者不祭, 祭吉事故也. 吉凶相干, 非禮也.]"고 하였다.

65) 『禮記』 「喪服四制」: 凡禮之大體, 體天地, 法四時, 則陰陽, 順人情. 故謂之禮. 夫禮, 吉凶異道, 不得相干, 取之陰陽也.

•체천한 신위를 모시는 별묘•

남정우는 이 설을 『사례집요』에서 본 것이 아니라 사례책제(四禮策題)와 문인들의 이야기를 통해 들었다. 남정우는 이진상의 문인 허유·곽종석·이두훈 등과 교유했으므로 그들을 통해 이 설을 접했을 것으로 본다. 남정우의 스승 정재규 역시 1875년 부친상 중에 있으면서 이진상의 문인 허유를 통해 사례책제를 접하게 되었고, 이를 탐독하는 과정에서 의문사항이나 하고 싶은 말을 혹자의 질문에 답변하는 형식으로 정리하여 『사례의의혹문(四禮疑義或問)』이라는 저서를 남겼다.67)

사례책제를 통한 강론은 이진상의 문인을 중심으로 큰 관심을 일으켰다.68) 사제 간에 사례(四禮)를 주제로 책제가 행해졌다고 하는 것은 이진상

66) 南廷瑀, 『立巖集』 卷10 「答李昌實(完基)」: 至若母喪中行父祫祭, 於古未聞而寒洲之創說也. 其所著四禮輯要, 未之得見, 惟於四禮策題中, 略窺其意, 而又因其門下傳誦, 聞其大槪. 以爲喪中凡祭, 皆自神道而立名, 祫是神道純吉之祭, 人事之服吉服凶, 無所嫌云. 然神人不可離而爲二, 其凶其吉, 與之相須, 且禮者天理人情脗合無間, 而至微而至密, 毫髮有間, 則乖戾矣. 服凶而祭吉, 則神人其果相合, 而理與情其果無間乎. 此當深思而體察處, 不可泛然說去也.

67) 鄭載圭, 『四禮疑義或問』 「跋」.

68) 郭鍾錫, 『俛宇集』 卷31 「與李聖養(正模○庚午)」: 月前奉許丈書, 獲審執史與厚允會于許丈所, 共論四禮策, 固盛事, 未知此擧果得遂否. 若爾則掃萬躬晉, 以擴吾若不克見之誠爲計耳; 李正模, 『紫東集』 卷2 「答許南黎」:

학단의 예학 논의가 굉장히 활발하고 치밀했다는 것을 알려 주는 증거라고 할 수 있다. 그리고 이 자료가 이진상 학단 내에서만 머문 것이 아니라 학단이나 당파가 다른 인근의 학자들에게도 널리 공람되었다는 사실은 19세기 성주권·진주권·밀양권 학자들의 교섭 양상을 말해 준다는 점에서 큰 의의가 있다고 하겠다. 또한 어떤 학자에 의해 제기된 예설이 권역을 넘어 다른 학단의 학자에 의해 적극적으로 검토되고, 당파를 넘어서도 논의를 전개하여 그 주제에 대한 논의가 확산되고, 이러한 과정에서 논의 내용이 치밀하고 공고해지게 되었다는 점을 확인할 수 있다.

이상으로 이진상의 예학 논의에서 특징적으로 거론할 수 있는 점을 세 가지 자료를 통해 살펴보았다. 이진상 학단은 열강의 침략으로 문화적 정체성의 상실이라는 위기의식이 팽배하던 시대적 환경에서 의제(衣制) 개혁이나 독립 운동 등에 있어서 적극적인 현실 대처 의식을 보였다. 이는 예학에도 반영되어 기존의 설을 묵수적으로 받아들이는 태도를 지양하고 본원적 이치에 근간하여 면밀한 재검토를 함으로써 위기의 시대에 대처하는 지식인으로서의 본분에 충실하려고 하였다. 조선이 침략을 받고 국세(國勢)가 위기에 처한 것은 근본이 바로 서지 못한 데 있다고 보아, 예에서도 예의 본원에 대한 주체적 자각을 강조하였던 것이다. 본원의 자각이 명확해져야 확고한 신념이 서고, 이러한 자각과 신념을 통해 민심을 수습하고 자기 문화에 대한 자부심을 가지게 함으로써 외세에 흔들리지 않고 의연하게 대처할 수 있다고 판단하였다.

19세기 중반 이후 영남 내부에서는 당파나 학파 사이의 대결구도가 대체적으로 와해되었다고 할 수 있다. 그러면서도 예의 실천을 위한 세부적인 방법론에 있어서는 학파 사이에 이견이 없지 않아, 기 제출된 예설에 대한 재검토와 비판이 줄기차게 제기되었다. 이진상 학단에서 대표적으로 제기한 것이 바로 근기남인의 예서인 『사의』에 대한 것이었는데, 이는 『사

昨得蕭仲書見, 謂仁丈與鳴遠厚允及正模, 同講四禮策, 此實正模所未聞, 而緣何遠播可訝. 昌可亦貽書誚責以孫姓人曲會參座事, 雖非原情之律, 而可尙其責善之直也; 曹禧奎, 『菖窩集』 卷2 「與鄭厚允」: 四禮策題見已製得成丈, 其用工之深且博可仰; 曹禧奎, 『菖窩集』 卷3 「浦上問答」: 問四禮策題禰廟行冠父祖主之祖字, 非兄字誤耶. 儀禮冠于禰廟, 父兄主之, 此爲可据. 曰据儀禮則當作兄, 而祖在則祖爲主, 亦古禮也.

의』가 독특한 설을 제기하고 있었기 때문이다. 이러한 점은 예설 소통의 측면에서 큰 의미를 갖기도 한다. 역외(域外)에서 유입된 『사의』를 통해 영남지역 남인 사이에서 이를 매개로 학술 교류가 활발하게 이루어졌고, 영남지역 내의 다른 당파까지도 파급되어 예설 논의가 활성화되는 계기를 마련하였던 것이다. 이진상 학단에서 『사의』를 재검토하고 비판한 것은 비판을 위한 비판이 아니라 시대적 위기상황을 극복하기 위한 공통의 관심사에서 출발한 것으로, 상생과 조화를 모색하려는 노력의 일환이었다.

이진상이 『사례집요』라는 독특한 예서를 편찬하고 『사의』를 둘러싸고 활발한 예설 논의를 한 것을 기반으로 하여, 이진상 문인들 가운데는 예학 저술과 논의를 전개한 인물이 많다. 이진상 문인들에 의해 편찬 간행된 예서를 정리하면 아래와 같다.

표-24 <이진상 문인의 주요 예서>

예서명	편저자	권/책 (판본)	서문	발문	현존	사승
四禮節略	管軒 都漢基 (1836~1902)	4/1 (寫)	都漢基 (1892)		○	李震相
冠服輯說	管軒 都漢基 (1836~1902)	1책	都漢基 (1895)			李震相
禮疑問答類編	俛宇 郭鍾錫 (1846~1919)	10/3 (石)	金榥 (1938)	金鎭文(1938) 鄭德永(1935)	○	李震相
六禮笏記	俛宇 郭鍾錫 (1846~1919)	1책 (木活)		미상	○	李震相
贊祝考証	膠宇 尹冑夏 (1846~1906)	4/2 (鉛活)	尹冑夏 (1881)	鄭載星(1927) 尹昌洙	○	許傳 張福樞 李震相
曲禮章句	大溪 李承熙 (1847~1916)		李承熙 (1894)			李震相
內則章句	大溪 李承熙 (1847~1916)		李承熙 (1894)			李震相
禮運集傳	大溪 李承熙 (1847~1916)		李承熙			李震相
九禮笏記	晦堂 張錫英	1책		朴允在(1920)	○	張福樞

	(1851~1926)	(木)		張錫英(1916)		李震相
戴禮管見	晦堂 張錫英 (1851~1926)	1책 (寫)	張錫英 都漢基 (1893)	李承熙	○	張福樞 李震相
四禮節要	晦堂 張錫英 (1851~1926)	1책 (寫)	張錫英		○	張福樞 李震相
四禮汰記	晦堂 張錫英 (1851~1926)	6/2 (木活)	張錫英 (1923)	李永基 / 甘濟鉉 / 李鉉淑 / 沈光澤 (이상 1926)	○	張福樞 李震相
儀禮集傳	晦堂 張錫英 (1851~1926)	17/9 (木活)	張錫英 (1904) 李承熙 (1907)	郭鍾錫(1908) 張東翰(1917) 張佑遠(1917)	○	張福樞 李震相

『유학연원록』에 제시된 이진상의 문인은 129인이다.[69] 이들 중에 주문팔현(洲門八賢)으로 일컬어지는 곽종석·이승희·허유·이정모·윤주하·김진호·장석영·이두훈이 유명하고, 이들은 예학 방면에서도 활발한 논의를 주고받았고 다양한 예서를 편찬하였다. 아래에서는 이진상의 문인 중 성주권에서 큰 결실을 맺은 도한기(都漢基)·이승희·장석영을 중심으로 예학 성과와 특징을 논하기로 하겠다.

관헌(管軒) 도한기(都漢基, 1836~1902)는 『사례절략(四禮節略)』과 『관복집설(冠服輯說)』을 편찬하고, 「심의설(深衣說)」·「가아관례시홀기(家兒冠禮時笏記)」·「쌍묘갈면배위서좌변(雙墓碣面配位書左辨)」·「대례관견서(戴禮管見序)」·「음약례집설서(飲約禮集說序)」 등의 예설 및 예서 서문을 지었다. 이 중에서 『사례절략』에 대해서는 해제를 통해 일부 논의되었는데[70], '사서통행(士庶通行)'과 '빈구가급(貧窶可及)'의 관점에서 사당과 신주 관련 예를 줄이는 등 예를 대폭 간소화였다는 특징이 있다.

『관복집설』은 1895년 단발령이 내렸을 때를 즈음하여 고대의 관복(冠

---

69) 김병호, 『儒學淵源錄』, 유학연원록간행소, 1981, 443-448쪽. 주문팔현의 한 사람인 허유는 許憲으로 기록되어 있다.

70) 유영옥, 「『四禮節略』 해제」, 『한국예학총서』 97, 경성대 한국학연구소, 2011.

服)과 발계(髮髻)의 제도를
궁구한 책이다. 도한기는 이
를 통해 고제(古制)를 탐구함
에 일조가 됨은 물론 외세의
침입과 문화의 변질에 대한
돌파구를 마련하고자 하였는
데71), 예의 본원을 끊임없이
탐구하여 문화적 정체성을
찾고자 하는 신념의 소산이
었다.

「심의설」은 심의제도의
내용을 『가례의절(家禮儀節)
』과 『가례증해(家禮增解)』
및 노론의 예설을 주로 인용
하여 고증한 내용이다. 「가아
관례시홀기」는 자식의 관례
를 치를 때 사용한 홀기만
간략하게 적은 것으로, 예빈

●도한기_사례절략●

홀기(禮賓笏記)가 부기되어 있다. 예빈(禮賓)의 의식을 성대하게 갖춘 예서
로는 장복추의 『가례보의(家禮補疑)』를 들 수 있는데, 동시대 동지역에 살
았던 이진상과 장복추 학단의 예설 소통을 볼 수 있는 대목이다.72)

「쌍묘갈면배위서좌변」은 쌍묘(雙墓)일 경우에 비갈(碑碣) 전면에 배위

---

71) 都漢基, 『管軒集』 卷16 「冠服輯說序」: 今日東方, 儒風未振, 正學將泯,
一自異說紛紜之後, 讀書之聲廖廖, 爲士者只知衣冠文物之遵古爲美, 而其
於古昔冠服髮髻之制, 知其源而講其說者, 蓋絶罕焉. 我國冠服中, 亦有非
古制而遵邦俗, 舍違法而從近頒者, 如笠子網巾之類是已, 其所仍廢, 恐不
無可商者存. 漢基, 地卑學淺, 於此箇古制, 固不敢輕易容喙, 妄自立說, 而
但家藏書史具載聖賢之緒論, 故憂病之中, 涉獵考合, 著成一冊, 名曰冠服
輯說. 間又妄附己意, 畀之兒子, 以爲搜博古制之一助, 而亦有拊心寓慨底
意, 存乎其中, 後之覽是書者, 尙或哀其志而恕其僭也哉.
72) 장복추의 禮賓 의식에 대해서는 정경주, 「四未軒 張福樞 禮說의 論禮 경
향-『家禮補疑』를 중심으로」, 『어문논총』 45, 한국문학언어학회, 2006 참조.

(配位)를 표기할 때 왼쪽에 쓴다는 설에 대한 변론이다. 이에 대해서 예전부터 '석지좌(石之左)'와 '인지좌(人之左)'라는 상반된 설이 있었는데, 이황의 경우에는 '인지좌'가 맞다는 입장을 보인 적이 있다.[73] 도한기가 그와 가장 많은 예학 토론을 가졌던 장석영에게 이를 질문하자, 장석영도 '인지좌'가 옳다는 견해를 제시했다.

•석지좌(石之左)의 배위•

•인지좌(人之左)의 배위•

그런데 도한기는 『주자가례』와 이황·정경세·윤증 등의 글을 인용하고는, '우안(愚按)' 아래에 '석면(石面)의 왼쪽'(쓰는 사람의 오른쪽)이 맞다는 다른 의견을 제시하였다. 그가 근거로 내세운 말은 정경세가 석면 중앙에 부(夫)

---

73) 題主할 때 '奉祀者를 왼쪽에다 쓴다[題奉祀左方]'는 말에 대해 16세기 이황의 제자들도 여러 차례 질의했다. 이에 대해 이황은 『國朝五禮儀』의 도식이 『大明會典』에 근거한 것이고, 『대명회전』은 「家禮圖」에 근거한 것임을 내세워, 明나라 何士信의 『小學書圖』에 있는 '神主左旁'(신주의 왼쪽, 쓰는 사람의 오른쪽)이 잘못이라고 하였다. 그리고 신주를 쓸 때 『주자가례』에서 말한 '其下左方曰孝子某奉祀'뿐만 아니라, 묘비를 쓸 때 '刻於其左轉及後右而周焉'라는 말도 동일하게 글씨를 쓰는 사람을 기준으로 하여 왼쪽을 말하는 것이라고 하였다.

를 쓰고 '기좌방(其左旁)'에 부(婦)를 쓴다고 한 말에서, '기(其)'는 '석면(石面)의'라는 뜻으로 보는 것임이 분명하다는 이유에서이다.

「대례관견서」는 장석영이 편찬한 『예기』해설서인 『대례관견』의 서문이다.[74] 그는 장석영의 부탁을 받고 교정하여 위의 서문을 쓰는 한편, 장석영의 원고에 대해서도 꼼꼼하게 살펴서 생각이 다른 부분을 지적하였다.[75]

대계(大溪) 이승희(李承熙, 1847~1916)는 이진상의 아들로서 『곡례장구』·『내칙장구』·『예운집전』 등을 편찬하였다. 그에 대한 연구는 중국으로 망명하여 독립운동을 전개한 부분에 집중하여 몇 편의 연구가 있었지만, 예학에 관해서는 구체적 성과가 나오지 않은 것으로 보인다. 이승희는 이진상의 『사례집요』를 교정하고 간행하는 일에 힘을 쓰는 한편[76] 『예기』를 독서하여 곡해 와전된 기존의 설을 재검토하는 일에 전력하였다. 그는 자신의 『예기』 독서와 저술 편력을 장석영의 『대례관견(戴禮管見)』 발문에서 이렇게 말하고 있다.

> 대씨(戴氏)가 기록한 『예기』 여러 편 중 「대학」·「중용」처럼 정수(精粹)한 편들은 이미 정자와 주자의 손을 거치면서 표장(表章)되고 장구(章句)로 만들어져 만세의 학자들에게 고하였다. 그 나머지는 정조(精粗)가 구별되지 않고 진가(眞假)가 뒤섞여 그 요령을 터득할 수 없다. 내가 일찍이 망령되이 나의 역량을 헤아리지도 않은 채 「곡례(曲禮)」·「내칙(內則)」 2편을 표출(表出)하여 『대학』·『효경』의 사례에 의거하여 편집(編輯) 간별(刊別)하며 제가의 설을 모아 주석을 달아 후세의 현자를 기다렸다. 또 일찍이 선군자(先君子)의 명을 받들어 전서(全書)를 통독하였는데, 「상대기(喪大記)」 1편은 경문이 바르고 조목이 치밀하고, 「사상례(士喪禮)」·「기석례(旣夕禮)」 등 여러 편과 경위(經

---

74) 都漢基, 『管軒集』 卷16 「戴禮管見序」: 玉山張公晦堂錫英, 以先正裔, 有才行名. 早受家庭緖, 且從名儒學, 其得乎淵源者, 固遠且正. 於性命理氣之學, 造詣甚高, 而竊慨夫挽近異說之猖狂, 且慮夫我東禮義之失正, 乃就戴記中, 潛心硏究, 捻出其疑晦訛誤處, 或證之以先儒說, 或附之己意, 首尾所裒錄者爲數卷, 名曰戴禮管見. 付漢基, 使玩讀而梳洗之, 又托以一言之弁.

75) 都漢基, 『管軒集』 卷9 「與張舜華(癸巳)」.

76) 『사례집요』 교정 작업은 洲門八賢과의 만남이나 서신을 통해 이루어졌다. 교정 과정에서 이승희·장석영 사이에 오간 논의는 李承熙, 『大溪集』 卷11 「與張舜華別紙(四禮輯要疑義)」 참조.

緯)가 되고, 「심의(深衣)」・「투호(投壺)」 등은 제목은 작지만 조리가 정정(井井)하여 또한 삼고(三古)의 전형을 볼 수 있으며, 「학기(學記)」・「악기(樂記)」・「예운(禮運)」・「예기(禮器)」・「잡기(雜記)」・「표기(表記)」・「소기(小記)」 등은 간혹 출입은 있지만 격훈(格訓)이 지극하다. 「왕제(王制)」・「월령(月令)」・「유행(儒行)」 등은 작자가 후세 사람이지만 또한 박식을 추구하는 학자가 채록하는 데 도움이 되기에 충분하다. 그 중에 혹 성인을 무함하고 가짜를 자행하고, 말을 꾸미고 경(經)을 변조하는 것에 대해서도 논변이 없을 수 없다. 함께 착수하고자 하였으나 겨를이 없었다.77)

●장석영_대례관견●

이승희는 『예기』를 읽는 과정에서의 느낌을 '경문이 바르고 조목이 치밀하다' '조리가 정정하다'라는 말로 추숭한 것이 있는 반면에 '간혹 출입이 있다' '작자가 후세 사람이다'고 하여 다소 불만은 있지만 도움이 되는 면

---

77) 李承熙, 『大溪集』 卷32 「書張舜華所著戴禮管見後」: 戴氏所記禮記諸篇, 其粹者如大學中庸, 已經程朱夫子, 表章而章句之, 以詔萬世學者. 其餘珉珷雜彩, 傀儡亂眞, 莫有得其要領者. 承熙嘗妄不自量, 表出曲禮內則二篇, 依大學孝經之例, 編輯刊別, 集諸家說而註之, 以俟來哲. 又嘗奉先君子命, 通讀全書, 以爲喪大記一篇, 經正而條密, 與士喪禮既夕諸篇相經緯, 深衣投壺等篇, 題目雖小, 條理井井, 亦可以想見三古典型, 學記樂記禮運禮器雜記表記小記等篇, 雖間有出入, 極有格訓. 王制月令儒行等篇, 作者後世也, 然亦足以資博雅之采擷. 其或誣聖售僞, 梔辭詭經, 亦不能無辨也. 俱欲下手而未暇也.

도 있다고 평하였다. 마지막에 가서 반드시 논변해야 할 대상을 '성인을 무함하고 가짜를 자행하였다' '말을 꾸미고 경(經)을 변조하였다'는 등의 말로 논하였다. 그는 『곡례장구(曲禮章句)』와 『내칙장구(內則章句)』를 편찬함으로써 사이비가 뒤섞이고 어중이가 혼란시킨 예경의 본모습을 되찾으려 하였다.

이승희가 『예기』를 재해석하게 된 것은 부친 이진상의 계도에 의한 것이었고[78] 『곡례장구』와 『내칙장구』 외에 『예운집전(禮運集傳)』까지도 착수하였다. 『예기』 여러 편에 대해 새롭게 접근하려고 했던 그는 3종의 예서와 위의 인용문에서 언급한 몇 편 외에 「소의(少儀)」·「단궁(檀弓)」 등의 문제점도 지적하여 면밀한 재검토가 필요하다는 입장을 보이기도 하였다.[79]

이승희와 장석영은 자신들이 지은 예서를 서로 교환하며 이견을 말해 줄 것을 청하였다. 이승희는 『대례관견』 발문과 『의례집전(儀禮集傳)』 서문을 지었고, 장석영은 『곡례장구』를 읽고 자신의 의견을 개진하였다.[80] 이들은 『예기』에 대한 공통 관심사를 바탕으로 절차탁마할 수 있었고, 이를 저술로 드러내어 예학 논의의 근원이 되는 예경에서 논란이 되는 부분을 다시 검토하였다. 이진상 학단에서는 혼란에 휩싸인 조선말기의 현실사회를 구할 수 있는 유일한 대안을 고경(古經)에 제시된 본원을 추구하는 것에서 찾았고, 이를 통해서 조선의 문명을 복원하여 성인(聖人)의 이상이 실현되는 세상을 마련하고자 하였다.

---

78) 李承熙, 『大溪集』 卷31 「曲禮章句序」: 承熙早歲讀小學, 因得曲禮之文而竊喜之. 旣承先君子命, 讀戴氏禮記, 輪流通習, 積歲參究. 凡此書一句一節之佚出他編者及後人文字之錯入於此書者, 皆若瞭然於心目之間, 乃敢不揆僭妄, 竊取子朱子遺意, 剔而別之, 采而蒐之, 章以類之, 句以正之, 復參集諸家註解, 亦或附以謏見, 以著其義. 繼而游心用力十有餘年, 因得與一二朋友, 往復訂正, 克成此編.

79) 李承熙, 『大溪集』 卷11 「與張舜華」: 玉藻乃曲禮之逸簡, 而內則逸者附焉, 而自做一篇, 少儀則漢時儒者得曲禮遺簡而傳會之, 以應購書之詔者, 檀弓則乃子游氏之後儒浮誕喜事者, 贗作一書, 因勒取曲禮幾節而文之者.

80) 『곡례장구』와 관련해서는 李承熙, 『大溪集』 卷11 「與張舜華」·「答張舜華別紙(曲禮集註疑義)」와 張錫英, 『晦堂集』 卷4 「與李啓道(辛卯)」에서 서로 간의 의견을 엿볼 수 있다.

이승희는 블라디보스토크로 망명한 이후 중국에 들어가 유교의 진흥을 도모하였는데, 그는 부친의 저술을 가지고 가서 북경에서 중국 선비들과 강론하기도 하였다. 그 과정에서 예속이 무너진 상황에서도 이진상이 『사례집요』를 저술하여 고례에 따라 예를 실행하였다고 하면서, 자신의 집안에서는 선친의 예법을 준수하여 삼가(三加)와 친영(親迎)의 예를 지켜가고 있음을 전하였다.[81] 이는 이진상이 『사례집요』를 편찬하면서 『의례』를 근본으로 한 것과 맥을 같이 하는 것이다. 예의 본원을 명료하게 밝힘으로 해서 예치를 실현하려는 이진상 학단의 사상적 대처까지 반영된 것이었다.

회당(晦堂) 장석영(張錫英, 1851~1926)은 성주권 예학을 총합하여 의미 있고 다양한 종류의 예학 저술을 남겼다. 그는 장복추를 통해 9대조 장현광 이래로 이어지는 가학을 전수받고[82], 정구(鄭逑) 집안과도 통혼하는 한편, 이진상 문하에 입문하여 뛰어난 성과를 이루었다. 지금까지 장석영에 대한 연구는 한시(漢詩)에 나타난 현실인식을 탐구한 논문, 파리장서운동과 관련한 논문, 칠정이발설(七情理發說)에 대한 짧은 논설[83] 정도가 보고되었다.

그의 예학 연구는 이진상의 예학 경향을 준수하여 『의례』·『예기』의 독

---

81) 李承熙, 『大溪集』 卷10 「答南聖行(甲寅)」: 最可痛哭者, 今中華自共和以來, 廢孔子祀, 閣其經, 士子不讀春秋, 天下之人不識儀禮, 而理一字無可容之地. 承熙之入中州, 奉先考理學綜要春秋集傳四禮輯要三書, 藏一部于孔子之堂, 一部于北京, 與士類之秀者講之, 間得幾人同者, 然猶猶淘金於沙矣. ; 卷28 「北京筆話」(龍積之筆話 甲寅): 積之曰, 貴國禮敎不廢, 冠禮皆三加否. 答, 鄙邦禮俗亦墮, 鮮能實行三加, 至於昏禮, 又或不備六禮. 吾先君子著四禮輯要, 定行古禮, 鄙人嫁女娶子, 冠必三加, 婚皆親迎, 謹遵而不敢失也.

82) 장복추와의 예설 문답은 문집에 1편밖에 보이지 않는다.(張錫英, 『晦堂集』 卷3 「上再從叔四未軒先生(己丑)」) 國恤 중에 私喪의 제사에 대해 衆說이 분분한데, 어느 설에 기준하여 지낼 것인가에 대한 물음이다. 『사미헌집』에도 장석영에게 답한 1통의 서간문만 있는데(卷5 「答再從姪錫英 別紙」), 『대학』과 『중용』에 언급된 誠意와 사단칠정에 대한 답변이다.

83) 이택동, 「晦堂 張錫英論」, 『한국고전연구』 19, 한국고전연구학회, 2009; 임경석, 「유교 지식인의 독립운동: 1919년 파리장서의 작성 경위와 문안 변동」, 『대동문화연구』 37, 성균관대 대동문화연구원, 2000; 유명종, '晦堂 張錫英의 七情理發說', 『朝鮮後期 性理學』(한국사상사Ⅱ), 이문출판사, 1985; 이형성, 「한주학파 성리학의 지역적 전개양상과 사상적 특성」, 『국학연구』 15, 한국국학진흥원, 2009.

서 과정에서 의문 조항을 정리 재해석하고, 이를 관혼상제 체재로 재편하는 한편, 가례는 물론 학례·향례에 이르기까지 그 의식절차를 강구하고, 세부적으로는 도식·홀기 등을 마련하는 데도 많은 관심을 기울였다. 이러한 예학 성과를 통해 장석영은 조선말기에서 일제강점기에 이르는 극도의 혼란기에 전통을 보수하려는 구심점 역할을 하였다.

장석영은 '예학에 장석영'이라는 평가를 들을 만큼[84] 예학 방면에 대단한 관심과 정력을 기울였고 큰 두각을 드러냈다. 『의례집전(儀禮集傳)』을 비롯하여 『구례홀기(九禮笏記)』·『사례태기(四禮汰記)』·『사례절요(四禮節要)』·『대례관견(戴禮管見)』 등 그의 예학 저술을 감안할 때 '예학에 장석영'이라는 표현은 절대로 과장된 것이 아니다. 또 『회당집』에는 「답김진옥별지(答金振玉別紙)」 외에 「치포관설(緇布冠說)」·「계사설(筓纚說)」·「심의설(深衣說)」·「소모설(小帽說)」 등 관복제도(冠服制度)에 관한 글이 다수 보인다. 그의 여러 가지 예서와 예설 중에서 『의례집전』은 조선조 예학사에서 독특한 면이 있기 때문에 이를 중심으로 살펴보기로 하겠다.

『의례집전』은 장석영 예학의 결정체라고 말할 수 있다. 이는 「사관례(士冠禮)」부터 「근례(覲禮)」까지 『의례』 전체를 두루 검토한 결과물로, 고례의 본질과 원의를 정확하게 강구하고자 하는 목적에서 찬술되었다. 그는 『의례집전』을 저술하기에 앞서 이미 『사례절요』를 지은바, 『사례절요』는 중설(衆說)을 두루 찾아서 적용(適用)의 요체를 만들려는 것이었다. 그 뒤에 '적용은 예에 있어서 말단이므로 반드시 그 근본을 강구해야 예를 제대로 말할 수 있다'는 점을 파악하고는, 『의례』를 읽으면서 장(章)을 나누고 목(目)을 세워 참고하여 근거로 삼기에 편리하도록 하였다.

장석영은 예학 연구에 있어서 『의례』를 기본 교재로 삼았다. 예학 논의에 있어서 본질과 원의를 강구한다는 것과 현재의 현장에 적용하는 것

---

84) 우인수, 「사미헌 장복추의 문인록과 문인집단 분석」, 『어문논총』 47, 한국문학언어학회, 2007, 87쪽. 장복추의 문인 중에 뛰어난 제자들을 일컫는 말로 四秀十君子라는 표현이 회자되는데, 四秀는 金鎭學·金昌鉉·金護林·吳致仁, 十君子는 張升澤·尹冑夏(이기)·張錫英(예학)·宋浚弼(도학)·曺兢燮(문장)·張允相(역학)·李基馨(의리)·張志淵(위명)·張錫贇(효행)·張時澤(효행)을 가리킨다.(『朝鮮後期 嶺南의 儒宗 四未軒先生의 生涯와 學問思想』, 사미헌선생기념사업회, 2004)

은 별개의 문제이다. 『주자
가례』는 적용에 초점을 맞
추어 편찬된 것으로, 적용
이라는 것은 시대와 장소에
따라서 변하는 것이다. 반
면에 그 예가 담고 있는 본
질과 원의는 『의례』에 명시
되어 변함이 없다. 그렇게
때문에 장석영은 예를 연구
함에 있어 『의례』의 탐구가
무엇보다도 선행되어야 한
다고 인식하였다.[85]

그런데 『의례』의 경문
(經文)은 번(煩)하고, 주가
(註家)는 간(簡)하고, 소가
(疏家)는 사(僿)하다는 등의
문제로 후인들이 읽기 어렵

●장석영_사례태기●

다는 난제를 안고 있었으므로, 고례의 원의를 정확하게 재해석하는 한편
시의(時宜)에 맞게 재편할 필요성을 느꼈던 것이다. 그리하여 부분적으로
상례의 중(重)이나 제례의 시(尸) 등 고금의 마땅함이 다른 것은 그의 당대
에 행하기 어렵다는 점으로 인식하였지만, 기본적으로는 금례(今禮)는 고례
에서 나온 것이므로 고례를 자세히 상고하면 행하지 못할 것도 없다는 입
장에서 편찬하였다.[86]

---

85) 張錫英, 『儀禮集傳』「序」: 儀禮, 禮之三尺也, 周公旣攝政制作以降, 德于
衆兆民, 爲萬世之大防, 此篇其一也. 漢唐以降, 作者甚多, 而率皆合乎時
宜, 古禮則不講. 蓋禮時爲順, 而時有古今之異也. 朱夫子嘗曰, 儀禮難行,
聖人出也, 須立定一制, 此家禮之所以作而損益之義可見也. … 家禮爲未定
之書, 而禮家無斷例, 古禮之所以不可不講也.
86) 張錫英, 『儀禮集傳』「總目」凡例: 今人開口說古禮之不可行於今, 而殊
不知今禮之源委曲折未必不以古禮爲本子也. 好古者一一考得細, 自無不可
行之理, 而只如喪禮之重祭禮之尸, 此等處古今異宜, 恐亦行不得.

●장석영_의례집전●

이런 언급은 본질이 되는 부분은 시행할 수 있고, 고금의 이의(異宜)가 되는 것은 실행할 수 없다는 것이다. 『의례집전』이 『의례』의 내용과 절차를 모두 복원하여 시행하자는 것이 아니라, 예의 본질이 되는 부분은 어느 시대와 어떤 상황 하에서도 실행이 가능하다는 점에서 편찬된 것임을 보여 주는 것이다. 이진상 학단에서 누차 강조했던 예의 본질 탐구가 갖는 의도도 바로 이 부분에 있는 것이다.

『의례집전』의 전체 구성은 서(序), 의례집전총목(儀禮集傳總目), 본문(本文), 발(跋)로 되어 있다. 이 중 총목에는 본경범례(本經凡例) 10조목, 본경편목(本經篇目), 집전중소인서목(集傳中所引書目), 집전중소인선유성씨(集傳中所引先儒姓氏), 집전중소인동국서목(集傳中所引東國書目) 등이 포함되어 있다. 범례에 언급된 편찬 원칙을 간략하게 정리하면 다음과 같다.

첫째, 기존의 편차를 바꾸어 사례(四禮), 향례(鄕禮), 공조례(公朝禮) 순으로 한 이유는 선후완급의 순서가 있기 때문이다. 둘째, 『의례』각 편은 장(章)이 구분되지 않아 읽기 어려우므로 『의례경전통해(儀禮經傳通解)』의 체재를 따라 장(章)을 나누고 목(目)을 세웠다. 셋째, 관혼상제나 향음례(鄕飮禮) 등은 다른 책을 널리 인용하여 뜻을 해석했지만, 공조례에 대한 논의는 드물기 때문에 인용한 것이 아주 소략하다.

『의례집전』은 조선조 경학사에 있어서 중요한 의미를 지닌다. 중국에서는 『의례』에 주석이나 고증을 가한 저술이 제법 제출되었지만[87], 조선조에 편찬된 『의례』에 대한 저술은 극히 적다. 『의례』와 관련된 전문적인 연구 성과 중에 『의례』를 읽으면서 의심나는 특정 부분에 대해 질문을 제기하고 답안을 마련해 보는 차의(箚疑) 형식의 단편적 논설은 있다. 그렇지만 『의례』 전체에 대해 주해(註解)를 보탠다거나 새롭게 편성을 시도한 사례는 극히 드물다.

조선조에 편찬된 『의례』 관련 저술을 정리하면 다음과 같다.

표-25 <조선조에 편찬된 『의례』 관련 예서>

서명	편저자	권/책(판본)	서문	발문	당색	사승	비고
儀禮補編	明谷 崔錫鼎 (1646~1715)	현존 미상	崔錫鼎 (미상)		少論	南九萬 李慶億	
儀禮經傳通解補	南塘 韓元震 (1682~1751)	11/7 (木)		金羲淳(1805) 韓元震(1742)	老論	權尙夏	儀禮經傳判弼補
儀禮訓義	文庵 李宜哲 (1703~1778)	10책 현존 미상			老論	李縡	文庵集-연세대
儀禮經傳記疑	三山齋 金履安 (1722~1791)	2권			老論	金元行	『삼산재집』 권11-12
儀禮九選	趙鎭球 (1765~1815)	11/5 (寫)			老論	吳熙常 교유	別編 있음
儀禮集傳	晦堂 張錫英 (1851~1926)	17/9 (木活)	張錫英 (1904) 李承熙 (1907)	郭鍾錫(1908) 張東翰(1917) 張佑遠(1917)	南人	李震相 張福樞	

『의례집전』 범례에서 "『의례』에 대한 주석서가 거의 없는데, 문암 이의철의 『의례훈의』에서 많은 도움을 받았다."고 한 것으로 보아 이의철의 논저가 있었던 모양이다. 또 이보다 앞서 송국재(松菊齋) 이파(李坡, 1434~1486)가 『의례』에 뛰어났지만 논저를 남기지 않았다고 하였다. 표에 제

---

87) 오강원 역주, 『儀禮』 3, 청계, 2000, 1177-1178쪽에는 중국에서 편찬된 『의례』 관련 저술 20여 종 정리되어 있다.

시된 저술 가운데 한원진의 『의례경전통해보』는 주자의 『의례경전통해』를 보완하는 서적이므로 엄밀히 말하자면 『의례』에 관한 직접적인 주해서는 아니다. 김이안의 저서는 문집 잡저에 수록된 것이므로 단독 예서로 보기는 힘들 듯하다.

　그렇다면 남은 것은 시기적으로 가장 나중에 나온 조진구의 『의례구선』과 장석영의 『의례집전』을 가지고 이야기를 할 수밖에 없다. 상호 비교를 위해 『대대례』, 『소대례』, 『의례』, 『의례구선』, 『의례집전』의 편차를 살펴본다.

표-26 <『대대례』·『소대례』·『의례』·『의례구선』·『의례집전』의 편차 비교>

『大戴禮』 (戴德)	『小戴禮』 (戴聖)	『儀禮』 (鄭玄)	『儀禮九選』 (趙鎭球)	『儀禮集傳』 (張錫英)
		제1 士冠禮	권1 士冠禮	권1 士冠禮
		제2 士昏禮	권2 士昏禮	권2 士昏禮
제3 士相見禮	제3 士相見禮	제3 士相見禮	권3 喪服	권3 士喪禮
제4 士喪禮	제4 鄕飮酒禮	제4 鄕飮酒禮	권4 喪服	권4 旣夕禮
제5 旣夕禮	제5 鄕射禮	제5 鄕射禮	권5 士喪禮	권5 士虞禮
제6 士虞禮	제6 燕禮	제6 燕禮	권6 士喪禮	권6 喪服
제7 特牲饋食禮	제7 特牲饋食禮	제7 大射儀	권7 旣夕禮	권7 特牲饋食禮
제8 少牢饋食禮	제7 大射儀	제8 聘禮	권8 士虞禮	권8 少牢饋食禮
제9 有司徹	제8 士喪禮	제9 公食大夫禮	권9 特牲饋食禮	권9 有司徹
제10 鄕飮酒禮	제9 喪服	제10 觀禮	권10 少牢饋食禮	권10 士相見禮
제11 鄕射禮	제11 少牢饋食禮	제11 喪服	권11 有司徹	권11 鄕飮酒禮
제12 燕禮	제12 有司徹	제12 士喪禮		권12 鄕射禮
제13 大射儀	제13 士虞禮	제13 旣夕禮		권13 燕禮
제14 聘禮	제14 旣夕禮	제14 士虞禮		권14 大射儀
제15 公食大夫禮	제15 聘禮	제15 特牲饋食禮		권15 聘禮
제16 觀禮	제16 公食大夫禮	제16 少牢饋食禮		권16 公食大夫禮
제17 喪服	제17 觀禮	제17 有司徹		권17 觀禮

　『의례구선(儀禮九選)』은 본편(本編) 11권과 별편(別編) 4권으로 구성되어 있다. 이 중에서 본편은 『의례』 17편 중 9편만 선별했는데, 그 내용은 『주자가례』의 편목과 같이 관혼상제에 한정된다. 별편에는 『의례』에 수록되지 않은 『주자가례』의 통례(通禮)·변례(變禮), 사당(祠堂)·심의(深衣) 등에 관한 내용을 기록했다. 『의례구선』의 수록 내용과 편찬 방침은 『주자가례』

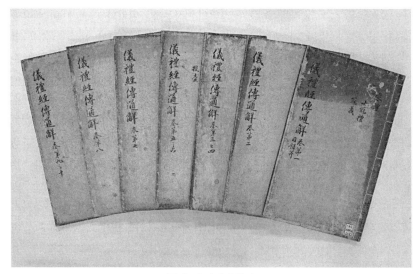

•주희_의례경전통해•

의 경전적 근원이 『의례』에 있음을 밝히고, 『주자가례』가 『의례』를 바탕으로 통변(通變)한 효율적인 책임을 증명하려는 의도를 담은 것으로 보인다.[88] 이런 점에서 볼 때 『의례구선』에서 주안점을 두고 있는 책은 『의례』보다는 『주자가례』에 있는 것이다.

이와 달리 『의례집전』은 『의례』 전편에 대한 제가의 설을 모은 것으로, 조선조 예서에서 전례가 없는 것이다.[89] 『의례집전』 17권의 구성 방식을 정현(鄭玄)의 『정목록(鄭目錄)』에 의한 『의례』 편차와 비교하면, 『의례』 제11 「상복」부터 제17 「유사철」까지를 향례(鄕禮)인 「사상견례」 앞으로 옮겨서 배치한 점이 가장 큰 특징이다. 또 『의례구선』과 비교하면, 「상복」을 「사우례」 뒤에 두거나 향례와 공조례 부분을 포함시킨 점이 다르다.

---

88) 趙鎭球, 『儀禮九選』「凡例」: 家禮必因古禮而見焉. 如冠昏喪禮, 其儀節次序, 與儀禮不甚遠, 故逐類分錄. 如祭禮, 古今異宜, 不得相屬, 乃以時祭及初祖先祖禰三祭, 并附有司徹之下. 至於通禮之祠堂深衣, 喪禮之奔喪弔賻狀式, 及忌墓祭, 蓋儀禮之所未有也, 故只得附之別編, 覽者詳之.

89) 장석영과 동문인 郭鍾錫의 문인 중에서 眞菴 李炳憲(1870~1940)이 今文經學의 관점에서 『의례』 17편 전체를 대상으로 註釋한 『禮經附注今文說考』를 편찬하였다.

장석영은 상례와 제례 이하가 정현의 『정목록』 편차와 다르게 된 이유에 대해, 범례에서 밝힌 것 외에도 사상례제삼(士喪禮第三)에서 안설(按說)을 달아, 관혼상제 사례가 예 중에서 중요한 것이기 때문에 사례, 향례, 공조례 순으로 차서를 정리했다고 밝혔다. 한편 「상복」을 「사우례」 뒤로 배치한 것에 대해, 장석영은 상복제육(喪服第六)에서 "「상복」편이 『대대례』에는 제17, 『소대례』에는 제9, 『정목록』에는 제11에 있지만, 여기에서는 제6권에 두었다."고만 하여 구체적인 이유에 대해서는 설명하지 않았다. 이는 상복은 상을 당했을 때부터 상을 마칠 때까지, 상중의 변제(變除)의 절차까지 관련이 되는 부분이고, 『의례』에 별도의 편명으로 독립되어 있다는 점을 고려한 것으로 판단된다. 반면 『의례구선』에서 「사상례」 앞에 「상복」을 편성한 것은 『주자가례』의 편차를 따르고 있는 것이다. 이 점에서도 『의례집전』과 『의례구선』이 갖는 의미가 확연히 구별된다.

『의례집전』의 편찬에는 이진상의 『사례집요』의 영향이 무엇보다도 크게 작용했을 것으로 보인다. 이진상이 본원을 강구한다는 측면에서 『의례』를 중심으로 『사례집요』를 편찬했는데, 『의례집전』 역시 본원을 강구한다는 측면에서 『사례집요』를 계승하였다. 더 나아가서는 사례(四禮) 외의 사례(士禮)에 대해서도 두루 강구한 점은 『의례』가 사례(士禮)라는 학계의 논의를 반영하여 편성한 것으로 볼 수 있다.

장석영은 삼례 경전을 통하여 예의 본원과 본질의 탐색을 중시했던 이진상의 예학 관점을 계승하여, 『의례집전』 외에 『예기』를 재해석한 『대례관견』을 편찬하기도 하였다. 장석영은 "예를 논하면서 고례에 근본하지 않는다면, 물을 보려고 하면서 원천(源泉)을 궁구하지 않는 것과 같고, 월(越)나라로 가려고 하면서 수레를 북쪽으로 향하도록 하는 것과 같다."는 비유를 들었다.[90] 이는 삼례 경전의 탐구가 예를 연구하는 데 있어 기초가 된

---

90) 張錫英, 『儀禮集傳』「序」: 論禮而不本於古禮, 則是猶觀於水而不窮其源, 適夫越而北其轅. 곽종석도 經禮에 대한 이해가 우선이고 記傳·諸書를 통한 발명이 다음이라는 생각을 갖고 있었으므로 『書儀』나 『家禮』만 가지고 논하고 그 소종래를 탐구하지 않는 행태에 대해 비판하였다. 이런 생각을 하던 차에 『의례집전』을 보게 되었고 발문을 쓰면서 공감한 바 있다.(郭鍾錫, 『俛宇先生年譜』戊申(63세, 1908) 跋張舜華儀禮集傳: 先生嘗言治禮先須從經禮理會, 然後乃以記傳諸書交發之. 近世言禮者往往只知有書儀家禮而不

다는 점을 분명히 천명한 것이다. 그래서 그는 『의례』의 본문을 근본으로 하고 제가의 설을 절충하여 경문의 본지를 해석하였다. 그리고 주소의 오류는 자신의 의견이나 제설로 그 시비를 논증하였다.[91]

『의례집전』은 『의례』를 통해 예의 본질과 본원에 대한 탐색을 강구한 이진상 학단의 예학 경향이 반영된 것이다. 그리고 정현과 가공언의 주소(註疏)를 바탕으로 읽혀지던 『의례』의 미비점과 오류를 중국과 우리나라의 예론을 섭렵하여 수정 보완함으로써 정밀도를 높였다는 점에서 의의를 부여할 수 있다. 위에서 살폈듯이 의례학에 대한 국내의 전문적인 서적이 미비한 상태에서 『예기』에 치우쳐서 연구되었던 조선조 예학의 흐름에서, 경례(經禮) 연구의 편폭을 확장했던 영남지역 예학의 특징적 면모를 여실히 보여 주는 것이라 하겠다.[92]

장석영의 또 다른 예서인 『구례홀기』는 특별한 의미를 가진다. 『구례홀기』는 향음주례, 향사례, 투호례, 사상견례, 상읍례, 향약월회례(鄕約月會禮), 석채례, 학교례, 관례 등 9장으로 구성되었다.

이는 향례·학례의 행례를 주목적으로 하여 편찬한 것이다. 관혼상제 외에 향촌에 거주했던 사족들이 관여하지 않을 수 없던 사례(士禮)에 대한 관심을 보여 준 것이고, 이를 예학 논의의 범위로 확장했던 경향을 보여 준다. 이는 도(道)가 상실되고 예악이 폐기된 상황에서 향례를 찬정함으로써 성현의 제례작악(制禮作樂)의 정미한 뜻을 회통(會通)하여 예속(禮俗)의 성취를 이루려는 의도였다. 지역사회에서 사족의 역할을 강조하고 사족의 정체성을 확보하기 위한 방편으로 각각의 조목들이 구성된 것이다.

장석영의 문인은 117인으로 알려져 있다.[93] 이 중에는 『구례홀기』 간

復尋其所自來, 其欲推究經文者, 亦患注疏之牽强繁剩, 無由以得其本指. 每因學者論質, 微示去就, 而未有論著, 及見張公書成而爲之跋, 以見意焉.)

91) 張錫英, 『儀禮集傳』「序」: 顧惟年近六十, 日暮途遠, 今不下手而更過幾年, 精力漸盡, 則將抱平生之恨而無濟於事矣. 乃敢分章立目, 以便考據, 而折衷於註疏之間, 刪其煩而補其闕, 以釋經文之旨. 經文之不備者, 補之以家禮及諸賢之說, 註疏之有誤者, 駁以己見, 而雜引諸說, 以證其是非. 乃所以修明經旨, 而亦欲其參酌乎時宜也.

92) 『儀禮』와 마찬가지로 『周禮』에 대한 연구도 조선조에서 그리 활발한 편은 아니었다. 대체적으로 보면 龍洲 趙絅, 星湖 李瀷, 茶山 丁若鏞, 古今堂 盧德奎, 小訥 盧相稷 등 근기남인 계통에서 주로 연구된 것으로 보인다.

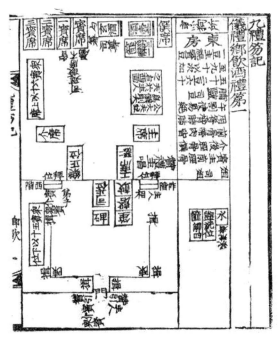

•장석영_구례홀기•

행에 힘쓴 심학환(沈鶴煥, 1878~1945), 허홍(許泓, 1879~?), 박윤재(朴允在), 『사례태기』 간행을 주도한 이영기(李永基, 1878~1948), 감제현(甘濟鉉, 1881~?), 이현숙(李鉉淑), 심광택(沈光澤) 등이 있고, 이들 외에 하겸진(河謙鎭)에게 장석영의 묘갈명을 청탁하고 「회당선생문집발(晦堂先生文集跋)」을 지은 손후익(孫厚翼, 1888~1953), 장석영을 선생이라 칭하며 서간문·만사제문을 지은 김계윤(金季潤, 1875~1951), 심종환(沈鐘煥, 1876~1933), 강태수(姜台秀, 1872~1949) 등을 거론할 수 있다.

장석영의 예서와 예론은 나라를 잃은 지식인의 임무와 역할이 무엇인지를 보여 주고 있다는 점에서도 시사하는 바가 크다. 장석영은 오랑캐가 횡행하여 인륜이 폐기되고 예속이 무너진 상황에서 유가지식인으로서 어떻게든 이를 붙잡아서 인문(人文)이 빛을 발하는 문명사회로 다시 환원시켜야 한다는 사명감을 어느 누구보다도 강하게 갖고 있었다.

예경(禮經)의 본질과 본원을 밝힘으로써 예를 통한 인간의 인간다움을 역설한 그는 이진상의 영향 아래 삼례 경전을 면밀하게 검토하여 변질되고 와해되어 가는 예속을 부지하고자 하였다. 조선 문화의 정수를 다시 만

---

93) 김병호, 『儒學淵源錄』, 유학연원록간행소, 1981, 693-701쪽.

회하기 위해서는 예의 본질에 대한 심각한 고민이 있어야 했던 것이다. 그는 이 과정에서 단순히 독해하기 어렵다는 생각과 번잡하다는 편견에서 비롯된 고례의 불신 풍조를 불식시키고자 하였다. 그러면서 기존의 설을 무비판적으로 묵수하거나 경전의 근거에서 이탈한 예설을 제출하는 학자들의 문제점을 지적하여 천리(天理)와 인문(人心)에 근간한 예속을 부지하고자 하였다.

이상과 현실이 충돌할 때의 반응을 보면 강경함과 나약함으로 극명하게 대비되어 나타난다. 위기상황에 안주하거나 타협하며 주저앉는 부류가 있는 반면에 냉혹한 현실을 뚫고 나가서 피운도천(披雲覩天)하며 끝내 자신의 목표와 철학을 관철하려는 부류도 있다. 장석영의 마음속에는 뚫고 나아가야 한다는 한 길만이 존재했을 뿐, 우회하거나 타협하는 길은 존재하지 않았다고 할 수 있다.

5. 기타

이진상의 주문팔현(洲門八賢) 가운데 후산(后山) 허유(許愈, 1833~1904)는 허전(許傳)을 찾아가기는 하였지만 제자가 된 것은 아니고 이진상만 스승으로 삼았다.[94] 그는 이진상과 가장 밀접한 관계를 유지했고, 이진상 사후 이승희는 그를 부형처럼 여겼다. 정재규(鄭載圭)·김진호(金鎭祜) 등과 예에 대해 오고간 문자가 있고, 잡저로는 「논형제가위소목(論兄弟可爲昭穆)」을 남겼다. 자동(紫東) 이정모(李正模, 1846~1875)는 이진상과 박치복(朴致馥)에게 배웠는데 30세에 요절하여 예학에 대해 논한 것이 거의 없다. 홍와(弘窩) 이두훈(李斗勳, 1856~1918)은 이진상의 족자(族子)로 이진상의 문하에 들어간 후로 항상 문하에 머물며 모셨다.

성주(星州)의 만구(晚求) 이종기(李種杞, 1837~1902)는 류치명(柳致明)과 허전의 문인이었다. 당시 학자들이 사승 관계에 얽매이지 않고 개방적 교유

---

94) 허권수, 「后山家門의 形成과 后山의 學問的 경향」, 『남명학연구』 19, 경상대 남명학연구소, 2005, 29-31쪽.

관계를 보이는 경우가 많았듯이, 이종기 역시 이원조(李源祚)·정내석(鄭來錫)·장복추·이진상·김흥락(金興洛)·노덕규(盧德奎) 등 선배들과 서간문을 수수하고, 허훈(許薰)·윤주하(尹胄夏)·박치복·김진호·허유·곽종석(郭鍾錫)·장석영(張錫英) 등 류치명·허전·장복추·이진상 학단의 학자들과 폭넓게 교유하였다. 문인으로는 안효제(安孝濟)·허채(許埰)·이병희(李炳憙)·조용섭(曺龍燮)·김병린(金柄璘)·김태린(金泰麟) 등을 길러 냈고, 허전의 행장과 연보 편찬 및 『성재집』 간행을 논하는 일에 깊이 관여했다. 당대 영남 지식인과의 폭넓은 교유와 강학활동의 양상은 25권 14책에 달하는 그의 문집이 말해 주고 있다.

이종기는 단독 예서를 편찬하지는 않았지만 「답안복초예기문목(答安復初禮記問目)」·「부재모상십오월담후예의(父在母喪十五月禫後禮疑)」·「소목설여곽명원(昭穆說與郭鳴遠)」 등 3편의 예설 외에도 「답곽명원(答郭鳴遠) 기해(己亥)」·「답이응회병희문목(答李應晦(炳憙)問目) 병신(丙申)」 등의 글에서 예경과 가례학에 대한 논의를 전개하였다. 그의 글 중에서 주목할 것은 소목(昭穆) 논의인데, 갑오·무술기해에 걸치는 6년 동안 세 차례의 서간문을 왕복하며 곽명원(곽종석)과 소목 문제를 논했고, 잡저 형식으로도 한 편의 글을 별도로 서술할 만큼 둘 사이의 논쟁은 뜨거웠다. 이종기 당대의 윤주하·허유 사이에도 소목 논의가 오갔고, 이들보다 조금 앞서 류치명과 이진상 사이에도 소목의 존비와 관련한 토론이 있었을 정도로[95] 당시 소목에 대한 토론은 이 권역 예학 논의의 주된 관심사 중 하나였다.

이상의 성주권 예학의 흐름을 간략하게 정리하면 다음과 같다. 성주권의 예학은 정구와 장현광이 활동한 17세기 전반, 장복추와 이진상이 활동한 19세기에 크게 흥성하였다. 정구의 예학은 경북 서부 지역의 중심축이었고, 허목과 이익으로 이어지는 근기남인 예학의 우뚝한 봉우리이기도 하였으며, 더 나아가서는 학파와 당파를 막론하고 전국적으로 큰 영향을 끼쳤다. 정구의 뒤를 이어 장현광이 성주권과 경주권에서 많은 문인들을 이끌면서 큰 두각을 드러내었다. 장현광 사후부터 18세기까지는 큰 두각을 드러낸 인물군이 등장하지 못하고, 이현일(李玄逸)→이상정(李象靖)→류치

---

95) 柳致明, 『定齋集』 卷12 「答李汝雷別紙(戊午)」; 李震相, 『寒洲集』 卷5 「上柳定齋先生(戊午)」, 卷32 「廟制說」.

명(柳致明)으로 이어지는 안동권과 인근의 상주권의 영향을 많이 받게 되었다.

19세기 중반 이후에 칠곡을 근거로 한 장복추가 등장하면서 이 지역의 학자들을 대거 받아들여서 대규모 문인을 양성하였다. 동시대의 허전(許傳)처럼 신설(新說)을 제출하거나 이진상처럼 강경한 어조의 예설을 내놓은 것과 비교하면, 장복추의 예설은 보수적이고 온건한 성향을 유지하였다고 할 수 있다. 그는 기본적으로 선현들에 의해 마련된 성헌(成憲)을 준수하는 입장에서 예설을 전개하여 심각한 학술논쟁까지 이르지는 않았지만, 당대에 필요하고 적의한 예제가 있으면 성헌에 언급되지 않은 것일지라도 새로 보입(補入)함으로써 시의성(時宜性)을 적극적으로 반영하는 입장을 취하였다.

그리고 이진상도 장복추 학단의 학자들과 소통하면서 큰 문파를 형성하여 성주권·진주권·밀양권 등에 걸친 학자군을 이끌었다. 이진상의 예학은 삼례 경전에 입각한 본원과 본질을 탐구하여 위기상황에 대응하는 조선 예속의 마련이라고 할 수 있다. 그가 편찬한 『사례집요』는 『의례』에 주안점을 두어 편성하고, 『상변통고』·『가례증해』 등을 참고하여 사례(四禮)의 요체를 간추렸으며, 『사의(士儀)』의 예설을 참고 수윤하였다. 삼례 경전에 입각한 본원과 본질을 중시한 이진상의 예학 관점은 문인들에게 큰 영향을 미쳤는데, 그 중에서도 『의례집전』과 『구례홀기』를 편찬한 장석영이 이런 관점에 입각하여 경례와 향례까지 예학의 연구범위를 확대 심화하였다.

6

경주권 예학의 전개 양상

　경주는 신라의 수도였고 고려 시대에는 동경부(東京府)로 중시되었다. 조선 시대에 경주는 상주·안동·진주와 함께 경상도의 4개 계수관(界首官)의 하나였고, 경주부는 경상도에서 유일하게 감사(監司)와 같은 품계인 종2품의 부윤(府尹)이 파견된 곳이었으며, 경상도 동남부의 중진(重鎭)으로 행정과 군사와 문화의 중심지였다.

　본고에서 설정한 경주권은 경주·영천·포항·경산·대구·울산 등지를 포괄한 경상도 동남부 지역이다. 이 권역에서는 여말선초부터 정몽주(鄭夢周, 영천), 허조(許稠, 경산), 유방선(柳方善, 영천), 이보흠(李甫欽, 영천) 등이 학문적 명망이 높았다. 16세기 전반에 들어서 김종직의 문인 손중돈(孫仲暾, 경주)과 손중돈의 학통을 이은 이언적(李彦迪)이 등장하여 경주권의 학문과 예학이 널리 알려지게 되었다. 그리고 17세기 전반에 조호익(曺好益)·장현광(張顯光)의 활발한 강학 활동에 힘입어 정구(鄭逑)·조호익·장현광의 문인들이 배출됨으로써 학문 분위기가 고조되었다. 이들 3인의 문하에 모두 출입한 정극후(鄭克後)는 영일정씨(迎日鄭氏) 가문의 후학들에게 큰 영향을 미치면서 가학으로서의 예학을 탐구할 수 있는 중요한 역할을 하였다.

이러한 과정에서 경주의 옥산서원(玉山書院)과 영천의 임고서원(臨皋書院)이 사대부의 교육과 여론 형성에 중요한 역할을 담당하였다.

정극후 이후 경주권에서는 안동권 이현일(李玄逸)의 훈도를 받은 학자군이 배출된 것을 계기로 교유의 폭을 확대하고 예학 연구의 분위기도 한층 달아올랐다. 즉 이전까지는 경주와 영천의 학자를 중심으로 형성되었던 경주권 학단이 이현일의 문인 정만양(鄭萬陽)·정규양(鄭葵陽) 형제에 이르러 포항·울산 등의 동해안 지역 학자까지 대거 입문함으로써 경주권의 학문적 영향 범위가 대폭 확대되었다.

그리고 정만양·정규양 형제를 기점으로 이 권역에서 발생한 독특한 면모라면 소론 인사들과도 학문적 유대를 형성하였던 것이고, 19세기를 전후해서는 홍직필(洪直弼) 계열의 노론 학맥에 출입하는 학자들도 다수 배출되었다는 것이다.

16세기 중반부터 20세기까지 경주권 주요 학자들의 예학 저술을 정리하면 아래와 같다.

표-27 <16세기 중반~20세기 경주권의 주요 예학 저술>

성명	거주	예학 저술	사승
晦齋 李彦迪 (1491~1553)	경주	『奉先雜儀』	孫仲暾 문인
芝山 曺好益 (1545~1609)	영천	『家禮考證』	周博·李滉 문인
雙峯 鄭克後 (1577~1658)	경주	『文廟享祀志』	鄭逑·曺好益·張顯光 문인
雷皐 孫汝濟 (1651~1740)	경주	『家禮釋義』『四禮纂要』『禮書類編』	李栽·鄭萬陽·鄭葵陽·李衡祥 교유
甁窩 李衡祥 (1653~1733)	영천	『家禮附錄』『家禮便考』『家禮或問』『家禮圖說』『家舊類說』	李玄逸 문인
涵溪 鄭碩達 (1660~1720)	영천	『家禮或問』	李玄逸·鄭時淵 문인
塤叟 鄭萬陽 (1664~1730) 篪叟 鄭葵陽 (1667~1732)	영천	『家禮箚疑』『家禮箚錄』『改葬備要』『疑禮通攷』	李玄逸 문인

默菴 曺翼漢 (1680~1741)	영천	『禮學要類』	李玄逸·李衡祥 문인 / 曺好益 현손
梅山 鄭重器 (1685~1757)	영천	『家禮輯要』	鄭萬陽·鄭葵陽·李衡祥 문인 / 鄭碩達 아들
安分堂 鄭師夏 (1713~1779)	영천	『喪禮輯解』	鄭萬陽·鄭葵陽 문인
陶窩 崔南復 (1759~1814)	경주	『集禮講攷』	鄭忠弼 문인 / 母는 李 衡祥 후손
東淵 鄭伯休 (1781~1843)	영천	『四禮通攷』	南景羲·趙友愿 문인 / 鄭碩達 현손
立軒 韓運聖 (1802~1863)	경주	「禮說辨」	洪直弼 문인
敬庵 李在穆 (1817~1879)	경주	「古有忌祭說」「忌祭祝歲事說」「三代有墓 祭說」「追後成服者小祥變除說」「適子父 在爲妻行練說」「禫月行祥亦當行禫說」	柳致明·李鍾祥 문인
覺軒 李能灝 (1824~1876)	경주	「禮疑問辨」「喪禮(禮節覽要中論)」「祭儀」 「釋奠時奏樂」	宋來熙 문인
臨齋 徐贊奎 (1825~1905)	대구	『梅山先生經禮說』	洪直弼 문인
蒼愚 安曄 (19세기)	울산	『述古常制』	安永集(洪直弼 문인) 아들
小庵 李邁久 (1841~1927)	경주	「請行三年喪制疏」「禮疑問答」「服中死」 「代父繼喪」「葬祥禫有喪」「神主改造及追 造」「祔祭」「明祭法總要」	柳致明·柳疇睦·許傳 문 인
貞齋 徐廷玉 (1843~1921)	경주	『士禮通攷』	李滉·李象靖 사숙
渼江 朴昇東 (1847~1922)	대구	『續四禮儆略』(小識)「廬墓問答」「飲禮笏 記補註」	徐贊奎 문인
石谷 李圭晙 (1855~1923)	경주	『曲禮幼肄』	韓運聖·徐贊奎 문인 / 郭鍾錫·田愚 논변
苟窩 李能烈 (1855~1935)	경주	『享禮饌品監考』『喪禮便覽』『禮事合編』	李在穆 문인
愚坡 李宗基 (1900~1970)	영천	『四禮節要』	李泰一 문인

경주권은 여말선초에 정몽주가 유학의 도통을 계승한 이래로, 조선전기
에는 『봉선잡의(奉先雜儀)』를 편찬한 이언적이 전범을 마련하였다. 『봉선

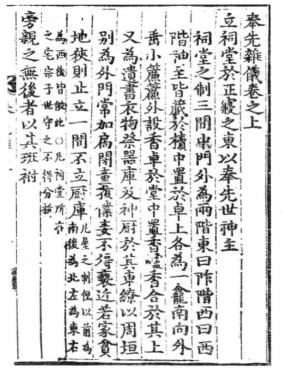

●이언적_봉선잡의●

잡의』는 『국조오례의』의 규범을 토대로 마련한 책으로, 이론과 행례를 겸비한 조선조 최초의 제례서로 중요하게 인식되어 경주권뿐만 아니라 조선조에 편찬 간행된 거의 모든 예서에서 주요 인용문헌으로 채택되었다.[1]

이언적의 문인으로는 노수신(盧守愼)·권덕린(權德麟)·안경창(安慶昌)·김자(金磁)·이전인(李全仁)·배도(裵壔)·김세량(金世良) 등이 거론되는데, 이언적의 문집에 이들과 예학 문답을 주고받은 자료가 없기 때문에 구체적인 예의(禮疑) 주제를 파악하기는 힘든 실정이다. 그렇기는 해도 상주의 노수신의 예설은 이형상(李衡祥)·류장원(柳長源)·허전(許傳)·장복추(張福樞)·이진상(李震相)·홍재관(洪在寬) 등의 예서에 수록되었다.

이언적의 뒤를 이어 경주권의 예학을 이끌던 이는 『가례고증(家禮考證)』을 저술한 조호익이다. 그는 16세에 주세붕(周世鵬) 아들인 주박(周博)에게 배우고 1561년에 이황 문하에 들어갔다. 당시에 이황 문인으로 김성일·류성룡·정구 등이 있어 안동·상주·성주를 근거지로 예학을 확산시키고 있었는데, 조호익은 경주권에서 예학의 학풍을 전파시키는 계기를 마련하였

---

1) 『奉先雜儀』에 대해서는 도민재, 「晦齋 李彦迪의 예학사상 연구-『奉先雜儀』를 중심으로」, 『동양철학연구』 35, 동양철학연구회, 2003 참조.

다.[2]

조호익은 박성(朴惺)·정구·류성룡·이원익(李元翼)·정곤수(鄭崑壽)·김성일·이항복(李恒福)·이덕형(李德馨)·이이(李珥)·정경세(鄭經世)·곽재우(郭再祐)·서성(徐渻)·이호민(李好閔)·김수(金睟)·장현광·이식(李植)·정온(鄭蘊) 등 당대 명망 있는 학자들과 교유하였는데[3], 이들과 왕복한 서간문에는 예학 논의가 보이지 않는다.

조호익의 문인은

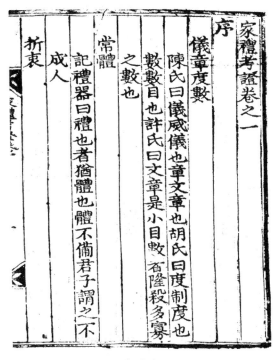

●조호익_가례고증●

「지산선생문인록(芝山先生門人錄)」에 91인이 수록되어 있다. 이 중에서 정사물(鄭四勿)과 정극후는 정구·장현광 문인, 임흘(任屹)·채선견(蔡先見)은 정구의 문인이기도 하는 등 정구·조호익·장현광의 학단이 혼재되어 있는데, 거주지의 근접성과 조호익이 정구·장현광보다 일찍 사망하였던 데서 그 원인을 찾을 수 있다.

조호익의 문인 중 타 지역 인물로는 김육(金堉)과 한백겸(韓百謙)이 주목된다. 잠곡(潛谷) 김육(1580~1658)은 인조-효종 연간에 활동한 서인관료로, 조호익의 『가례고증』을 간행하고(1650년) 서문까지 썼다. 구암(久庵) 한

---

2) 曺好益의 예학에 대해서는 고영진, 「芝山 曺好益의 禮學思想」, 『한국의 철학』 26, 경북대 퇴계연구소, 1998 참조.
3) 「芝山先生師友錄」(道岑書院, 『文簡公芝山曺好益先生』, 2003)에 周博, 李滉, 朴惺, 鄭逑, 柳成龍 등 97인이 수록되었다.

백겸(1552~1615)은 서경덕(徐敬德) 연원의 행촌(杏村) 민순(閔純)의 문인인데, 조호익의 「문인록」에 한백겸을 "字○○ 京人 收輯先生所撰家禮考證 官戶曹參議 號久庵 有往復書"로 기록하고 있는 점으로 보아 한백겸 역시 『가례고증』 편집에 일정한 역할을 하였음을 알 수 있다. 이외 이정남(李井男)은 백사(白沙) 이항복(李恒福)의 둘째 아들이자 동호(桐湖) 이세필(李世弼, 1642~1718)의 조부이다.

조호익에게 문목이나 별지 형태로 예의(禮疑)를 질문한 문인으로는 정사진(鄭四震, 「答鄭君燮問目」), 정담(鄭湛, 「答鄭淸允別紙」), 임흘(任屹, 「答任卓爾問目」) 등이 있다. 조호익의 예설은 이형상에 의해 대거 채택된 이후, 『상변통고』·『가례증해』·『상변찬요(常變纂要)』·『사례상변찬요(四禮常變纂要)』·『사의(士儀)』·『가례보의(家禮補疑)』·『사례집요(四禮輯要)』 등 영남지역 주요 예서에서 중요한 예설로 많이 인용되었다. 조호익의 『가례고증』은 김장생의 『가례집람(家禮輯覽)』에 비견되는 『가례』주석서로, 영남지역에서 편찬된 예서 중에서 『가례』주석서의 가장 초창기적 형태를 보여 준다는 점에서 의의가 있다.

조호익 이후 쌍봉(雙峯) 정극후(鄭克後, 1577~1658)는 학례(學禮) 관련 예서인 『문묘향사지(文廟享祀志)』를 편찬하였다. 이는 『궐리지(闕里志)』와 『공자통기(孔子通紀)』를 주된 참고서로 활용하여 성보(聖譜)·위호(位號)·제의(祭儀) 등의 내용을 수록하였다.[4] 그는 예를 배우는 선비들이 이 책을 통해서 미리 행례를 연습하면, 문묘에 들어가 행사할 적에 매사를 묻지 않아도 모두 이해할 수 있도록 하기 위해서 편찬하였다. 이 책은 향교나 서원 등 학교에서 행하는 의식을 정리한 단독 저술이 많지 않던 시기에 나온 것이기 때문에 학교례의 초기 형식을 살필 수 있다는 점에서 의의가 있다.

정극후의 예학 저술은 『문묘향사지』 외에 가례 관련 예서나 예설은 문집에 보이지 않고, 서간문도 2편만 남아 있어 그의 예학에 대한 입장을 살피기에는 한계가 있다. 그렇지만 정극후가 경주권 영일정씨 예학의 발판을 마련한 덕분에 18세기 전반에 이르러 그의 후손들과 손여제(孫汝濟)·이형상

---

4) 책 말미에는 정극후의 손자 時錫의 청탁을 받은 驪江人 夢庵 李埰(1616~1684, 이언적의 현손)의 발문(1679)이 수록되어 있다.

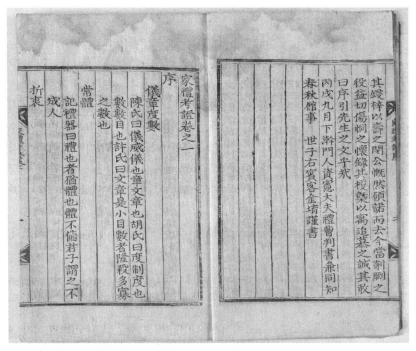

•조호익_가례고증•

(李衡祥) 등이 활발한 담론을 통해 경주권 예학 연구의 전성기를 구가할 수 있었다는 점에서 그의 위치를 높이 평가할 수 있다.

다시 말하면, 경주권의 예학은 정몽주의 후손으로 영천에 세거한 영일 정씨를 주축으로 17세기부터 조선 말까지 면면히 전승되었다. 17세기 이후 정극후-정석달(鄭碩達)-정만양·정규양-정중기(鄭重器)-정사하(鄭師夏)-정백휴(鄭伯休)-정치귀(鄭致龜) 등으로 계승된 영일정씨의 예학은 가학을 바탕으로 안동의 이현일, 영천의 이형상 등과 소통하며 예서 편찬과 예학 담론을 이어 갔다. 한편 장현광의 문인으로 경주권에서 이름을 드러낸 이로는 정극후 외에 수암(守庵) 정사진(鄭四震, 1567~1616), 성재(省齋) 권봉(權對, 1592~1672) 등이 있다.

1. 정만양(鄭萬陽)·정규양(鄭葵陽) 학단

17세기 초중반 조호익과 정극후에 의해 다져진 경주권 예학은 18세기 전반에 이르러 상당히 흥성하였는데, 훈수(塤叟) 정만양(1664~1730)·지수(篪叟) 정규양(1667~1732) 형제가 결정적인 역할을 하였다. 형제는 당시 영남의 학자를 대거 수용한 이현일(李玄逸)에게 배우고[5] 근기남인인 우담(愚潭) 정시한(丁時翰, 1625~1707)과도 교분이 있었으며, 소론의 윤증(尹拯)과도 잦은 학술 문답을 가졌다.[6]

정만양·정규양은 『개장비요(改葬備要)』라는 독특한 예서를 편찬하였다.

---

5) 이현일에게 질의한 問目 2편에는 삼년상 내의 墓祭 시행 여부, 상례의 축문 내용 刪去, 廬墓 문제, 묘소의 碑誌 등에 대한 문답이 수록되어 있다.

6) 선생·大君子로 호칭한 윤증에게는 1704년(甲寅)부터 1710년(庚寅)까지 4편의 서간문을 올려 학문 토론을 전개하였다. 첫 번째 서간문에서는 형제가 스승으로 받들었던 이현일이 사망한 이후에 영남에서 학계를 이끌어갈 大儒가 없어 지적 갈망을 해소하고자 하는 후학으로서 윤증의 문하에 발을 들여놓게 된 계기를 말하였다. 두 번째 서간문에서는 別紙(篪叟)를 통해 疑義에 대한 구체적인 질문을 하였는데 心·性·情, 『맹자』 牛山章의 夜氣, 『대학』의 存養공부, 河圖洛書 등 성리학과 경학에 대한 논의를 하고 있다. 예학 논의로는 『주자가례』에서 復衣를 시신 위에 덮어둔다고 한 다음에 이렇다 할 후속 조치가 언급되지 않은 점, 秋灰의 秋에 대한 언급이 서로 다르게 규정된 점, 一溢米의 溢에 대한 고증 문제, 부인의 冠에 대한 문제에 관한 것이 있다. 세 번째 서간문에도 별지를 통해 人心道心圖에 대해 논하였고, 마지막 서간문에서는 存養과 涵養의 動靜 문제와 관련하여 士友와의 논쟁이 있었다면서 剖判해줄 것을 청하였다.(鄭萬陽·鄭葵陽, 『塤篪兩先生文集』 卷7 「上明齋尹先生(甲申)」; 「上明齋尹先生(別紙)」; 「上明齋尹先生別紙」; 「上明齋尹先生(庚寅)」) 본고에서 저본으로 삼은 정만양·정규양의 문집은 1987년에 33책으로 영인한 것인데, 『명재유고』에 15편의 서간문이 수록되어 있는 점을 감안할 때 정만양·정규양이 윤증에게 보낸 4편의 서간문은 극히 일부에 불과하다. 『명재유고』에는 1713년(癸巳)에 보낸 것까지 포함되어 있으므로 윤증과 정만양·정규양 사이의 학문 교류는 『훈지집』보다는 『명재유고』를 면밀히 검토할 필요가 있다.

『주자가례』에 없는 개장 조목이 구준(丘濬)의 『가례의절』에 수록된 이후, 조선조에 와서 김장생의 『상례비요』와 박세채의 『삼례의(三禮儀)』를 필두로 다수의 예서에서 개장 부분을 다루기는 하였지만, 이를 전저(專著) 형식으로 출간한 것은 극히 드물다.[7]

『개장비요』은 『가례의절』을 근간으로 재편한 것인데, 『주자가례』에 포함되지 않은 의식절차를 명시함으로써 가례 연구의 범위를 확대하고, 변례에 대한 면밀한 탐구가

•구준_가례의절(개장)•

이루어지던 시점에서 개장에 대해 전저 형식으로 상세하게 서술한 점에서 의의가 있다.

정만양·정규양이 편찬한 또 다른 예서인 『의례통고(疑禮通攷)』는 『주자가례』의 내용과 관련한 논쟁점을 종합 검토한 가례서인 동시에, 별집에는 군복(君服), 사우복(師友服), 학례(學禮), 향음주례, 투호의(投壺儀) 등까지 수록하여 예학 연구의 외연을 방례와 학례와 향례로까지 확장하였던 영남지역 예학의 한 경향을 잘 보여 주고 있다는 점에서 의의가 있다. 이 중에서 특히 투호례가 영남지역에서 『의례통고』에 처음으로 편입된 이후 장복추의 『가례보의(家禮補疑)』, 장석영의 『구례홀

---

7) 『緬禮儀節』이라는 책은 '諸家改葬詳說博考', '諸家禮說改葬條類抄'와 합철되어 전하는 필사본인데, 이도 개장을 전문적으로 다룬 것이기는 하지만 편자가 불분명하다.

기(九禮笏記)』, 송준필의 『육례수략(六禮修略)』 등 19세기 성주권의 예서 편찬에 상당한 영향을 끼치기도 하였다.8)

형제는 『개장비요』·『의례통고』 외에도 『가례차의(家禮箚疑)』·『가례차록(家禮箚錄)』 등의 예서도 편찬했으나 현존 여부는 미상이다. 예서 외에 잡저로는 「왕세자빈궁상례설(王世子殯宮喪禮說)」·「승최복설(承衰服說)」·「첩위부당복설(妾爲夫黨服說)」·「서얼복제설(庶孽服制說)」·「예서전수록(禮書傳授錄)」·「

改葬備要
將改葬

呂氏春秋惠公說魏太子曰昔王李歷葬于過山
之尾藥水齧其墓見棺之前和暗和文王曰嘻先
君必欲見群臣百姓也夫故使藥水見之於是出
而爲張朝百姓皆見之三日而後更葬之○左傳
隱公元年十月改葬惠公之薨也有宗帥太
子少葬故有關是以改葬○程子曰英宗欲改葬
西陵當是時潞公對以禍福遂止其語雖若詭對
要之邦濟事○朱子葬父韋齋先生凡三遷初葬
西塔山時幼未更事卜地不詳乾道六年又遷靈
梵鵝峯山下又恐地勢卑濕非久遠計乃遷武夷

●정만양·정규양_개장비요●

인부제사변(寅不祭祀辨)」·「승상가녀설(乘喪嫁女說)」·「처계모무복변(妻繼母無服辨)」 등이 있다. 이 중에서 「예서전수록」은 『주례』와 『예기』의 전수 과정을 정리한 글로, 제현이 수집한 예서의 학습과 실천을 다짐하는 글이다. 「인부제사변」은 역가(曆家)에서 말하는 '인일(寅日)에는 제사지내지 않는다'는 설이 황당무계한 것임을 논변한 글이다.

정만양·정규양은 이현일 이후 이재(李栽)와 더불어 영남학파를 대표하

---

8) 『疑禮通攷』와 『改葬備要』에 대해서는 이승연, 「18세기 전후 주자학의 지역적 전개에 관한 일 고찰-정만양·정규양의 『의례통고』를 중심으로」, 『동양사회사상』 18, 동양사회사상학회, 2008; 이승연, 「개장례에 관한 소고-정만양·정규양 형제의 개장비요를 중심으로」, 『퇴계학과 한국문화』 44, 경북대 퇴계연구소, 2009 참조.

고 유림을 영도하는 위치에 있었다.[9] 형제의 「동문록(同門錄)」에는 171인의 인명이 수록되어 있다. 영천·경주를 비롯하여 동해안의 울산·포항·영덕, 서북쪽의 의성·청송·안동, 서남쪽의 경산·대구·밀양, 그리고 청주 인물까지 포함되어 있다. 상주권이나 성주권을 제외한 경북 전역 및 경남 일부 지역에 걸쳐 문인들이 분포하고 있다. 물론 영천 지역의 영일정씨 인물들이 집중되어 있다는 점에서 입문 범위가 국한된 면이

●정만양·정규양_의례통고●

없지 않으나, 이현일 사후 이상정(李象靖)이 등장하기 이전인 18세기 전반에 대규모의 학단을 형성한 것에서 형제가 차지하였던 비중이 상당하였음을 충분히 가늠할 수 있다.

「동문록」에 수록된 인물 중에서 한양 인물인 귀록(歸鹿) 조현명(趙顯命, 1690~1752)과 그가 아꼈던 이유(李瑜, 1691~1736)가 포함되어 있다는 사실이 주목된다. 정치적으로 완소(緩少)의 입장에서 영조의 탕평책 시행에 앞장섰던 조현명은 영남남인에 대해 호의적인 입장이었다. 그가 정규양과 학문 토론을 할 수 있었던 것은 1730년 경상감사로 부임했던 것이 계기가

---

9) 최영성, 「鄭萬陽·葵陽 형제의 學問과 思想-埈篨思想의 형성 및 畿湖學派와의 학문적 交流를 중심으로」, 『동방한문학』 28, 동방한문학회, 2005, 75쪽. 최영성은 "북의 密庵(李栽), 남의 埈篨(정만양)", "東南 학자의 영수"라고 한 金聖鐸·權萬의 평가와 "嶺中의 遺逸之士로 篨叟 정공이 가장 으뜸"이라고 한 경상감사 趙顯命의 언급을 제시하였다.

되었을 듯한데, 조현명의 문집에는 명덕설(明德說)과 혈구(絜矩)에 대해 정규양에게 답한 서간문이 2편 수록되어 있다.[10] 뿐만 아니라 정규양의 부탁을 받고 정만양의 유고에 발문을 쓰기도 하였다. 조현명의 부임 시기가 말해 주듯이 그는 정만양을 만나지는 못했고 정규양과의 만남을 통해서 정만양의 학문과 경세론에 대해서 상세하게 듣게 되었다.[11] 형제가 윤증·조현명 등 소론계 인사들과 폭넓게 교유할 수 있었던 것은 영천을 중심으로 한 영일정씨 집안의 학문적 소통의 특징으로 말할 수 있고, 더 나아가서는 18세기 전반 그들과 교유한 경주권의 이형상(李衡祥)과 상주권의 이만부(李萬敷) 등 낙남(落南) 남인계 학자들이 역외(域外) 소통을 하는 하나의 창구 역할을 하였던 것으로 보인다.

정만양·정규양의 예학은 가문 내 인물들을 중심으로 계승 발전되었다.

매산(梅山) 정중기(鄭重器, 1685~1757)는 『주자가례』의 학습을 중요하게 인식했던 부친 정석달(鄭碩達)의 학문 연원을 계승함과 동시에 사종형(四從兄)인 정만양·정규양, 영천에 우거한 이형상의 학통을 계승하였다.[12] 그는 권상일(權相一, 상주)·권만(權萬, 봉화)을 비롯한 영남인사 외에, 조현명·박문수(朴文秀)·오광운(吳光運) 등 기호지방의 소론계 인사들과도 교유하여 선대의 묘도문자를 청탁하기도 하였다.

그는 『가례집요(家禮輯要)』를 편찬한 것 외에 초본 형태로 보존되던 『개장비요』를 수정한 뒤 후지(後識)를 쓰고 『의례통고』도 수정했으며, 우리나라 선유의 예설을 모아 편집한 정석달의 『가례혹문(家禮或問)』을 분편(分編) 유차(類次)하여 성서(成書)하는 등 예서의 정리와 편찬에도 많은 공력을 들였다.

정중기가 편찬한 『가례집요』는 기존의 『가례』주석서가 가지고 있던 문제점을 보완한 것이다. 그는 구준의 『가례의절』에는 오류가 많고, 김장생의 『상례비요』는 상례와 제례만 다루고 통례를 분할해서 제례에 통합시킴

10) 李瑜와의 문답 서간문은 『훈지양선생문집』 권11에 8편이 수록되어 있다.
11) 趙顯命, 『歸鹿集』 卷13 「答鄭參奉葵陽書」(2편); 卷18 「溪塤鄭處士萬陽遺稿跋」 참조.
12) 정중기가 李衡祥에게 禮疑를 질의한 내용은 李衡祥, 『甁窩集』 卷10 「答鄭道翁(重器)問目」 참조.

으로써 『주자가례』의 본지를 잃게 하였다고 보았다. 그리하여 그는 『주자가례』의 순서에 따라 편수하여 사당장(祠堂章)을 첫머리에 싣고, 『상례비요』의 주석을 보궐(補闕)하고, 관례와 혼례는 정규양의 주석을 채택하고, 미비한 것은 고례와 선현의 설을 보태었다.

『가례집요』는 정석달·정만양·정규양의 원고를 바탕으로 하고 영천 지역에서 선배들이 확립해 놓았던 예서까지 종합하여 절충한 책이

●정중기_가례집요●

라는 점에서 그 의의를 부여할 수 있다. 이는 동유(東儒) 제가의 학설을 종합하여 지역마다 특징 있는 『가례』주석서가 산출되던 분위기에서 나온 것이다. 『가례집요』의 예설은 장복추의 『가례보의』와 이진상의 『사례집요』에 인용서목으로 등장한다.

정중기는 『가례집요』 외에도 「중월이담설(中月而禫說)」·「상후시음주식육설(祥後始飮酒食肉說)」·「혼례납징설(昏禮納徵說)」·「위종부형제처복시설(爲從父兄弟妻服緦說)」·「부상개장모흉복고묘변(父喪改葬母凶服告廟辨)」·「정침설(正寢說)」·「서얼복제설(庶孼服制說)」 등 가례학에서 주요 논쟁이 되었던 부분에 천착하여 잡저 논변을 다수 제출하였다. 그리고 이태화(李台華)·조용섭(曺龍燮)·서거원(徐巨源)·이국재(李國栽)·이홍리(李弘离)·조용석(曺龍錫)·신용기(申龍起)·홍상륜(洪尙倫)·최종겸(崔宗謙)·정일규(鄭一珪)·정일진(鄭一鎭) 등의 예의(禮疑) 문목에 대한 수십 편의 답서를 남겼다. 이를 통

해 정중기가 정만양·정규양 문하의 후배들에게 전문적인 문례(問禮) 상담자 역할을 함으로써 18세기 중반에 경주권 예학의 구심점이 되었음을 알 수 있다.

명고(鳴皐) 정간(鄭幹, 1692~1757, 초명은 권(權))은 정중기의 족제로 정중기와 가장 많은 서신을 교환하며 학문을 토론하였다. 정간 역시 족형인 정만양·정규양의 문인이 되어 경전을 비롯하여 『주자가례』·『심경』·『근사록』 및 정자주자의 서적을 두루 읽었다. 1731년 사관(史官)으로 경강(經講) 자리에 참석했을 때 흉년을 당해 예물을 줄이는 일과 백성을 구제하는 방책에 대한 질문에 조리 있게 대답하여 조문명(趙文命)과 박문수(朴文秀)로부터 칭송을 받았다. 1745년 사헌부지평으로 있을 때는 종묘의 축식(祝式)에 대해 논하고, 보령현감이 되어서는 『소학』을 강론하여 풍속을 교화하였다. 그는 스승을 위한 「훈수선생언행록(塤叟先生言行錄)」을 지었다. 그리고 『훈지양선생문집(塤篪兩先生文集)』 권20에는 『주자가례』·『중용』·『서전』 등에 대한 문답을 포함하여 서간문 11편이 수록되어 있는데, 이 중에서 『주자가례』에 대한 질의(「答族弟道中別紙(論家禮)」)는 초종(初終)·치장(治葬)에 집중되었고 모두 31조목에 이른다.

정중기 이후로는 정사하(鄭師夏)를 비롯하여 정백휴(鄭伯休)·정치귀(鄭致龜) 등에 의해 가학으로서의 예학 분위기가 그대로 전해졌다. 『상례집해(喪禮輯解)』(2권 1책)를 편찬한 안분당(安分堂) 정사하(1713~1779)는 정만양·정규양의 문인이자 족인이다. 『상례집해』는 상례에 관한 중설을 모아 정리하고 구두를 덧붙이기도 한 것으로, 상례의 시행 절차를 명확하게 알도록 간략하게 편집한 책이다. 그는 이 예서에서 이언적·이황·김성일·류성룡·정구·조호익·장현광·정경세·이현일·이재 등 영남 인물들의 예설을 근거로 논의를 전개하는 한편 스승 정만양·정규양의 설을 10여 차례 가져와서 논하였다.

19세기에 이르러서는 동연(東淵) 정백휴(1781~1843)가 『사례통고(四禮通攷)』 5책을 편찬하여 예학의 분위기를 이어 갔다. 정백휴는 정석달·정중기의 가학을 계승하고 정만양 정규양의 서론(緖論)을 바탕으로 일찍부터 예학에 유의하였다.[13] 『사례통고』는 관혼상제 사례를 분장(分章)하고 입목(立目)한 것으로, 경전을 근본으로 하고 후대 제가의 예설 중에서 의문변절

(疑文變節)에 대해 논한 부분을 부류에 따라 부기한 것이다. 이 책은 손자 학파(鶴坡) 정치귀(1824~1901)가 정리하고자 했으나 마무리하지 못하고, 정백휴의 주손인 정연창(鄭淵昌)이 김도화(金道和)에게 서문만 받은 상태 였던 것으로 보이며, 현존 여부는 알 수 없다. 정치귀가 쓴 발문에는 이 책의 서명이 『사례통해(四禮通解)』로 되어 있는데[14], 『사례통고』와 동일한 책으로 보인다.

2. 이형상(李衡祥) 학단

병와(瓶窩) 이형상(1653~1733)은 한양 출신으로 중년 이후 영천에 살면서 경주권·상주권 예학자들과 밀접하게 소통한 인물이다. 그가 경주권 예학에 미친 영향은 크다고 할 수 없겠지만, 역외(域外) 인물과의 소통이라는 측면에서 볼 때 큰 의미가 있고, 그의 예학 저술도 독특한 면모를 가지고 있어 주목된다.

그는 경주부윤을 그만두고 1700년에 영천에 우거하면서 이 지역과 깊은 인연을 맺기 시작하였다. 이후 제주목사로 있던 잠시 동안을 제외하고 25년 동안 영천에 우거하며 저술활동과 교육활동으로 여생을 보냈다. 그는 이현일(李玄逸)에게 배우고, 이 지역의 정만양·정규양 등 영일정씨와 활발하게 교류하는 한편 문인들을 길러 냈으며, 상주의 이만부(李萬敷)와도 학문 교류가 매우 잦아 예(禮)·악(樂)에 대한 논의를 주고받았다.[15]

이형상은 천문(天文)·지지(地志)·예악(禮樂)·수서(數書)·유경벽서(幽經僻書)·패사소설(稗史小說)에 이르기까지 탐구하여 박학적인 학문 경향을 보였는데, 이를 바탕으로 142종 326책에 이르는 방대한 양의 저술을 남겼다. 그

---

13) 金道和, 『拓庵集』 卷13 「四禮通攷序」: 近世有東淵處士鄭公, 襲涵梅之家學, 服塤篪之緖論, 蓋嘗留意於講禮, 而尤以四禮爲最切於需用, 推本經傳之遺意, 採輯諸賢之論辨, 編爲五冊, 而名之曰四禮通攷.
14) 鄭致龜, 『鶴坡遺稿』 卷3 「四禮通解跋」.
15) 李衡祥, 『瓶窩集』 卷7 「與李仲舒別紙(長孫若松冠禮時)」; 「再與李仲舒別紙」; 「答李仲舒問目(深衣制度)」 등이 그것이다.

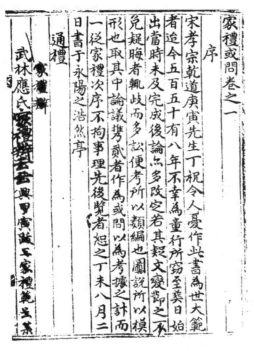

는 예학에도 깊은 관심을 가지고 13세부터 예서를 읽었으며 『가례부록(家禮附錄)』·『가례편고(家禮便考)』·『가례혹문(家禮或問)』 외에 『가례도설(家禮圖說)』·『가구유설(家舊類說)』 등의 예서도 편찬하였다고 하였으니[16], 이 지역 인물 중에서 가장 많은 예학 저술을 남긴 셈이다. 예서 외에 「가묘사당동이변(家廟祠堂同異辨)」·「가례시종설(家禮始終說)」·「보반의식서(報反儀式序)」 등의 단편적인 글도 있다.

●이형상_가례혹문●

당시 경주권에서는 『가례』주석서를 비롯한 다양한 예서들이 많이 편찬되었다. 이런 분위기에서 이형상은 『가례편고』 14권과 『가례혹문』 18권과 『가례부록』 3권까지 도합 35권에 달하는 방대한 규모의 예서를 편찬하였다.[17] 『가례편고』는 제가의 이견이 있어 『주자가례』의 이해에 어려움이 있다는 판단에서 각종 예서에

---

16) 송희준, 「18세기 永川地域의 『家禮』 註釋書에 대하여」, 『한국의 철학』 28, 경북대 퇴계연구소, 2000, 259쪽. 이형상의 『가례부록』 이하 3편의 저술 과정과 내용에 대해서 이 논문에서 개괄적으로 언급하였다. 이형상의 학문에 대해서는 지금까지 詩論과 樂論에 집중되어 있고, 예학에 대한 전문적인 연구는 송민선의 「甁窩 李衡祥의 禮論에 관한 연구」(고려대 석사학위논문, 1989)가 있다.

17) 이는 『六禮疑輯』·『南溪禮說』·『三禮儀』 등 총 56권을 저술한 朴世采, 『全禮類輯』(가례편) 38권을 저술한 柳疇睦보다는 적지만, 柳長源의 『常變通攷』 30권보다 많은 규모이다. 그의 생년이 류장원보다 70여년, 류주목보다 160여년이 앞선다는 점에서 큰 업적을 남긴 셈이다.

서 『주자가례』에 관한 해당 조목을 적출하여 고람에 편리하도록 한 것이다. 『가례혹문』은 『주자가례』에서 논란이 되는 부분을 적시하여 중국과 우리나라의 제설을 유취(類聚) 절충한 것이다. 『가례부록』은 『가례편고』에서 빠진 승중(承重)·입후(立後)·군부(君賻)·합장(合葬)·천장(遷葬) 등의 내용을 보완한 것이다.

●이형상_가례편고●

이 중에서 『가례편고』는 『가례』주석서이다. 이 책은 조선조에 나온 예서 중 가장 정밀한 『가례』주석서로 평가되는 『가례증해』(14권)보다 한 갑자 정도 앞서 편찬된 주석서로[18], 그 내용에 대해서는 면밀한 검토가 필요하지만 그 분량에 있어서는 대등하다. 이런 점을 감안할 때 『가례편고』와 그 속편인 『가례부록』은 예학사적으로 상당한 위치에 있다고 볼 수 있다.

이런 점 외에 인용서목의 종류를 보아도 독특한 면모를 확인할 수 있다.

『가례편고』 권두에는 인용편목(引用篇目)이 설정되어 있는데, 예서 인용서목의 일반적인 수록 방식과 다른 형태를 취하고 있다. 인용서목의 구성은 중국문헌, 중국인물, 동국문헌, 동국인물 등 네 부분으로 편제되는 것이 일반적이다. 그런데 『가례편고』는 유가(儒家) 27종, 예가(禮家) 58종, 사가(史家) 38종, 문집(文集) 25종, 잡가(雜家) 59종 등 200종이 넘는 서책과

---

18) 1707년에 편찬을 시작하여 1725년에 이형상이 서문을 지었다.

●이형상_가례부록●

선유성씨(先儒姓氏) 63인의 명단을 수록하였다. 서책의 분류를 유가·예가·사가·문집·잡가로 나눈 경우는 다른 예서에서 찾아보기 힘들고, '예가'와 '문집' 부분에 조선조 인물들이 등장하기는 하지만 '선유성씨'에 조선조 인물들이 전혀 기록되지 않았다는 점도 특이하다. 『가례편고』 인용편목에 제시된 우리나라 저술만 추리면 다음과 같다.

○ <儒家>: 九經衍義(晦齋著), 理學通錄(退溪著), 儒先錄(宣廟朝柳希春集圃隱寒暄一蠹靜菴晦齋言行)
○ <禮家>: 五禮儀(世宗庚戌命許稠等採洪武舊制及東國儀禮), 經國大典(世祖朝始之至成宗中宗癸卯畢又有後續錄及續), 奉先雜儀(晦齋著), 四禮問答(門人集退溪問答), 禮說(寒岡集兩程溫公晦菴橫渠說凡七卷), 五服沿革圖(寒岡著沙溪又有沿革圖), 擊蒙要訣(栗谷著), 家禮考證(芝山著), 家禮輯覽(沙溪著), 疑禮問解(沙溪所答), 喪禮備要(申義慶著沙溪採擇), 家禮諺解(申湜著), 深衣別集(宗室詩山正著), 深衣便考(尹孝全著)
○ <史家>: 東國通鑑(徐居正等奉敎撰), 東史纂要(兪市南棨編), 列聖誌狀(肅宗朝纂), 東國名臣言行錄(潛谷金堉纂)
○ <文集>: 朱書節要(退溪編), 東文選(盧思愼姜希孟徐居正等纂申用漑金正國金安國趙光祖等又纂續集), 圃隱集, 晦齋集, 退溪集, 蘇齋集, 寒岡集, 東岡集,

西厓集, 栗谷集, 牛溪集, 愚伏集, 芝山集, 旅軒集, 眉叟集, 同春集
○ <雜家>: 考事撮要(魚叔權著), 筆苑雜記(徐居正著), 藝苑雌黃(明有翼著我國徐居正亦有著), 淸江小說(李濟臣著), 東閣雜記(李廷馨著), 鯸鯖鎖錄(李濟臣著), 芝峯類說(李晬光著), 谿谷謾筆(張維著).

더 독특한 점은 '유가'에 제시된 3종, '예가'에 제시된 『심의별집(深衣別集)』·『심의편고(深衣便考)』, '사가'에 제시된 4종, '문집'에 제시된 『주서절요(朱書節要)』·『동문선(東文選)』, '잡가'에 제시된 『예원자황(藝苑雌黃)』·『청강소설(淸江小說)』·『후청쇄록(鯸鯖鎖錄)』·『계곡만필(谿谷謾筆)』 등은 영남지역의 예서뿐만 아니라 다른 지역에서 편찬 간행된 예서에서도 거의 보기 힘든 저술이라는 것이다.[19] 이러한 독특한 인용서들은 우리나라 예속에 관한 역사적 사실을 고증하기 위해 등장시키는 경우가 많다. 이를테면 '사당을 정침의 동쪽에 먼저 세운다'는 『주자가례』 내용에 대한 주석의 경우에, 『동사찬요(東史纂要)』에서 고려 성종 때 종묘를 처음으로 세웠다는 기록을 인용하고, 『후청쇄록』에서 정몽주가 가묘(家廟)를 세운 뒤 기묘제현(己卯諸賢) 이후로 사대부들이 모두 가묘를 세웠다는 기록을 인용하고 있다는 것에서 이를 확인할 수 있다.[20]

이런 사실은 이형상이 방대한 양의 각종 저술을 편찬하는 과정에서 독서했던 범위가 여타 영남지역 인물들에 비해 상당히 폭넓었다는 것을 말해 주며, 예서 편찬에 임하는 관점도 다양한 저술과 실례(實例)를 통해서 상세하게 고증하고 해석하려고 했다는 것을 말해 준다. 역사적 실증자료를 대폭 수록해서 우리나라 예속의 흐름을 정리하려고 했다는 점에서 그의 업적은 높이 평가될 수 있다.

그런데 이형상의 상당한 예학 업적에도 불구하고 후대에 편찬된 예서에서 그의 예서가 인용서목으로 등장하는 사례는 찾을 수 없다. 그 원인은 1774년에 『병와집』이 간행될 당시에 『가례부록』·『가례편고』·『가례혹문』 등 예서 3종이 제외되어 지금까지 필사본으로 전해지는 데서 찾을 수 있다.

---

19) 『深衣別集』은 許傳의 『士儀』에 인용서목으로 올라 있다.
20) 예서에서 흔히 인용되지 않는 沂川 尹孝全(1563~1619, 鄭逑 문인)의 저술을 가져온 것도 특이한 경우인데, 윤효전은 예송논쟁 당시 남인의 입장을 대변했던 尹鑴의 부친이다.

이형상은 낙남(落南) 인물로서 경주권에 확고한 자리를 차지하지는 못했기에 많은 문인을 배출하지는 못하였다. 이형상의 문인으로는 앞서 살펴본 정중기 외에 조익한(曺翼漢)이 있다. 묵암(默菴) 조익한(1680~1741)은 조호익의 현손이다. 그는 『예학요류(禮學要類)』라는 예서를 편찬했으나 화재로 소실되어 그 내용을 알 길이 없고, 이형상에게 예의(禮疑)를 질의한 3편의 서간문이 남아 있다.[21]

3. 홍직필(洪直弼) 문도

남인과 일부 소론의 예학 전통을 계승하였던 경주권에서는 19세기 중반에 이르러 노론예학에 접맥하는 이들이 출현하였다. 근재(近齋) 박윤원(朴胤源)의 학통을 이어 19세기 노론예학의 큰 줄기를 이루었던 매산(梅山) 홍직필(1776~1852)의 문도들이 다수 등장한 것이 그것이다.

경주의 입헌(立軒) 한운성(韓運聖, 1802~1863)은 홍직필의 뛰어난 제자 중 한 사람으로 꼽히는데, 대산(臺山) 김매순(金邁淳)에게 '교남제일인물(嶠南第一人物)'이라는 평을 받기도 하였으며, 숙재(肅齋) 조병덕(趙秉悳)·오곡(鰲谷) 홍일순(洪一純)·정헌(定軒) 이종상(李鍾祥)[22] 등과 도의지교를 맺었다. 그는 예서는 남기지 않았지만 원류(源流)를 거슬러 올라가 상변(常變)을 다하고, 논변 절충한 것이 시의(時宜)에 부합했으며, 의문변절(疑文變節)에 대해 반드시 그에게 질정했다고 할 정도로 예학에 조예가 깊었다. 그의 예설 중에는 「예설변(禮說辨)」(1850년)이라는 장문의 잡저가 있는데, 철종의 전례(典禮) 문제에 대하여 문답 형식으로 논한 글이다.[23]

울산에 살았던 직양재(直養齋) 안영집(安永集, 1803~1862)도 홍직필의 문하에 출입하였다. 안영집의 선대는 예전부터 노론 계열 학자들과 인연을 맺었다. 남강(南崗) 안붕(安鵬)은 송시열이 장기(長鬐)에 유배되었을 때 가

---

21) 李衡祥, 『瓶窩集』 卷9 「答曺子相問目」 외.
22) 趙秉悳은 홍직필의 제자이고, 洪一純은 홍직필의 아들이며, 경주의 定軒 李鍾祥(1799~1870)은 鄭宗魯의 문인이고 南景羲의 외손이다.
23) 韓運聖, 『立軒集』 卷6 「禮說辨(庚戌)」.

르침을 받았고, 안붕의 손자이자 안영집의 고조인 남화(南華) 안수현(安守賢)은 이재(李縡)의 문하에서 공부하였다.[24] 안영집은 홍직필의 문인 임헌회(任憲晦)와 가까이 교유하고 조병덕으로부터 '직양재'라는 당호를 받기도 하였다. 안영집의 셋째 아들인 창우(蒼愚) 안엽(安曄)은 가학을 이어받는 한편 『술고상제(述古常制)』를 편찬하면서 이의조·홍직필 등의 노론예학을 대규모로 정리 집성하였다. 『술고상제』에는 권1 전제(田制), 권2 학제(學制), 권3-5 군도(君道), 권6 왕패(王伯)·이단(異端)·이적(夷狄), 권7 관혼상례(冠昏喪禮), 권8-9 상례(喪禮), 권10 제례(祭禮), 권11 석전(釋奠)·향음(鄕飮)·향사(鄕射)·사상견(士相見)·상읍(相揖)·향약(鄕約), 권12-13 장복(章服), 권14 악제(樂制), 권15 형제(刑制)·병제(兵制) 등이 수록되었고, 관례와 혼례가 보유(補遺)되어 추가되어 있다. 목록에서 보듯이 『술고상제』에는 다양한 분야의 내용들이 종합되어 있지만, 절반 가까이가 예학 관련 내용이라는 점에서 예서로서의 면모를 갖추고 있다고 하겠다.

대구의 임재(臨齋) 서찬규(徐贊奎, 1825~1905)는 홍직필의 만년 제자이다. 그는 스승의 경설과 예설을 모아 『매산선생경예설(梅山先生經禮說)』(19권 10책)을 편찬했다. 이는 송시열의 『우암경례문답(尤菴經禮問答)』을 본떠 마련한 것으로, 『매산선생예설(梅山先生禮說)』(7권 4책)에 누락된 부분을 보완한다는 취지였다.[25] 이 책은 19세기 스승의 예설을 편집하는 기풍을 보여 주는데, 이는 학맥의 다기화 또는 학파 내에서도 지역적 분화가 이루어지던 분위기와 일정한 관련이 있을 것으로 보인다. 서찬규가 지은 잡저에는 「취정일록(就正日錄)」·「매산선생경예설범례(梅山先生經禮說凡例)」가 있고, 「향음례서(鄕飮禮書)」·「서선사매산선생경예설후(書先師梅山先生經禮說後)」 등이 있다. 이 중에서 「취정록」은 1850년에 한양의 노량(鷺梁)으로 홍직필을 만나러 가서 보고 들었던 견문을 수록하고, 홍직필 사후 1866년 홍직필의 문집을 간행한 기사까

---

24) 徐贊奎, 『臨齋集』 卷17 「直養齋安公行狀」.

25) 徐贊奎, 『臨齋集』 卷11 「梅山先生經禮說凡例」, 卷14 「書先師梅山先生經禮說後」 참조. 「범례」에 제시된 것 중 대표적인 한 부분을 소개하면 이렇다. 三. 禮說有湖本四冊, 而未及廣考全書, 與嶺本小有詳略. 九百三十餘條, 兩本所同, 三百九十餘條, 湖本所闕, 補其闕略, 俾完成書, 蓋爲師門效誠自無異同故也. 因商確於先生嗣孫禮說凡例, 一從湖本見成規例, 而至若編次之不得不移及各條下姓名或有錯誤處, 略加改正焉.

●이규준_곡례유이●

曲禮幼肄題

有童子問於石谷癸曰學者先讀何書癸曰先讀曲
禮曰得無難乎曰曲禮者三代聖王敎小子之法也
其書皆禮之小節簡而易知諒而易從其周公之所
爲乎自檀弓而下亦先王之遺法而孔氏之徒所述
也其書兼論大小禮固有浩遠而難究也經秦之後
編簡壞爛間校諸儒增損有非其眞者而後戴氏以曲
禮不足乃輯取孔氏遺書崗簡者以附益之總名曰
禮記夫聖人之敎人先其小者近者而後其大者遠
首今戴記之合大小包遠近恐非先王之本意今人

지 싣고 있다. 이 글 중간에는 예학 문답까지 제법 수록되어 있어 이들 사이에 오간 예학 수수 과정을 살펴볼 수 있다. 이들 저술 외에도 최효술(崔孝述)·안영집·이종기(李種杞)·안엽 등 영남 지역 인사들과 왕복한 서간문이 있고, 조병덕·한운성·정봉원(鄭鳳元) 등과의 예의(禮疑) 문답도 다수 있는데 대체로 노론예학의 근거 속에서 논의를 전개하였다.26)

한말의 석곡(石谷) 이규준(李圭晙, 1855~ 1923)은 이제현(李齊賢)의 후손이다. 그의 학통은 홍직필에게서 한운성·서찬규로 이어지는 기호학파의 계보에서 논해지고 있는데, 특히 서찬규와 10년 이상 강론했다고 자신의 학문적 사승관계를 밝히고 있다.27) 이규준이 편찬한 『곡례유이(曲禮幼肄)』는 『예기』와 『관자(管子)』 중에 이해하기 쉽고 따르기 쉬운 몇 편에서 선별하여 구성한 책으로, 서당에서 초학 아동이 학습할 때 우선적으로 익혀야 할 행위 지침을 모은 것이다. 가정과 서당에서 가장 기초적으로 갖추어야 할 언어·복식(服食)·동지(動止)·예의(禮儀) 등에

---

26) 서찬규는 나중에 錦谷 宋來熙를 찾아가기도 하였다. 경주의 覺軒 李能齋(1824~1876) 역시 1859년 송내희를 찾아가 제자가 되었고, 그에게서 공부한 내용을 「師門隨錄」으로 정리했으며, 송내희의 예서인 『禮節覽要』 내용 중 상례에 대해 질의하기도 하였다.

27) 권오민·남성우·안상영·박상영·한창현·안상우, 「石谷 李圭晙의 『石谷散稿』 번역 연구(Ⅱ)」, 『대한한의학원전학회지』 22(4), 대한한의학원전학회, 2009, 155쪽.

대한 지식과 범절을 익힌 뒤에『소학』·『효경』 등의 보다 심오한 서적을 탐독하도록 배려했다. 그는『곡례유이』 외에 예에 관해서『정의(訂疑)』를 짓기도 하였다.

4. 기타

영일정씨와 함께 이 지역의 예학을 이끌던 문중으로 경주손씨(慶州孫氏)를 빼놓을 수 없다. 이들은 영일정씨·이형상(李衡祥) 등과 학연이나 통혼 관계를 맺으면서 예학 담론을 전개했는데, 뇌고(雷皐) 손여제(孫汝濟, 1651~1740)가 두각을 드러낸 인물이다. 그는 손중돈(孫仲暾)의 6대손으로 경주 양동(良洞)에 살면서 사승연원 없이 자득하고, 이재(李栽)·이형상·정만양정규양 등과 교유하며 중망을 받았으며, 예학에 조예가 깊어 그에게 질정하는 이들이 많았다. 그의 문집을 살펴보면, 이형상에게 답한 서간문에서 첩조모(妾祖母)의 상에 첩손(妾孫)이 대복(代服)하는 문제를 논했고, 류의건(柳宜健)·이덕무(李德袤)·이범중(李範中) 등의 예의(禮疑) 문목에 답한 글들이 많이 수록되어 있다. 그는 이러한 예학 소견을 바탕으로『가례석의(家禮釋義)』·『사례찬요(四禮纂要)』·『예서유편(禮書類編)』 등 3종 13권의 예서를 편찬하였다.

『가례석의』는『주자가례』 내용 중 훈고와 명의가 난해한 곳을 주석한 책으로 이황의 수택본(手澤本)『주자가례』가 바탕이 되었다.[28]『사례찬요』는 관혼상제의 의식을『주자가례』를 토대로 각 조항 아래에 제도(諸圖)를 붙여 그 뜻을 서술하고 그 도(圖)를 해석하였다. 이는『주자가례』의 미진

---

28) 孫汝濟,『雷皐集』 卷2「家禮釋義識」: 文公家禮, 實有家吉凶日用之須, 而訓詁名義, 往往難解. 適得退陶先生家傳家禮, 卷頭所錄, 卽先生所嘗訓示子姪, 而手自抄載者也. 開卷瞭然, 手澤尚新, 若親承提誨, 庸不爲迷途之指南邪. 惜其漏於鋟梓而不廣諸世也. 輒不自揆, 謹收輯成書, 其未盡發揮者, 更考諸說, 逐條附見, 名之曰家禮釋義, 僭越之罪, 無所逃矣. 然窮鄕晚進, 苟得而參考焉, 則或者爲學禮之引路邪. 이황의 수택 원고를 볼 수 있었던 것은 손여제의 후처가 眞城李氏 希模의 딸이기 때문인 것으로 추정된다.『가례석의』는 한국국학진흥원에 소장되어 있다.

함과 『상례비요』의 불비(不備)함을 보완 수정한 것으로, 위차의 선후와 의절의 거세를 명료하게 정리한 책이다.[29] 시기적으로 가장 나중에 편찬한 『예서유편』은 관혼상제부터 국휼(國恤)·향음(鄕飮)에 이르기까지 편목을 설정하고, 이에 관한 설은 『의례』·『예기』·『주례』 및 정자장자주자의 여러 책 및 우리나라 예학자의 설을 휘분유편(彙分類編)한 책이다.[30] 이 책은 노론 예서인 이응진(李應辰)의 『예의속집(禮疑續輯)』에 인용서목으로 등재되기도 하였다.

대구의 지헌(止軒) 최효술(崔孝述, 1786~1870)은 백불암(百弗庵) 최흥원(崔興遠)의 증손이고, 입재(立齋) 정종로(鄭宗魯)의 외손이자 문인이다. 그는 예서나 예설을 편찬한 것은 없지만, 문집에 수록된 예의(禮疑) 문목과 별지를 보면 당시 경주권에서 일정한 역할을 하였던 것으로 보인다. 예 관련 문답으로는 「답손치로양술별지(答孫穉老亮述(別紙))」·「답배진사문목(答裵進士問目)」·「답곽여홍별지(答郭汝洪(別紙))」·「답안경옥옥별지(答安景玉鈺(別紙))」·「답정건숙오석별지(答鄭建叔五錫(別紙))」·「답안순관효식문목(答安舜寬孝寔問目)」·「답황맹수만조별지(答黃孟綏萬祚(別紙))」·「답봉촌별지(答鳳村(別紙))」 등을 들 수 있다.

류치명(柳致明)·이종상(李鍾祥)의 문인 경암(敬庵) 이재목(李在穆, 1817~1879)이 제기한 예설 중에 독특한 것으로 「고유기제설(古有忌祭說)」과 「삼대유묘제설(三代有墓祭說)」이 있다.[31] 이 두 편의 예설은 『공자가어(孔子家語)』와 『예기』 「제의(祭儀)」, 『주례』와 『의례』의 예문을 근거로 가져와서 예

---

29) 孫汝濟, 『雷臯集』 卷2 「四禮纂要識」: 冠昏喪祭四禮, 迺有家日用之常而不可闕焉者也. 其間有古今因革之變鄕俗異同之宜, 而朱子家禮未盡修整. 沙溪備要, 亦多牴牾, 禮學之難於取證也固矣. 且以喪禮言之, 或於初終急遽之際, 主人方在哭擗, 而治喪之節, 專委於一家子弟, 其子弟者素昧儀節, 徒以臆見卜度, 行之於倉卒之間, 人子之情悔, 將何及哉. 至於冠昏祭禮, 雖與喪禮, 有吉凶緩急之別, 而其臨急錯措之易則一也. 謹就家禮本章, 各條下, 附以儀禮諸圖, 述其義, 解其圖, 弁以通禮而終於祭禮, 凡位次先後, 儀節鉅細, 了然不紊. 非敢公諸鄕國, 聊以爲一家蒙學隨急考證之資云爾.
30) 孫汝濟, 『禮書類編』 「凡例」: 此書裒輯以儀禮爲主, 而各從門類, 附歷代諸書及先儒議論, 使觀者知所擇焉. / 近世禮家皆以家禮爲本, 而愚陋嘗輯釋義纂要等篇, 故於此書不復條入云.
31) 李在穆, 『敬庵集』 卷9.

전부터 기제와 묘제가 있었다는 것을 논하였다. 이는 기제와 묘제가 인정에 근거하여 후대에 나온 것이라고 보는 주석가들의 일반적인 견해를 반박한 것인데, 정제(正祭)인 사시제(四時祭)가 제대로 행해지지 않은 반면에 기제와 묘제가 상대적으로 중시되던 상황에서 나온 설이라는 점에서 주목할 만하다. 뿐만 아니라 『주자가례』에서 기제와 묘제를 편성한 것이 송대의 시속을 반영한 것이 아니라 삼례 경전에 근거를 두고 편성된 것임을 확정하려는 논의로도 볼 수 있다.

소암(小庵) 이매구(李邁久, 1841~1927)는 이언적(李彦迪)의 12대손이다. 18세에 안동에 갔다가 류치명를 찾아가 수업하였고, 또 상주의 류주목(柳疇睦)에게 경전의 뜻을 물었으며, 한양에 있을 적에는 허전(許傳)에게 가서 의문점을 질의하였다. 그는 「청행삼년상제소(請行三年喪制疏)」라는 상소문을 비롯하여 「예의문답(禮疑問答)」·「복중사(服中死)」·「대부계상(代父繼喪)」·「장상담유상(葬祥禫有喪)」·「신주개조급추조(神主改造及追造)」·「부제(祔祭)」·「명제법총요(明祭法總要)」 등 상제례와 관련된 여러 편의 잡저를 저술하였다. 이 중에서 「청행삼년상제소」는 고종이 승하하여 기년복(期年服)으로 복제가 결정되자 이의 부당함을 논변하여 삼년복을 행할 것을 아뢴 글이다.

이상의 경주권 예학의 흐름을 간략하게 정리하면 다음과 같다. 경주권의 예학은 이언적과 조호익의 업적과 강학을 통해 하나의 예학 권역으로 형성되었다. 조호익은 정구와 장현광과 더불어 이 지역 예학 학풍을 널리 확산시키는 데 기여하였다. 이들에게 배운 정극후를 거쳐 18세기 전반에 손여제·이형상·정만양·정규양 등이 등장함으로써 굉장히 활발한 예학 논의를 전개하였고 많은 예서들을 편찬하였다. 18세기 중반 이후에는 구심점이 될 만한 큰 예학자가 등장하지 않아서 다소 소강 국면에 들어서기도 하였지만, 정사하·최남복·정백휴·이재목 등이 앞서 마련된 전범을 발판으로 꾸준하게 예학 논의를 이어 갔다.

영일정씨가 주축이 된 경주권의 예서 편찬은 18세기 초중반에 매우 흥성하였지만 출판 시기가 늦어진 경우가 많았다. 전사(轉寫)를 통해 일부 학자들에게 소통되기도 하였지만, 영남지역에서 출판된 류장원의 『상변통고』

와 같은 거질의 예서에도 인용문헌으로 오르지 못한 점은 경주권 예서의 광범한 유통이 당시까지는 이루어지지 못하였음을 말해 준다. 그러다가 여러 예서가 출판된 19세기 중반 이후에 가서는 칠곡의 장복추가 『가례보의』에서 『의례통고』·『개장비요』·『가례집요』를 인용서목으로 채택하고, 성주의 이진상이 『사례집요』에서 『가례집요』를 인용서목으로 채택했으며, 장복추의 문인인 성주의 송준필이 『육례수략』에서 경주권 학자들의 설을 다수 인용함으로써 인근 지역에 널리 파급되었다. 이렇게 경주권 외의 성주권 학자들에게 그들의 예설이 많이 인용될 수 있었던 것은 18세기 후반 경주권 학자들이 대구의 최흥원(崔興遠)에게 수학하는 경우가 많았고[32], 최흥원 문하의 출입을 계기로 이웃한 성주권의 학자들과 교류를 가졌던 것이 예설의 파급에 영향을 미치지 않았나 추정해 본다.

한편 정만양·정규양처럼 소론 윤증의 영향을 받은 인물들이 있었고, 그 뒤에도 경주권에서는 소론과의 학술 소통이 지속되었다. 이들 외에 19세기 전반에는 홍직필의 영향을 받은 한운성·안엽·서찬규 등이 이 지역에서 노론 예학을 전개하여 나름의 예학 성과를 제출하였다. 이들은 18세기 상주권의 이의조 학단과 19세기 후반 진주권의 정재규 학단과 함께 영남지역 노론 예학의 큰 축을 형성하였다. 이러한 사실은 영남지역 예학의 개방성과 다양성을 보여 준다는 점에서 상당히 고무적이라고 하겠다.

---

32) 최흥원의 문인록에 오른 경주·영천 지역 인물로는 一絲亭 曺德臣(영천, 曺好益의 6대손), 蒙庵 鄭熺(경주), 魯宇 鄭忠弼(경주), 鄭邦弼(경주), 曺學臣(영천), 南窩 鄭東弼(경주), 鄭履一(경주), 鄭致一(경주), 質庵 崔璧(경주), 崔廷鎭(경주) 등이 있다.

7

밀양권 예학의 전개 양상

　밀양권은 신라 9주(州)의 하나인 삽량주(挿良州)의 남부와 서부에 속하는 지역으로 낙동강 하류에 위치한다. 밀양권의 지역적 범위는 밀양·청도·김해·창녕·창원·마산·진해·거제·동래·양산 등이다. 이 지역에는 큰 고을이 네 곳 있는데, 김해와 창원과 밀양과 동래가 그곳이다. 그런데 본고에서 밀양권으로 설정한 이유는 조선 초기 학술의 근간을 이루었던 춘정(春亭) 변계량(卞季良)과 점필재(佔畢齋) 김종직(金宗直)이 밀양을 중심으로 활동했고, 그 뒤의 예학 논의와 저술도 밀양을 중심으로 전개되었기 때문이다.

　변계량은 하양(河陽)의 허조(許稠)와 더불어 조선 초기 국가 전례(典禮)의 기초를 마련하는 일에 큰 기여를 하였다. 그는 태종 때 설치된 의례상정소(儀禮詳定所)의 제조(提調)로서, 예조판서의 직책을 역임하면서 국가 전례를 획정하는 데 핵심적인 역할을 하였다. 그는 원구단제천의례(圓丘壇祭天儀禮), 종묘친향의절(宗廟親享儀節), 종묘(宗廟)의 소목위차(昭穆位次) 등에 대한 예설을 개신하고, 사서인(士庶人)의 봉사대사(奉祀代數) 문제를 논하기도 하였다.[1]

---

1) 정경주, 「春亭 卞季良의 典禮 禮說에 대하여」, 『한국인물사연구』 8, 한국인물
　사연구소, 2007, 200-201쪽.

김종직은 조선 초기 사대부의 가정의례 실천에 앞장섰던 인물이다. 예서에 인용되는 선현의 예서나 문집은 정몽주·길재 등의 문집이 인용되는 사례가 없는 것은 아니지만[2], 대부분 16세기 이언적(李彦迪)의 『봉선잡의(奉先雜儀)』가 상한선이라고 할 수 있다. 이언적보다 앞선 시기에 살았던 사람 중에서 제법 많이 인용되는 인물이 김종직이다. 그의 저술 중 『이준록(彝尊錄)』의 「선공제의(先公祭儀)」는 『봉선잡의』보다 약 100년 앞서 편찬된 것으로, 사당의 신알(晨謁)과 삭망참(朔望參), 절일(節日)과 묘제(墓祭)의 시기, 제수의 진설까지 규정했다는 점에서 큰 의의를 지닌다. 그의 역할 중에서 『소학』의 규범에 따라 인간관계의 미덕 실행을 중시하고, 『주자가례』에 제시된 일상생활과 의식절차의 법도를 준수함으로써 성리학의 이념을 일상생활 속에 실현하는 모범을 보이고 이를 널리 전파하는 데 크게 기여했다는 점은 학술사적으로 볼 때 중요한 부분이다.[3] 가정의례에 대한 영향 외에도 김종직이 남긴 향약(鄕約)은 밀양의 조하위(曺夏瑋)를 통해 「향약증산(鄕約增定)」이라는 글로 증편되기도 하였다. 김종직의 문집이나 예서가 인용서목에 오른 사례로는 안신(安㺪)의 『가례부췌(家禮附贅)』, 남도진(南道振)의 『예서차기(禮書箚記)』, 류장원의 『상변통고』, 허전의 『사의』, 장복추의 『가례보의』 등이 있다. 이 중에서 『가례부췌』·『사의』·『가례보의』는 김종직의 영향력이 강하게 남아 있던 밀양함안성주에서 편찬 간행되었다.

이 지역에서는 16세기 중반 김해에 거주했던 조식의 학문적 영향이 작용하였고, 이후 17세기 전반에 와서 정구의 강학에 힘입어 정구와 장현광의 문인들이 많이 분포해서 활동하였다. 즉, 정구와 장현광의 영향을 받은 안여경(安餘慶)·안신·조임도(趙任道) 등이 활동했으며, 얼마 뒤 이현일의 학통을 이은 신몽삼(辛夢參)이 18세기 초까지 맥을 이어 갔다. 이들 사후 한동안 침체되기도 했지만 19세기 중반 이후에 가서 허전의 학문을 접한 이들이 대거 배출됨으로써 부흥기를 맞았는데, 허전의 문인 중에서 노상직

---

2) 『圃隱集』(鄭夢周), 『冶隱集』(吉再), 『師友錄』(鄭汝昌 行錄 / 姜翼 撰), 『景賢錄』(金宏弼 行錄 / 李楨 撰) 등이 이언적보다 앞서 생존했던 인물들이다.
3) 정경주, 「조선조 예학과 선비의 역할」, 『지식인과 인문학』, 보고사, 2012, 217-227쪽.

(盧相稷)이 큰 역할을 하였다.

1. 정구(鄭逑) 문도

창녕에 살면서 밀양을 오가며 강학했던 옥천(玉川) 안여경(安餘慶, 1539~1592)[4]은 증조 안구(安覯)가 김종직의 문인이었기에 그의 학문 연원은 김종직과 깊은 관련을 갖는다. 그리하여 밀양교수로 있던 김종직의 손자 김뉴(金紐, 1527~1580)와 친분을 맺고, 정구·김우옹(金宇顒)·박성(朴惺)·성여신(成汝信) 등 조식 문인과도 왕래하였다.

정구는 1580년 창녕현감에 제수되어 여덟 마을에 서당을 세워 학문을 권장했는데, 그중 하나인 물계서당(勿溪書堂)의 강장(講長)으로 안여경을 초빙했다. 안여경은 성천복(成天福)·성천조(成天祚)·황언보(黃彦寶)·성안의(成安義)·노극홍(盧克弘) 등과 향중의 자제를 인솔하여 예를 강습하면서 풍속 순화에 힘을 쏟았다.[5] 정구의 단우(端友)였던 안여경은 예학에 밝아[6] 저술로 드러내었고, 의문점은 정구에게 묻기도 하였다. 그 내용은 상가(喪家)에 환난이나 역병이 있어 상제(祥祭)를 지낼 수 없을 경우에 탈복(脫服) 문제를 어떻게 조처하는가에 대한 한 조목이다.[7]

---

4) 안여경은 鄭逑의 문도는 아니지만 밀양권 예학 전승에 있어 중요한 인물이기에 언급하였다.

5) 安餘慶, 『玉川先生遺稿』 附錄 「墓誌銘」(安玌): 萬曆庚辰, 寒岡先生宰昌寧, 以興學校爲政, 作八里書堂, 其一勿溪也. 以公爲師, 公與成天福成天祚黃彦寶成安義盧克弘諸人, 率鄕中子弟, 每月朔望, 通讀講禮, 又鄕人之善者揚而與之, 其不善者絶而不與, 必待改過然後方許及門. 以故善者慕之而不善者亦不至深怨也.

6) 李瀷, 『星湖集』 卷55 「玉川遺稿跋」: 玉川安先生, 秩秩禮家, 鄭寒岡之端友也. 寒岡之宰昌寧, 建八里書堂, 邀爲師長. 旣又銘玉川亭曰, 手執朱書, 頭戴程冠, 其人如玉. 嘗望玉川峯屹立亭亭, 馬上長揖曰, 如見其人. 瀷夙仰寒岡之景行, 得其言爲重, 故敬書卷端.

7) 鄭逑, 『寒岡續集』 卷9 「答問」: (문)安餘慶問, 喪家有患難癘疫, 不能行祥祭, 則不敢脫服, 如之可. (답)古者, 卜日而練祥, 後來用忌日. 今以禮宜, 姑待家平, 擇日行事, 恐無不可也.

안여경의 예학 저술은 안신의 『가례부췌(家禮附贅)』 인용서책(引用書冊)에 "玉川禮說(姓安 名餘慶 字善繼 本朝人 有喪祭雜儀家禮解義問答等書 公於五休子爲再從叔 公嘗受業焉)"이라고 언급되어 있다. 이로 볼 때 『옥천안선생예설(玉川安先生禮說)』·『상제잡의(喪祭雜儀)』·『가례해의문답(家禮解義問答)』 등 3종이 있었던 듯하다. 이 중에서 현존하는 것은 『옥천안선생예설』이다. 이는 『옥천선생유고』에 '예경요어(禮經要語)'라는 제목으로 수록되어 있고, 종인(宗人)인 안정복(安鼎福)의 발문(1774년)이 첨부되어 있다.

안여경의 예설이 후대에 인용된 경우는 『가례부췌』 본문에 『옥천잡의(玉川雜儀)』라는 이름으로 상당수 수록되어 있고, 후계(後溪) 이이순(李頤淳, 1754~1832)이 『옥천해의(玉川解義)』를 인용한 대목이 보인다.[8] 안여경의 예학은 안신으로 이어지는 가학을 마련하는 계기가 되었고, 김종직의 예학을 계승하는 한편 정구의 예학도 수용하며 이 지역의 예학 풍토를 마련하였다는 점에서 의미를 부여할 수 있다.

오휴(五休) 안신(安玑, 1569~1648)은 재종숙인 안여경과 밀양에 살았던 정구의 문인 손기양(孫起陽)에게 배웠고, 조임도(趙任道)·장문익(蔣文益) 등과 교유하였다. 17세기 무렵 밀양권의 예서 편찬과 예학 계통은 안신이 편찬한 『가례부췌』에 수록된 인용서책을 보면 알 수 있다. 김종직과 이황, 정구의 설이 중요한 위치를 점하고 있고, 이 지역에 거주하거나 사승 또는 교유가 깊었던 조호익·안여경·손기양·정경세 등의 예서와 예설이 참고자료로 활용되었다.[9]

---

8) 李頤淳, 『後溪集』 卷5 「喪葬儀節」: 玉川解義曰, 油杉謂松木之美者, 朱子避家諱, 言油杉. 土杉檜屬, 木之雜者也. 棺厚二寸餘, 其縫合, 皆以灰漆塗入, 遂用隱釘, 且以繒帛塗棺. 秫者, 粘黍. 灰, 卽舂之作屑者也, 不去皮亦可. 蓋糯灰煉熟, 則久不變, 又能殺蟲, 故古人用之. 淸油者, 法油, 一名麻油. 胡氏云, 合用油蠟, 則松脂不得全其性, 此說未然. 松脂旣爲溶化, 則雖不合油蠟, 豈得全其性哉. 所謂伏苓琥珀之說, 恐是未爲溶化者言耳.

9) 『가례부췌』의 인용서책은 『五禮儀』, 『佔畢齋集』(姓金名宗直字季晜本朝人有文集及彝尊錄), 『退溪集』(姓李諱滉字景浩本朝人有文集及喪祭禮問答), 『竹溪雜儀』(姓安名璐本朝人撰喪祭雜錄), 『寒岡集』(姓鄭名逑字道可本朝人), 『芝山集』(姓曹名好益字士友本朝人有家禮考證), 『玉川禮說』(姓安名餘慶字善繼本朝人有喪祭雜儀家禮解義問答等書公於五休子爲再從叔公嘗受業焉), 『聱漢禮解』(姓孫名起陽字

뿐만 아니라 『가례부췌』에서 '서부상견례(壻婦相見禮)'라는 조목 아래에 조식(曺植)의 친영(親迎) 관련 내용을 언급한 대목은[10] 정구와 안여경이 이미 채택하였던 것으로, 조식과 정구의 영향이 겹쳐져 전하고 있는 밀양권 예학의 한 특징을 보여준다.

17세기 전반 밀양권의 예학은 경주권 예학과 유사하게 정구·조호익·장현광의 영향이 컸는데, 밀양권 예학자들은 주로 이들에게 입

●안신_가례부췌●

문하여 상호 교유하였다. 그리고 손기양 같은 이는 『퇴계선생상제례답문(退溪先生喪祭禮答問)』의 문목을 몸에 지니고 다닐 정도였다고 전하는 만큼[11] 이황의 예설을 존신하였다. 당시 이황의 문인 손영제(孫英濟)도 밀양에 살았는데, 그는 손기양의 종숙(從叔)으로 손기양에게 일정한 영향을 끼친 것으로 보인다. 밀양권 인물 가운데 안여경과 안신 이후에는 국담(菊潭)

景徽本朝人), 『愚伏集』(姓鄭名經世字景任本朝人) 등 9종이다.(중국 서책 제외)

10) 安玑, 『家禮附贅』「婚禮」壻婦相見禮: 奠鴈而親迎, 三代之古禮, 三日而相見, 我國之俗禮也. 俗禮野, 親迎路遠家貧, 則似不得準禮, 故南冥曺先生酌古參今, 立此平簡之禮, 名之曰壻婦相見禮. 安玑의 설은 본래 스승인 安餘慶의 『玉川先生遺稿』에 수록된 「雜儀」에 수록된 내용이다.

11) 孫起陽, 『聱漢集』「年譜」46세 書退溪先生喪祭禮說: 先生喪祭, 遵用家禮, 又以退溪先生喪祭禮說, 門目彙分, 便於攷閱. 讀禮之暇, 躬自繕寫, 以爲律身刑家之則, 今藏于家.

박수춘(朴壽春, 1572~1652)이 『의례문견해(疑禮聞見解)』를 편찬하였다. 그리고 박수춘의 사위로 허목(許穆)과 교유하고 『가례절요(家禮節要)』를 편찬한 죽파(竹坡) 이이정(李而楨, 1619~1679)도 밀양 사람이다.

밀양권의 정구 문도들과 그 후학들은 허목, 이익, 안정복으로 이어지는 근기남인과 지속적으로 교유했다. 예컨대, 이익의 문인으로는 손기양의 5세손인 죽포(竹圃) 손사익(孫思翼, 1711~1794), 냉와(冷窩) 안경점(安景漸, 1722~1789) 등이 있다. 안경점의 경우에는 정구와 교유했던 안여경의 6대손으로, 안정복과 예의(禮疑) 문답을 주고받았고, 예학에 깊은 관심을 가져 「최장방설(最長房說)」이라는 잡저를 짓기도 하였다.[12] 그리고 안경점의 문인 몽수(曚叟) 박정원(朴鼎元)은 안정복의 문인이기도 하다. 이처럼 밀양권의 정구 문도들과 후학들이 근기남인과 지속적으로 교유했던 것은 19세기에 이 권역에서 근기남인의 학통을 이은 허전(許傳)의 문인들이 대거 배출될 수 있었던 배경이 되었다는 점에서 주목할 부분이다.

2. 장현광(張顯光) 문도

간송(澗松) 조임도(趙任道, 1585~1664)는 함안에서 태어나 칠원(漆原)으로 이주했다가 49세에 창녕(昌寧) 영산(靈山)으로 거처를 옮겼다. 어려서 이황 학통의 반천(盤泉) 김중청(金中淸, 1567~1629)과 두곡(杜谷) 고응척(高應陟, 1531~1605)에게 배웠고, 1601년에 장현광의 문하에 들어갔다. 1622년 이후 장현광에게 서간문을 보내 부친의 갈문을 청하는 등 이후로부터 장현광이 사망할 때까지 거의 매년 서간문을 보내거나 직접 찾아가서 제자의 예를 갖추는 한편, 『심경』·『대학연의(大學衍義)』·『독서록(讀書錄)』 등의 의문처를 질문하였다. 그리고 장현광이 사망한 이듬해인 1638년에 장현광의 언행과 그에게 질의했던 문답 내용을 엮어 「취정록(就正錄)」을 완성하였다. 장현광 외에 정구의 심학과 예학에 대해서 높이 추숭하여 존모하는 마음이 대단했지만, 연로했던 정구에게 집지하지는 못했다.[13]

---

12) 安景漸, 『冷窩集』 卷2 「與安順菴(鼎福)問答」; 卷3 「最長房說」.

조임도와 서간문을 왕복했던 인물로는 장현광, 류진(柳袗), 정온(鄭蘊), 이후경(李厚慶) 등과 장응일(張應一)·하홍도(河弘度)·임진부(林眞怤)·문위(文緯)·장경우(張慶遇)·윤순거(尹舜擧)·조준도(趙遵道)·장문익(蔣文益)·김광계(金光繼) 등이 있고, 문인으로는 이경무(李景茂)·이현(李炫)·조징천(趙徵天)·홍우형(洪宇亨)·조련(趙璉)·조채(趙采) 등이 있다.

그는 남명학파 인물 외에도 퇴계학파나 소론계로 분류되는 학자들과도 두루 소통하며 지냈다. 그는 "당론이 일어난 뒤로 공론이라는 게 없어졌으니, 당인(黨人)이라는 이름 아래에는 온전한 사람이 없다."[14]고 하였다. 당론의 폐해를 이처럼 신랄하게 비판하였던 그였기에 당파와 학파를 초월하여 개방적으로 교유할 수 있었다.

이러한 점은 17세기 중엽, 정인홍의 회퇴변척(晦退辨斥) 이후 퇴계학파와 남명학파의 갈등이 심각하던 상황에서 정인홍의 패퇴와 맞물려 남명학파의 위기가 가속화되던 시기에 두 학파의 융화를 위해 노력했던 것에서도 극명하게 드러난다. 그는 퇴계학파 인물인 김중청·고응척·장현광을 스승으로 섬겼고 경상좌도 인물들과 두루 교유했지만, 자신의 거주지가 경상우도였고 조식의 위패를 봉안한 김해의 신산서원(新山書院) 원장을 지내기도 하였다. 따라서 이황·조식을 동시에 높이 추숭하면서 두 학파의 장점을 골고루 흡수하였다. 이런 자세를 통해 그는 두 학파 사이의 감정 대립의 골이 깊어지던 상황에서 이를 중재하고 완화시키기에 힘을 쏟았다.[15]

조임도는 『봉선초의(奉先抄儀)』를 편찬하였다. 그의 나이 23세에 부친

---

13) 따라서 정구의 문인록인 『檜淵及門諸賢錄』에 조임도의 이름은 없다. 하지만 조임도는 조식·정구·장현광에 대한 존모의 마음이 깊었는데, 「東賢十六詠」(『澗松集』 卷2)라는 시에서 조식에 대해 "泰山秋氣壓頹瀾, 敬義工程妙透關. 道不遇時寧小用, 懷藏國器軸藹間."이라 읊고, 정구에 대해 "心經註解明心學, 禮說編章整禮坊. 況有扶倫疏箚在, 高名日月與爭光."이라 읊고, 장현광에 대해 "天成德器自凝純, 一笑開來片片仁. 性理圖書爲事業, 神遊三十六宮春."이라 읊었다. 이 시에는 이들 외에 鄭夢周, 鄭汝昌, 金宏弼, 南孝溫, 趙光祖, 徐敬德, 李彦迪, 成守琛, 成運, 李滉, 趙穆, 奇大升, 柳成龍 등이 있다.

14) 趙任道, 『澗松集』 卷3 「管窺瑣說」: 黨論起後無公論, 黨人名下無全人.

15) 허권수, 「南冥·退溪 兩學派의 融和를 위해 노력한 澗松 趙任道」, 『남명학연구』 11, 경상대 남명학연구소, 2001 참조.

이 사망하고, 37세인 1621년에는 모친을 여의었다. 부모가 생존해 있을 때 자식으로서의 도리를 제대로 하지 못한 점을 깊이 반성하면서, 사후의 제례에 있어서만은 힘이 닿는 데까지 정성을 다해야만 불효의 죄를 조금이나마 덜 수 있을 것으로 여겼다. 그래서 『주자가례』를 근본으로 하고 김숙자(金叔滋)의 「제의(祭儀)」, 이이(李珥)의 「제의초(祭儀抄)」 등 제례와 관련된 예서를 참작하여 『봉

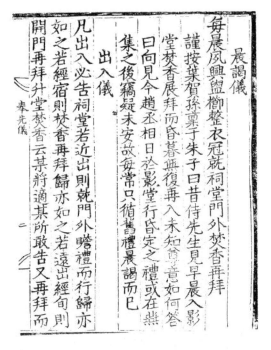

•조임도_봉선초의•

선초의』를 편찬하였다.

조임도는 『봉선초의』에서 수시절충(隨時折衷)의 입장을 강조하였다. 고례와 금례의 절충과 함께 반드시 고려되어야 했던 것이 중국례와 조선례의 회통이었다. 고금의 이의(異宜)를 적절하게 절충하여 행례 가능한 절충안을 마련함과 동시에 우리나라 현실과 상황에 맞는 예서를 편찬하여 준행 자료로 삼는 일이 요구되었다. 이는 예학 연구의 초기부터 자주 논의되던 것이다. 그는 "나의 집은 아버지를 제사 지내는 소종[祭禰小宗]이다. 종신토록 제사를 모실 분은 고·비 두 분뿐이고, 제사를 지낼 때의 의물(儀物) 또한 『주자가례』와 약간 차이가 있다. 대개 우리나라의 소과(蔬果) 찬품(饌品)은 중국과 달라서 우리나라 풍속에서 숭상하는 것도 자연히 그러지 않을 수 없다."[16]고 하여, 우리나라 현실을 반영함과 동시에 계녜소종(繼禰小宗)이라는 개인의 처지까지도 고려하여 알맞은 예법을 강구하였다.

『봉선초의』는 16세기 후반에서 17세기 초에 편찬된 행례 위주의 제례 지침서로서의 계통을 충실하게 계승한 예서라고 할 수 있다. 그리고 김숙자의 글을 참고로 했다는 것은 이 지역의 예학에 김숙자·김종직 부자의 영향력이 상당 부분 작용하고 있었다는 사실을 말한다. 조임도의 예설은 19세기 후반 윤주하(尹胄夏)의 『찬축고증(贊祝考證)』 인용서목에 등장하는 것 외에 잘 보이지 않는 것으로 보아 후대에 큰 영향을 미치지는 못하였던 듯하다.

3. 이현일(李玄逸) 문도

17세기 후반 밀양권에서 두드러진 학자가 나타나지 않고 이황 학맥에 접맥하는 이들이 많아졌는데, 이현일에게 배운 창녕의 일암(一庵) 신몽삼(辛夢參, 1648~1711)이 대표적인 인물이다. 그는 어려서 송정현(宋廷賢)과 신민행(辛敏行)에게 배우고 이후로는 독학으로 공부했으며, 나중에 이현일의 문인이 되었다. 그는 합천의 문동도(文東道)와 성리(性理)문자를 왕복하며 두터운 교분을 쌓았고, 영천의 정규양(鄭葵陽)과도 교유하였다.

신몽삼은 『주자가례』를 명확하게 이해하여 행례에 보탬이 될 수 있도록 『가례집해(家禮輯解)』라는 『가례』주석서를 편찬하였다. 그는 여기에서 향촌 사족들의 처신과 관련된 거향잡의(居鄕雜儀)를 비롯하여 『가례의절(家禮儀節)』에 있는 조목을 많이 채록하여 『주자가례』에 없는 조목들을 확대 연구하는 모습을 보여 주고 있다.

신몽삼이 살았던 창녕이 정구(鄭逑)의 학문 영향이 심대하였던 곳인 만큼 『가례집해』에는 정구의 예설이 두루 반영되어 있다. 그리고 정치적으로 남인과 노론의 갈등이 매우 심각하던 시기임에도 불구하고 남인은 물론 노론 계열 예학자들의 제설이 큰 편견 없이 두루 채택되고 있다. 이 점은 이 시대에 『주자가례』를 정확하게 이해하고 이를 실용화하려는 노력이

---

16) 趙任道, 『奉先抄儀』 「跋」: 任道之家, 卽祭禰之小宗也. 終身奉之者, 只考妣二位, 而其行祭儀物, 亦略有異於家禮者. 蓋吾東方蔬果饌品, 與中夏不同, 國俗所尙, 自不得不然矣.

●신몽삼_가례집해●

당파에 관계없이 진지하게 진행되고 있었다는 증거이다.[17]

『가례집해』는 조긍섭(曺兢燮)의 간서(刊序)와 권상규(權相圭)의 발문을 받아 1930년에 와서 간행되었기 때문에 널리 읽히지는 못한 것으로 보이고, 인용서목에도 전혀 등장하지 않는다. 『예의통고(禮宜通考)』라는 예서에 신몽삼의 예설 일부가 수록되어 있다.[18] 신몽삼은 『가례집해』 외에 아버지의 묘소를 개장하면서 현훈(玄纁)을 사용한 내력을 「개장선고시용현삼훈이지수(改葬先考時用玄三纁二之數)」라는 잡저로 남겼다. 그리고 그의 예의(禮疑) 문답은 문집 권4·5에 집중되어 있는데, 동문인 김상정(金尙鼎)도 포함되었다.

신몽삼 외에 이현일 문도 가운데 밀양권 인물로는 곡천(谷川) 김상정(1668～1728)이 『의례유취(疑禮類聚)』를 편찬하고 「사문기선록(師門記善錄)

---

17) 정경주, 「『家禮輯解』 해제」, 『한국예학총서』 25, 경성대 한국학연구소, 2008.

18) 2책 필사본으로 전해지는 『禮宜通考』가 肅宗의 명으로 崔錫鼎이 편찬한 것으로 알려져 있으나, 이는 재고할 소지가 있다. 2책 첫머리에 최석정의 언급이 있기 때문에 오해가 생긴 듯하다. 이 책에는 李滉, 鄭逑, 鄭經世, 遯愚 洪錫, 一庵 辛夢參의 예설까지 포함되어 있고, 권수에 『五服沿革圖』가 수록되고, 말미에 '江湖先生祭儀'가 부록되고 그 뒤 '謹按' 이하의 내용에 '先祖祭儀'라는 말이 있는 것으로 볼 때 밀양권에 거주하던 金叔滋의 후손이 편찬했을 가능성이 높다.

」을 저술하였다.[19] 그는 창원 사람으로 이현일과 그의 아들 이재(李栽) 및 정만양·정규양 등과 학문을 소통하였다. 창원과 이웃한 함안에서는 모계(茅溪) 이명배(李命培)가『사례의의문답유편(四禮疑義問答類編)』『사례정의(四禮訂疑)』를 편찬했다.

소암(笑菴) 조하위(曺夏瑋, 1678~1752)는 이현일의 문인은 아니지만, 이현일의 문인인 영천의 정규양과 관련이 있기에 잠시 살펴본다. 조하위는 취원당(聚遠堂) 조광익(曺光益)의 5대손으로 밀양에서 태어났다. 그가 가장 존경한 이는 명재(明齋) 윤증(尹拯)이었고, 지수(篪叟) 정규양(鄭葵陽)·눌은(訥隱) 이광정(李光庭)·매죽(梅竹) 신동현(申東顯)·병애(屛厓) 조선장(曺善長)·강좌(江左) 권만(權萬)·백곡(栢谷) 이지운(李之雲)·자운(紫雲) 이의한(李宜翰)·문암(門巖) 손석관(孫碩寬) 등과 가까이 지냈다. 그는 가정생활에 있어서 의절(儀節)을 숭상하고 의문 나는 점이 있으면 반드시 그 근거를 확인하려고 하였다. 그가 정규양에게 질의한 예의(禮疑)는 모두 6조목인데, 그 내용은 손자가 조부에게 압존(壓尊)되어 어머니의 상에 강복(降服)하는지, 어머니의 상에 아버지를 개장하여 합폄(合窆)할 때 어떤 복을 입는지 등에 대한 논의이다.[20] 조하위는 이 외에 김종직(金宗直)의 향약(鄕約)을 바탕으로 내용을 보태 「향약증정(鄕約增定)」이라는 글을 지었다. 여기에 수록된 내용은 반수(班首) 3명을 추천할 것, 공조(功曹)도 고을에서 추천한 대로 따를 것, 각 방(坊)에 집강(執綱)을 둘 것, 각 리(里)에 상존위(上尊位)를 둘 것, 주리(主吏)를 고을 논의에 따라 차출할 것, 교궁(校宮)의 탁란(濁亂)을 원칙적으로 금할 것, 명분(名分)을 바로 세울 것, 반수도 상대의 규경(規警)을 받을 것, 선을 권장하고 악을 징계할 것 등이다.[21]

---

19) 李光庭,『訥隱集』卷14「谷川處士金君墓誌銘」: 所著述多, 尋以不滿意去之. 今有詩文雜著若干卷及疑禮類聚師門記善錄花木關誌等書, 藏于家, 未及脫藁.
20) 曺夏瑋,『笑菴集』卷2「與鄭篪叟(葵陽)別紙」.
21) 曺夏瑋,『笑菴集』부록「行狀」(盧相稷).

4. 허전(許傳) 학단

18세기 초반 이후 침체되었던 밀양권의 학문 분위기는 19세기 중반 근기남인의 영수인 성재(性齋) 허전(1797~1886)이 김해부사로 부임하여 학풍을 크게 일으킴으로써 새로운 활기를 띠었다. 허전의 학문 연원은 정구→허목→이익→안정복→황덕길(黃德吉)로 이어지며 근기 지역을 중심으로 전개되었다. 그러다가 허전이 김해부사로 부임함과 동시에 김해 인근 학자들이 운집함으로써 단기간에 엄청난 규모로 확산되었다. 이런 결과 류치명(柳致明) 이후 류주목(柳疇睦)·장복추(張福樞)·이진상(李震相)·김흥락(金興洛) 등에 의해 주도되던 영남지역의 학풍에 새바람을 일으키며 학파의 재편을 불러왔다.

밀양권과 진주권에서 허전의 학문에 경도되는 이가 많았던 까닭은 학맥의 계승이라는 측면에서 접근할 수 있다. 이 지역에는 예로부터 정구와 허목의 문인이 제법 존재했고, 이익의 아버지 이하진(李夏鎭, 1628~1682)이 진주목사를 지내는 등 근기남인의 자취가 지속적으로 이어졌으며, 이익과 안정복의 문인도 존재했고, 안정복이 영남지역 인사들과 접촉이 잦았던 것이 영향을 미쳤을 것으로 보인다.22) 또 장복추와 이진상은 칠곡과 성주에서 활동한 인물들이었기 때문에 지역적으로 볼 때 보다 가까운 김해에 있던 허전에게 취학하는 것이 편리했던 점도 있다. 밀양권에 장복추와 이진상에 비견될 만한 대유(大儒)가 등장하지 않았던 당시에 허전의 부임은 인근 학자들에게 엄청나게 큰 돌파구로 인식되었음이 분명하다.

허전은 김해에 와서 인근 학자들에게까지 큰 영향을 주었다. 그는 1864년부터 1866년까지 2년 6개월 정도의 짧은 김해부사 시절에, 향음주례

---

22) 허전이 영남에서 환대받을 수 있었던 배경은 성호학파와 李象靖 학단이 정치적·학문적으로 친밀한 관계를 유지하였던 점에서 찾을 수 있고, (강세구, 『성호학통 연구』, 혜안, 1999, 188-193쪽) 허전의 선대인 許曄·許筬 등이 북인 계열이었던 점도 친밀감을 느낄 수 있는 기제로 작용했다. (이상필, 『남명학파의 형성과 전개』, 와우출판사, 2005, 194쪽)

를 행하고, 지역 내 서원을 방문하고, 청사 내의 공여당(公餘堂)을 개방해서 학자들을 맞이하여 학문을 강론하고, 인근 지역의 유람을 통해 동지적 결속을 다지는 등 지역 인사들과 원만한 관계를 유지하였다. 적극적인 후학 교육과 동지적 결속이 계기가 되어 그가 상경한 뒤에도 한양으로 찾아가거나 서신을 통하여 배움을 청하는 이들이 줄을 이었고, 1886년 허전이 사망할 당시에 경상우도의 제자들이 임

•허전 영정(한국민족문화대백과사전)•

종을 지켜보며 상례를 치르고, 허전의 저술을 간행하는 일에 적극적으로 참여하는 등 허전에 대한 추숭의 정도가 대단하였다.

19세기 영남지역에서 제기된 학설 가운데 이기심성론 방면에서 이진상의 심즉리설이 학계의 큰 관심을 모았다고 한다면, 허전의 『사의(士儀)』는 예학 방면에서 가장 큰 화제로 떠올랐다. 허전의 문인 김인섭(金麟燮)이 「심즉리설변(心卽理說辨)」을 지어 이진상의 성리설을 비판하고, 이진상과 그의 문인 곽종석(郭鍾錫)이 『사의』의 심의설(深衣說)을 비롯한 여러 가지 설에 대해 이의를 제기한 것이 대표적인 사례이다. 『사의』 비판의 선봉에 선 이들은 이진상 학단이었지만 진주권의 정재규(鄭載圭) 학단도 이에 가세하였다. 이들은 성주 합천 등 지역적으로 비교적 인접한 곳에 살았으므로 『사의』 예설을 쉽게 접할 수 있었고, 그에 따라 『사의』 예설이 나오고 그 예설을 추종하는 이들이 성행하자 즉각적인 비판을 가할 수 있었다. 이런 비판은 기존의 예서에서는

●허전_사의●

보이지 않았던 새롭고 참신한 설이 『사의』에 많이 수록되었음을 반증하는 것
이기도 하다.

　　허전 학단에 대한 연구는 근래 들어 경성대와 경상대를 중심으로 허전
과 그 문인들에 대해 다양하고 활발하게 진행되었다. 예학에 관해서도 허
전을 중심으로 몇 편의 논문과 허전 학단 인물들의 예서 해제가 나옴으로
써 대체적인 윤곽이 그려지게 되었다.23) 이러한 성과에도 불구하고 허전과
『사의』의 예학이 그의 문인들에 의해서 확대되고 변용된 부분은 진주권의

23) 허전과 그 문인들에 대한 논문과 해제는 워낙 많기 때문에 여기서는 예학에
　　대한 논의만 정리한다. 김철범, 「『士禮要儀』 해제」, 『한국예학총서』 101, 경성
　　대 한국학연구소, 2011; 김철범, 「『士儀節要』 해제」, 『한국예학총서』 82, 경성대
　　한국학연구소, 2011; 김철범, 「『常體便覽』 해제」, 『한국예학총서』 106, 경성대
　　한국학연구소, 2011; 김철범·정경주, 「『士儀』 해제」, 『국역 士儀』 1, 보고사, 20
　　06; 정경주, 「晚醒 朴致馥의 禮說에 대하여」, 『만성 박치복의 학문과 사상』, 술
　　이, 2007; 정경주, 「勿川 金鎭祜의 禮學思想」, 『물천 김진호의 학문과 사상』,
　　술이, 2007; 정경주, 「『士儀』 해제」, 『한국예학총서』 80, 경성대 한국학연
　　구소, 2011; 정경주, 「性齋 許傳의 士儀 禮說에 대하여」, 『동양한문학연구
　　』 19, 동양한문학회, 2004; 정경주, 「許性齋 士儀 禮說에 수용된 退溪學派
　　의 예학관점」, 『퇴계학논총』 10·11, 퇴계학부산연구원, 2005; 정경주, 「許
　　性齋 禮說의 收養子 문제에 대하여」, 『문화전통논집』 8, 경성대 한국학
　　연구소, 2000; 한국고전의례연구회 역주, 『국역 士儀』, 보고사, 2006.

박치복(朴致馥)과 김진호(金鎭祐) 두 사람에 대한 연구를 제외하고는 잘 알려져 있지 않다. 이들 외에 밀양권에서도 예학사적으로 주목해야 할 인물들이 더 많다는 점을 감안할 때, 예서와 예설을 낸 문인들을 중심으로 허전 예학의 계승 양상을 살펴서 전체적인 계통을 정리할 필요가 있다.

이를 알아보기에 앞서 먼저 허전과 『사의』의 예학에 나타난 특징적인 면모를 살펴보도록 하겠다. 허전의 예학은 『사의』에 집결되어 있다. 27세에 「법복편(法服篇)」을 짓는 것으로 시작하여 64세인 1860

●허전_사의(국역본)●

년에 『사의』를 편찬하였다. 그리고 경상우도 지역 문인들에 의해 『사의』가 1870년에 활자본 25권 12책으로 간행되고, 또 허전 스스로 『사의』를 요약한 『사의절요(士儀節要)』를 편찬했으며, 『사의절요』를 재차 요약한 『사례요의(士禮要儀)』가 편찬 간행되는 등 『사의』는 밀양진주권 학자들에 의해 대단히 큰 추숭을 받았다. 이후 『사의』는 1909년 무렵에 목판본으로 다시 간행되기도 하였다.[24]

『사의』는 '사(士)의 의례'를 표방한 예서이다. 그 구성은 「친친편(親親篇)」, 「성인편(成人篇)」, 「정시편(正始篇)」, 「이척편(易戚篇)」, 「여재편(如在篇)」, 「방상편(方喪篇)」, 「법복편(法服篇)」, 「논례편(論禮篇)」 등으로 되어 있다. 『사의』가 조선 예학사에서 갖는 가장 중요한 의미는 『주자가례』를 최선의 예서로 절대시하지 않았던 근기남인의 학문 태도를 견지하여, 편찬

---

24) 『士儀』 重刊에 대한 자료로는 金永蓍, 『平谷集』 卷5 「士儀重刊通文」; 李相敦, 『勿齋集』 卷3 「漫錄」 참조.

의도와 편찬 체재에 있어서 새로운 전범을 마련했다는 것이다. 즉『주자가례』의 통례(通禮)에 들어 있는 사당제도와 심의제도에 대한 설명을 「여재편」과 「법복편」으로 옮기고, 「친친편」과 「방상편」과 「법복편」을 새로 설정했을 뿐 아니라 세부 조목의 설정에 있어서도 『주자가례』의 설을 그대로 취하지 않고 새롭게 구성했다.25) 게다가 『사의』에 수록된 예설에는 독창성이 번득이는 부분이 많다. 그중에서 가장 핵심적인 부분은 심의에 대한 논의로, 이에 대해서 허전 학단과 다른 학단 사이에 치열한 논변이 벌어졌다.

앞서 잠시 언급했듯이 『사의』 예설에 대해 이의를 제기한 인물로는 이진상이 대표적인데, 그는 허전과 문답을 통해 이견을 주고받았다.26) 이진상은 「독허성재사의(讀許性齋士儀)」27)라는 글을 통해 『사의』를 읽고 나서 자신의 견해와 합치되는 부분과 합치되지 않는 부분을 꼼꼼히 정리하였다. 물론 이 글을 작성했다는 것 자체가 합치되지 않는 부분이 많다는 의도를 담고 있기 때문에 합치되는 부분은 몇 조목에 불과하고 거개는 비판한 내용으로 채워져 있다. 여기에는 「논례편」 11조목, 「친친편」 8조목, 「정시편」 2조목, 「이척편」 36조목, 「여재편」 5조목, 「법복편」 10조목 등 72조목에 달하고, 「논례편」 마지막의 통안(通按) 1조목을 따로 계산하면 모두 73조목이다. 이후 허전 학단의 허훈(許薰)·김진호와 이진상 학단의 곽종석·허유(許愈)에 의해서도 논변이 계속되었고, 진주권의 정재규 역시 「옥조심의이편해(玉藻深衣二篇解)」를 지어 논의에 가세하였다.

이진상이 허전의 심의제도에 대해 의구심을 품고 이견을 제시하였던 것은 '이진상 학단' 부분에서 살펴본바 있다. 이 외에 대복설(代服說)에 대해서도 허전과 이진상의 견해는 달랐다. 17세기 후반에 민업(閔業, 1605~1671)이 사망했을 때 맏아들 민세익(閔世益)이 정신병에 걸린 상태였으므로 손자 민신(閔愼)이 승중(承重)하여 조부의 상에 참최복을 입은 '민신(閔愼) 대복(代服) 사건'이 발생하여 논의가 분분하였던 일이 있었다.28) 허전은 '부장기(不杖期)'

---

25) 김철범·정경주, 「『士儀』 해제」, 『국역 士儀』 1, 보고사, 2006, 28쪽.
26) 이진상이 허전과 문답한 서간문은 李震相, 『寒洲集』 卷6 「上許性齋 傳」(⇒許傳, 『性齋集』 卷5 「答李汝雷(震相)」); 『寒洲集』 卷6 「上許性齋」(別紙)(⇒『性齋集』 續編 卷2 「答李汝雷(震相)」); 『寒洲集』 卷6 「上許性齋(甲戌)」 등이다.
27) 李震相, 『寒洲集』 卷34 「讀許性齋士儀」.

를 논하는 과정에서 대복이란 불가한 일이라고 주장하였다. 그런데 "조부 상중에 부친이 사망하면 손자는 승중할 수 없으니 조부에 대한 본복(本服)인 기년복을 입었다가 제복(除服)하고 심상(心喪)으로 3년을 마친다. 무릇 상사는 모두 (손자가) 섭행하여 주관한다."고 한 『사의』의 설[29]에 대해 이진상은 이의를 제기하였다.[30]

부친이 먼저 사망하고 조부가 뒤에 사망한 부선망 조후망(父先亡祖後亡)의 경우라면 승중하고, 조부가 먼저 사망하고 부친이 뒤에 사망한 조선망 부후망(祖先亡父後亡)의 경우라면 승중할 수 없다는 점은 분명한 사실이다. 조선망부후망의 경우에 승중할 수는 없지만 대복에 대해서는 가론(可論)과 부론(否論)이 맞선다.[31] 대복이 가능한 것인지를 둘러싼 논쟁의 핵심은 가통(家統)의 계승에 있다.

허전의 논리는 조부가 사망했을 때 부친이 계셨으면 부친이 이미 승중한 것으로 손자는 조부의 후사가 되지 못했기 때문에 본복인 기년복을 입었다가 제복하고, 그 이후 삼년상을 마칠 때까지는 심상으로 조처한다는 것이다. 심상을 허용하는 이유는 부친이 조부의 상을 마치지 못했기 때문이다.[32] 허전은 이를 증빙하기 위해 『의례』「상복(喪服)」기(記)의 "부친이 졸한 뒤에 조부의 후사가 된 자는 참최복을 입는다."는 설을 근거로 제시

---

28) 이원택,「17세기 閔愼 代服 사건에 나타난 宗法 인식-朴世采와 尹鑴의 논쟁을 중심으로」,『법사학연구』29, 한국법사학회, 2004.

29) 許傳,『士儀』卷7「易戚篇」2 成服 '不杖期辨疑': 祖喪中父死, 孫不得承重, 服祖本服期而除, 以心喪終三年. 凡喪事, 皆攝主之.(饋奠題主練祥之禮, 孫皆攝行之.)

30) 李震相,『寒洲集』卷34「讀許性齋士儀」:『사의』⇒祖喪中父死, 孫不得承重, 服祖本服朞而除之, 心喪終三年. 凡喪事, 皆攝主之. 이진상⇒孫不得承重固也, 而代服何害於禮也. 父生而病則爲之代祭, 父歿而重喪未畢則爲之代服, 其義一也. 要之父先祖死則爲之承重, 祖先父死則爲之代服, 乃所以伸父之孝而述父之事也. 以心喪終三年則心實承重也. 外面之不服, 豈其情實乎.

31) 柳長源,『常變通攷』卷12「喪禮」並有喪 '祖父母喪中父死代服'에 代服과 不代服, 練後亦當代服과 練後不代服의 논의가 상세하게 수록되어 있다.

32) 허전의 논의는 許傳,『性齋集』卷8「答李命九」에 그대로 수록되어 있다.

•두우(杜佑)_통전•

하고, 『통전(通典)』에서 유울지(庾蔚之)가 말한 "부친이 적(嫡)이 되어 거상(居喪)하다가 사망하면, 손자는 승중하지 못한다." "부친이 전중(傳重)의 정주(正主)이니 자신은 일을 섭행한다."는 설과 서막(徐邈)의 "섭주(攝主)로서 복을 입어도 본복(本服) 기년이다." "기년상에 이미 제복하면 심상으로 3년을 마친다."는 설을 끌어와 정론으로 삼았다.33)

　반면 이진상은 부친이 마치지 못한 상기(喪期)를 손자가 대복의 형식으로 다하는 것이 아버지의 효심을 펴는 것이면서 부친이 다하지 못한 일을 계술(繼述)하는 것이라고 대복의 합당성을 논하였다. 그는 아무리 심상 종삼년(心喪終三年)이라고 하더라도 손자가 마음속으로 실제 승중하는 것이 되기 때문에 겉으로의 심상과 속으로의 승중이 서로 부합하지 않는 꼴이 된다고 부연하였다. 그는 이 대목에서 경전과 선현의 설을 가져오지 않고는 있지만, 『사례집요(四禮輯要)』에 편제된 부분34)을 보면 이 부분에 대한 이진상의 논의도 면밀함을 알 수 있다.

　허전과 이진상의 학문 연원은 모두 퇴계학으로 귀결될 수 있지만, 심의설(深衣說)이나 대복설(代服說)에서 보았듯이 예문의 적용에 있어서는 차이점을 보이기도 하였다. 하지만 차이점은 차이점일 뿐 이들이 공통적으로 지향했던 예학 논의의 방향은 예의 본의에 대한 면밀한 탐구를 거쳐 19세기에 필요한 새 시대의 예론을 절충하는 것이었다.

---

33) 許傳, 『士儀』 卷7 「易戚篇」2 成服 '不杖期辨疑': 按, 古無祖喪中父死代服之禮矣. 喪服記曰, 父卒然後, 爲祖後者, 服斬. … 通典庾蔚之曰, 父爲嫡居喪而亡, 孫不承重. 又曰, 父爲傳重正主, 己攝行事, 事無所闕. 徐邈曰, 攝主而服本服期. 又曰, 周旣除, 心喪以終三年. 此可謂正論也.
34) 李震相, 『四禮輯要』 卷13 「喪禮」9 父祖偕喪 '祖先亡父後亡祖父服'.

허전의 예서인 『사의』는 19세기 후반에 간행되었기에 후대의 예서에 인용되는 사례가 한정적이다. 『사의』는 이진상의 『사례집요』, 윤주하(尹冑夏)의 『찬축고증(贊祝考證)』, 안정려(安鼎呂)의 『상변요의(常變要義)』 인용 서목에 등장한다. 그렇기는 하지만 밀양권과 진주권에서 예학 논의를 전개함에 있어서는 중요한 예서로 인식되어 널리 언급되었다.

허전의 예학은 밀양권과 진주권에 있는 문인들을 통해 계승되었다. 영남지역에 거주했던 허전 문인의 면모와 학풍에 대해서는 지금까지 많이 밝혀졌다.[35] 예학에 관해서는 『사례요의』와 『상체편람(常體便覽)』에 대한 해제, 박치복과 김진호의 예설에 대한 논문이 있다. 아래에서는 허전 문인들의 예서를 개괄하고, 그 예서에 나타난 허전에 대한 존모와 『사의』 예설의 계승 양상을 검토하기로 한다. 먼저 허전 문인 중 예서나 예설을 남긴 인물들을 정리하였다.[36]

표-28 <허전 문인의 예학 저술>

성명 거주지	예학 저술
海間 權相迪(1822~1900) 산청	「甲午變制說」
晩醒 朴致馥(1824~1894) 합천	「請勿變衣制疏」「讀書隨箚」
囂囂齋 文鎭英(1826~1879) 합천	「上性齋先生疑目」

---

35) 허전 문인에 대해서는 강세구, 『성호학통 연구』, 혜안, 1999, 246-263쪽; 정경주, 「江右地方 許性齋 門徒의 學風」, 『남명학연구』 10, 경상대 남명학연구소, 2000, 132-138쪽; 이상필, 『남명학파의 형성과 전개』, 와우출판사, 2005, 190-191쪽; 강동욱, 「性齋 許傳의 江右地域 門人 考察」, 『남명학연구』 31, 경상대 남명학연구소, 2011, 250-261쪽 참조. 강동욱은 허전의 문인록인 『冷泉及門錄』 소재 강우지역 문인 전체를 대상으로 25개 지역의 354인을 소개하였는데, 咸安 70인(칠원 9인 미포함), 金海 41인, 丹城 30인, 晉州 29인 등 4개 지역 인물이 절반을 차지한다. 『냉전급문록』에 실린 문인은 모두 514인이다.

36) 강우지역 허전 문인들은 여러 학맥에 동시에 접맥된다. 朴致馥·李根玉·文鎭英·金麟燮·李種杞 등은 柳致明, 許愈·金基周는 李震相, 崔昌洛·許薰은 柳疇睦, 金鎭祜는 李震相·朴致馥, 尹冑夏는 張福樞·李震相의 학문 영향도 받았기 때문에 허전 학단으로만 분류하기가 곤란한 점이 있음을 밝혀 둔다.

克齋 盧佖淵(1827~1885) 김해	「士儀考誤增註」「喪禮類攷」
端磎 金麟燮(1827~1903) 산청	「國恤卒哭前私服除不除辨」「閏月行禫辨」
南厓 崔昌洛(1832~1886) 金山	『士儀節要附註』
小心亭 全奎煥(1832~1893) 합천	「師門日記」「禮言」
后山 許愈(1833~1904) 합천	「論兄弟可爲昭穆」
舫山 許薰(1836~1907) 김해	「答李寒洲論士儀法服喪禮」「承重者妻從服說」「題主奠祝文改正」「祭饌陳設圖」「祔祭義」「三年內墓祭說」「喪中雜記」「辨李寒洲深衣說」
心齋 趙性濂(1836~1886) 함안	『士儀鈔』「就正錄」
晚求 李種杞(1837~1902) 성주	「答安復初禮記問目」「父在母喪十五月禫後禮疑」「昭穆說與郭鳴遠」
勿川 金鎭祜(1845~1908) 산청	「上性齋許先生辛未」「正服不變說」「除國制說」「家居節目」
膠宇 尹冑夏(1846~1906) 거창	『贊祝考証』「答卜舜佐問目禮記」『士儀要辨』
一山 趙昺奎(1846~1931) 함안	『士禮要儀』
月淵 李道樞(1847~1921) 진주	「深衣條解」
竹史 許在瓚(1847~1918) 고성	「衣制說」
大訥 盧相益(1849~1941) 밀양	『退溪寒岡星湖三先生禮說類輯』
盧相旭(1854~1927) 김해	『啓手錄』
小訥 盧相稷(1855~1931) 밀양	『常體便覽』「深衣考證」
錦洲 許埰(1859~1935) 김해	「讀決訟場補」

이 중에서 권상적·박치복·문진영·김인섭·전규환·허유·조성렴·김진호·윤주하·조병규·이도추·허재찬 등은 진주권 인물이고, 노필연·허훈·노상익·노상욱·노상직·허채 등은 밀양권 인물이다. 이외에 상주권 또는 성주권 인물이 소수 있다. 진주권 인물 가운데 허유·김진호·이도추 등은 이진상의 문인이기도 하다. 『사의』 예설에 대한 논쟁에 있어서 『사의』 예설을 적극적으로 옹호하는 입장을 취한 이는 밀양권의 노상직과 진주권의 박치복·김진호가 대표적이다.

위의 표에서 언급한 허전 문인 가운데 밀양권 인물로는 허훈과 노필연, 노상익·노상직이 주목된다. 방산(舫山) 허훈(許薰, 1836~1907)은 선산에 거주했지만 본디 김해에서 이주한 사람으로 김해와 인연이 깊기 때문에 밀양권에서 얘기하는 것이 온당하다. 그는 밀양권과 상주권·성주권을 오가며 이 권역의 학자들에게 학설을 연결해 주는 역할을 하였다. 그의 학문 성향은 심성이기(心性理氣)의 도학에서는 근기와 영남을 두루 포괄하는 퇴계학을 준용하고, 경학과 예학 및 기타 영역에서는 근기남인 학풍을 실천했다.[37] 그와 가장 교분이 깊었던 이는 이진상으로, 둘은 사돈이다. 이진상에게 『사의』가 지어졌다는 사실을 알려준 것도 허훈이었다. 하지만 이진상의 심즉리설이나 『논어차의(論語箚義)』에 대해서는 비판했다. 허훈은 또 칠곡의 장복추(張福樞)·장석영(張錫英) 등 인동장씨(仁同張氏)를 비롯하여 진주·밀양권의 박치복·허유(許愈)·김진호·노상직 및 곽종석 등과 교유하면서 폭넓은 인맥 관계를 형성했고[38], 이를 통해 예서나 예설을 두루 소개하는 역할도 하게 되었다. 그는 류주목(柳疇睦)의 문하에 나아갔다가 허전의 문하에 입문하여 학문적 열의를 이어 간 것을 계기로 근기남인학파를 자신의 학문적 귀결처로 삼았다.

허훈은 예서를 남기지는 않았지만 위의 표에서 보듯이 여러 편의 글을 통해 예학 소견을 피력하고, 「성재선생연보발(性齋先生年譜跋)」·「성재선생언행총록(性齋先生言行總錄)」 등을 지어 자신의 학통을 근기남인의 맥에 연결하였다. 특히 이진상이 허전의 예설, 특히 심의(深衣)에 대해 서간문과 잡저 등을 통해 이의를 제기했던 것처럼, 허훈은 이진상의 심의설에 대해 반박을 가한 두 편의 글을 지음으로써 『사의』를 신뢰하며 사문(師門)을 옹호하였던 면모를 보였는데, 이를 통해서도 그의 학통 의식을 다시 한 번 확인할 수 있다.

허전의 문인 중에는 김해·밀양·창녕을 오갔던 노필연과 노상익·노상직 3부자가 허전의 예학을 충실하게 계승 발전시켜 이 시대 예학의 정채를 발휘하였다. 노필연은 김해에 주로 거주하고 창녕에 잠시 우거하였으며, 노상익과 노상직은 밀양으로 거주지를 옮겼다.

이들이 지은 예서나 예설, 예서서발문으로는 노필연의 「사의고오증주(士儀考誤增註)」·「상례유고(喪禮類攷)」, 노상익의 『퇴계한강성호삼선생예설유집(退溪寒岡星湖三先生禮說類輯)』, 노상직의 『상체편람』·「사례요의서(士

---

37) 황위주, 「舫山 許薰의 삶과 學問性向」, 『남명학연구』 31, 경상대 남명학연구소, 2011, 86-100쪽.
38) 황위주, 위의 논문, 104쪽.

禮要儀序)」·「사례집략서(四禮輯略序)」·「한강선생사례문답휘류발(寒岡先生四禮問答彙類跋)」·「심의고증(深衣考證)」 등이 있다. 이들 광주노씨(光州盧氏)는 예전부터 정구 집안과 혼인 또는 사제 관계를 맺었는데, 창녕에 살았던 노극홍(盧克弘)이 정구의 생질로서 사제 관계를 맺은 이후, 후손들에 이르러서도 이황·정구·이익의 예설을 하나의 예서 속에 휘편(彙編)하거나, 정구의 예서를 출판하거나, 허전의 예서인 『사의』를 간행하고 허전의 예학을 확산시키는 일에 기여하였다.

극재(克齋) 노필연(盧佖淵, 1827~1885)이 지은 「상례유고」는 장례의 의식 절차를 강구한 것이다. 노필연은 1883년 정월에 모친상을 당하였다. 그는 장례를 마친 다음 "내가 평소에 예서를 궁구하지 못하여 초종(初終) 의절부터 소략한 점이 많았으니 후회막급이다."라고 하고는, 고복(皐復) 이후부터 곡전(哭奠)·수조(受弔)·배빈(拜賓)의 절차에 이르기까지 고금 예가의 설을 취하여 조목에 따라 참정(參訂)하고서 이름을 「상례유고」라 하였다. 배빈 이후의 의식 절차를 다루지 않은 이유는 상중에 예서를 읽어 가면서 고찰할 수 있는 것이었기 때문이다.[39] 즉 장례 때까지는 여러 가지 절차가 급박하게 돌아가기 때문에 상을 당한 이가 미리 익혀 두지 않을 수 없지만, 그 뒤의 절차는 시간적으로 다소 여유가 있기 때문에 예서를 탐독하면서 강구할 수 있다고 판단한 것이다.

표-29 <「상례유고」 인용 조선조 인물 및 서적>

인물	性齋(24, 허전) 星湖(15, 이익) 金沙溪(13, 김장생) 退溪(10, 이황) 旅軒(8, 장현광) 宋尤庵(6, 송시열) 愚伏(6, 정경세) 寒岡(6, 정구) 朴南溪(3, 박세채) 李陶庵(3, 이재) 宋同春(2, 송준길) 高峯(1, 기대승) 權强庵(1, 미상) 權晩悔(1, 권득기) 權遂庵(1, 권상하) 金愼獨齋(1, 김집) 大山(1, 이상정) 成牛溪(1, 성혼) 申義慶(1) 尹明齋(1, 윤증) 李栗谷(1, 이이) 李澤堂(1, 이식) 韓南塘(1, 한원진)
서적	『士儀』(4) 『備要』(2) 『要儀』(2) 『四禮要略』(1) 『僿說』(1) 『類編』(1) 『疑禮類說』(1)

<hr/>

39) 盧佖淵, 『克齋集』 卷7 「家狀」(盧相益): 癸未正月, 丁淑人喪, 時府君氣力已衰, 而執禮過毀, 人皆危之. 襄事畢喟然曰, 吾平日未能窮究禮書, 初終儀

노필연이 「상례유고」에서 인용한 문헌이나 예가(禮家) 중에서 주목할 것은 우리나라 문헌과 인물의 경우이다.

표에서 보듯이 허전(許傳)·『사의(士儀)』가 28회, 이익(李瀷)·『사설(僿說)』·『유편(類編)』이 17회로 가장 많이 인용되었음을 알 수 있다. 이를 통해서 볼 때 노필연이 자신의 학문연원을 근기남인에 두고 있음이 분명하다. 인용 빈도수에서 독보적으로 많을 뿐 아니라 이익과 허전이 제안한 독특한 설도 대폭 수용하고 있다. '초종(初終)'에서 사자상(使者床)을 마련하는 것은 결단코 해서는 안 된다는 허전의 설이나, '반함(飯含)'에서 반함을 해서는 안 된다는 이익과 허전의 설을 인용하면서 그에 대한 정당성을 부연하였다. 예전부터 밀양권 학자들이 근기남인과 긴밀한 관계를 유지해 왔던 것이 허전을 통해서 다시 연결되고 있음을 알 수 있다.

노필연은 1855년 부친상을 당했을 때 상제(喪祭)의 절차를 정구의 예에 따라 준행하고, 평소 주자서와 이황·정구의 글을 몹시 사랑하였다[40]고 할 만큼 허전을 만나기 전부터 정구의 학문에 심취하였다. 허전이 김해부사로 부임하자 두 아우 노유연(盧有淵)·노호연(盧滈淵)과 두 아들 노상익·노상직을 데리고 가서 집지의 예를 행하고 『대학』을 질강(質講)하고, 『사의』 등 허전의 저술을 초출(鈔出)하여 관성(觀省)의 자료로 삼았다. 1870년에는 한양으로 허전을 찾아가서 『사의』를 활자로 간행하는 일에 대해 논의하고, 『사의절요』를 간행하는 일에도 성력을 다하였다. 그의 이러한 노력은 「사의고오증주」에 잘 나타나 있다.

「사의고오증주」는 1870년 함안(咸安)에서 목활자본 『사의』를 간행하고자 할 때, 교정자(校正者)의 일원이었던 노필연이 한양으로 허전을 찾아가 석 달 가까이 토의하여, 오류를 고정하고 주석을 보탠 글이다. 노필연이 이 글을 완성하였을 때는 『사의』가 반질된 뒤였기 때문에 이 글의 내용이 반영되지는 못했다.[41] 그러나 노필연의 이러한 노력에 대해『

節多疎略, 悔不可追. 乃自皐復以後, 至哭奠受弔拜賓之節, 取古今禮家異同之說, 而逐條參訂, 名曰喪禮類考. 蓋自餘皆讀禮時人人所能從容考得者, 故不及焉.

40) 盧佖淵, 『克齋集』 卷7 「家狀」(盧相益): 乙卯, 丁監察公憂, 喪祭一遵寒岡禮……或愛朱子書及退溪寒岡二先生之文, 雖疾病息食之際, 未嘗暫釋於手.

•노상직 영정•

사의』간행소(刊行所)에 있던 이수각 (李秀珏)·조용식(趙容植)·이근옥(李根玉)·안정식(安廷植)·박치회(朴致晦) 등 후배들이 그의 수고에 대해 감사하면서 판각할 때 정본으로 삼을 정도로 잘 갖추어졌다고 칭송하였던 점을 볼 때[42], 당시 노필연의 학문적 집념이 대단하였음을 알 수 있다.

노필연의 아들 대눌(大訥) 노상익 (盧相益, 1849~1941)은 『퇴계한강성호삼선생예설유집』을 지었다. 이황, 정구, 이익의 예설을 유편(類編)한 이 책은 이황에 근본을 두는 근기남인의 예학이 밀양권 인물에 의해 정리되었다는 점에서 의의가 있다.

소눌(小訥) 노상직(盧相稷, 1855~1931)은 조선 말기 밀양권 예학을 대표하는 학자이다. 그는 『사의』의 간행과 보급에 중요한 역할을 했을 뿐만 아니라, 별도로 『상체편람』이라는 예서를 저술하였다. 또한 『소눌집(小訥集)』 권19부터 권24까지 수록된 잡저를 보면 그의 예학에 대한 관심이 매우 다양한 분야에 걸쳐 있음을 알 수 있다.

---

41) 盧佖淵, 『克齋集』 卷3 「士儀考誤增註」: 士儀者, 吾師許性齋先生禮書也. 始活印於庚午歲, 佖淵忝讐校之列, 千里趨走, 三朔陪攻, 識淺而事邊, 未免有脫略譌踳. 及至訖功成書, 先生復一一參訂, 隨手付籤, 佖淵間亦以己意禀質而有所聞命矣. 宜鋟補無漏, 衮已頒矣, 力且綿矣. 姑別錄如右, 俟後人重輯.

42) 盧佖淵, 『克齋集』 卷8 「士儀刊所答書」: 同一事也, 而千里之行, 座下爲之, 其苦可悶, 而其誠可感也. 方瞻注之際, 替賢器以送, 又惠以珍重華函, 備伏審怡愉餘, 棣侯無撼頓所損. 且所攷之書, 逐條備盡, 用作登梓之正本, 仰慰且賀無任. 弟等來參刊所, 祇事勞碌, 而但鋟役次第就緒, 爲斯文慶幸無已.(庚午五月)

경례(經禮)에 대한 조선조의 학술성과는 『예기』에 집중되고 『의례』와 『주례』는 상대적으로 적다. 『소눌집』 권22에 수록된 「육관사의목록(六官私議目錄)」은 천관총재치전(天官冢宰治典), 지관사도교전(地官司徒敎典), 춘관종백예전(春官宗伯禮典), 하관사마정전(夏官司馬政典), 추관사구형전(秋官司寇刑典), 동관사공사전(冬官司空事典) 등 6개 부문으로 구성된 글로, 『주례』의 육관에 관련한 저술이다. 이는 그의 족형으로 『주례고의유편(周禮考疑類編)』을 저술한 노덕규(盧德奎)의 성과를 계승한 것이면서, 또한 이익과 정약용의 학술 경향으로까지 소급되어 논할 수 있는 부분이다.[43] 이외에도 예기(禮器)에 대해 상세하게 고증한 「서봉천청조궁전임자조사보고유지(書奉天淸朝宮殿壬子調査寶庫類誌)」, 밀양권의 대표적 서원인 예림서원(禮林書院)과 관련한 「예림단규(禮林壇規)」·「예림단향의(禮林壇享儀)」 등의 잡저가 있다.

그의 잡저 중에서 무엇보다 많은 비중이 두어진 부분은 향약과 상읍례(相揖禮)·학약(學約)·강약(講約) 등과 관련한 것이다. 그가 학교례·향례에 관한 절목을 구체적으로 만들어 실행한 것은 예서에 수록되지 않은 것을 문헌으로 정착시켰다는 데 일차적인 의미가 있다. 그리고 일제강점기에 지식인이 해야 할 임무가 바로 학교 교육에 있다는 인식하에 자암서당(紫巖書堂)을 건립하여 후진양성에 힘을 쏟았던 교육자로서의 열의가 투영된 것이라는 점에서 더욱 중요한 의미를 갖는다.

노상직은 『상체편람』에서 '상체(常體)'를 변절(變節)의 상대적 용어로 말하였다. 다시 말해서 『상체편람』은 복잡다단한 변례가 아닌 평상적 상황에서 행해지는 상례(常禮)를 그 대상으로 다루고 있다. 그리고 '편람(便覽)'

---

43) 창녕에 살았던 古今堂 盧德奎(1803~1869)는 鄭逑의 甥姪인 沃村 盧克弘(1553~1625)의 후손으로, 정구의 학문 연원에 속한다. 어릴 적에는 김해로 유배되었던 李用休의 외손 洛下生 李學逵(1770~1835)에게 배우고, 성균관에서 공부할 때는 白南 李廷實(1795~1856)에게 배웠다. 晩醒 朴致馥, 晩求 李種杞, 柳川 李晩煃 등과 교유하고, 丁若鏞과 학술 교류를 가졌던 그는 『禮說類輯』·『禮說考』·『周禮考疑類編』·「禮說類輯補註」 등의 예학 저술과 『樂譜考』를 남겼는데, 이러한 예학 성과와 樂律은 정약용의 그것과 닮아있다. 『예설유집』(2책)에는 冠禮 5目, 婚禮 10目, 喪禮 53目, 服制 38目, 葬禮35目, 祭禮 100目이 수록되었고, 『예설고』(2책)에는 권1 王朝禮, 권2 學校禮·鄕學·鄕賢祠, 권3-4 冠禮·婚禮·喪禮, 권5 喪禮, 권6 祭禮가 수록되었다.

•김종직을 제향한 예림서원(禮林書院)_밀양시 부북면•

이란 살펴보기에 편리하도록 한다는 뜻이다. 하나의 의식 절차에 대해 제가의 설이 다양하게 제기되었기 때문에 자신이 직접 일을 당했을 때 어떤 설을 따라야 할지 방향을 잡기 어려운 점을 감안하여 기존의 설을 종합하여 실제 행례에 도움이 되도록 간편하게 정리했다는 의미이다. 그가 이렇게 정리했던 표면적인 이유는 이 책을 읽고 익히는 대상이 집안의 자제나 서당의 학동들이었기 때문이다.

그는 발문에서 『상체편람』의 편찬 의도와 편집 체재에 대해서 이렇게 말하고 있다.

옛날에는 사람마다 예를 좋아했기 때문에 예서가 널리 갖춰지지 않아도 되었지만, 지금은 예서가 널리 갖춰질수록 읽는 이가 더욱 적어서 일에 임하여 상고할 즈음에 여러 설에 현혹되어 어느 것을 따라야 할지 모르기에 편람(便覽)의 형식을 이룬 까닭이고, 변절(變節)을 강구할 겨를이 없음은 그 상체(常體)를 잃을까 염려해서이다. 가정에서의 상체는 관혼상제 사례이고 사례를 행할 때는 사당과 관계되지 않은 것이 없기 때문에 사당의 의식을 첫머리에 두었다. 부모를 봉양하는 것은 또한 사례보다 급히 해야 할 일이기 때문에 가연상수(家宴上壽)의 의식을 다음에 두었고, 사례에 이르러서는 역시 혹 강구해야 할 것이 있기 때문에 사이사이에 별도로 조목을 세운 것이 있다. 향음(鄕飮)·사견(士見) 등의 의식은 가숙(家塾)에서 항상 행하는 것이기 때문에 아울러 기록하고, 석채(釋菜)·석

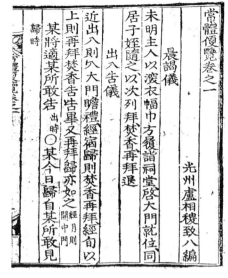

●노상직_상체편람●

전(釋奠) 역시 숙도(塾徒)가 미리 익혀야 할 것이기 때문에 한결같이 원문에 의거하여 부록하니 모두 55의(儀)이다. 이에 아이들과 제생에게 주어 익혀서 쉽게 알도록 하였으니, 혹 이로 인하여 예를 좋아하는 뜻에 감발함이 있다면 각자 고금의 예서를 두루 읽어서 여러 의식의 원의(原義)를 알고 허다한 변절을 궁구해야 할 것이다. 그런 뒤에 거의 불박경약(不博徑約)의 부끄러움에서 벗어날 수 있으리라.[44]

『상체편람』총5권의 목록을 표로 정리하면 아래와 같다.

---

44) 盧相稷,『常體便覽』卷首「跋」: 古之時, 人人好禮, 故猶恐禮書之不廣, 今書愈廣而讀愈少, 臨事就攷, 眩於衆說, 莫知所從, 此便覽之所以成, 而不遑講究變節, 惟恐失其常體也. 家之常體, 乃冠昏喪祭四禮, 而四禮之行, 無不關係乎祠堂, 故首以祠堂之儀. 父母之養, 又有急於四禮, 故家宴上壽之儀次之, 支於四禮, 而亦或有不得不講者, 故間有所別立條者. 至於鄕飮士見等儀, 家塾之所常行, 故幷錄之, 釋菜釋奠, 亦不可不謂塾徒之前途己任, 故一依原文而附之, 凡五十五儀. 乃授兒曹及諸生, 使之習其易知, 有或因是而感發其好禮之志, 則自當徧讀古今禮書, 識諸儀原義, 究許多變節. 夫然後庶能免不博徑約之恥云爾. 甲辰立春節, 光州盧相稷書.

표-30 <『상체편람』 목록>

권수	목록	내용	권수	목록	내용
권1 (42儀) 45판	晨謁儀	通禮 (6儀)	권1 (42儀)	發引儀	喪禮 (36儀)
	出入告儀			窆儀	
	參儀			題主儀	
	薦獻儀			返哭儀	
	告事儀			士林會葬儀	
	家宴上壽儀			返葬儀	
	冠儀(附簡便行禮之儀)	冠禮 (2儀)		改葬儀	
	笄儀			喪中改葬儀	
	納采儀	昏禮 (4儀)		虞祭儀	
	請期儀			再虞儀	
	納幣儀			三虞儀	
	親迎儀			卒哭儀	
	初終儀	喪禮 (36儀)		祔祭儀	
	小斂儀			書慰儀	
	大斂儀		권2 (9儀) 21판	小祥儀	
	成服儀			大祥儀	
	朝夕哭奠儀			禫祭儀	
	上食儀			吉祭儀	
	朔奠儀			埋桃主儀	
	望奠儀			桃主長房遷奉儀	
	薦新儀			時祭儀	祭禮 (3儀)
	吊儀			忌祭儀	
	奔喪儀			墓祭儀	
	祠后土儀		권3 (1儀) 16판	鄕飮酒儀	鄕禮 (2儀)
	遷柩儀		권4 (1儀) 2판	士相見儀	
	朝祖儀		권5 (2儀) 15판	滄洲精舍釋菜儀	學禮 (2儀)
	祖奠儀			文廟釋奠儀	
	遣奠儀		총 55儀		

노상직은 권(卷) 아래에 바로 의(儀)를 제시하면서 따로 사당, 관례, 혼

례 등의 편명은 드러내지 않았다. 편제상의 특징은 권1에 42의(儀)를 설정하여 과하게 치중했다는 점이다. 판수로 보아도 권1이 나머지 4권을 합친 것과 크게 차이가 나지 않을 정도로 많은 분량으로 구성되어 있음을 알 수 있다. 그리고 『주자가례』의 편차에 따라 관혼상제 아래에 조목을 서술하는 방식을 피하고 '…의(儀)'라는 형식을 취한 것은 이익의 『성호예식(星湖禮式)』의 방식과도 일정한 연관성이 있는 것으로 보인다.

『상체편람』에 수록된 55의 중에서 특히 「가연상수의」, 「부간편행례지의」, 「사림회장의」 3편이 특이한데, 이들은 여타의 예서에서는 보기 어려운 것들이다. 「가연상수의」를 설정한 이유에 대해서 "부모를 봉양하는 것이 사례(四禮)보다 급한 것"이라고 한 것은 『사의』에서 「친친편(親親篇)」을 첫머리에 배치한 것과 맥이 닿아 있다고 볼 수 있고, 더 거슬러 올라가면 17세기 옥천(玉川) 안여경(安餘慶)의 수례(壽禮)에 연결되므로[45] 밀양권 예학의 지역적 특징 중 하나로 볼 수 있다.

•노상직_소눌선생문집•

그리고 관의(冠儀)에 부록된 「간편행례지의」는 『가례의절(家禮儀節)』의 것을 따온 것이기는 하지만, 이익이 『성호예식』의 「산절관의(刪節冠儀)」[46]에서 시도했던 것처럼 정식의 예를 간편화시킨 전례를 따르고 있다는 점에

---

45) 安餘慶, 『玉川先生遺稿』「雜儀」 壽禮: 先生家壽禮, 主辦者前期造, 請父母之尊屬親舊. 是日朝, 先行壽禮三五酌後, 卽張筵設位, 以待賓. 賓至, 家長爲主出迎, 終日酬酢如常儀, 此謂養志之道也.
46) 경성대 한국학연구소, 『한국예학총서』 41, 2008, 422-424쪽.

서 앞서 언급한 '…의(儀)'라는 형식을 취하고 있는 것과 더불어 밀양권 허전 학단의 예학 특징 중 하나로 볼 수 있다.

「사림회장의」는 가정에서 행하는 장례가 아닌 사림장(士林葬)의 형식을 정리한 것이다. 여기에는 장례에 참석하는 사림 집단에서 기일에 앞서 도집례(都執禮)·집례(執禮)·호상(護喪)·상례(相禮)·헌관(獻官) 등의 임무 분담을 하는 것으로부터 시작하여 실제 장례에 참석하여 헌작(獻爵)하는 예를 다루었다. 그리고 각 절차에 맞추어 홀기(笏記)를 읽는 일까지 수록하고 있다는 점에서 독특한 편찬 방식이라고 할 수 있다. 이러한 것들을 통해 보자면, 이 책은 실용성을 강조한 정구→이익→허전의 예학 경향에 맥이 닿아 있다고 볼 수 있다.

『상체편람』은 초학자들이 실행해야 할 의식을 간명하고 편리하게 만든 실용의례서(實用儀禮書)의 성격을 가진 책이다. 따라서 각종 의식을 행하는 부분을 기술함에 있어서 복잡한 의문변절(疑文變節)은 생략하고 꼭 행해야 할 의식만 설명하고 그에 따른 고축식(告祝式)을 다루고 있어, 여타 예서에서 일반적으로 볼 수 있는 선현의 설은 가급적 인용하고 있지 않다. 선현의 설이 꼭 필요하다고 판단되는 곳에서는 더러 인용하고 있는데, 그것들은 대체로 이익과 허전의 설로 채워져 있다. 그의 학문적 계통이 근기 남인의 연원에 두어져 있고 그 자신도 그 학맥의 계승자임을 자부하는 것이기도 하다. 류치명·류주목·장복추·이진상 등의 문하에 출입하던 학자들이 많았던 당시 상황에서 오직 허전 문하에서만 수학하였던 노상직의 행력은 독특한 면모를 지닌다.

이상에서 살핀 노필연·노상익·노상직 외에 김해의 노상욱(盧相旭)은 허전의 고종일기(考終日記)인 『계수록(啓手錄)』을 편찬했는데, 여기에는 허전의 상례 때 경상우도 허전 학단의 학자들이 거상(居喪)했던 면모가 잘 드러난다. 그리고 밀양의 성헌(省軒) 이병희(李炳憙, 1859~1938)는 허전의 문인이었던 아버지 이익구(李翊九)의 가학을 계승하는 한편, 학문과 저술 및 후진양성에 힘을 쏟아 『성호집(星湖集)』을 간행하고 『조선사강목(朝鮮史綱目)』을 편차하였다.

이상의 밀양권 예학의 흐름을 간략하게 정리하면 다음과 같다. 밀양권의 예학은 변계량과 김종직이 초석을 마련한 뒤로, 정구 학통의 안여경과 안신, 장현광 학통의 조임도, 이현일을 계승한 신몽삼 등이 18세기 초까지 활약하였다. 이후 1세기 넘게 걸출한 예학자가 나오지 못하고 뚜렷한 특색을 드러내지도 못했지만 근기남인과의 교유는 꾸준히 이루어졌다. 그러다가 19세기 후반 허전에 의해 밀양권의 예학은 일신하게 되었다. 허전은 경상우도 학자에게 실학적 사고를 불어넣고, 실학적 도서간행을 중심하여 일련의 출판사업 흥행의 말미를 주고, 지성들의 정신적 자세를 확립시켜서 지방문화의 꽃을 피게 한 것으로 평가된다.[47]

허전이 『사의』라는 예서 명칭을 표방한 이유는 사서인(士庶人)을 위한 예의 실용적 측면을 담보하기 위해서였다. 그는 사대부에게만 한정되고, 『주자가례』에만 매몰되고, 질(質)보다는 문(文)만 따지고, 학파마다 대립각을 세우는 예학을 벗어나려고 하였다. 한 연구자는 성리학적 사유의 실천적 지침서였던 『주자가례』였지만 도덕적 의리를 준거로 한 주자학이 후대로 내려올수록 현실 문제를 등한시함으로써 궁경치용(窮經致用)의 정신에 어긋나게 되었고, 이런 점을 극복하자는 의도에서 이익은 경전을 주석하고 해석하면서 훈고 정신을 일깨웠고, 객관적 합리주의 사고를 주장하였다고 말한다.[48]

조선예학사에서 허전 학단 예학의 건전하고 긍정적인 면모는 이익의 궁경관(窮經觀)을 계승하여 자의(字義)와 문세(文勢)에 입각한 경전의 본지 해석에 중점을 둠으로써 정현(鄭玄)이나 주희(朱熹)의 주석에 매몰된 경전 해석의 입장에서 벗어나고자 하였다는 점이다. 이를 통해 허전이 목적하였던 것은 치용(致用)에 적실한 의식을 강구하고자 함이었다.

허전의 예학을 충실하게 계승 발전시킨 이는 노상직이었다. 그는 『사의』의 출판과 보급에 크게 기여했을 뿐만 아니라 『사의』의 예설을 적극적으로 수용하여 근기남인의 학풍을 전파하였다. 그는 20세기 초 진통 예학의 근간이 위협받는 상황에서 서당의 학동을 대상으로 매달 삭망에 상읍

---

47) 류탁일, 『경남지방출판문화논고』, 세종출판사, 2001, 65쪽.
48) 최석기, 「星湖 李瀷의 窮經觀」, 『朝鮮後期 經學의 展開와 그 性格』, 성균관대 대동문화연구원, 1998, 71·101쪽.

례(相揖禮)를 행하고 그때 필요한 각종 의식절차를 마련하였고, 향촌 지식인의 책무에도 관심을 기울였다.

8

진주권 예학의 전개 양상

진주권은 진주·산청·함양·거창·합천·함안·의령·고성·통영·사천·하동·남해 등을 아우르는 지역이다. 이 권역에는 15세기 『국조오례의(國朝五禮儀)』를 편찬했던 강희맹(姜希孟)의 자취가 서려 있고, 김종직(金宗直)과 정여창(鄭汝昌)을 거쳐 16세기 후반 이후로는 조식(曺植)의 영향이 크게 작용했다. 퇴계학파와 함께 영남학파의 거대한 축을 형성하였던 남명학파는 정인홍(鄭仁弘)이 큰 영향력을 발휘하며 조식의 뒤를 이었지만, 그의 패퇴와 맞물리면서 학문적으로도 큰 타격을 입게 되었다. 정인홍의 패퇴 뒤 학문 분위기가 침체된 와중에도 하홍도(河弘度)가 남명학의 학통을 이어 가면서 이 지역에서 구심점 역할을 하였다.

17세기에 들어 정구의 문인 안정(安侹)과 장현광의 문인 안응창(安應昌)이 예학 성과를 내며 활동하였고, 17~18세기에 걸쳐 이현일의 문인 이명배(李命培)가 예학 서술을 남기고, 신사면(申思勉)·권사학(權思學) 등 서인노론 계열의 학통을 계승한 예학자들이 활약하였으며, 이상정의 문인인 거창의 학재(鶴齋) 성계우(成啓宇, 1724~1781)가 조진(趙振)의 『퇴계선생상제례답문』을 초록하여 『상례초(喪禮抄)』를 남겼다.[1]

19세기 중엽까지는 진주권의 예학 논의나 예학 저술 활동이 활발하게 전개되지 못하다가 19세기 후반에 와서 근기남인, 영남남인, 노론의 예설이 활발하게 교차되었다. 이러한 예학 분위기를 주도한 이들은 허전(許傳)의 문도인 전규환(全奎煥)·박치복(朴致馥)·조성렴(趙性濂)·김진호(金鎭祜)·윤주하(尹冑夏)·조병규(趙昺奎), 이진상(李震相) 학통의 곽종석(郭鍾錫) 학단, 정재규(鄭載圭)와 그 문인 정기(鄭琦)·이종홍(李鍾弘) 등이다. 이들 외에 최상순(崔祥純)·강윤(姜鈗)·최정기(崔正基) 등도 예학 분위기를 고조시키는 데 일조하였다.

1. 하홍도(河弘度) 학단

진주권에서 남명(南冥) 조식(曺植)과 그의 직전 문인이 저술한 예서는 다른 학단에 비해 많지 않지만, 예학에 대한 학술 논의는 계속 이어졌다. 조식은 『사상례절요(士喪禮節要)』를 지었고, 조식의 문인 강렴(姜濂)이 『사례요해(四禮要解)』를 지었다. 이후 17세기 중반에 이르러 진주에서 활동한 하홍도가 예학 논의의 중심에 섰다.

하홍도보다 조금 앞서 함양(咸陽)의 동계(桐溪) 정온(鄭蘊, 1569~1641)이 정인홍의 문인으로 남명학파의 맥을 부지하였다. 그는 정인홍이 인조반정 후 적신(賊臣)으로 처형당할 때 처벌을 반대하였고, 병자호란에 항복이 결정되자 자결을 시도하기도 하였다. 정인홍 사후에, 그의 문인들은 정인홍의 문인으로 자처하지 않거나 남인 또는 서인으로 전향하는 경우도 많이 발생하여 학문 분위기가 상당히 위축되었다. 이런 상황에서 정온에게 입문하는 학자의 수도 상당히 미미하였다. 그런 와중에 1728년에 정온의 현손인 정희량(鄭希良)이 무신란(戊申亂)에 연루되었던 일로 남명학파는 존립자체가 위협받았다.

겸재(謙齋) 하홍도(1593~1666)는 '남명후일인(南冥後一人)'이라고 일컬어질 정도로 17세기 중반 남명학을 계승한 대표 인물이다. 그의 학맥은 조

---

1) 成啓宇, 『鶴齋集』 卷2 「書喪禮抄後」.

식→각재(覺齋) 하항(河沆)→송정(松亭) 하수일(河受一)→하홍도로 연결되는데, 그는 정인홍의 패퇴 이후 침체되어 가던 학문 분위기에서도 예학 저술과 문답을 통해서 이 지역 예학의 구심점 역할을 하였다.

하홍도는 예서를 남기지는 않았지만, 예경(禮經)을 두루 검토하고 제가의 설을 참고하여 고금의 이의(異宜)를 절충하여 행함으로써 진주권 지식인의 모범이 되었다.[2] 그는 「제허희화논례소후(題許熙和論禮疏後)」·「계모복불복변(繼母服不服辨)」·「독례잡지(讀禮雜識)」 등의 잡저를 남겼고, 이외에도 『겸재집』 권6에 「답향교문목(答鄕校問目)」·「답인문준유명불용회가부(答人問遵遺命不用灰可否)」·「답백태소문목(答白太素問目)」·「답인문숙모복서(答人問叔母服書)」·「답인문승중손처복불복서(答人問承重孫妻服不服書)」·「답인문입후사(答人問立後事)」·「답인(答人)」·「답이목백규로문국상복색(答李牧伯(奎老)問國祥服色)」 등 예의(禮疑)에 대한 여러 편의 답글을 남겨 문례(問禮)의 대상자로 큰 역할을 하였다.

이 중에서 1662년에 지은 「제허희화논례소후」는 당시 효종의 죽음에 대한 조대비(趙大妃)의 복제와 관련하여 허목(許穆)이 상소를 올려 3년복을 주장한 것에 대해 지지를 표명한 쓴 글이고, 「답이목백규로문국상복색」은 국상(國祥) 때의 복색에 대한 답한 글로, 이것들은 모두 국상(國喪)과 관련한 그의 예학 입장이 피력되어 있는 부분이다. 그리고 향교의 동무(東廡)와 서무(西廡)에 선현의 위패를 모실 때의 위차(位次)에 대한 문목에 답하였다. 이러한 몇몇 글 외에는 대부분 가정의례와 관련한 것들로, 복제에 대한 것이 가장 많고, 장례 때에 회(灰)를 쓸 것인지에 대한 여부, 입후(立後)에 대한 논의 등이 포함되어 있다.

「독례잡지」에는 계례집설(筓禮輯說)이라는 소제목 밑에 계례와 관련한 글을 수록하였는데, 『주자가례』의 조문이나 우리나라 선현의 설은 수록하지 않았다는 특징이 있다. 하홍도가 계례에 대해 주목한 것은 나름의 이유가 있다. 관혼상제를 다룬 가례서에서 계례는 관례의 부록 정도로 소략하

---

2) 河弘度, 『謙齋集』 附錄 卷12 「行錄」: 先生於禮經, 無不博通, 皆有以究極天理之節文, 儀章之度數, 參考諸家之說, 斟酌古今之宜, 一一行之, 不失繩尺, 一方士夫多慕效之. 至於女子之筓, 則國俗之所未擧, 而先生獨斷然行之, 其服禮皆類此.

게 다루어지고, 행례에 있어서도 관례는 중시한 반면 계례는 소홀하게 여긴 것이 당대의 상황이었다. 하홍도는 관례에만 편중되어 행해지는 것을 안타깝게 여겨, 『예기』의 「곡례(曲禮)」·「잡기(雜記)」·「내칙(內則)」·「상복소기(喪服小記)」·「단궁(檀弓)」 및 『의례』의 「사혼례(士昏禮)」 등에 수록된 계례에 대한 내용을 초출(抄出)하고, 그와 관련한 제가의 주석과 자신의 설을 첨부하였다. 또 말미에는 부인의 행실에 대한 조목까지 곁들였다.[3]

　문인과의 예의(禮疑) 문답 중에는 사천(泗川)에 살던 백이장(白而章, 자는 太素, 하홍도의 질서)의 문목에 답한 「답백태소문목」이 상세한 편이다. 이 글에는 7조목의 문답이 함께 수록되어 있는데, 처의 상을 당한 경우와 아버지가 살아 있는데 어머니가 사망한 경우에 각종 의식절차와 축문을 어떻게 변통할 것인가에 대해 주로 논하였다. 백이장 외에 하홍도의 문인 중 석계(石溪) 하세희(河世熙, 1647~1686)가 예학에 정밀했다는 평가를 받았지만 세부적인 예학 논의는 찾아보기 어렵다.

　하홍도의 문인 40인[4] 중에 운창(雲牕) 하철(河澈, 1635~1704)은 하홍도의 조카로 하홍도 이후 이 지역 학계를 주도하였고, 하철 이후로는 양정재(養正齋) 하덕망(河德望, 1664~1743), 괴와(愧窩) 하대관(河大觀, 1698~1776), 태와(台窩) 하필청(河必淸, 1701~1758), 남계(南溪) 이갑룡(李甲龍, 1734~1799), 남고(南皐) 이지용(李志容, 1753~1831), 월포(月浦) 이우빈(李佑贇, 1792~1855) 등이 이 지역의 학계를 이끌었다.[5]

　하홍도와 친분이 두터웠던 죽당(竹塘) 최탁(崔濯, 1598~1645)은 조식을 사숙한 인물로 경의(敬義) 사상에 입각하여 의리의 실천에 철저하였던 인물이다. 정종로(鄭宗魯)가 찬(撰)한 행장에 따르면, 그와 교유했던 인물은 겸재 하홍도(河受一 문인), 낙와(樂窩) 하홍달(河弘達, 하홍도 아우), 동계

---

3) 河弘度, 『謙齋集』 卷10 「讀禮雜識」 笄禮輯說: 男子之冠, 女子之笄, 皆有禮, 古所以責成人之道也, 而世之君子, 重冠禮而獨於笄禮忽焉. 蓋其期待責備, 有間於丈夫故也. 余嘗有慨於偏, 與舍弟講究古禮, 行於家内, 即張夫子猶可驗之一方之意也. 今人事已非, 而禮說猶存, 輒爲之裒輯成編, 以便攷閱, 仍略及婦行, 欲備閨一鏡云.

4) 河弘度, 『謙齋集』 別集 「師友門徒錄」. 「사우문도록」 앞부분에는 李光友·柳德麟·李惟說·河受一 등 61인의 師友가 수록되어 있다.

5) 이상필, 『남명학파의 형성과 전개』, 와우출판사, 2005, 174쪽.

(東谿) 권도(權濤, 정구·장현광 문인), 한사(寒沙) 강대수(姜大遂, 정구·장현광 문인), 태계(台谿) 하진(河溍, 成汝信 문인), 동산(東山) 권극량(權克亮, 정구·장현광 문인), 송대(松臺) 하선(河璿, 하수일 문인) 등으로, 대부분 하수일·정구·장현광의 문인들이다.

최탁은 『상례비요(喪禮備要)』 초판본을 필사한 적이 있다. 『상례비요』는 서파(西坡) 신의경(申義慶, 1557~

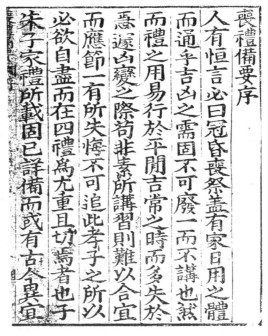

•김장생_상례비요•

1648)이 찬(纂)한 것을 바탕으로 김장생(金長生)이 수윤(修潤)하여 나온 것이다.

이 책이 최탁에 의해 필사되고 전해진 과정을 최숙민(崔琡民)의 발문을 통해 살펴보면, 최탁의 묘갈명을 짓기도 한 하홍도가 1636년 무렵 광양현감(光陽縣監)으로 재직하던 최탁에게 『상례비요』 인쇄본을 요청하였다. 하지만 당시에 『상례비요』가 나온 지 얼마 되지 않았고 널리 유포된 것도 아니었다.[6] 최탁이 어떤 경로로 인본을 구했는지는 알 수 없지만, 인본을 필사하여 하홍도에게 주었다. 나중에 하홍도 집안에서 이를 필사하여 널리 유포시켰는데, 정작 최탁 집안에는 필사 원본이 전해지지 못했기 때문에, 필사한 책을 최탁 집안에 돌려주어 전하게 되었다. 최탁이 필사할 때 대본으로 삼았던 『상례비요』는 최초의 인본으로 김장생의 아들 김집(金集)이

---

6) 『喪禮備要』는 1620년에 金長生이 서문을 써서 초판을 간행하고, 1648년에 金集이 재판을 간행하였다.

재차 간행하여 전해지는 현재의 판본과는 다르다.[7]

　최탁이 광양현감 재직시 바쁜 업무의 와중에서도 『상례비요』를 필사한 것은 벗인 하홍도의 부탁에 의한 것이었지만, 병자호란과 명·청 교체라는 시대적 상황에서 철저한 화이론(華夷論)에 입각하여 대명의리를 지킴과 동시에 예를 지킴으로써 문화국의 자부심을 지키려는 의식도 가지고 있었던 것으로 보인다. 특히 발문[8]을 쓴 기정진(奇正鎭)의 문인들이 19세기 말의 조선의 상황과 연결하면서 최탁의 의리정신을 당대에 구현할 것을 피력하고 있는 점은 노사학파(蘆沙學派) 학통의 단면을 여실히 보여 주는 것이라고 할 수 있다. 뿐만 아니라 조선조 예학에 있어서 김장생을 종주로 추숭하면서 자신들 학맥의 정통성을 부여함과 동시에 정체성을 부각시키고자 하였다.[9]

　하홍도와 비슷한 시기에 살았던 백암(柏巖) 안응창(安應昌, 1603～1680)은 장현광의 문인으로 하동 사람이다. 그는 『사례집설(四禮集說)』·『상제례해(喪祭禮解)』 등의 예서를 편찬하였다. 조선조에 『주자가례』 전체를 언해한 책은 이황의 문인인 용졸재(用拙齋) 신식(申湜)의 『가례언해(家禮諺解)』가 유일한 듯하다. 현재 전하는 『주자가례』 언해는 신식의 『가례언해』를 말한다. 이와 비슷한 시기에 세조(世祖)의 현손인 덕신정(德信正) 이

---

7) 崔琡民, 『溪南集』 卷25 「書竹塘先生手寫喪禮備要後」: 右喪禮備要, 我從七世祖竹塘先生所手草也. 嗚呼, 先生之歿殆三百年于玆矣. 蠹餘殘簡, 手澤尙新, 爲子孫者所以感慕而愛敬之者, 當如何哉. 先生九世孫瓊秉, 徵琡民識之, 所不敢辭. 謹按實紀曰, 先生知光陽也, 河謙齋甞求印沙溪所編喪禮備要, 先生許之. 時書出未久, 刊行不廣, 難卒求得, 則先生重其違約, 手寫一帙, 圖書點劃, 一如刊本, 以歸之. 權東溪姜寒沙見而寶之曰, 沙翁之所編也, 崔公之所寫也, 兩賢精神都在這一卷. 後謙齋以是書流布旣廣, 而先生之遺墨傳於本家者無幾, 故以是書遺之. 蓋此乃沙溪初定舊本, 未經再校者, 故與今所行本多有不同處, 益信其書出未久刊行不廣之實也.

8) 溪南 崔琡民의 「書竹塘先生手寫喪禮備要後」(『溪南集』 卷25), 山石 金顯玉의 「書崔永好家莊竹塘先生手草喪禮備要後」(『山石集』 卷4), 明湖 權雲煥의 「書竹塘崔公手書喪禮備要後」(『明湖集』 卷12) 등이다. 최숙민·김현옥·권운환은 모두 경상우도에 거주하던 인물이다. 이들 발문 제목에 등장하는 永好는 修堂 崔瓊秉(1865～1939)의 字로, 최숙민의 「乃見齋歲一祭儀節序」에도 등장한다.

9) 權雲煥, 『明湖集』 卷12 「書竹塘崔公手書喪禮備要後」: 吾東得免夷虜之陋俗, 厥有由焉. 沙溪先生所輯備要一書, 卽是爲吾東之儀禮大全也.

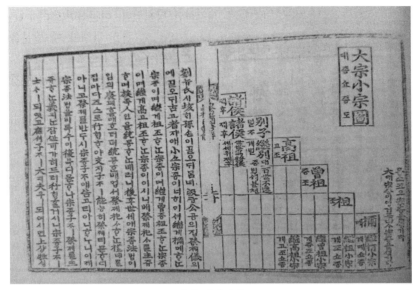

●신식_가례언해●

난수(李鸞壽)가 선조 연간에 상례(喪禮) 일부분을 『상례언해(喪禮諺解)』라
는 이름으로 언해하였다.10)

안응창은 이난수에 의해 『주자가례』 상례 중 초종(初終)부터 성복(成
服)까지 네 조목에 걸쳐 언해가 되었던 점에 주목하여, 여기에서 빠진 장
례와 제례 부분을 언해하여 네 조목 뒤에 부록하였다. 그는 이를 통해 문
견이 없는 궁향(窮鄕)의 사람도 이 언해서를 통해서 대사를 그르침 없이
잘 시행함으로써 신종추원의 도리를 다할 수 있도록 하였다.11) 그가 이를

---

10) 安鼎福, 『順菴集』 卷13 「橡軒隨筆(下)」 家禮諺解: 宗室德信正好禮, 取
朱子家禮, 初終至成服四條, 解以國諺, 使蒙士愚婦依而從事, 金沙溪見而
亟稱之. 安師傅應昌因以廣之, 并喪祭禮而譯之刊行. 今世行本, 卽用拙齋
申湜所撰也. 德信正, 世祖王子德源君曙之曾孫, 名鸞壽, 字文叟, 號西谷,
性至孝好文學, 從朴洲學, 洲大奇之, 其子孫今居木川.

11) 安應昌, 『柏巖集』 卷2 「喪祭禮解跋」: 昔在宣廟朝, 宗英德信公, 早遊師
友間, 有志禮學, 乃取朱文公喪禮初終至成服四條, 解以方諺. 蓋均是喪禮,
而初喪以後, 則猶可徐究旁考, 就正於識禮之君子. 若在初喪事出急遽, 考
究就正, 勢有未遑, 作爲此書者, 懼其或失於倉卒未遑之際, 欲使閭巷間愚
夫愚婦, 無不按據而行之, 其意可謂勤矣. 沙溪金先生見而亟稱之, 題數語

편찬한 것은 선산부사(善山府使)로 재임하던 당시였다. 여문십현(旅門十賢)의 한 사람이기도 한 김응조(金應祖)는 1664년 이 책을 간행할 때 발문을 썼다.[12] 그러니까 장현광 문하의 안응창과 김응조의 노력으로 이 책이 간행될 수 있었던 것이다. 안응창과 김응조의 서발문을 통해서 볼 때, 안응창이 상제례를 언해하면서 신식의 언해본은 보지 못한 것이 아닌가 한다.

조선 시대에 들어서 유가 경전의 보급과 이해를 위해서 언해 작업이 많이 이루어졌다. 대부분 관청에서 주도하여 시도한 이 작업의 대상은 사서삼경과 『소학』 등이 주류를 이루었다. 그러나 『주자가례』에 대한 언해 작업도 예학에 뜻을 둔 인사를 중심으로 진행되었는데, 언해 작업을 시도했다는 것은 그만큼 『주자가례』의 이해를 위한 수요가 많았고, 또 그에 부응할 정도의 지적 수준이 제고되었음을 반증하는 것이며, 『주자가례』를 높이 존숭하였다는 이야기가 된다. 19세기 인물인 이규경(李圭景)은 『주자가례』에 대한 언해 작업의 의미를 칠경(七經)을 존숭하는 정도에 도달할 만큼이었다고 하였다.[13]

안응창의 또 다른 예서인 『사례집설』은 시대와 풍속에 알맞은 예를 변통하고자 고례와 선유의 설을 취택하여 선집한 책인데[14], 『상제례해』와 마찬가지로 현존 여부는 미상이다. 이들 예서 외에 장현광에게 질의한 문목

于卷端. 噫, 德信嘉惠之志, 旣足以徵, 而又經沙溪之品題, 其可行於世, 無惑矣. 第其闕於葬祭之禮, 觀者恨其未備焉. 不佞不揆僭越, 輒取葬祭之節而解之, 以附四條之後, 庶使窮鄕遐陬孤陋而無聞見者, 人人得以自盡於大事, 則是書之行, 庶幾有補於愼終追遠之義云.

12) 金應祖, 『鶴沙集』 卷5 「家禮喪葬祭三禮諺解跋」: 朱夫子家禮一部, 爲萬古禮家三尺, 而句讀文義, 往往有難解處, 倉卒之際, 因仍之間, 或未免放過, 其不至於終而忽遠而忘者鮮矣. 夫喪葬所以愼終, 祭所以追遠, 此德信正·善州伯諸公所以尤留意於此, 譯以方言, 使人曉解而習熟焉, 其意至矣. 至於割淸俸付諸剞劂氏, 有以廣布於世, 俾人得以瞭然於禮文節目之間而不至於忽忘焉, 則於終其有不謹者乎, 於遠其有不追者乎. 己之德民之德, 其有不厚者乎. 余重有感於善州伯, 鄭重於斯文事, 遂忘其僭而樂爲之言, 蒼龍端陽日, 豐山金應祖, 謹跋.

13) 李圭景, 『五洲衍文長箋散稿』, 經史篇4, 經史雜類2, 其他典籍, 「家禮辨證說」: 此外不識復有幾種, 金聞韶恭『海東文獻錄』, 有家禮諺解之目, 則其尊閣者, 與七經等, 可知也.

14) 安應昌, 『柏巖集』 卷2 「四禮集說序」.

내용은 『여헌집』에 2편이 수록되어 있다.15)

안동권의 이현일은 하홍도 학단과의 융합을 통해 남인과 북인의 첨예한 대립각을 완화시키려고 하였다. 이 시기에 진주권과 밀양권에서 이현일의 학통에 접맥하는 이들이 있었는데, 진주권에서는 진주·거창·함안 인물들이 많았다.16) 그 중에서 함안의 모계(茅溪) 이명배(李命培, 1672~1736)는 '지례군자(知禮君子)'로 칭송되었던 인물로, 권두경(權斗經, 봉화)·류승현(柳升鉉, 안동)·김상정(金尙鼎, 창원) 등과 교유하였다. 그가 편찬한 예서로는 일에 임했을 때 고증하기 위한 목적으로 편찬한 『사례정의(四禮訂疑)』와 방가(邦家)의 의절과 사서(士庶)의 정문(情文)까지 섭렵한 『사례의의문답유편(四禮疑義問答類編)』 두 가지가 있는데, 서문만 전할 뿐 현존 여부는 모두 미상이다.17)

조식의 학통을 계승한 정온과 하홍도 이후 진주권의 예학은 위기의 상황 속에서도 끊어지지 않고 이어졌지만, 전 시대에 비해서는 아무래도 고전을 면하지 못했고, 타 권역에 비해서도 활발한 양상을 보여 주지는 못했다. 19세기 전반까지 침체되었던 진주권의 예학 분위기에 활력을 불어넣었던 이들은 근기남인의 학통을 계승한 허전(許傳)의 문도들이었다.

2. 허전(許傳) 문도

17세기 정인홍의 패퇴와 18세기 무신란(戊申亂)의 여파로 큰 타격을 입었던 진주권에서는 1862년에 또 임술민란(壬戌民亂, 진주민란)이 발발하여 엄청난 혼란에 휩싸였다. 이러한 혼란 속에서 대유(大儒)가 마땅치 않아

---

15) 張顯光, 『旅軒集』 卷5 「答安應昌」; 『旅軒續集』 卷2 「答安應昌(十三節)」.

16) 이현일의 문인 중에서 지금의 경남(거창, 단성, 밀양, 산청, 삼가, 영산, 의령, 진주, 창녕, 초계, 하동, 함안, 울산) 지역에 살았던 인물들은 모두 39인이다.(윤동원, 「葛庵 李玄逸의 生涯와 『錦陽及門錄』의 內容 考察」, 『국립대학도서관보』 27, 국공립대학도서관협의회, 2009, 96쪽)

17) 李命培, 『茅溪集』 卷4 「四禮訂疑序」; 卷7 「四禮問答類編序」(李天永, 甲午).

의귀할 곳을 갈망하던 이 권역의 학자들에게 하나의 돌파구로 등장했던 이가 바로 1864년에 김해부사로 부임한 허전이었다. 허전의 부임에 앞서 백련재(百鍊齋)를 세워 이 지역 학풍을 이끌던 박치복(朴致馥)과 그를 따르던 후배와 문인들이 허전 문하에 입문하기 시작하면서 진주권과 밀양권에서 허전 학단이 형성되었고, 허전의 학문은 19세기 후반에 진주권뿐만 아니라 밀양권·성주권의 학자들에게도 영향을 끼쳤고, 예학 논의에서도 중요한 구심점으로 부각하였다. 그리고 허전이 떠난 뒤로는 문인 중에서 성주권의 이진상(李震相) 학단에 입문하는 이가 많았는데, 이를 통해 영남남인과 근기남인의 예설이 활발하게 논의되는 계기가 되기도 하였다.

진주권의 허전 문도들은 산청의 이택당(麗澤堂)을 거점으로 활동했고, 이곳에서의 강학 활동을 이끈 중심 인물은 박치복·김진호(金鎭祜)·김인섭(金麟燮) 등이었다. 이들은 이택당에서 허전의 저술인 『성재집(性齋集)』『사의(士儀)』『종요록(宗堯錄)』 등을 간행하여 스승의 학문을 선양했다. 이에 힘입어 진주권에서는 『사의』의 설을 받아들여 예 실행의 전범으로 삼는 경우가 상당히 많았다. 함안의 애산(愛山) 조성효(趙性斅, 1849~1916)는 '상을 치를 때 한결같이 『사의』를 준용한다[治喪用一遵士儀]'고 표방했고, 의령의 소와(素窩) 허찬(許巑, 1850~1932)은 집안에 상례가 있을 때 한결같이 『사의』의 의식에 따라 행했고, 진주의 척재(拓齋) 이종호(李鍾浩, 1884~1948) 역시 '장례하는 의절은 한결같이 『사의』를 준행한다[送終之節一遵士儀]'고 표방했다.

진주권 인물 중에서 허전의 예학을 전수받은 이로는 박치복·전규환(全奎煥)·조성렴(趙性濂)·김진호·윤주하(尹胄夏)·조병규(趙昺奎) 등이 주목된다.

만성(晚醒) 박치복(朴致馥, 1824~1894)은 허전 문인 중 가장 연장자에 속하는 한 사람이다. 그는 류치명(柳致明)에게 배운 이후 허전의 문하에 나아가 학문을 심화시켰다. 그가 예학 저서를 남긴 것은 없고, 「독례수차(讀禮隨箚)」라는 잡저에 예학 논의가 조금 수록되어 있다. 이외에 허전의 장례 때 지은 「성재선생회장문(性齋先生會葬文)」, 강윤(姜鋆)의 『우계예설(愚溪禮說)』에 대한 서문 등이 있다. 예서나 예설 잡저가 부족하기는 하지만 문집에는 그의 예학 입장을 살펴볼 수 있는 글이 제법 있다. 그의 예설에 대한 논문에서는, 『주자가례』의 전범을 준수하여 원칙론에 입각하여 예를 논했고, 여묘(廬墓), 기우제(祈雨祭), 상주(桑主)와 율주(栗主), 영정(影幀)과 신주(神主) 등에 반영된 특징을 논하였다.[18] 첨언할 것은 박치복이 『사의』의 예설을 준용하거나 변호한 내용이 있는 반면에, 일부 경례(經禮) 논의에 대해서는

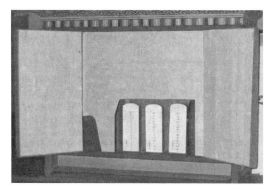

●감실 안에 모셔진 신주●

허전과 다른 입장을 보였다는 점이다.(제9장 2절 참조)

소심정(小心亭) 전규환(全奎煥, 1832~1893)은 「사문일기(師門日記)」와 「예언(禮言)」이라는 글을 남겼다.[19] 그는 1880년에 한양으로 허전을 찾아가 가르침을 받았던 일을 「사문일기」로 남겼다. 이 글에는 묘제(墓祭)와 개장(改葬)에 대한 짤막한 예문답도 수록되어 있다. 「예언」은 예를 학습하면서 중요한 요점을 193조목에 걸쳐 요약한 글인데, 여기에는 정구, 이익, 윤동규(尹東奎), 허전 등 근기남인의 학맥과 관련된 이들의 설이 다수 인용되고 있고, 이황·조식·이이·김장생·장현광·정경세·김집·송준길·송시열·이현일·윤증·박세채·권상하이재(李縡) 등의 예설도 두루 거론되었다. 이는 근기남인의 예설을 근간으로 제가의 다양한 설을 절충하려는 의도가 담긴 것으로 해석된다. 다음으로 「예언」에서 주목할 것은 위에서 언급된 이들 외에 손우(遜愚) 홍석(洪錫)의 예설이 제법 등장한다는 점이다. 홍석의 예설은 허전의 『사의』에 한 군데 인용되었고, 편자 미상의 『예의통고(禮宜通考)』에 인용된 적이 있다. 홍석의 문집이나 그의 예서에는 예의 근원과 의미에 대한 원론적인 논의보다는 실제 행례에 필요한 의식절차들이 많이 수록되어 있다. 그리고 편자 미상의 『상제례초(喪祭禮抄)』라는 예서에도 홍석의 설이 상당수 반영되어 있는데, 가장 큰 특징 중 하나는 제찬 규모와 진설 방식

18) 정경주, 「晚醒 朴致馥의 禮說에 대하여」, 『만성 박치복의 학문과 사상』, 술이, 2007.
19) 「師門日記」와 「禮言」은 『소심정집』 권3에 수록되어 있다.

등 세세한 부분에 대해 논하고 있다는 것이다. 「예언」에도 현훈(玄纁)을 두는 위치, 부재모상(父在母喪) 때의 성문(省問)과 곡(哭)의 선후, 상인(喪人)의 망건(網巾) 착용 등 시속에서 통용되는 세세한 예를 많이 반영하고 있다. 이런 점을 종합하여 볼 때 전규환이 홍석의 설을 인용한 것은 홍석이 논한 구체적인 의식절차에 관심을 가졌던 때문인 것으로 보인다.

심재(心齋) 조성렴(趙性濂, 1836~1886)은 허전의 『사의』와 그것의 절요본인 『사의절요』를 간행하는 일에 중요한 역할을 하였다. 그는 1864년 허전을 찾아갔을 때 『사의』를 보았고 나중에 이를 필사해 와서[20] 강습하였고, 이 필사 원고를 그가 살던 함안의 학자들과 상의하여 1870년에 목활자로 간행하였다. 이후 1872년에 허전을 찾아갔을 때 『사의절요』가 편찬되었다는 말을 듣고서 이듬해에 이를 목판본으로 간행하였다.[21] 조성렴의 문집에는 허전의 예서를 필사하고 간행한 과정에 대해 쓴 「서사의초권후(書士儀鈔卷後)」·「사의절요발(士儀節要跋)」 외에, 허전에게 예의(禮疑)와 『사의』 내용에 대해 질의한 서간문이 몇 편 있고, 잡저 「취정록(就正錄)」은 김해로 허전을 찾아갔을 때의 일정을 정리한 것이다.

물천(勿川) 김진호(金鎭祜, 1845~1908)는 '이진상 학단'에서 언급했듯이 주문팔현(洲門八賢)에 포함되지만, 예학 논의에 있어서는 허전 학단에 경도된 면이 있는 것으로 보인다.[22] 김진호는 박치복에게 배운 뒤 나중에 박치복을 따라 허전의 문인이 되어, 허전의 예설을 옹호하고 미진한 설명을 부연하여 논의를 전개함으로써 『사의』 예설의 정당성을 입증한 데 큰 역할을 하였던 것으로 평가된다.[23] 그는 제왕소목위차(帝王昭穆位次)를 논한 적이 있고, 『사의』 목판본 간행과정에서 '사의당산조(士儀當刪條)'의 문제를 언급하였다.[24]

---

20) 趙性濂, 『心齋集』 卷4 「書士儀鈔卷後」: 往歲甲子, 濂得見是書於先生之座而心悅之. 後因上書請謄寫一本, 先生答書曰, 此姑未成書也. 況禮家文字, 易致訟端, 吾雖不可以不示君, 然君須愼之勿輕以視人.
21) 趙性濂, 『心齋集』 卷4 「士儀節要跋」 참조.
22) 金鎭祜, 『勿川集』 부록 卷4 「墓表」(朴憲脩): 聞禮學於冷泉, 而益信勿旂之自有所施. 得知敬於寒浦, 而尤驗輪翼之不可偏廢.
23) 정경주, 「勿川 金鎭祜의 禮學思想」, 『물천 김진호의 학문과 사상』, 술이, 2007, 175·181쪽.
24) 盧相稷, 『小訥集』 卷6 「答金致受趙應章別紙」.

교우(膠宇) 윤주하(尹胄夏, 1846~1906)는 19세기 후반 영남에서 큰 학단을 형성하였던 장복추·허전·이진상의 문하에서 모두 배우고, 허유·이종기·김진호·곽종석·이승희 등과 도의로 강마함으로써 폭넓게 교유하였다. 그는 세 스승의 특장을 잘 계승하였는데, 장복추의 위기지학, 허전의 예학, 이진상의 심즉리(心卽理)의 지결을 들었다.25) 윤주하는 예가(禮家)로 일컬어질 정도로 예학에 뛰어났다. 하겸진(河謙鎭)이 쓴 행장에 따

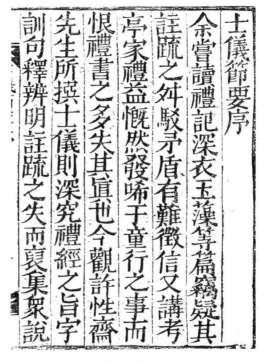

●허전_사의절요●

르면, 허전에게서 예학을 전수받아 『사의요변(士儀要辨)』을 짓기도 하였다.26) 이 글은 현존 여부를 알 수 없지만, 허전의 『사의』를 계승하였던 진주권 허전 문도들의 예학 경향이 반영된 것으로 보인다.27)

윤주하는 조부 윤흠도(尹欽道, 1810~1877)의 상을 당하여 예를 읽는 여가에 관혼상제의 축사를 초출(抄出)하고, 석채(釋菜)·향음(鄕飮)·사상견(士

---

25) 河謙鎭, 『晦峯遺書』 卷48 「膠宇先生尹公行狀(辛巳)」: 師事四未軒性齋寒洲三先生, 於四未聞爲己之方, 於性齋得禮學之傳, 於寒洲領心理之訣. 又與許參奉后山李禁郎晩求金約泉郭徵君李大溪諸賢, 傾心友善, 道義切磨, 以成其德, 蓋師友淵源之盛, 殆近世所未有也.

26) 河謙鎭, 위와 같은 곳: 又作士儀要辨, 士儀, 性齋所撰也.

27) 윤주하가 허전에게 질의한 내용은 尹胄夏, 『膠宇集』 卷3 「上性齋許先生(別紙問目)」; 「上性齋許先生問目」 등이 있다. 그리고 許傳, 『性齋集』 卷8 「答尹胄夏」에 9조목의 禮疑問答이 수록되어 있고, 『性齋續集』 卷2 「答尹忠汝(胄夏)」에 2조목의 禮疑答辯이 수록되어 있다.

相見)·약례(約禮)·읍례(揖禮) 등의 홀기까지 부록하여 『찬축고증(贊祝考證)』을 편찬하였다.[28] 축문과 홀기를 편찬하는 흐름은 19세기 중후반 이후 성주권과 진주권에서 특히 성황을 이루었다. 이 부분에 주목했던 이는 성주권의 장복추와 이진상이었고 이후 장석영(張錫英)이 『구례홀기(九禮笏記)』를 지었으며, 진주권에서는 곽종석(郭鍾錫)의 『육례홀기(六禮笏記)』가 편찬되고 노론예학을 계승한 정기(鄭琦)도 『상변축집(常變祝輯)』을 지었다. 이러한 점을 통해 당시 권역간의 예서 편찬에 있어서 축문과 홀기를 다루는 분위기가 널리 유행하고 있었음을 알 수 있고, 이는 권역과 당파를 넘어 상호 영향을 미쳤다는 사실을 말해 주는 것이다. 『찬축고증』 역시 이러한 분위기에서 나온 것이었다.

윤주하는 스승의 설만 추종하는 세태를 비판하면서 후세 제가의 설도 널리 채택하였다.[29] 그가 허전의 예학에 큰 영향을 받았다고 하지만, 『찬축고증』은 『의례』와 『주자가례』에 제시된 축사(祝辭)를 근거로 하면서도, 『사의(士儀)』(허전), 『가례보의(家禮補疑)』(장복추), 『사례집요(四禮輯要)』(이진상) 등 세 스승의 예서에 수록된 내용까지 충실하게 반영하였다. 이 책이 축문과 홀기를 수록한 다른 예서와 변별되는 점은 바로 당시에 이 지역에 큰 영향력을 미치고 있던 세 사람의 성과를 두루 반영하여 절충하고 있다는 것에서 찾을 수 있다.

일산(一山) 조병규(趙昺奎, 1846~1931)는 함안에서 『사의』 활자본을 간행하는 데 관여하고, 『사의』 예설의 보급과 옹호에 중요한 역할을 하였다. 그리고 김진호를 이어 『사의』 중간본 간행을 주도하였고 그 발문을 썼다. 조병규는 허전의 『사의절요(士儀節要)』를 재차 요약한 『사례요의(士禮要儀)』를 찬술하여 '절요(節要)의 절요'를 표방하였다. 『사의』의 방대함은 실제 일을 당했을 때 참고하기가 어렵다는 문제가 있었기 때문에 허전 자신이 『사의절요』를 편찬하여 행례에 사용하는 데 간편하도록 하였다. 이것

28) 河謙鎭, 위와 같은 곳: 丁丑遭竹石公憂, 讀禮之暇, 抄出冠昏喪祭祝詞, 附以釋菜鄕飮士相見約禮揖禮宗會儀等笏記, 名曰贊祝考證.

29) 尹胄夏, 『贊祝考證』 卷首 「序」: 我東論議不同, 各尊所尊, 惟我師是信, 此學者之痼肓, 禮學之歧派也. 余竊病焉, 乃敢裒會諸說, 交互搜引, 以係儀禮家禮之原祝, 註解之, 辨釋之, 妄又斟酌者間焉, 而或以從先之義也, 或以古今之殊也. 係之以冠昏鄕飮釋奠禮之笏記, 又附以家祭儀, 總之爲二卷.

을 더욱 간편하게 만든 것이 『사례요의』이다. 이 책이 편찬된 1930년 무렵에 전통 예속의 부정과 조선총독부에 의한 문화 말살 정책이 자행되고 있었는데, 조병규는 이러한 당시의 시대 상황에 맞서서 절차·기물·홀기·고축 등을 위주로 간략화한 예서를 편찬하였다. 조선의 예가 번문욕례라고 비난을 받던 시점에서, 조병규는 『사례요의』를 통해 예가 간편한 것이라는 것을 증명하여 대중적으로 이해시키고 쉽게 전수하고자 하였다. 이제는 예의 원리와 절차에 대한 상세한 고증이 필요한 것이 아니라 간편한 예서를 통해 대중에게 예의 중요성을 인식시키고 행하도록 하는 것이 중요하다는 시대적 필요에 의한 결과물이었다. 이는 비슷한 시기에 밀양권의 노상직(盧相稷)이 편찬한 『상체편람(常體便覽)』과 동일한 의도에서 나온 것이다.

『사례요의』는 허전의 예설을 잘 준용하고 있다. 책의 앞에 실려 있는 도판들은 모두 「사의도(士儀圖)」에서 발췌하여 수록한 것이고, 축문도 『사의』의 것을 원용하였다. 그리고 하편의 향음주례 홀기는 허전이 김해부사로 내려와 향교에서 지방 유생들과 시행했던 그 홀기를 토대로 한 것이다.[30]

『사의』는 『주자가례』의 가정의례를 재편한 것이고, 『사의절요』는 그것을 줄인 것이다. 그런데 허전이 '사(士)의 의례'를 표방하여 『사의』를 편찬했지만, 정작 『사의』에 수록된 내용은 관혼상제의 범주에 그치고 있다. 당시 향례와 학교례가 주목받고 있던 시점에서, 조병규는 『사례요의』에 『사의』에서 빠진 향례와 학교례까지 '사의 의례'로 포함함으로써 가정의례의 영역에서 사례(士禮)로 확대 계승하였다.[31] 그래서 노상직은 『사례요의』 서문을 쓰면서 '이 책을 보고 있으면 스승의 설을 보고 있는 듯하다'[32]고 하여 허전의 예학을 계승 발전시킨 선배 조병규의 노력에 박수를 보냈다. 이 말은 『사의』에서 다루지 못한 부분을 확대 계승한 측면을 부각한 말로 볼 수 있으며, 동시에 향촌 지식인들이 결속하여 문화적 자긍심을 고취시

---

30) 김철범, 「『士禮要儀』 해제」, 『한국예학총서』 101, 경성대 한국학연구소, 2011.

31) 『士禮要儀』는 상편에 관혼상제 四禮를 배치하고, 하편에 鄕飮酒禮, 士相見禮, 滄洲釋菜禮, 白鹿洞規約, 呂氏鄕約을 두었다.

32) 盧相稷, 『小訥集』 卷26 「士禮要儀序」: 從斯文遊者, 釀貨而錄之, 問序于相稷, 非爲相稷識禮, 以事同一室, 視此書如師說也, 烏敢辭.

키고 암담한 현실을 극복하는 것이 당대의 중요한 과제였음을 보여준다. 『사례요의』가 간략화를 표방하면서도 향음주례·사상견례·상읍례·창주석채례(滄洲釋菜禮) 등을 추가한 것은 바로 이러한 배경에서 나온 것이다.

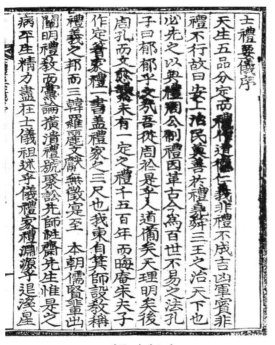

●조병규_사례요의●

1864년 무렵에 본격적으로 형성된 허전의 진주권 문도들은 『사의』와 『사의절요』를 간행하는 일과 『사의』예설을 전파하는 데 앞장섬으로써 예학의 분위기를 활성화시켰다. 당시 이진상과 정재규 학단에서 『사의』의 설에 대해 반대하는 설을 제기하자, 허전의 문인들은 『사의』를 옹호하는 발언을 내놓음으로써 19세기 후반 가장 치열하고 활발한 예학 논쟁을 벌이기도 하였다. 이들의 역할을 통해서 침체되었던 진주권의 예학 분위기가 일시에 활발해지게 되었다.

당시의 지식인들은 가정의례의 범주에 안주할 수 없었고, 사례(士禮) 전반을 지식인의 필수교양으로 인식하고, 이를 사회에 전파함으로써 그들의 역할과 정체성이 무엇인가를 명확하게 드러낼 필요성을 절감하였다. 이들이 살았던 시대는 국가가 예의지방(禮義之邦)을 담보해 줄 수 없는 때였으므로 향촌의 지식인이 대신 그 책무를 감당해야 했고, 그런 의식은 사례(士禮)라는 보다 넓은 관점에서 가례·향례·학교례를 통하여 드러나게 되었다.

3. 곽종석(郭鍾錫) 학단

19세기 전반 진주권에서는 박치복(朴致馥)·김인섭(金麟燮)처럼 안동의 류치명(柳致明) 문하에 출입하는 이들이 있었고, 류치명이 사망하고 1862년 임술민란으로 한바탕 변란이 발생한 이후에 1864년 허전(許傳)이 김해부사로 부임함에 따라 허전 학단에 입문하는 이들이 많았다. 얼마 뒤 허전이 임기를 마치고 돌아가자 그의 문인들은 그들 자체적으로 근기남인의 학통을 계승하기도 하고, 경상우도에서 새로운 학풍을 일으키고 있던 이진상(李震相)의 영향을 받기도 하였는데 합천의 허유(許愈), 단성의 김진호(金鎭祜), 산청의 곽종석이 대표적인 인물이다. 이들 중에서 이진상 사후에 진주권 학문의 구심점이 되었던 이가 곽종석이다.

면우(俛宇) 곽종석(1846~1919)은 이진상 학단의 핵심 구성원이었다. 그는 당대의 큰 학자였던 허전·장복추(張福樞)·이종기(李種杞) 등과 서간문을 주고받으며 학술 토론을 전개하였고, 이진상 사후에는 그 학단을 이끌며 학문과 사상을 주도하였던 종장이었다. 그는 이진상의 심즉리설을 계승하여 항상 변호하는 입장에서 강력하게 옹호하였다.[33] 곽종석의 위상을 평가한 말이 많지만, 그의 장례 때 모인 사림이 10,000여 인이었고 복을 입은 문인이 수천 인이었으며 만제문(挽祭文)이 10여 권이나 되었다[34]는 기록만 보더라도 한말의 영남학계에서 차지했던 그의 위치를 가늠할 수 있다.

곽종석의 학문과 사상에 대해서는 성리설·경학·문학·정치 등 여러 방면에 대해 상당한 연구가 축적되었다.[35] 그는 『의례』『예기』 등 예경(禮經)에 깊은 관심을 가지고 저술을 남기거나 예학 논의를 활발하게 전개하였다. 그의 스승 이진상의 예학이 삼례(三禮) 경전의 본질과 본원을 탐색하여 예

---

33) 이영호, 「면우 곽종석의 논어학과 그 경학사적 위상」, 『남명학연구』 28, 경상대 남명학연구소, 2009, 14쪽.
34) 郭鍾錫, 『俛宇先生年譜』 己未(74세, 1919) 10월 1일 戊寅 葬于本郡加祚南廣星里文載山: 先參贊公墓右. 士林會者萬餘人, 門人受服者約千餘人, 挽祭之軸爲十餘卷.
35) 『남명학연구』 27·28, 경상대 남명학연구소, 2009.

를 논하거나 행할 때 명확성을 담보하는 쪽으로 전개되었고, 이러한 경향은 이진상 사후 곽종석을 비롯한 그의 직전제자 및 재전제자에게도 여전히 계승되어 일제강점기까지 지속되었다.

곽종석 예설은 이진상의 영향을 받았다. 예서로는 『예의문답유편(禮疑問答類編)』과 『육례홀기(六禮笏記)』가 있고, 문집에 수록된 곽종석의 예설 중에는 1904년 순명황후(純明皇后)의 복제를 개정하라는 취지로 올린 「청개정순명비복제소(請改正純明妃服制疏) 11월 11일」, 1905년 형제가 왕위를 이어 계승했을 때 전(前) 왕후(王后)에 대한 복제를 논한 「답송우약(答宋羽若) 을사(乙巳)」, 같은 해 기해예송(己亥禮訟)에 대해 논한 「답송직부별지(答宋直夫別紙)」 등 방례 논의가 있다. 그리고 오대조(五代祖)의 승중(承重)을 논한 「답권성길(答權聖吉) 임자(壬子)」, 대복(代服)이 불가하다는 입장을 표명한 「대복난(代服難) 경자(庚子)」, 문인과 심의설(深衣說)에 대해 논정(論訂)한 연보의 글[36] 등이 있다.

곽종석은 이진상이 편찬한 『사례집요』의 예를 계승 보완하였다. 곽종석은 이진상이 생전에 교감한 『사례집요』를 이진상 사후에 동문들과 재차 교정하여 간행하는 일에 힘을 쏟았는데, 그의 연보에 나타나는 것만으로도 1898년 이후 4차에 걸쳐 교정한 행적이 보인다.

『사례집요』는 이진상 학단에서 예 실행의 교본이 되었다. 이진상의 상례 때 이 책에 따라 행했고, 곽종석의 상례에도 행례의 기준으로 활용되었다. 곽종석의 상례 때 『사례집요』에 따라 상을 치르고 유복(儒服)으로 염을 한 것 등은 상례를 치르던 지우·문인들의 생각이 아니라 곽종석의 유명(遺命)에 의한 것이었다는 점에서 그가 이 책을 얼마나 중요하게 여겼는지 알 수 있다.[37] 여기서 말한 '유복'이 정확하게 무엇인지 알 수 없지만 이진

---

36) 곽종석, 『면우선생연보』 己未(74세, 1919) 閏七月與門人論訂深衣說.

37) 곽종석의 상례는 河謙鎭·李壽安이 護喪, 宋鎬坤이 相禮, 李垕가 祝, 金榥이 志의 역할을 맡는 등 후배들이나 문인들이 주축이 되어 치러졌다. 郭鍾錫, 『俛宇先生年譜』 己未(74세, 1919) 8월 24일 壬寅 巳時考終: 門人河謙鎭鄭載星等治喪, 遵用四禮輯要, 參以先生平日所論定者, 斂用儒服, 書銘以徵士, 從先生遺意也. / 10월 1일 戊寅 葬于本郡加祚南廣星里文載山: 門人河謙鎭李壽安爲護喪, 宋鎬坤爲相禮, 李垕爲祝, 金榥爲志. 蓋先生平日不喜文具侈飾, 故禮葬不由士林, 而只於堂中爬任治事, 素轝不設小方牀, 竝用先生雅言云.

상의 장례 때 심의(深衣)로 염을 하였던 점에서 보면, 유복은 심의의 다른 표현이라고 여겨진다. 『사례집요』는 이진상이 편찬하고 그의 대표적 문인 곽종석이 핵심 역할을 맡아 산정(刪定)한 책이었기 때문에 곽종석 문인들에게 이 책의 중요성은 배가되었던 것이다.[38]

그런데 곽종석이 이진상의 설을 무조건 맹신한 것은 아니었다. 허전과 이진상이 논의했던 대복설(代服說)에 대해서는 절충적 입장을 견지하기도 하였다. 곽종석은 「대복난」이라는 글을 지어, 조부 상중에 부친이 사망했을 때 부친이 못 다 입은 조부에 대한 복을 아들이 대신 입어서는 안 된다고 논했고, 송진익(宋晉翼)·이승희(李承熙)·장석영(張錫英)·성재석(成載晢) 등에게도 자신의 의견을 개진했다.[39] 곽종석의 문인 정종세(鄭宗世)는 모든 학자들이 『사의』의 설과 같이 대복이 불가하다고 논했는데 이진상만 대복을 해도 된다는 논의를 한 것에 의심을 품고 질의하였다. 이에 대해 곽종석은 고례에 따르면 정복(正服)·의복(義服)·종복(從服)·승중복(承重服)만 있지 대복은 없다면서 이진상의 설을 따르지 않았다.[40] 이진상 학단 내에서도 이 부분에 대해 문제가 제기되고 곽종석도 동의하지 않아서인지 이진상이 주장했던 대복가능론(代服可能論)이 『사례집요』에는 다소 완화되어 나타나고 있다.[41]

38) 鄭載星, 『苟齋集』 卷9 「如齋執燭錄(己未)」: 治喪諸節, 一遵四禮輯要, 蓋洲上所纂而先生所刪定者也. 其或一二遷就, 則余及齋金梡所聞乎先生者而與謙鎭諸君參訂互商, 要歸停當而已.

39) 郭鍾錫, 『俛宇集』 卷130 「代服難(庚子)」; 卷24 「答宋致車(庚子)」; 卷32 「答李啓道(庚子)」; 卷35 「答張舜華」; 卷37 「答成聖與(庚子)」.

40) 郭鍾錫, 『俛宇集』 卷60 「答鄭文顯(戊戌)」: (문)祖喪父死, 李子曰代喪之事, 其子只當代父而行其未畢之禮, 成服之節, 但於朔望或朝奠, 告于兩殯而服之. 然此恐未見通典時語也. 通典曰父爲適居喪而亡, 孫不得傳重. 愚伏曰通典凡服以始制爲斷, 以此參之, 似不當追服. 星湖曰雖服周而其立盧練祥等節, 一如父在而無闕. 士儀以爲祖喪中父死, 孫不得承重, 服祖本服朞而除之, 心喪終三年. 此皆質百世而無疑者, 而李先生謂不得承重固也, 而代服何害於禮也云云. (답)鄙見亦同盛意. 盖古禮只有正服義服降服從服承重之服, 而元無代服之名.

41) 李震相, 『四禮輯要』 卷13 「喪禮」9 父祖偕喪 '祖先亡父後亡祖父服': 按, 古禮無代服之說, 通典之意, 在於不得承重, 固是矣. 退溪之訓, 在乎只代其服, 而後賢多從之, 似是從厚之論. 夫祖死於父在之日, 則重已傳父, 孫不當更承祖重. 父雖未成服而死, 重義已立, 當先製斬衰, 陳於父之靈牀, 自以斉衰成服.

곽종석의 예서로는 『예의문답유편』과 『육례홀기』가 있다. 『예의문답유편』은 곽종석의 문인 하겸진(河謙鎭)을 비롯한 제자들의 교정과 교감을 거쳐 편찬되었다. 각 권별로 1권은 통례, 2권은 관례·혼례, 3-8권은 상례, 9권은 제례, 10권은 향음주례·사상견례·학교례·방례 등을 수록하였다.

영남지역 예학의 특징 중 하나는 국가의 전례(典禮)에 대한 직접적인 참여 기회가 제한되었기 때문에 이에 대한 논의가 적었고, 대신 지역 사족의 결집을 위한 향례와 향교·서원·서당 등 학교례에 대한 논의가 활발하였던 것이다.

당시의 여러 학자들이 그랬지만 이진상과 곽종석도 사림의 모임이나 강학이 있을 때면 향례를 하나의 필수 과정으로 인식하여, 이를 행하고 나서 본 행사에 들어갈 정도였다. 연보에 따르면 곽종석은 1877년부터 1898년까지 7차례에 걸쳐 향례를 행하였다. 1892년에는 촌사(村社)에 월강(月講) 규약을 처음으로 갖추어서 시행하였다. 그때 촌사에 선비들을 모아 놓고 책을 윤강(輪講)한 다음 향음주례·사상견례를 행하였다. 몇 해에 걸쳐 이런 식으로 행하자 선비들이 의문(儀文)에 익숙해졌고 스스로 예를 행할 수 있을 정도로 문채가 찬연하였다.42) 향례에 대한 모색은 이 시기 성주권·밀양권·진주권 등에서 보여 준 공통된 경향이었다. 이는 향례를 통해 조선이 망하기 전후의 위기상황에서 사(士)의 정체성을 찾고 향풍(鄕風)을 진작시키려는 사족들의 자각에 따른 것이었다.

『예의문답유편』의 편제상 특징으로 꼽을 수 있는 것은 씨명록(氏名錄)이 있는 것이다. 이는 곽종석이 정해 놓았던 것은 아니고, 곽종석의 예설을

父未葬, 不易斬衰, 雖入祖殯, 當仍持父衰矣. 旣葬矣, 靈牀撤而遺衣藏, 喪服不當更設, 祭禮備而躬獻, 始祖殯亦當服其服矣. 苟代服則以此時受六升斬衰, 恐合事宜. 若父亡在祖喪葬前, 則父葬後, 祖卒哭, 始可受矣. 在練前則父葬後, 行祖練, 可受七升練衰. 在祥前則只以素服行事, 卒事反重.

42) 郭鍾錫, 『俛宇先生年譜』 壬辰(47세, 1892) 始設村社月講之規: 是時, 隣鄕士友從先生請學者日衆, 而同隣有權公有淵(字繼若)姜公鎭(字國卿)郭公鍾雲(字景虞)李公正鎬洪公洛鍾(字時應)諸公, 皆樂從先生遊. 先生與議定, 以每月卜一日, 聚集于村社, 輪講一書, 講後行鄕飮酒士相見等禮. 如是數年, 士子之習於儀文者, 莫不粲然可觀, 或至不待唱導而自能行禮焉. ○先生有手定鄕飮酒禮士相見禮笏記, 當在此時. 又嘗定投壺禮笏記, 一時傳用, 而今佚不見.

문인들이 편집하면서 마련한 것이다. 예서 편찬 과정에서 참조한 서적이나 선유들의 성명·자호·시호 등을 수록하는 사례는 제법 많지만, 이 책처럼 씨명록이라 하여 156인의 문답자의 이름·본관·거주지 등을 소개한 경우는 극히 드문 것으로 보인다. 문답류 예서에 수록된 문답 내용 말미에는 어떤 사람과 주고받았다는 출전 표기를 대부분 성(姓)+자(字)의 형태로 밝히고 있어, 그 이름을 알려면 손품을 파는 수고를 할

•곽종석_예의문답유편•

수밖에 없는데, 편집에 참여한 문인들은 권1 앞부분에 씨명록을 편성하여 이런 수고를 덜어 주었다.

씨명록에 오른 156인 중 곽종석의 문인록인 『면문승교록(俛門承敎錄)』에 수록된 이가 104인이고 미수록 인물이 52인이다. 미수록 인물의 면모만 정리하면 다음과 같다.

표-31 <곽종석의 예의(禮疑) 문답 대상자(일부)>

姓+字	『면문승교록』 수록내용	필자 추가 내용	姓+字	『면문승교록』 수록내용	필자 추가 내용
權景孝	名參鉉安東人居宜寧	宋秉璿·宋秉珣 문인	李舜瞻	名師範星山人居晉州	李震相·許愈 문인
尹謙汝	名坪夏坡平人居居昌		權致貞	名相柱安東人居丹城	곽종석 從遊

曺衡七	名垣淳號復菴昌寧人居晉州	許傳·李震相 문인	朴子善	名熙元密陽人居長興	곽종석 서간문-신축
金復初	名明祚	곽종석 서간문-기해	盧聖登	名泰鉉豊川人進士居咸陽	
趙仲五	名性洛咸安人居咸安		李致善	名教宇全義人居丹城	金鎭祜·鄭載圭 문인
金聲汝	名鍾萬金海人居昌		林大彦	名秀養恩津人進士居安義	
鄭厚允	名載圭號艾山草溪人參奉居三嘉	奇正鎭 문인	宋舜元	名民用號常岡恩津人居三嘉	許傳 문인
琴景涵	名海圭奉化人居漆谷	號愛山	郭明厚	名燾玄風人居高靈	
李子翼	名正鎬號東亭眞寶人居禮安	改名炳鎬	許鳳吉	名𪻶金海人居三嘉	
寒洲李先生	名震相字汝雷星山人逸薦都事居星州		郭敬汝	名濟坤玄風人居玄風	제문(곽종석)
李輔卿	名鉉郁載寧人居晉州	號東菴晩就正於郭俛宇	宋應三	名雲用恩津人居三嘉	金鎭祜 문인
郭君玉	名瑔坤玄風人玄風	號默窩 / 곽종석이 郭丈으로 지칭	成聖與	名載晢昌寧人居昌寧	鄭載圭 문인
張舜華	名錫英號晦堂仁同人居仁同	張福樞·李震相 문인	辛子經	名銓靈山人居漆原	곽종석 서간문-무신
李景晦	名炳憙驪州人居密陽	곽종석 서간문-다수	吳應睦	名錫燾	世益의 子
韓敬允	名翊源淸州人居三嘉	鎭行의 子	李監役	名晩寅字君宅號龍山眞城人居禮安	李彙寧 문인
朴明老	名以晦密陽人居安義	許傳 문인	權冲逸	名相翰安東人居安東	號艮隱
李景文	名民永延安人居知禮		李而寬	名建榮慶州人居河陽	곽종석 서간문-3편
殷四明	名光杓幸州人居軍威	곽종석 서간문-임자	金晦顯	名在明善山人居昌	

金致受	名鎭祜號勿川商山人居丹城	許傳·李震相·朴致馥 문인	李致維	名道默號南川星山人居晉州	곽종석 교유
權道潤	名德容安東人居丹城	곽종석 서간문-甲辰	權學奎	名奎集安東人居丹城	號兼山 / 金鎭祜 뇌사
李啓道	名承熙號剛齋星山人寒洲子參奉居星州	李震相 문인	鄭亨七	名元恒晉陽人居晉州	號嘐齋 / 嶠南誌 (昆陽郡)
尹忠汝	名冑夏號膠宇坡平人居居昌	許傳·張福樞·李震相 문인	曺道亨	名錫斌昌寧人居晉州	
李士亨	名鎬奎咸安人居丹城	許傳 문인	柳中立	名寬正文化人居	곽종석 서간문-을해
李善中	名希道河濱人居居昌	곽종석 서간문-丁巳	李養和	名根中全義人居大邱	곽종석 서간문-8편
韓正中	名德鍊淸州人居永川	곽종석 서간문-丁巳	麗澤堂儒生	性齋許文憲公傳影堂在丹城	
李器汝	名種杞號晩求都事全義人居星州	柳致明·許傳 문인	李公允	名銛均延安人居知禮	號小庵 / 張福樞 문인

이를 제시한 것은 곽종석과 예학 문답을 한 인물들이 상당히 광범위했음을 파악하기 위해서이다. 곽종석의 스승 이진상을 비롯하여 동문우(同門友), 또는 류치명·허전·장복추의 문인이 포함되어 있고, 권경효(權景孝)·정후윤(鄭厚允)처럼 노론 인물도 있으며, 『면문승교록』에는 포함되지 않았지만 곽종석의 문인으로 상정할 수 있는 인물 등도 있다. 당시 경상우도 지역의 학자들이 자기가 속한 학파 스승의 설만을 추숭하지 않고 개방적 태도를 취한 점은 여타 지역에서 찾아볼 수 없는 독특한 현상으로 주목되는데[43], 곽종석 역시 당색과 학파와 지역에 구애되지 않고 다양한 인물들과 논의를 주고받았다. 이런 점을 통해서 곽종석이 예학 논의에 있어서 제가의 예설을 절충하는 학술 관점을 보였다는 점을 추론할 수 있고, 더 나아가 19세기 말에 그가 이 지역 예학 논의의 중심에 있었다는 점도 확인할 수 있다.

---

43) 최석기, 「俛宇 郭鍾錫의 明德說 論爭」, 『남명학연구』 27, 경상대 남명학연구소, 2009, 38쪽.

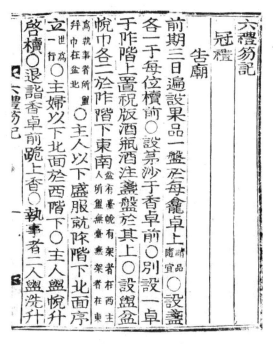

곽종석의 또 다른 예서인 『육례홀기』는 『예의문답유편』보다 5년 앞선 1933년에 산청(山淸) 이동서당(尼東書堂)에서 간행하였다. 『육례홀기』는 곽종석이 육례의 홀기를 갖추어야겠다는 편찬의도를 갖고 시작한 것이 아니라, 일이 있을 때마다 행하기 위해 마련했던 것을 후학들이 모아서 정리한 것이다. 이 책에서 말하는 육례는 관례, 혼례, 장례, 제례(忌祭·茶禮), 향음주례, 사상견례이다.

●곽종석_육례홀기●

육례에 대한 각각의 홀기를 마련함에 있어 곽종석은 시의(時宜)를 중요하게 여겼기 때문에 현행되는 예를 중점에 두고 편찬하였다. 그는 편찬과정에서 삼례 경전에 가깝도록 강구하여, 자신의 안설(按說)을 서술하면서 '고례운운(古禮云云)'을 자주 언급하고 있다. 이는 이진상의 예학 관점을 충실하게 계승한 것이라고 할 수 있다.

곽종석이 『육례홀기』를 편찬하게 된 과정은 『육례홀기』 권말(卷末)에 언급된 글을 통해서 살필 수 있다.

> 선생은 예학에 조예가 깊었지만 완성된 책으로 만들 겨를이 없었다. 선생이 지은 홀기(笏記)는 다만 일이 있을 때 재정(裁定)하여 행하기 편하도록 하였는데, 지금 합쳐서 이 책으로 만든 것도 겨우 마련한 것일 뿐이다. 향음주례·사상견례는 춘협(春峽, 春陽)에 있을 때 제생에게 주어 익히도록 했던 것인

데, 만년에 이르러 누차 다시 강론하고 궁구하여 가장 상세하게 갖추어졌다. 관례·혼례는 두 아들에게 사용하기 위한 것인데, 관례는 장자(長子)의 경우에 의거하되 중자(衆子)의 경우를 사이에 섞었고, 혼례는 시속을 따르되 고례에 조금 가깝게 하였으니, 대개 또한 현행에 적합한 것을 취하자니 그렇게 하지 않을 수 없는 점이 있어서였다. 장례는 한주(寒洲) 선생의 장례 때 정한 것이고 선생의 장례 때도 이에 의거하여 사용하였다. 제례는 부사(府使) 하공(河公)을 위해 그 집의 의식을 만든 것이기 때문에 기제·차례만 두고 정제(正祭)에는 미치지 못했다. 또한 초년에는 한결같이 『서의(書儀)』·『가례』를 준용했지만 간혹 만년에 집에서 행하던 것과 합치되지 않는 것이 있으니, 보는 이들은 상세하게 살피시라.44)

위의 인용문을 정리하자면 향음주례·사상견례 홀기는 춘협에 우거할 때 만들었다가 나중에 면밀하게 재검토하여 정리한 것이고, 관례·혼례 홀기는 두 아들 곽전(郭㙉, 1897~?)·곽정(郭㵖, 1903~?)의 관례와 혼례에 사용했던 것이다. 그리고 장례는 1887년 이진상의 장례 때 정한 것이고, 제례는 부사 하공을 위해 만든 것으로 기제·차례만 마련하고 정제(正祭)인 사시제(四時祭)의 홀기는 만들지 못했다.

이진상의 장례 때 만든 홀기는 예경(禮經, 『의례』)을 주(主)로 하고 『주자가례』를 참(參)으로 하던 이진상 학단 예학의 특성이 그대로 반영되었다. 이진상이 『사례집요』를 편찬하면서 각종 홀기를 만들었지만, 장례 홀기는 워낙 복잡한 부분이라 만들지 못했기 때문에 곽종석이 이진상의 장례를 계기로 보충하게 되었다.45)

---

44) 郭鍾錫, 『六禮笏記』 卷末: 右俛宇郭先生所撰也. 先生深於禮學, 而不遑著爲成書. 其撰笏記, 特因有事裁定, 以便於行, 而今合爲此卷, 亦廑焉爾. 如鄕飮酒士相見之禮, 在春峽時所授諸生, 以肄習之者, 而至于晚年, 屢更講繹, 最爲詳備. 冠昏二禮, 卽其所爲用於二子者, 而冠則据長子而間措以衆子, 昏則因俗而稍爲近古, 蓋亦取適於現行, 有不得不然者. 葬爲寒洲先生葬時所定, 而及先生之葬, 仍倣此以用之. 祭爲府使河公, 備其家儀, 故只存忌祭茶禮而不及於正祭. 且在初年一遵書儀家禮, 而或有與晚年所行于家者不合, 覽者其詳之.

45) 郭鍾錫, 『俛宇先生年譜』 丁亥(42세, 1887) 二月會寒洲先生葬: 先生爲之裁酌儀文, 手定笏記, 主以經禮而參用家禮諸書, 間加變通, 以從時宜, 比卒事, 略無礙滯, 會觀者莫不歎服. 始李先生著四禮輯要, 逐附笏記於各儀之

그리고 제례의 경우에는 부사 하공을 위해 만들었다고 하였는데, 하공은 강계도호부사(江界都護府使)를 지낸 사헌(思軒) 하겸락(河兼洛, 1825~1904)을 말한다. 곽종석의 연보에 따르면, 1904년 하겸락이 사망했을 때 장례에 참석하고 만사·제문·광지(壙誌)·묘비문(墓碑文)을 썼으며, 이보다 앞서 하겸락을 위해 가제(家祭) 의식을 정하고 도식까지 갖추자, 하겸락은 「제의계사(祭儀戒辭)」를 지어 자손에게 주어 준수하도록 하였다.[46] 가제 의식을 정하는 과정에서 기제와 차례만 만들고 사시제는 만들지 못하였다고 하였는데, 어떤 사정이 있어서 만들지 못한 것이지 사시제가 약화되고 기제·묘제의 비중이 강화되는 시대상을 반영한 것은 아닐 것이다.

　　육례 중에서 장례에 대한 홀기는 이진상의 『사례집요』에 없던 부분이다. 곽종석이 이진상의 장례 때 이를 마련한 것은 사가용(私家用)이 아니라 사림회장용(士林會葬用)으로 만들었던 것으로 보인다. 그리고 제례에 대한 홀기를 만든 것은 간결한 행례규범을 확정하여 간편화하려는 의도에서 나온 것이면서 동시에 전통 예속의 유지보수가 이루어질 수 있도록 한 노력이기도 하다. 기타 향례(鄕禮)에 대한 홀기는 조선말기에 사족의 정체성과 관련하여 향례가 자주 거론되던 분위기에서 나온 것으로 영남지역의 예학적 특징이 반영된 것이고 사림의 현실대응 의식이 투영된 것이다.

　　『육례홀기』는 권역 사이의 예서 소통 속에서 나온 것이다. 『육례홀기』는 후학들에 의해 육례의 홀기가 모아져서 편집된 것이기 때문에, 편찬자가 의도적으로 홀기집(笏記集)을 만들었던 성주권 장복추의 『가례보의(家禮補疑)』와 장석영의 『구례홀기(九禮笏記)』 등의 예서와 그 성격이 동일한 것으로 보기는 어렵다. 그렇지만 곽종석 문인이 이를 편집한 것은 장복추·장석영의 예서에서 영향을 받았을 가능성이 대단히 높기 때문에 두 권역 사이의 교섭 양상을 보여 준다는 점에서 의미가 있다.

　　곽종석은 밀양권·진주권에서 많은 문도를 양성했던 허전(許傳)을 존모하였

下, 以便擧行, 而獨以葬禮繁縟, 未及焉, 故先生用其意, 補成之.

46) 郭鍾錫, 『俛宇先生年譜』 甲辰(59세, 1904) 三月會河都護葬: …至是先生聞河公喪, 深加慟悒, 親往會葬有挽詞(見文集八卷)及祭文(見文集百四十五卷), 又撰壙誌(見五文集百十一卷)及墓碑(見文集百四十八卷). ○先生曾爲河公, 定其家祭儀, 幷有圖式, 河公乃作祭儀戒辭, 以遺其子孫云(祭儀今別行). 하겸락의 「祭儀戒辭」는 河兼洛, 『思軒遺集』 卷2 참조.

다. 30세의 젊은 시절에 곽종석은 허전에게 서간문을 보내 평소에 앙모하던 자기의 뜻을 전했고, 허전도 영남에서 오는 문인들에게 곽종석의 안부를 물을 정도로 친분이 두터웠다.[47] 또한 1906년에는 김진호(金鎭祜)·윤주하(尹冑夏)·정재선(鄭載善) 등이 곽종석을 찾아가 『사의』를 함께 교정하기도 하였다.[48]

곽종석은 허전을 존경하고 『사의』 교정에도 참여했지만, 『사의』에 담긴 일부 내용에 대해서는 이견을 제시하였다. 참신하고 독특한 설을 많이 세운 『사의』의 예설 중에서 논란이 가장 뜨거웠던 부분은 심의제도였다. 곽종석은 25세(1870) 때 허전의 문인 박치복에게 서간문을 보내 『사의』에서 말한 심의(深衣)의 삼거(三袪)·구변(鉤邊)의 의미에 대해 논하였다. 당시는 활자본 『사의』가 막 간행되려던 시점으로, 곽종석은 『사의』 별집 초고본을 통해 심의제도의 문제점을 발견하고는 간행할 때 반영하여 바로잡기를 바랐다. 박치복에게 보낸 의견의 요지는 심의의 개념 중 거(袪)와 구(鉤)의 의미 해석과 근거 자료의 명확성을 따지는 것[49]이라고 할 수 있다.

곽종석의 예설은 이진상의 예설과 관점을 계승 발전시킨 측면이 강하다. 심의설(深衣說)의 경우에는 이진상의 설을 충실하게 따랐지만, 「대복난」에 나타나듯이 일부 내용에 있어서는 이진상과 상반된 예설을 제기했던 허전의 설을 따르는 절충적 입장을 보였다. 뿐만 아니라 허전과 이진상의 문도와 정재규(鄭載圭) 계열의 인물들이 혼효되어 있던 진주권에서 예학 논의의 중심에 서서 학단 간의 교류를 활발하게 진행하였다.

곽종석의 문인들은 일제강점기라는 암울한 시대를 살았다. 이들은 역사 현실을 직시하고서 독립운동이나 유림활동에 적극적으로 참여하고, 성리학적 유교이념에 입각하여 해체되어 가던 우리나라의 전통 예법을 유지존속하려는 저술들을 남겼다. 이러한 저술들의 경향은 예의 본원에 대한 재검토를 시도한 것과 현재 행해지는 예속의 잘못을 시정하려는 것이 주류를

---

47) 郭鍾錫, 『俛宇先生年譜』 乙亥(30세, 1875) 春致書許性齋: 許公素聞先生名, 屢有願見之語, 每對嶺人之往徠門下者, 必問先生安否. 至是先生乃爲書, 致其平日慕仰之意.

48) 郭鍾錫, 『俛宇先生年譜』 丙午(61세, 1906) 金致受尹忠汝鄭公厚(載善)來訪: 留如齋十餘日, 共校士儀書, (性齋許文憲公所著) 門人宋鎬彦金在洙亦與從傳焉.

49) 許傳, 『士儀』 卷17 「法服篇」1 三袪辨 이하 참조.

이루고 있다.

1974년 간행된 『면문승교록』에는 곽종석의 문인 772인이 수록되어 있다. 이 중 하겸진(河謙鎭)·이인재(李寅梓)·이병헌(李炳憲)·김창숙(金昌淑)·김수(金銖)·김황(金榥)·안훈(安壎)·최익한(崔益翰)·권상경(權尙經) 등이 대표적 인물로 꼽힌다. 곽종석의 문인 중에서 예학에 관한 단독 저서나 예설을 남긴 이를 정리하면 다음과 같다.

표-32 <곽종석 문인의 예학 저술>

성명	예학 저술
梅堂 李壽安(1859~1928)	「經說」「禮疑雜錄」「喪服制度」「深衣制度」
謙山 文鏞(1861~1926)	「禮疑箚錄」
苟齋 鄭載星(1863~1941)	「上俛宇先生　冠禮質疑」「儀禮喪服疏箚疑」「如齋執燭錄 己未」
眞庵 李炳憲(1870~1940)	『禮經附注今文說考』
省窩 李寅梓(1870~1929)	「上俛宇先生禮疑問目」
朗山 李㙆(1870~1934)	「次子立宗辨」「喪服辨疑」「握手說」
晦峯 河謙鎭(1870~1946)	「記俗誤」「祭用生熟辨證」「立後疑義」「改葬服議」
晦山 安鼎呂(1871~1939)	『常變要義』「己亥禮說辨」
復菴 蔣華植(1871~1947)	「許性齋士儀記疑」「李鏡湖家禮增解記疑」「孔子與顏子榔辨疑」「德壽宮服制曺仲謹田艮齋爭辨辨質」「祖先亡父後亡其子代喪疑攷」「祔祭出主告詞曾孫稱孝當否」「墓祭參降先後」「忌祭是日辨」「妻父母葬前妻祭行否」「王孫賈祖右解」
愚齋 姜台秀(1872~1949)	『禮疑問難』「禮說記疑」「疑禮問解箚疑」「朴艮嵒君喪士庶服說辨」
修齋 金在植(1873~1940)	『二子禮說類編』「墓祭儀節節目」
深齋 曺兢燮(1873~1933)	「書老蘇禮論後」
秋帆 權道溶(1877~1963)	「標題禮疑問答類編」「讀墨子服說」「與金而晦論禮疑問答類編書」「新製儒巾」「答人禮疑十五條」「私定禮記篇目圖說」

晶山 李鉉德(1887~1964)	「記田艮齋五代祖承重論」「昭穆同班辨疑」「啓雲宮追崇元宗時諸儀禮攷辨」「私親論」
滄溪 金銖(1890~1943)	「禮說箚疑」
重齋 金榥(1896~1978)	『四禮受用』

이 중에서 진암 이병헌(1870~1940)은 청나라 말 강유위(康有爲, 1858~1927)의 영향을 받아 금문경학(今文經學)을 수용하여 체계화하여 『예경부주금문설고(禮經附注今文說考)』를 편찬했는데, 이 책은 『의례』에 대한 금문학적(今文學的) 주석서이다.[50] 그 목록은 「사관례(士冠禮)」, 「사혼례(士昏禮)」, 「사상견례(士相見禮)」, 「사상례(士喪禮)」, 「기석례(旣夕禮)」, 「사우례(士虞禮)」, 「특생궤식례(特牲饋食禮)」, 「소뢰궤식례(少牢饋食禮)」, 「유사철(有司徹)」, 「향음주례(鄕飮酒禮)」, 「향사례(鄕射禮)」, 「연례(燕禮)」, 「대사의(大射儀)」, 「빙례(聘禮)」, 「공사대부례(公食大夫禮)」, 「근례(覲禮)」, 「상복(喪服)」의 순으로 되어 있다. 이병헌의 이 저술을 통해 이진상 이래로 계승되었던 예경의 본질과 본원에 대한 탐구 노력이 장석영과 곽종석을 거쳐 재전문인들이 활동하던 일제강점기까지 지속되었음을 알 수 있다.

곽종석의 문인 중에서 가장 큰 역할을 하였던 사람으로 진주의 회봉(晦峯) 하겸진(河謙鎭, 1870~1946)을 빼놓을 수 없다. 그는 우리나라의 국성(國性)이 예의를 숭상하는 것이라는 취지로 1921년 「국성론(國性論)」[51]이라는 장편의 잡저를 지었다. 그는 이 글에서 고유문화를 지키는 것만이 민족을 구원하는 길이고 도학을 부지하는 것만이 민족을 갱생하는 방법[52]임을 주장하였다. 그는 「기속오(記俗誤)」·「제용생숙변증(祭用生熟辨證)」·「입후의의(立後疑義)」·「개장복의(改葬服議)」 등을 지었는데, 국성에 입각한 '고유문화를 지킴'이라는 관점은 「기속오」에 잘 반영되어 있다. 그는 「기속오」에서 당시 행해지던 예속의 오류를 지적하고 올바른 예의규범을 실행할

---

50) 금장태, 「眞庵全書 解題」, 『李炳憲全集』, 아세아문화사, 1989. 『禮經附注今文說考』는 『이병헌전집』 하권에 수록되어 있다.

51) 河謙鎭, 『晦峯遺書』 卷25 「國性論」(上·中·下).

52) 유영옥, 「晦峯 河謙鎭의 「國性論」 분석」, 『동양한문학연구』 31, 동양한문학회, 2010, 189쪽.

것을 주장하였다. 여기에는 예전부터 예학 논의의 쟁점이 되었던 내용들이 많은데, 인상이관(因喪而冠)·취동성(娶同姓)·여모(女帽)·혼백(魂帛)·염(斂)·겁(袷)·연의전연(練衣緣緣)·효대(絞帶)·의상내외봉(衣裳內外縫)·임(袵)·부유폐질(父有廢疾)·승중처종복(承重妻從服)·분상(奔喪)·개취(改娶) 등 14조목이 수록되어 있다.[53]

함안(咸安)에 살았던 회산(晦山) 안정려(安鼎呂, 1871~1939)는 『상변요의(常變要義)』를 편찬하였다. 이 책은 이진상에서 곽종석으로 이어지는 예학 학통을 계승한 성과물이면서, 기존에 제출된 예서의 내용을 널리 참작하여 유취·절충한 것이다.

> 『주자가례』가 천하에 통행됨에 우리나라에서 예학을 밝혀서 상례에 있어서는 사계(沙溪)의 『상례비요』, 사례에 있어서는 도암(陶菴)의 『사례편람』·류동암(柳東巖)의 『상변통고』·이경호(李鏡湖)의 『가례증해』·허성재(許性齋)의 『사의』가 차례대로 나왔으며, 이한주(李寒洲)의 『사례집요』가 더욱 상세하게 갖추었으니, 선배들이 후인을 일깨워 준 것이 부지런하고 극진하다고 할 수 있다. 다만 그 분량이 모두 커서 가난한 자는 구매하기 힘들고 읽는 자는 살펴보기 어렵기 때문에 내가 감히 그중에서 상변(常變)의 요의(要義)를 초출(抄出)하여 상하 2편으로 나누었다.[54]

안정려는 『상변요의』 서문에서 조선조에 편찬된 대표 예서 6종을 제시하고, 이 예서들이 조선 예학에 큰 성과를 남겼으며, 특히 이진상의 『사례집요』의 내용이 상세하게 구비되었다고 평가하였다. 그가 이렇게 다양한 성과를 두루 말한 것은 기존에 제출된 예서를 두루 종합해서 당대에 필요한 예식 절차를 절충하려는 의도로 보인다. 이러한 점은 곽종석의 절충적 관점을 계승한 것이다.

---

53) 河謙鎭, 『晦峯遺書』 卷24 「記俗誤」.
54) 安鼎呂, 『常變要義』 「序」: 家禮之書, 行於天下, 而吾東明於禮學, 喪禮焉有沙溪備要, 四禮焉有陶菴便覽柳東巖之通攷李鏡湖之增解許性齋之士儀, 次第以出, 而李寒洲之輯要, 尤爲詳備, 前輩之開示後人, 可謂勤且摯矣. 但其編帙皆浩穰, 貧者病於購得, 讀者難於考閱, 故余敢抄出其常變之要義, 分爲上下二編. 『晦山集』 卷4 「答李厚卿」에도 『상변요의』 편찬에 대한 경과가 약술되어 있다.

그런데 상세하게 갖춘 예서가 갖는 장점이 있는 반면, 그에 따른 단점도 뒤따른다. 요약류 예서의 서문이나 발문에 단골로 나오는 문자가 '예서의 분량이 방대하다[編帙浩穰]', '구해 보기 어렵다[病於購得]', '살펴보기 어렵다[難於考閱]' 등이다. 그래서 안정려는 간편(簡便)에 힘을 쏟아 예를 배우는 이로 하여금 쉽게 알고 쉽게 행하게 하여 파행적이고 어중간하게 하는 병폐가 없도록 하고자 하였다.[55] 이

●안정려_상변요의●

책은 조선총독부가 조선 예속을 번문욕례로 규정하고 이를 변질시킨 의례준칙(儀禮準則)을 공포했던 시점에 나온 것이다. 안정려는 이 외에 「기해예설변(己亥禮說辨)」이라는 잡저를 통해 방례에 대한 예학 식견을 드러내기도 하였다.

청도(淸道)에 살았던 복암(復菴) 장화식(蔣華植, 1871~1947)은 『사의』를 읽은 뒤 「허성재사의기의(許性齋士儀記疑)」라는 독후감을 남겼는데, 그는 이 글에서 사복조(師服條), 치장장(治葬章), 제주조(題主條), 역책변(易簀辨) 등 4조목에 걸쳐 의문이 나는 부분을 수록하고 자신의 견해를 적어 두었다.[56] 이는 『사의』가 일제강점기에도 밀양권·진주권에 많은 영향을 끼쳤다는 점을 말해 주는 것이고, 곽종석이 추구했던 예설의 절충적 경향을 계승한 것이라고 말할 수 있다. 장화식은 이외에 단편적인 예설을 많이 남긴

---

55) 安鼎呂, 『常變要義』 「凡例」: 古禮之繁文縟儀, 有不可一一遵用, 故今於 抄出之際, 務從簡便, 使夫學禮者, 得以易知易行, 而無跛倚漫漶之弊焉.

56) 蔣華植, 『復菴集』 卷7 「許性齋士儀記疑(乙卯)」.

것으로 보아 예학에 대단한 소양을 갖추었던 것으로 보인다.

산청(山淸)에 살았던 수재(修齋) 김재식(金在植, 1873~1940)은 집안 어른인 김진호에게 배우고 이진상 문하 곽종석·허유의 문인이 되기도 하였다. 김진호가 이택당(麗澤堂)에서 강학할 때 하경락(河經洛)·이교우(李敎宇)·권재옥(權載玉)·정종화(鄭鍾和)·박헌수(朴憲脩) 등과 강마하였다. 그는 잡저 「묘제의절절목(墓祭儀節節目)」과 예서 『이자예설유편(二子禮說類編)』 5책을 편찬했는데57), 여기서의 '이자'란 주희와 이황을 말한다. 이 책은 제가(諸家)가 수집한 예집류(禮集類)가 문번의복(文繁義複)하여 취송(聚訟)이 분분하므로 궁구하기 쉽지 않다는 이유에서 『주자가례』의 문목(門目)에 따라 주희와 이황의 예설만 가지고 분류하여 편집하였다.58)

『주자가례』의 편차에 따라 구성되기는 했지만, '친속(親屬)' '석물(石物)'처럼 『주자가례』에 없는 항목들도 추가하고 향례와 학교례를 말미에 넣은 점 등은 영남지역 예서의 특징을 계승하고 있는 것이다. 그리고 이 시기에 와서 새삼스레 주희와 이황의 설을 가져온 것은 예의 근원에 대한 탐색의 필요성과 정당성에 대해서 설명해 보려는 의도가 담긴 듯하다.

4. 정재규(鄭載圭) 학단

기정진(奇正鎭)의 학풍이 전래되기 전, 합천 삼가(三嘉)에 살았던 노암(魯菴) 신사면(申思勉, 1706~1772)·삼주(三洲) 신호인(申顥仁, 1762~1832) 조(祖)·손(孫)은 이재(李縡)·송환기(宋煥箕)의 문인이다. 신사면은 윤봉구(尹

---

57) 2책과 5책은 결락되어 전하지 않는다. 권수제는 '朱李二先生禮說類編'이다.

58) 金在植, 『二子禮說類編』 卷首 「小識」: 今年春余讀禮記於過安山閣, 參考諸家禮集類, 皆文繁義複, 聚訟紛然, 未易究觀. 於是, 竊不自揆采輯晦庵退陶二夫子禮說, 以家禮門目爲主, 因類彙附, 凡得若干弓, 名之曰二子禮說類編. 其爲書也, 崇愛敬忠厚之實, 謹儀章度數之文, 本末兼擧, 常變略具, 苟能致疑致思, 講貫而持守焉, 庶幾不畔於道矣. 但節取多疵類編, 例未整理, 自知其無所逃譏, 姑弃諸巾笥, 以俟重勘云爾. 癸卯嘉平節, 商山金在植小識.

鳳九)의 문인 모려(茅廬) 최남두(崔南斗)와 망년지교를 맺고 학문을 강마하고 명승을 유람하며 시를 주고받았다.[59] 최남두는 한원진(韓元震)의 문인 산수헌(山水軒) 권진응(權震應)·경호(鏡湖) 이의조(李宜朝) 등과 도의로 강마했으므로[60] 그의 사승과 교유는 주로 노론 호론 계열과 밀접한 관계가 있다.

송환기는 『가례증해(家禮增解)』를 편찬한 김천의 이의조와는 송능상(宋能相) 문하의 동문으로서 친교를 맺었고, 지역적으로 가까웠던 김천 지역의 학자들에게 많은 영향을 끼쳤던 인물이다. 주목할 점은 송환기의 영남지역 문인들 가운데 진주권 인물이 가장 많다는 점이다. 『성담문인록(性潭門人錄)』(국립중앙도서관 소장)에 수록된 송환기의 문인 511인 중에 영남지역의 인물은 89인이다. 이 중에서 진주권 인물이 38인으로 가장 많고, 성주권 15인, 상주권 14인, 경주권 12인, 밀양권 9인, 안동권 1인의 순이다. 이를 표로 정리하면 다음과 같다.

『성담문인록』에 수록된 송환기의 문인의 영남 인물 분포

진주권 (38인)	鄭章奎, 李度天, 李度眞, 章燾, 卞光晉, 姜周翼, 李世白(이상 居昌 7인) 李佑憲, 李佑緝, 權性中, 權思若, 吳應常, 李漢斗(이상 丹城 6인) 鄭國采, 柳之賢, 河益範, 權思經(이상 晉州 4인) 文海龜, 姜錫祉, 徐命懿, 李彥燁(이상 陜川 4인) 李澈, 李元根, 李廷根(이상 昆陽 3인) 申顯仁, 權尙鎭, 宋承淵(이상 三嘉 3인) 閔百休, 鄭雲賢(이상 山淸 2인) 愼性煥, 愼必稷(이상 安義 2인) 權思贊, 權善夏(이상 宜寧 2인) 李克烈, 劉國喆(이상 草溪 2인) 李熺(河東) 安泊(咸安) 權思祖(咸陽)
성주권 (15인)	李禧鎭, 李禹世, 尹心大, 李鵬壽, 李晉壽, 李道壽, 呂鐥行(이상 星州 7인) 沈大之, 朴純浩, 李克梓(이상 善山 3인) 張兌爛, 張兌煜(이상 仁同 2인) 朴孝源(義興) 朴基晃(漆谷) 朴春燮(玄風)

59) 申顯仁, 『三洲集』 卷4「皇祖魯菴府君墓碣銘」: 與同里崔茅廬南斗有忘年契, 日相從遊, 以講討唱酬爲事. … 每値佳辰令節, 與弟玉川子及茅廬崔公, 逍遙於箕山玉溪之間, 興至輒題句, 初不留意而以暢敍爲事.

60) 任憲晦, 『鼓山續集』 卷1上, 「茅廬遺稿序」: 與權山水軒申直庵愼黃皐權梧潭李鏡湖諸公相好, 講磨道義, 久而靡替.

상주권 (14인)	李遂浩, 李宜臣, 李遂溥, 李秉中, 李秉立, 李秉正, 李秉奎(이상 知禮 7인) 成伯烈, 金魯泰, 金魯龜, 鄭晳汝, 成稷烈, 鄭奎東(이 상 尙州 6인) 張烜(聞慶)
경주권 (12인)	徐命洛, 全邦彦, 全必謙, 徐杖, 蔡鎭洛, 徐杓, 全道轍, 全必寬, 全宅坤, 徐樸, 全邦顯, 蔡祥洛(이상 大邱 12인)
밀양권(9인)	朴東純, 芮之烈, 芮國烈, 芮時中, 朴時元, 金宇九, 李之璿(이상 淸道 7인) 蔣鏴(密陽) 金鍾殷(梁山)
안동권(1인)	李孚豹(安東)

당시 이 권역에서는 노론학자에게 입문하거나 노론으로 전향하는 일이 크게 늘어났다. 이는 무신란(戊申亂) 이후 위기에 직면한 이 권역의 학자들이 자신들의 목숨을 유지하기 위해 자의적 선택을 할 수밖에 없었던 상황에서 기인한 것이고, 이전부터 계속되어 온 노론화(老論化) 정책의 영향도 크게 작용하였다.[61]

신사면이 편찬하고 신호인이 완성했던 『상례석의(喪禮釋疑)』는 김장생의 예학에 입각하여 변례(變禮)와 의례(疑禮)를 강구한 예서이다. 『상례석의』는 신사면이 상중에 있으면서 상례에 관한 의절을 편성한 것인데, 서적의 미비로 분문유부(分門類附)가 미흡하고 의문변절(疑文變節)도 소루하였다. 이를 안타깝게 여긴 손자 신호인이 조부의 초고를 바탕으로 증보하여 고람에 편리하도록 간요하게 정리하였다. 신호인은 경례(經禮)의 경우에는 『상례비요』에 모두 언급되어 의심할 것이 없지만, 변례(變禮)에 대해서는 선유들의 설이 다르기 때문에 절충할 필요성을 절감했다. 절충을 통해서 상례의 의절을 정리함으로써 갑작스럽게 상을 당해서 신종추원의 마음을 유감없이 드러낼 수 있도록 하였다.[62] 이 책이 현재 남아 있지 않아 실제

---

61) 김봉곤, 「嶺南地域에서의 蘆沙學派와 寒洲學派의 成立과 學說交流」, 『공자학』 14, 한국공자학회, 2007, 68쪽.

62) 申顥仁, 『三洲集』 卷3 「喪禮釋疑跋」: 我皇祖考魯菴府君, 淸修勵行, 人鮮及焉. 蓋自少時, 雖爲親命肄業詞章, 而持身處事, 動慕古人, 詩禮兼備. 惟此喪禮釋疑, 卽其居憂時所編成者也. 緣書籍未備, 未能逐章分門類附, 而至於疑文變節, 亦多疏漏, 每以是爲恨焉. 小子時奉閱, 恐負遺志, 玆忘僭猥, 裒集多少禮書, 煞用心力增補, 而務從簡要, 蓋取考覽易而繙閱便也. 然

어떤 학자의 설을 위주로 편성했는지 명확하게 알 수는 없지만, 신사면과 신호인의 예학 연원을 통해서 볼 때 서인노론 학자들의 설이 주류를 이룰 것으로 추정된다.

의령에 살았던 죽촌(竹村) 권사학(權思學, 1758~1832) 역시 송환기의 문인으로, 『이례집략(二禮輯略)』을 편찬했다. 권사학과 가장 친밀했던 학문적 동지는 삼주 신호인과 운호(雲湖) 신필희(愼必熺) 등이었다. 『이례집략』은 『주자가례』와 『가례집람(家禮輯覽)』을 근간으로 하여 관례와 혼례만 다룬 행례규범류 예서이다.

『주자가례』와 김장생의 예서에 근간을 두고 편찬한 것은 진주권 노론 예학의 전통을 계승한 것이다. 당시 참고할 수 있는 예서가 많이 편찬 간행된 시점임에도 불구하고 『주자가례』와 『가례집람』을 바탕으로 강목(綱目)을 설정했다는 것은 일차적으로 예서 소통의 한계를 보여 주는 것이다. 동시에 상대 당파의 예설 수용을 꺼려하던 시대적 분위기를 반영한 것으로, 당파적 편협성을 드러내는 것이기도 하다.

관례와 혼례만 다룬 예서라는 점도 이 책의 큰 특징이다. 이례(二禮)로 명명된 예서는 상례와 제례의 의절을 다루는 것이 거의 대부분이다. 관혼례는 상제례에 비해 크게 문제가 될 소지가 없기 때문에 평소 강론하지 않았다. 그래서 실제 일이 닥쳤을 때 제대로 행례를 하지 못하는 상황이 발생하기도 하였다. 권사학은 이를 감안하여 '예의 시작'부터 면밀하게 검토하고자 하였다.

권사학은 『이례집략』 외에 「향음례설(鄕飮禮說)」·「향사례설(鄕射禮說)」·「제중류설(祭中霤說)」·「예의사조(禮疑四條)」·「의례문해기의(疑禮問解記疑)」 등의 예설을 남겼다. 이 중에서 향례에 관한 「향음례설」·「향사례설」은 당파와 권역을 넘어 널리 강구되던 영남지역 예학의 시대적 경향을 보여 준다는 점에서 의의가 있다.

진주권의 학문은 이 지역의 대표적 학자인 조식의 영향권 아래에 있으

精神昏短, 商訂取舍之間, 未保其必無舛誤, 自顧衰野, 未敢曰繼志述事, 而恐未免見譏於人, 亦可嘆也. 然禮有經變之異, 經禮則備要已盡, 無可疑, 至於變禮, 則先賢所論, 有意見之不同, 講之明而得其衷, 然後可免臨事迷惑之弊, 而愼終追遠之心, 庶得以遂矣.

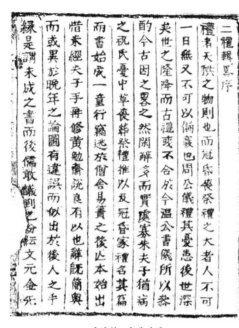

●권사학_이례집략●

면서도, 북인이 패퇴하여 사기(士氣)가 위축된 데다가 1728년 무신란을 전후로 해서 당색의 혼효(混淆)가 이루어졌다. 이런 상황에서 진주권을 지역 기반으로 하는 큰 학자가 나타나지 못하였고, 노론의 학맥이 18세기 이후 하나의 맥을 이루게 되었다. 위에서 살펴본 신사면·신호인·권사학 등이 이재와 송환기의 학통을 이은 것이 그것이다. 송환기 이후 홍직필(洪直弼)에게 입문하는 학자들이 있었는데, 홍직필 사후 1862년에 임술민란이라는 또 한 번의 변란을 당하게 되자 생사의 기로에서 고민하던 이 지역 노론 학자들이 기댈 수 있는 곳이 바로 중도적인 학문 경향을 보였던 노사 기정진이었다. 그리고 기정진의 학통을 이은 정재규가 이 지역에서 학풍을 크게 진작시키자 그에게 배우는 이들이 크게 늘어났다. 이러한 흐름은 1860년대에 허전(許傳)의 문도가 성립한 것, 허전이 한양으로 떠난 뒤에 이진상(李震相)이 이 지역의 남인 학자들을 다수 받아들이게 되는 것과 궤를 같이하는 것이라고 할 수 있다.

이 지역의 노사학파는 조성가(趙性家)·최숙민(崔琡民)·정재규(鄭載圭)가 가장 두드러진 인물이다. 이들 중에서 구심점을 차지한 인물이 합천에서 흥기한 정재규였다. 정재규는 217인에 달하는 많은 학자를 배출하면서 두각을 드러냈고[63], 기정진의 의리정신을 계승하여 나라는 망하고 사람은 죽더라도 도를 남기는 것이 더 중요하다고 생각했다.[64]

---

63) 鄭載圭, 『老柏軒集』附錄 卷5 「門人錄」.
64) 최석기, 「老柏軒 鄭載圭의 學問精神과 『대학』 해석」, 『남명학연구』 29,

정재규가 이 지역의 노론예학을 주도한 전후로 진주권에서 편찬된 노론의 예학 저술을 정리하면 이렇다.

표-33 <진주권의 노론 예서>

서명	편저자	권/책 (판본)	서문	발문	학맥	수록된 예 주된 참고서
喪禮釋疑	魯菴 申思勉 (1706~1772) 編 三洲 申顯仁 (1762~1832) 成			申顯仁	李縡	상례 『喪禮備要』
二禮輯略	竹村 權思學 (1758~1832)	1책 (木活)	權思學 (1823)		宋煥箕	관례·혼례 『家禮輯覽』
乃見齋歲 一祭儀節	溪南 崔琡民 (1837~1905)		崔琡民 (1891)		奇正鎭	墓祭 『家禮』·先儒說
四禮疑義 或問	老柏軒 鄭載圭 (1843~1911)	4/2 (木活)		鄭載圭 (1875)	奇正鎭	관혼상제 寒洲 李震相
家祭儀	老柏軒 鄭載圭 (1843~1911) 陜川		鄭載圭		奇正鎭	제례 『家禮』·先儒說
四禮儀	栗溪 鄭琦 (1879~1950)	6/1 (石)	權載圭 (1927) 鄭琦 (1924)	金文鈺 (1953)	鄭載圭	관혼상제 『家禮』·先儒說
喪禮儀	栗溪 鄭琦 (1879~1950)		鄭冕圭	鄭琦 (1912)	鄭載圭	상례 『家禮』·『喪禮備要』
常變告祝 合編	栗溪 鄭琦 (1879~1950)	1책 (鉛活)	鄭琦 (1936)		鄭載圭	『常變祝輯』과 同書
常變祝輯	栗溪 鄭琦 (1879~1950)	1책 (寫)	鄭琦 (1936)		鄭載圭	관혼상제祝文 諸家說
家鄕彙儀	毅齋 李鍾弘 (1879~1936)	1책 (石)	郭鍾千 (1963)	李鍾弘 (1913)	鄭載圭	冠·笄·婚·相揖·鄕約·鄕 飮酒·鄕射·文廟·書院 『家禮增解』·『常變通攷』

경상대 남명학연구소, 2010, 120-121쪽.

| 廟儀 | 毅齋 李鍾弘
(1879~1936) | 1책
(石) | 權龍鉉
(1963) | 李鍾弘 | 鄭載圭 | 廟禮
『家禮』·『大全』·『語類』 |

이들에 대한 지금까지의 연구는 주로 성리설과 관련하여 논하였고, 강우지역에서 노사학을 계승 확산시키는 과정에서 정재규의 역할론과 『대학』 해석의 특징 등을 검토하였다.[65] 위의 표에 제시된 것 중 현존하는 6종[66]의 예서에 대해서는 『한국예학총서』의 해제를 통해 개괄적으로 설명되었다.

노백헌(老柏軒) 정재규(鄭載圭, 1843~1911)는 노문삼제자(蘆門三弟子)의 한 사람이다. 1864년에 기정진의 문하에 나아간 뒤로 15년 가까이 배웠다. 같은 노론이면서도 기맥이 달랐던 전우(田愚)가 기정진의 성리설을 비판하자, 정재규는 「납량사의기의변(納凉私議記疑辨)」·「외필변변(猥筆辨辨)」 등을 지어 스승의 설을 옹호하였다. 19세기 후반 진주권에서는 허전과 이진상 문도들이 성황을 이루고 있었다. 정재규는 이진상의 예학 저술을 접하고서 『사례의의혹문(四禮疑義或問)』을 저술하였고 이진상 문도들과 밀접하게 소통하며 학술 교류를 이어 갔으며, 이진상의 문인 허유(許愈)와 더불어 합천 지역의 학계를 주도하였다.[67]

정재규의 예학 관점과 저술의 특징에 대해서는 종제(從弟)이자 문인인 정면규(鄭冕圭)의 언급에 상세하다.

> 『가례』는 재차 교정을 거치지 못한 것이라서 참으로 한스럽지만 『의례경전통해(儀禮經傳通解)』에 보이는 내용과 평소에 논한 바가 매우 많으니 그것을 준수하여 행하는 것이 마땅하지 함부로 자기 의견을 창시해서는 안 된다. 이런 까닭으로 『가제의(家祭儀)』 및 『사례혹문(四禮或問)』을 지으면서 한결같

---

65) 김봉곤, 「嶺南地域 蘆沙學派의 成長과 門人 鄭載圭의 役割」, 『남명학연구』 29, 경상대 남명학연구소, 2010; 최석기, 「老柏軒 鄭載圭의 學問精神과 『대학』 해석」, 『남명학연구』 29, 경상대 남명학연구소, 2010; 이상필, 「朝鮮末期 南冥學派의 南冥學 繼承 樣相」 『남명학연구』 22, 경상대 남명학연구소, 2006. 최숙민에 대해서는 『남명학연구』 30, 2010 참조.
66) 鄭琦의 『常變告祝合編』은 『상변축집』과 같은 책이다.
67) 이상필, 『남명학파의 형성과 전개』, 와우출판사, 2005, 216-219쪽.

이 주자의 뜻을 종지로 삼았고, 주자가 논하지 않은 의문변례(疑文變禮) 부분에서는 제현의 설을 참작하여 절충하였다. 다만 심의(深衣) 제도에 대해서는 의심이 없을 수 없었는데, 후대 유자들의 설이 분분히 제기되자 『예기』의 「심의(深衣)」·「옥조(玉藻)」 두 편에 나아가 그 제도를 강구하여 인하여 주해(註解)를 완성하고, 다시 경지(經旨)에 부합하는 제가의 설을 취하여 한 편을 엮었다. 그리고는 "심의가 『가례』와 어긋나는 것에 대해서는 선사(先師)께서도 감히 할 수 없다고 하셨으니, 하물며 내가 절충했다고 말하겠는가. 제도를 정하여 후인이 바로잡아 주기를 기다린다."고 하셨다.[68]

정재규는 19세기 후반에 진주권에서 노론 예학을 이끈 인물이다. 그의 예학 관점은 인용문에서 정면규가 말했듯이 『주자가례』가 미성서(未成書)라는 점이 아쉽기는 하지만 『의례경전통해』와 기타 주자의 논설에 입각하여 주자의 설을 철저하게 준행하는 것이 바람직하다는 것이었다. 이는 '일종가례(一從家禮)'라는 노론예학의 전형적인 태도에서 한 걸음 변형 발전된 것이기는 하지만, '일종주자(一宗朱子)'의 학풍을 견지했다는 점에서는 노론예학의 연장선에 있다고 보아야 할 것이다. 이런 '일종주자'의 관점에 입각하여 정재규의 예학 저술이 탄생했으니, 『가제의』·『사례의의혹문』이 그것이다.

『가제의』는 한 집안의 제례 의식을 정립하려는 일가지례(一家之禮)의 성격을 갖는다. 『가제의』는 27세의 정재규가 부친의 명을 받고서 시제를 비롯하여 기제와 묘제까지 그 의식절차를 초정(抄定)하고서 도식(圖式)까지 곁들인 행례규범류 예서이다. 그는 서립(序立)·진찬(進饌)·승강(乘降)·진퇴(進退) 등의 형식을 두루 갖추되 주자가 말한 애경(愛敬)의 근본 취지를 강조함으로써 당시 제대로 행해지지 않고 행하더라도 법식에 맞지 않는 제례의 격식을 되살리려고 하였다.[69] 이 책은 19세기 후반 문란해진 예속을 바

---

68) 鄭載圭, 『老柏軒集』 附錄 卷3 「事狀」(鄭冕圭): 家禮之書, 未經再正, 固
爲可恨, 然見於通解及平日所論甚多, 當遵守服行, 不可妄以己意創起也.
是以, 其所述家祭儀及四禮或問, 一宗朱子之意, 其有疑文變禮之未及論處,
乃參以諸賢而折哀之. 惟深衣一制, 不能無疑, 而後儒之說紛然而起, 乃將
禮記深藻二篇, 講求其制, 仍成註解, 更取諸說之合於經旨者, 編爲一篇.
曰, 深衣之違於家禮, 先師猶云不敢, 況敢曰折衷乎. 定以俟後人是正也.

로잡아 보려는 사족의 노력으로 편찬된 것이다.

『사례의의혹문』은 부친상 중에 편찬한 예설논변류 예서이다.

> 이상의 내용은 한주(寒洲) 이장(李丈, 震相)의 사례책제(四禮策題)의 책문(策問)에 들어 있는 조목 하나하나에 대해 대답을 만들어 둔 것이다. 이장을 내가 아직 뵙지는 못했지만 이장에게 종유하던 사문(斯文) 허성훈(許聖薰) 씨를 통해 이 책제를 얻어 보았다. 대개 이 책제는 『가례』에 근본을 두고 위로는 고경(古經)을 상고하고 곁으로는 제가의 설을 찾고 시속의 제도를 참고하여 설명함으로써 상변(常變)을 서로 거론하고 세대(細大)를 다 모았다. 가부를 논단하거나 취사를 절충하는 일은 예에 깊은 식견이 있는 이가 아니면 불가능한 일이다. 견식이 얕아서 들은 것이 없는 내가 어찌 감히 더불어 논하겠는가. 지금 상중에 예서를 읽는 와중에 이를 통해 조목마다 생각하고 따져 보자니 또한 의심스럽거나 말할 만한 것이 없을 수 없었다. 그래서 마침내 생각나는 대로 기록하여 이름을 『혹문』이라 하고서 훗날 사우들의 지도를 기다린다. 이렇게 하는 것이 얼버무리면서 자기 잘못을 변호하기나 하고 자문하는 것을 부끄럽게 여긴 나머지 종신토록 아무 것도 모른 채 자기를 속이는 짓을 하는 것보다는 낫지 않겠는가.[70]

정재규가 이진상을 만난 해는 1877년이다. 이진상이 남쪽 지방을 유람할 때 만났고, 이듬해에는 지각설(知覺說)에 대한 답변을 받았다.[71] 위의 인용문

---

69) 鄭載圭, 『老柏軒集』卷33「家祭儀序」: 夫祭, 與其敬不足而禮有餘也, 不若禮不足而敬有餘也. 然所謂敬者, 亦必因禮而益至焉. 其序立有次第而不敢違越, 其進饌有定所而不敢移易, 其乘降進退有品節而不敢錯亂, 則肅肅雍雍, 齊齊勿勿, 雖有不敬者, 亦寡矣. 若遺本實而尙浮文, 以爲觀聽之美而已, 則又豈朱先生所以編禮之意也哉. 願與家人諸弟, 熟講而勉行之, 毋負朱先生嘉惠之意, 而爲家庭繼述之資云.

70) 鄭載圭, 『四禮疑義或問』「跋」: 右因寒洲李丈(震相)四禮策題中條問逐一置對者也. 李丈余未及見, 而因其所與從遊者許斯文聖薰氏, 獲見此策. 蓋此策本之家禮, 而上稽古經, 旁搜諸家, 參說俗制, 常變互擧, 細大畢集. 若論斷可否, 折衷取舍, 則非深於禮者不能也. 載圭淺陋無聞, 其何敢與議, 時方居憂讀禮, 因此逐條思辨, 亦不能無可疑可言. 遂隨思箚記, 名以或問, 以俟後日師友之指敎, 無寧愈於含糊護短, 恥於資問, 而終身受此黯暗以自欺也耶. 不然汰哉, 吾豈敢然哉. 乙亥四月上浣書.

에서 보듯이 이진상을 만나기 전 1875년 부친상 중에 있으면서 이진상의 문인 허유(許愈)를 통해 사례책제를 접하게 되었고, 이를 탐독하는 과정에서 의문사항이나 하고 싶은 말을 혹자의 질문에 답변하는 형식으로 정리한 것이 『사례의의혹문』이다. 이 책에서는 김장생·김집·송시열·박세채·이재 등 서인 학자들의 학설들을 주로 인용하였고, 또 그의 스승인 기정진과 문답한 내용도 실려 있으며, 『상례비요』·『의례문해』·『상변통고』·『가례증해』 등의 예설도 두루 인용하였다.

전체적으로 보면 노론 학통의 예설을 많이 인용하고 있으면서도 당시 널리 통행되고 있던 영남남인의 예서까지 참조하여 논의하고 있다는 점에서 이전 시기에 보여 주었던 당파적 편협성은 어느 정도 개선되었다고 하겠다. 특히 이 책이 진주권에 큰 영향을 미치고 있던 이진상과 그 문도들의 예설을 접한 것을 계기로 편찬되었다는 것은 권역 내에서 이질적인 당파 사이에 활발한 예설 소통이 이루어지고 있었음을 보여 주는 증거이기도 하다.

정재규는 19세기 후반에 밀양·진주권에서 쟁점으로 떠올랐던 허전의 『사의(士儀)』에 대해 굉장히 논척하였다. 그는 피발(被髮)에 대해 논하면서 '허전의 설은 부회한 것에 불과하다'고 폄하한 적이 있는데[72], 심의(深衣)에 대해서도 마찬가지 입장을 취하였다. 위에서 인용한 정면규(鄭冕圭)의 「사장(事狀)」 후반부에서 "후대 유자들의 설이 분분히 제기되자 『예기』의 「심의(深衣)」·「옥조(玉藻)」 두 편에 나아가 그 제도를 강구하여 주해(註解)를 완성하고, 다시 경지(經旨)에 부합하는 제가의 설을 취하여 한 편을 엮었다."는 대목에서 '후대 유자' 중에는 허전이 포함되는 것으로 보인다.

심의와 관련해서는 조선조 예학자들 사이에서 서로 다른 논의가 줄기차게 제기되었다. 그 원인을 제공한 것은 『주자가례』「통례」에 수록된 '심의'장의 내용이었다. 『주자가례』의 내용에 문제점이 노정된 뒤로 이를 간

---

71) 李震相, 『寒洲集』 부록 「연보」 61세 答鄭厚允論知覺說書: 厚允稟學奇蘆沙門下, 其旨訣頗異於近世湖中學者, 其大旨不至相倍, 而惟知覺說屢辨而不能合. 及先生下世, 厚允始因往復諸書, 自覺省悟, 其意在祭先生文中.
72) 鄭載圭, 『四禮疑義或問』 卷2 「喪禮」 7-11판 참조.

●정재규_사례의의혹문●

파한 학자들이 자기 나름대로 심의제도를 고증하여 착용하기도 하고 또 그것을 예서나 예설로 공개하기도 하였다. '일종주자(一宗朱子)'의 관점에 입각하여 주자설을 종지로 삼았던 정재규였지만, 기존의 예서나 예설을 통해 제기되었던 의문점을 파악하고 있었으므로 『주자가례』의 내용을 그대로 신빙할 수 없었다. 그 역시 심의에 대해 의심을 갖지 않을 수 없었고, 그 의심을 해결하기 위해 「심의」·「옥조」 2편에 언급된 관련 내용을 면밀하게 검토하여 주해(註解)로 완성한 것이 「옥조심의이편해(玉藻深衣二篇解)」이다. 이러한 검토를 통해 심의를 만드는 구체적인 치수를 논의한 것이 「심의재제지도(深衣裁製之度)」라는 글이다.73)

　『사례의의혹문』이 이진상의 예설에 대해 논의한 것이라면, 심의에 대한 예설은 허전의 『사의』에 수록된 심의설에 대한 비판과 반박이라는 점에서 주목할 필요가 있다. 허전의 심의에 대한 논의는 당시 이 지역 학자들에 의해서 많은 비판을 받았고 허전의 설을 따르는 쪽에서는 허전의 설을 옹호하여 정당성을 부여하려는 움직임도 있었다.74)

---

73) 鄭載圭, 『老柏軒集』 卷31 「玉藻深衣二篇解」·「深衣裁製之度」. 정재규의 예설은 이외에도 「昏變說」·「服制疑義」 등이 있다.
74) 하나의 사례를 들자면 이렇다. 허전의 문인 斗山 姜柄周는 허전이 서간

정재규는 호남의 학자뿐 아니라 경상우도에서 서인노론의 학통을 계승한 인물을 방문하거나 묘도문자 찬술 등을 통해 학통의 뿌리를 확인하고자 하였다. 그는 55세 겨울에 죽촌초당(竹村草堂)에 거처한 적이 있다. 죽촌초당은 의령(宜寧)의 신번(新蕃)에 있는데 권사학(權思學)이 학문하던 곳이었다. 권씨 집안의 사람들이 정재규에게 요청하여 몇 개월간 머물며 강학하였다.[75] 56세에 정재규가 권사학의 묘지명[76]을 쓰게 된 계기도 이러한 인연이 있었기 때문인 것으로 보인다. 뿐만 아니라 기정진의 문인이자 자기의 벗인 월파(月坡) 정시림(鄭時林, 1833~1912, 보성)이 편찬한 『예홀합편(禮笏合編)』에 발문을 쓰기도 하는 등[77] 거주지는 다르지만 노론예학을 계승한 이들의 예학 성과를 드러내는 일에도 앞장섬으로써 노론예학을 정립하는 데 큰 역할을 하였다.

정재규의 예학은 진주권 문인 정기(鄭琦)와 이종홍(李鍾弘)에 의해 전수되었다. 율계(栗溪) 정기(1879~1950)는 『상례의(喪禮儀)』·『사례의(四禮儀)』·『상변고축합편(常變告祝合編)』(『상변축집(常變祝輯)』) 등 3종의 예서를 편찬하였다. 그는 합천에서 태어났고 1899년에 정재규의 문하에서 수학하였다. 1927년에는 전남 구례로 이사하여 오원재(五爰齋)와 덕천정(德川亭)을 짓고 후진을 양성하였다. 따라서 그의 문인은 주로 구례에 거주하였다. 정재규의 연보에 등장하는 정기의 행력은 4건이 있는데, 1905년에 기질지성(氣質之性)에 대해 논한 서간문, 같은 해에 정재규가 거의(擧義)를 위해 최익현(崔益鉉)을 만나러 갔을 때 동행한 사실, 1908년에 「객설(客說)」에 대해 답한 서간문, 1911년 정재규가 임종하기 이틀 전에 곁에서 모시던 일 등이다.

문을 보내 심의제도를 알려주자 즉시 심의를 만들어 입었는데, 고을 사람들이 그를 '姜深衣'라고 기록하였다. 그러자 그는 "그것이 나를 부르는 명칭으로는 참으로 합당하다. 나는 이것을 전해 받은 바가 있으니, 바꿀 수 있는 것이 아니다."고 하였다.(최석기, 「斗山 姜柄周의 學問과 文學」, 『남명학연구』 31, 경상대 남명학연구소, 2011, 37쪽)

75) 鄭載圭, 『老柏軒集』附錄 「연보」 55세.
76) 鄭載圭, 『老柏軒集』卷40 「竹村權公墓誌銘」.
77) 鄭載圭, 『老柏軒集』卷36 「書禮笏合編後」.

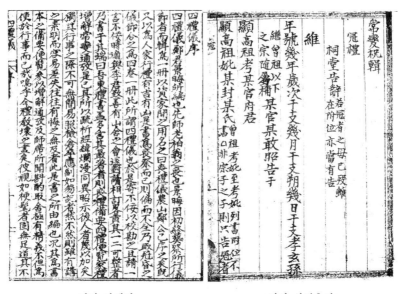

●정기_사례의●　　　　　●정기_상변축집●

　　정기가 지은 예서 3종은 몇 가지 공통점이 있다. 우선 의절(儀節)·고축
(告祝)·도식(圖式)·홀기(笏記) 등의 용어로 집약되는 행례 위주의 절차를 정
리하고 있다는 점을 들 수 있다. 이런 점은 19세기 말에서 20세기 초에 당
파와 학파의 차이 없이 나타나는 일반적인 현상이다. 이 시기에는 서구문
물의 유입, 조선의 합병, 일제강점기라는 역사의 소용돌이 속에서 전통문화
가 위협받고 있었다. 지식인들은 일제의 문화 말살 정책에 앞장서는 부류
와 이와 반대 입장에서 전통문화를 부지하려는 부류로 확연하게 나뉘게
되었다. 이러한 상황에서 예속의 명맥을 유지하기 위해서는 간단하고 용이
하게 재편된 예서의 필요성이 대두되었고, 그것이 바로 고축문이나 도식·홀
기 등을 수록한 예서의 형태로 나타나게 되었던 것이다.

　　또 하나의 공통점이라면 이제까지 자기가 속한 당파나 학맥의 예설을
중심으로 전개되던 예학의 흐름이 이 시기에 와서는 의미가 희박해졌다는
점을 들 수 있다. 예컨대, 『사례의』에는 이황, 이이, 정구, 정경세, 이식(李
植), 장현광, 김장생, 송시열, 송준길, 허목, 윤봉구(尹鳳九), 박세채, 윤증,
권상하, 권시(權諰), 이재(李縡), 김낙행(金樂行), 이상정(李象靖) 등이 거론

된다. 정기가 속한 당파나 학파의 입장에서 보면 허목, 김낙행, 이상정의 예설은 이전의 노론예학에서 거의 통용되지 않았다. 그가 예설을 취택함에 있어 당론에 많이 좌우되지 않고 널리 타당성 있는 학설을 취하는 유연한 태도를 보이고 있는 것은 시대적 변화에 따른 자연스런 변모라고 할 수 있다. 이제는 당파나 학맥에 따른 스승의 설을 존숭하는 게 중요한 것이 아니라 몰락해 가는 조선의 예속을 적어도 더 무너지지 않도록 붙들어 매는 것이 더 중요한 것으로 인식되었던 것이다.

의재(毅齋) 이종홍(李鍾弘, 1879~1936)은 정재규를 찾아가 노사학(蘆沙學)을 전수받음으로써 가장 큰 영향을 입었고 「노백헌선생연보발(老柏軒先生年譜跋)」을 짓기도 하였다. 또한 전우(田愚)를 만나 심성이기설(心性理氣說)을 논하고, 곽종석(郭鍾錫)에게 예에 관해 질의하고, 냉천산방(冷泉山房)에서 강학하면서 상읍례(相揖禮)를 행하는 등 평생을 학문 정진과 예의 실행에 전념하였다. 이러한 결과로 『가향휘의(家鄕彙儀)』와 『묘의(廟儀)』 등의 예서가 나올 수 있었다. 이종홍의 예학 역시 일종주자(一宗朱子)라는 그들 학파의 대원칙을 준수하면서도 향례의 필요성과 사당의 중요성을 강조하였고, 당파에 크게 구애되지 않고 시대의 변화에 따른 변모의 양상을 보여 주었다.

『가향휘의』는 가(家)·향(鄕)의 의례 가운데 관례·계례·혼례·상읍·향약·향음·향사·문묘·서원 등 9례에 관하여 편집한 책이다. 이종홍이 발문에서 밝히고 있듯이 각 예를 편집하는 과정에서 참고한 서적은 다양하다.[78] 가·향의 예를 정리하여 '가향전의(家鄕全儀)'를 만들고자 한 이 책에는 가례가 3편, 향례가 6편이다. 편수도 그렇거니와 실제 수록된 분량면에서도 향례 부분이 두 배나 많다. 가례에 향례까지 포함하여 하나의 예서에 함께 수록하

---

78) 李鍾弘, 『家鄕彙儀』「跋」: 此家鄕彙儀, 孤陋之所嘗抄彙也. 窮鄕無書籍, 未得用意於經傳中注出, 就諸先輩編集抄來, 冠笄昏禮, 取李鏡湖增解也, 相揖, 取陶山講規而附石潭條約也, 鄕約鄕飮鄕射等禮, 得閔判書泳駿箕城新刊, 而約法, 取海州增損, 飮禮, 又參鏡湖所編, 而射禮則未見先輩定案也, 文廟與書院釋菜, 取柳車巖通攷也. 圖式則或因本制, 或刱臆見. 其序次之際, 取舍之間, 理多舛謬, 豈敢望中竅也. 且投壺是鄕禮中一事, 而未得採附, 亦一欠也. 將質于禮家, 訂其謬而補其闕, 以爲家鄕全儀云爾. 癸丑菊月上澣, 李鍾弘書.

고자 한 시도는 이보다 앞서 여러 차례 있었고, 홀기나 도식까지 마련한 것 역시 전례가 없었던 것이 아니다. 가례와 향례를 함께 정리하려는 경향은 영남 남인학자들에 의해 주로 이루어졌다. 그렇기는 해도 경상우도의 노론학통에서도 향례에 대한 관심과 편찬의 흐름이 없지 않았으니, 이의조(李宜朝)가 향례에 대한 몇 편의 글을 정리한 바 있고, 이를 바탕으로 하시찬(夏時贊)이 『팔례절요(八禮節要)』를 편찬했으며[79], 이종홍이 또 그 뒤를 계승하고 있다.

가례와 향례를 함께 편입한 것 외에 『가향휘의』가 갖는 또 하나의 특징은 상례·제례를 싣지 않았다는 점이다. 이에 대해서 이종홍의 발문이나 곽종천(郭鍾千)의 서문에서 그 이유를 말하지 않았으며, 곽종천이 지은 「행장」에도 『여소학(女小學)』이라는 하나의 저서를 더 소개하는 것에 그치고 있다.[80] 속단할 수는 없지만, 그의 동문우(同門友)인 정기가 『상례의』에서 이미 상례 의절을 다루었고, 제례 부분은 그의 또 다른 예서인 『묘의』를 통해 정리되었기 때문에 굳이 상제례를 중복하여 논의할 필요가 없었다는 추정이 가능하다. 밝혀지지 않은 그의 상제례서가 따로 있었기 때문일 가능성도 배제할 수 없다.

앞서 정기의 예학 경향이 행례 위주의 의식절차를 정리하고 있다고 했

---

79) 夏時贊, 『八禮節要』「書居鄕雜儀後」: 有家日用編成, 思將以飮射附之矣. 吾明誠堂先生, 已曾纂定鄕飮酒投壺士相見諸儀, 故謹奉傳寫, 而間記原註, 以解蒙士之惑, 弁以黃勉齋鄕飮儀節序, 明其本意, 又以鄕約節目係之, 而名以居鄕雜儀, 實與有家日用, 相表裏矣. 合爲上下篇, 曰八禮節要, 蓋取其便於閱覽也. 이의조의 『가례증해』는 四禮만 다룬 것으로 鄕禮는 없다. 하시찬이 『팔례절요』를 편찬하면서 참고하였다고 하는 이의조의 향례 관련 저술은 현존 여부를 알 수 없고, 하시찬의 저술을 통해 간접적으로 살펴볼 수 있는 정도이다. 그런데 이종홍이 이의조의 가례에 대한 논의뿐 아니라 향음주례의 의식까지 채록했다고 한 것을 볼 때 이의조의 향례 저술이 최소한 그때까지는 전해졌다고 볼 수 있다.

80) 李鍾弘, 『毅齋集』 卷9 「行狀」(郭鍾千): 其論禮則一宗朱子之旨, 或有疑文變儀之未及論處, 乃參考諸家疏說. 采家鄕間常行者, 輯而名之曰家鄕彙儀. 又摭取廟中諸事爲廟儀. 嘗恨吾東女學不修, 貿貿焉昧於禮法, 遂取小學中切於女行者, 諺以釋之, 名曰女小學, 以資家間諸女講習. 이종홍·곽종석·河謙鎭에게 배운 곽종천은 固城에 거주한 인물로, 「家鄕彙儀序」·「李毅齋先生墓道樹碣告由文」·「內舅李毅齋先生行狀」 등을 지어 이종홍의 저술을 간행하는 일에 큰 공력을 들였다.

느데, 이는 이종홍의 경
우도 마찬가지이다. 이들
은 예의 본원적 의미를
강구하기보다는 '의(儀)'
의 정립에 큰 관심을 쏟
았다. 정재규의 『가제의』,
정기의 『사례의』·『상례의
』·『상변축집』, 이종홍의
『가향휘의』·『묘의』 등은
모두 행례 절차에 필요
한 의식내용, 도식, 홀기
등으로 구성되었다는 공
통점을 갖고 있다.

　이종홍의 또 다른 예
서인 『묘의』는 사당에서
행해지는 여러 의절을
채록하여 만든 책이다.
그는 8세에 부친 이용학

●이종홍_가향휘의●

(李容鶴, 1851~1886)을 여의었고, 이후 조부모를 이어 1930년 무렵에는 모
친이 사망하였다. 그는 묘례(廟禮)를 통하여 여재지성(如在之誠)을 다하고
자 기존에 없었던 사당을 만들어 부모를 비롯한 3대 신주를 추조(追造)하
여 사당의 법식을 갖추었다. 그리고 사당에서 행하는 참(參)·알(謁)·천(薦)·고
(告)·시제(時祭) 등의 예를 궁구하여 의식절차고사축문 등을 중심으로 『묘
의』라는 책을 완성하였다. 그가 이 책을 만들면서 기본적으로 참고했던 것
은 『주자가례』였다. 『주자가례』에 없는 내용은 『주자대전』과 『주자어류』
에서 보완하고, 주자의 정론이 없는 것은 제가의 설로 보충하여 '사사지의
(事死之儀)'를 구비하였다.[81] 그가 이 의식절차를 강구한 것이 자신이 부조

---

81) 李鍾弘, 『廟儀』, 「跋」: 余幼而失怙, 偏奉慈顔, 五十有餘年矣, 而小子不
　　肖, 居不能致其安, 養不能致其旨, 病不能致其誠, 沈綿四載, 遽哭風樹, 嗚
　　呼噫噫. 生事之禮, 已不可及, 而所可追者, 廟禮而已矣. 乃就家禮書, 自祠

●이종홍_묘의●

廟儀序

有家必有廟有廟必有儀有儀又不可以無錄此穀

齊盧士李公廟儀之編所以纂輯而備考行也公居

鐵城之海上以篤行好古稱觀於是編而亦可以驗

也夫事死如生報本追遠人道之大者而廟者所以

象而設也出入薦謁享告事之儀非廟無以致事

死之誠而盡追遠之道也冠昏喪祭四者之禮非廟

亦無所據而為本斯固為有家日用之常體而不可

以或闕者也朱夫子家禮之書首之以祠堂實以此

也自世之衰人不知廟之為重而率多安於無廟雖

(父祖)를 받들려는 목적 외에 자손들에게 물려주어 익숙하게 강론하고 힘써 행하도록 하기 위한 것이었으므로 행례의 편의와 정확성을 위하여 9개의 도식82)까지 곁들였다.

『묘의』의 가장 큰 특징은 사당 의례만을 다루었다는 점이다. 이렇게 실행을 목적으로 사당 의례만을 다룬 단독 예서는 이것이 유일한 것으로 보인다. 그는 발문에서 "옛날에는 집안마다 사당이 있었고 사당에는 반드시 신주가 있어, 신알(晨謁)·삭참(朔參)·출곡(出告)·입현(入見) 등의 예를 비롯하여 시제는 중월(仲月)에 지내고 기제는 정침(正寢)에서 받들어, 무릇 돌아가신 분을 섬기는 예가 살아 있는 분을 봉양하는 예보다 두터우니 보본추원(報本追遠)의 정성이 이에 이르러 지극하다."고 하였다.83) 이러한 언급은 그의 스승인 정재

堂參謁薦告, 至時祭等禮, 彙爲一弓. 其見於冠昏喪諸篇者, 取本條而類編, 不見於家禮者, 取大全類以補之, 無朱子之定論者, 又以諸家說充之, 名曰廟儀, 事死之儀略備矣. 嘗聞禮有本有末, 定名分, 崇愛敬, 以立其本, 而若煩文細節, 可因時損益也. 今俗薦之廢, 重午重陽朔參之添, 家長讀訓, 雖非家禮本義, 而敢自取舍, 其所僭越, 知不可逃, 而亦未嘗非敦本實略浮文之意也. 藏諸廟中, 臨事點檢, 是遵是則, 毋敢荒怠, 將以爲藉手于先父祖於地下, 而又授諸子諸孫, 熟講而勉行, 爲承先裕後之資云.

82) 祠堂正至朔參圖, 時祭卜日于祠堂之圖, 時祭正寢設位陳器之圖, 時祭祠堂出主之圖, 時祭設饌進饌之圖, 時祭参神降神三獻之圖, 時祭侑食闔門啓門受胙之圖, 時祭餕獻之圖, 正寢時祭全圖.

83) 李鍾弘,『廟儀』,「跋」: 古之人家, 必有廟, 廟必有主, 晨謁而朔參, 出告而

규의 논의를 계승한 것으로 보인다.[84]

　유가 의례는 사당에 고하는 것으로 시작하여 사당에 고하는 것으로 마친다고 할 수 있을 정도로, 사당은 가장 중요한 의례 장소로 인식되어 『주자가례』에서도 '사당'장을 가장 앞에 배치하고 있다. 그럼에도 불구하고 후대로 내려오면서 묘례(廟禮)를 경시하고 정침에서 지내는 기제나 묘소에서 행하는 묘제를 중시하는 경향으로 흘러가서 사당을 돌보지 않거나 없애버리는 지경까지 이르렀는데, 이러한 흐름이 급속도로 가속화된 시기가 바로 이종홍의 시대였다. 사당 제도가 무너져 가던 시점에서 없던 사당을 세워서 의식을 갖추고자 한 것은 전통예속을 부지하려는 노력의 일환이라고 할 수 있다.

5. 기타

　함안은 1586년 함안군수로 부임한 정구(鄭逑)를 통해 예학이 일정하게 전수되었다. 당시 함안 사람으로 정구의 문인이 된 이로는 성경침(成景琛), 조성린(趙成麟), 이명고(李明怘), 박진영(朴震英), 안정(安侹), 이시함(李時馣), 조유도(趙由道), 조영문(趙英汶), 성호정(成好正), 조함일(趙咸一) 등이 있다.[85] 이 중에서 정구의 예학을 충실하게 계승하여 예학 저술을 남긴 이는 도곡(道谷) 안정(安侹, 1574~1636)이다. 그는 『가례부해(家禮附解)』3권을 편찬했는데, 서문만 전할 뿐 현존 여부는 미상이다. 1634년에 편찬한 이 책은 『주자가례』 본문 아래에 먼저 이황의 설을 붙이고, 또 권점 아래에 스승 정구의 설을 쓰고, 급문 제생이 두 선생에게 질의한 내용을 소주(小註)로 첨부하고 자신의 설은 '안(按)' 아래에 넣었는데, 모두 2,400여 조목이었다. 안정은 정구의 문인이 되어 『오선생예설분류(五先生禮說分類)』에 대

入見, 時祭用仲月, 忌日薦寢, 凡事死之禮, 厚於奉生, 其報本追遠之誠, 於是而至矣.

84) 鄭載圭,『老柏軒集』卷33「家祭儀序」.

85) 허권수,「咸安의 學問的 傳統과 晩醒 朴致馥의 역할」,『남명학연구』23, 경상대 남명학연구소, 2007, 22쪽.

해 들었고, 정구가 근거로 삼아 정안(正案)으로 삼은 것은 이황에게서 들은 것이었기에 두 선생의 예설 문답을 모아서 차례를 정하고서 『가례부해』라고 불렀다.[86]

고성에 살았던 경재(絅齋) 최상순(崔祥純, 1814~1865)은 1845년에 안동에 거주하던 류치명에게 나아가 『중용』을 배웠으며, 1855년에 류치명이 전라도 지도(智島)에 유배되었을 때도 그곳으로 찾아가서 배움을 청할 정도로 학문에 대한 열의가 대단했다. 그가

●최상순_상례요해●

류치명 문하에 출입하면서 학문 토론을 주고받았던 인물로는 류치호(柳致皥)·강건(姜楗)· 류치엄(柳致儼)·이현옥(李鉉玉) 등을 들 수 있는데, 특히 동향인 이현옥과는 일찍부터 교제하면서 왕복한 서찰이 가장 많다.

최상순의 예서로는 『상례요해(喪禮要解)』 2책과 『사례집설(四禮集說)』 4책이 있다. 『사례집설』은 주·한당송에서 시작해서 우리나라 선비들의 학설에 이르기까지 사례에 관한 여러 예설을 모아 이견의 절충을 도모한 책인데, 현존 여부는 미상이다.

『상례요해』는 『주자가례』를 기본 교재로 삼고, 류장원의 『상변통고』를 참고, 류치명에게 질의 응답한 내용을 보충하여 제가의 득실을 변증하고

---

86) 安侹, 『道谷集』卷2「家禮附解序」: 余嘗受學于寒岡鄭先生之門, 得聞五先生禮說, 繼講此書, 反覆考正, 有足以啓發蒙蔀者. 蓋先生之所據而爲正案者, 大率得聞於退陶李子也. 因竊裒稡敍次, 謂之家禮附解.

고금의 이의(異宜)를 참작하는 방식을 택하고 있다. 최상순이 『상례요해』를 편찬하면서 가졌던 문제의식은 성인이 제정한 예는 의미가 심오하여 초학자들이 이해할 수 없다는 점과 주자가 편찬한 예서는 대체만 싣고 있어 근원을 탐구하기 어렵다는 점이었다.[87] 이런 문제를 해결하고자 상례 절차의 요점을 간추려 이해하기 쉽도록 만들었다. 그는 이 과정에서 상례를 실행하는 데 있어서의 핵심 내용들을 류장원·류치명의 설을 근거로 간략하면서도 면밀하게 정리했다. 여기에 류장원과 류치명의 예설이 많이 반영되었다는 점은 이들의 예설이 권역 외까지 소통되었던 것이고, 『상변통고』의 영향이 영남지역에 널리 미쳤다는 점을 말하는 것이다. 최상순은 위의 두 종의 예서 외에 「소목설(昭穆說)」·「예의(禮疑)」·「향음례의절서(鄉飲禮儀節序)」 등의 단편적인 글을 남겼다.

의령에 살았던 우계(愚溪) 강윤(姜鈗, 1819~1886)이 편찬한 『상제집요(喪祭輯要)』는 일명 『우계예설(愚溪禮說)』이라고도 하며, 규장각 소장본의 표지 서명은 『우계상제집요(愚溪喪祭輯要)』로 되어 있다. 척암(拓庵) 김도화(金道和)가 지은 묘갈명을 통해 그의 생애를 살펴보면, 특별한 스승은 없었고 가학을 통해 학문을 익힌 것으로 보인다. 평생토록 출사하지 않고 처사로 지내면서 부모 봉양과 독서에 힘을 쏟았고, 저술은 즐겨하지 않았으며, 늘 하는 이야기는 예에 관한 것이었다. 그는 『주자가례』·『상례비요』 등의 예서에서 절실한 요점들을 채록하고, 의례(疑禮)나 변례에 대해서는 선유의 설을 가져와 증명하는 방법으로 『상제집요』를 만들어 집안에서 대대로 준용할 수 있는 자료로 삼았다. 박치복(朴致馥)과 이근옥(李根玉)은 이 책을 보고서 '호례돈독(好禮敦篤)'이라 칭송하였다.

2책 분량의 『상제집요』는, 예라는 것이 번잡해지면 문란해지고 간략하면 따르기가 쉽다는 지극히 당연한 명제에 입각하여, 가정에서 실제로 행하기에 적실한 요점을 상례와 제례라는 두 부분으로 정리했다. 이는 근본은 차치하고 말단만을 일삼던 당시 시속의 병폐를 극복하고 충신(忠信)과

---

87) 崔祥純, 『喪禮要解』 卷首 「喪禮要解序」: 禮者, 聖人因天地自然之理, 以教天下後世, 三千三百, 無非此理之流行而曲盡人情者也. 然聖賢之言, 旨意深奧, 句讀質殼, 有非初學之所可領略也. 晦庵夫子既嘗爲之徧次通解, 又爲之定著家禮, 其立言命意, 無一不本於儀禮, 而但斟酌損益, 存其大體, 愛禮之士, 亦難溯流而求源也.

질소(質素)의 실천을 강조했던 그의 사상에 기인한 결과물이다. 19세기 중반 예가 번쇄해 가던 시점에서, 절차를 요약하고 그 절차의 본디 취지를 살리고자 한 것이다. 이 책에 당시 큰 영향을 미쳤던 허전(許傳)과 이진상(李震相) 등의 예설에 대한 언급이 전혀 없는 것으로 보아 이보다 일찍 저술되었을 가능성이 높은 것으로 판단된다.

가천(可川) 최정기(崔正基, 1846~1905)는 고성에 살았던 사람으로, 『상례요해』를 편찬한 최상순에게 배운 뒤, 김홍락(金興洛)의 문하에 들어갔다. 잡저 「취정일록(就正日錄)」은 김홍락을 찾아가는 여정과 배알한 뒤에 질의 응답한 내용, 돌아오는 길에 석유(碩儒) 또는 지인들을 만나 학문 토론을 했던 일정을 일기체로 정리한 기록이다. 이 글에는 개독출주(開櫝出主), 고비위분설(考姚位分設), 외손봉사(外孫奉祀) 등에 대한 문답도 포함되어 있다. 그가 김홍락에게 질의한 문목과 별지에 산견되는 예학 논의 등을 참고하면 예에 대해 상당한 관심과 식견을 가지고 있었던 것으로 보인다.

이상의 진주권 예학의 흐름을 간략하게 정리하면 다음과 같다. 진주권의 학문은 16세기 후반 이후 조식의 영향력이 강했고, 예학에 있어서도 일정 부분 조식의 유풍이 전승되었다. 그러나 17세기 이후 몇 차례의 어려움을 겪으면서 남명학 외에 다양한 학파와 당파의 예설이 혼재되었다. 정인홍의 패퇴 이후 당파성이 약해진 경상우도의 학맥은 남인으로 전향하는 경향이 많았고, 무신란 이후에는 노론의 학문연원에 접맥하였던 부류도 많아졌다. 즉 17세기 진주권 예학은 정구와 장현광의 학통에 접맥하는 부류가 많았던 반면, 18세기 후반 이후에는 송환기의 노론 학통을 계승하는 이들도 적지 않았다. 진주권의 예학은 19세기 중반까지 상대적 초라함을 면치 못했지만, 19세기 후반에 들어서 근기남인의 허전, 영남남인의 곽종석, 노론의 정재규 등에 의해 예학의 기풍이 크게 일어났다.

허전 문도들은 『사의』의 신설(新說)과 심의(深衣)의 논의로 인하여 곽종석·정재규 학단의 학자들과 활발한 논쟁을 벌이기도 하였다. 그런 과정에서 진주권에서 '사(士)'를 표제로 내세우며 『사의』→『사의절요』→『사의요변』·『사례요의』로 간략화된 허전 학단의 사례서(士禮書)의 계보가 이어졌다.

곽종석은 예서를 읽는 순서를 말하면서 『의례』→『가례』→『통전(通典)』

및 선유설(先儒說)의 순으로 읽어야 한다고 하였다. 그가 『의례』를 먼저 읽어야 된다고 한 이유는 예의 본의를 먼저 파악하는 것이 중요하다고 생각했기 때문이었다. 예의 본의 파악이 전제된 뒤에 『주자가례』를 읽어 어떻게 손익하였는지 살펴보고, 다음으로 『통전』 및 선유설에 나타나는 통변(通變)의 과정을 익혀야 순서상 큰 잘못이 없을 것으로 보았다.[88] 『의례』를 중시하는 경향은 주자의 유명(遺命)을 따르는 것이면서 스승인 이진상의 예학 경향을 계승한 것인데, 이는 이진상 학단 전체를 관통하는 중요한 맥락이고 진주권의 후학들에게도 그대로 전해졌다.

　노론 계열의 이들은 초창기 김장생·이재·송환기의 17~18세기 기호예학의 맥을 계승하며 『주자가례』와 김장생의 예설을 추숭하는 노선을 보이다가, 19세기 정재규를 구심점으로 하는 노사학파의 한 학단이 큰 흐름을 형성하면서 당파와 학파가 다른 학자들과도 큰 장벽을 쌓지 않고 상호 소통하면서 공동의 예학 목표를 추구하였다.

　허전·곽종석·정재규 등 주류 학단이 활동하는 과정 속에 이현일의 문인 이명배, 류치명의 문인 최상순, 김흥락의 문인 최정기 등 안동권 학자들의 학통을 계승한 이들도 계속 이어지면서 예학 논의가 활성화되고 다양해질 수 있었다.

---

88) 郭鍾錫, 『俛宇集』 卷57 「答崔衡權(源肅)」: 欲學禮者, 須先讀儀禮, 以見制作之本意然後, 次讀家禮, 又見損益之意, 次取通典及我東諸家之說, 以通其變, 庶幾無大過否.

9

영남지역 예학의 특징

1. 예설(禮說) 소통의 개방성

예설이 소통되는 범위는 기본적으로 지역적 집단적 당파적 제한이 있을 수밖에 없다. 조선조에 이황과 이이의 시대부터 정구·장현광·정경세·김장생 등에 이르기까지는 사대부 의례의 표준으로 부각된 『주자가례』를 탐구하고 실행하는 공통의 관심사에 집중하여 서로 간에 상호 존중하고 예설을 널리 인용하면서 활발하게 논의가 소통되었다. 이때까지의 논의는 조선후기 내내 학파와 지역을 불문하고 주요 예설로 인용되어 조선예학의 전범을 형성하였다.

그러다가 17세기 후반 예송 논쟁이 발발하면서 예론이 당론과 결부되어 정치적 문제로까지 비화됨으로써 경직되기 시작하였다. 그리하어 지역이나 당파 사이에 예설 수용에 있어 배타적인 경향을 보이면서 당시까지 축적된 자파의 예설을 중심으로 논의가 전개된 반면, 타파의 예설은 거의 인용하지 않는 모습으로 바뀌었다. 이러한 모습은 상당 기간 지속되어 18세기 이후에도 크게 완화되었다고 할 수는 없다.

한편, 조선후기 영남지역에서는 6개 권역에 여러 학파의 다양한 학단이 시기별로 존립하면서도 지역간 학파간의 상호 교류가 활발하게 이루어져 예설이 개방적으로 소통되었다. 권역과 학단과 당파 사이에 큰 무리 없이 예설을 개방적으로 소통하게 된 것은 학연·혈연·지연의 3요소가 유기적으로 작용하였기 때문이다. 정치적 부침이 심하지 않아 재지 기반을 중심으로 예학 담론이 꾸준하게 진행될 수 있었던 점도 개방적 소통의 배경이 된다.

조선조 학파를 지역과 당파를 총체적으로 구분하는 방식에 따라 크게 영남학파와 기호학파로 대별할 때, 예서 편찬자가 속한 지역이나 당파에 따라 인용하는 예서나 예설의 층차가 분명히 다르게 나타난다. 편찬자가 소속된 지역·당파·학맥 그리고 자기 가문에 속한 인물과 그들이 지은 예서가 주를 이룰 수밖에 없다. 이런 상황이 발생하게 된 데에는 타 지역에서 예서가 편찬되었더라도 공식적으로 간행되지 못한 경우가 많았다는 점, 이로 인하여 전문(傳聞)·견문(見聞)·전사(轉寫)의 협착이 있을 수밖에 없었다는 점, 또 간행되었더라도 소수의 권질(卷帙)만이 지역 내부에 주로 유통됨으로써 배포 범위가 넓지 못했다는 점이 작용하였다. 이러한 간행 유통 범위의 한계 외에도 예학 관점의 차이, 스승의 설의 존숭, 당론적 예설의 성립 등 당파적·학파적 견해의 차이에서 기인하는 경우도 존재한다. 이러한 점들은 예서 편찬에 사용된 인용서목과 인용인물의 검토를 통해서 확인할 수 있다.

필자가 조사한 자료에 따르면 조선조에 편찬된 예서 가운데 인용서목 또는 선유성씨(先儒姓氏)가 수록된 것이 34종이고, 이 중에서 영남지역에서 편찬 간행된 것은 19종(*표시)에 이른다.

표-34 <인용서목·선유성씨 수록 예서>

예서명	편저자	수록형태	『한국예학총서』 수록 책수
*五先生禮說分類	寒岡 鄭逑(1543~1620)	引取書目	총서2
*家禮附贅	五休 安㺬(1569~1648)	引用書冊	총서8
家禮源流	魯西 尹宣擧(1610~1669)	所載諸書	총서14
*禮儀補遺	三棄齋 鄭鎤(1634~1717)	引取書目	총서24

*四禮考證	月梧堂 安晉石(1644~1725)	引用書目錄	총서보유2
*禮書類編	雷皐 孫汝濟(1651~1740)	引用書目/先儒姓氏	미수록
*家禮便考	甁窩 李衡祥(1653~1733)	引用篇目/先儒姓氏	총서26
禮書劄記	弄丸齋 南道振(1674~1735)	所引書目	총서37
禮疑類輯	謙齋 朴聖源(1697~1767)	引用書目	총서45
*常變通攷	東巖 柳長源(1724~1796)	引用書目/先儒姓氏	총서54
*家禮增解	鏡湖 李宜朝(1727~1805)	引用禮書目錄/我東先儒書	총서58
禮疑類輯續輯	友松 吳載能(1732~1795)	引用書目	총서보유11
喪禮備要補	仙谷 朴建中(1766~1841)	引用書目/附禮疑類集引用書目	총서73
*常變輯略	可庵 朴宗喬(1789~1856)	없음/先儒姓氏	총서78
*四禮常變纂要	思省齋 金致珏(1796~?)	引用禮書目錄/我朝先儒書	총서113
*士儀	性齋 許傳(1797~1886)	考證書籍/東國書籍/東儒姓氏	총서80
讀禮錄	東陽 申錫愚(1805~1865)	書目	총서84
*家禮補疑	四未軒 張福樞(1815~1900)	引用書目/先儒姓氏	총서91
禮疑續輯	素山 李應辰(1817~1891전)	引用書目	총서93
*四禮輯要	寒洲 李震相(1818~1886)	引用書目/我東書目/先儒姓氏	총서95
*禮疑問答類編	俛宇 郭鍾錫(1846~1919)	氏名錄	총서100
四禮集儀	壺山 朴文鎬(1846~1918)	引用書目	총서101
贊祝考證	膠宇 尹冑夏(1846~1906)	引用書目	미수록
*儀禮集傳	晦堂 張錫英(1851~1926)	引用書目	총서102
*常變輯略	忍默齋 權必迪(1860경~1940경)	없음1)	총서113
四禮纂笏	遂吾齋 金在洪(1867~1939)	引用書目/我東先儒書	총서107
常變祝辭類輯	遂吾齋 金在洪(1867~1939)	引用書目	총서107
*常變要義	晦山 安鼎呂(1871~1939)	引用書目	총서111
*四禮要選	松圃 洪在寬(1874~1949)	引用書籍先儒姓名	총서111
喪禮輯解	配川齋 金源松(19C~1930경)	所引古今儒賢氏號爵諡及所著書名	총서70

告祝輯覽	濯泉 朴政陽(19C후~20C초)	引用書	총서116
四禮要覽	芝山 具述書(~20C초)	引用禮書/我東先儒書	총서117
二禮便考	미상(미상)	引用書目	총서118
四禮釋疑	미상(미상)	答問諸賢	총서119

영남지역에서 편찬 간행된 19종의 예서 중에서 정구의 『오선생예설분류』에는 우리나라 문헌이 없고, 곽종석의 『예의문답유편』은 곽종석과 문답한 당사자의 성명·자호·본관·거주지 등만 소개하고 있기 때문에 여기서는 논외로 하고, 나머지 17종에 인용된 서목 및 인물의 특징을 4가지 측면에서 살펴본다.[2]

개괄적인 사항을 먼저 말하자면, 인용서목과 선유성씨를 합하여 가장 많은 종수가 수록된 예서는 장복추의 『가례보의』(111종), 허전의 『사의』(105종), 이진상의 『사례집요』(85종), 류장원의 『상변통고』(76종)이며, 가장 적게 수록된 것은 안신의 『가례부췌』(9종)와 권필적의 『상변집략』(6종)이다. 수록 인물 중에서 이황 이전의 인물로는 길재(吉再)·김굉필(金宏弼)·김숙자(金叔滋)·김안국(金安國)·김일손(金馹孫)·김정(金淨)·김종직(金宗直)·남효온(南孝溫)·노사신(盧思愼)·서거정(徐居正)·서경덕(徐敬德)·안로(安璐)·안축(安軸)·어숙권(魚叔權)·유우(柳藕)·이언적(李彦迪)·이정숙(李正淑)·이제현(李齊賢)·장잠(張潛)·정몽주(鄭夢周)·정붕(鄭鵬)·조광조(趙光祖) 등이 있다. 이들 중 영남에 거주했던 많은 인물들은 앞에서 살펴본 각 권역별 예학 전개에 있어서 예 실천의 선구적 인물로 부각되는 경우가 많았다.

첫째, 인용된 종수를 가지고 살펴보면, 서거정(東國通鑑·藝苑雌黃·筆苑雜記), 이언적(晦齋集·九經衍義·奉先雜儀), 이황(退溪集·溪門問答·語錄解·言

---

1) '없음'이란 引用書目 또는 先儒姓氏 등의 말이 없이 바로 서목과 성씨가 제시되었음이다.

2) 구체적인 수록 내용은 <부록-2> '인용서목·선유성씨를 수록한 영남지역의 예서' 참조. 중국의 서적과 인물은 제외하였다. 18~19세기 이후에 등장하는 예서나 인물의 경우는 아무리 영향력이 컸다고 해도 그보다 후대에 등장하는 예서가 전 시대에 비해 상대적으로 적을 수밖에 없기 때문에 인용 빈도도 낮다는 점을 염두에 두어야 한다.

行錄·年譜·理學通錄·朱書節要), 정구(寒岡集·五服沿革圖·五先生禮說), 조호익(曺好益3)·芝山集·家禮考證), 김장생(金長生·沙溪集·家禮輯覽·喪禮備要·疑禮問解), 이수광(李睟光·芝峯集·芝峯類說), 김집(金集·愼獨齋集·問解續), 송시열(宋時烈·尤庵集·尤庵年譜·華陽語錄·禮疑問答), 유계(兪棨·市南集·東史纂要·家禮源流), 박세채(南溪集·南溪禮說·三禮儀), 이재(李縡·陶庵集·四禮便覽), 이익(李瀷·星湖集·家禮翼·類編·僿說·喪威日錄·十三經疾書·禮式·祭式), 류장원(柳長源·東巖集·常變通攷) 등이 선유성씨 항목에 수록된 경우까지 포함할 때 3종 이상을 차지한다.

예서와 문집 외에도 여러 전저(專著)가 인용된 위의 14인은 저술상의 업적뿐만 아니라 조선예학사에서 중요하게 거론되는 인물임을 말하며, 이들 대부분의 예설은 시대와 지역과 당파를 넘어 두루 인용되었다. 다만 이들 중에서 서거정과 이수광의 저술은 그들이 내놓은 예설 자체가 중시된 것은 아니고 그들의 저서 속에 등장하는 예 관련 고사를 주로 발췌하고 있으므로 예학적 영향력은 미미하다고 할 수 있다. 당파 사이의 반목이 심각하던 18세기 인물 중에는 이재와 이익과 류장원이 등장한다. 이재의 경우는 기호예학에서 매우 중시되는 인물로서 영남지역 예서에서도 여러 종이 두루 인용되고 예설 또한 많이 채록되고 있다. 가장 많은 종수를 보인 이익의 경우에는 성호학파의 맹주로서 근기남인 예설의 근간이 되어 중요하게 인식되었고 학파의 친연성 측면에서 영남에서도 더러 인용되었다. 다만 이익의 예설이 허전(許傳)의 『사의(士儀)』에 집중적으로 인용되어 널리 읽히기 이전에는 『상변통고』와 『상변찬요』 등 2종의 예서에만 등장하는데, 이는 당시까지 이익 예서의 전사(轉寫) 범위가 한정되었다는 것을 말한다. 류장원의 『상변통고』는 19세기 이후 영남지역 예서의 전범이 되었을 정도로 상당히 많이 유통되었는데, 기호지역의 예서에는 거의 인용되지 않았다는 점에서 지역적·당파적 소통의 한계를 보여 준다.

둘째, 인용된 빈도수를 가지고 살펴보면, 이언적 19회, 이황 35회, 기대승 10회, 이이 26회, 류성룡 13회, 정구 24회, 조호익 16회, 김장생 48회, 장현광 16회, 정경세 16회, 김집 16회, 허목 10회, 송준길 12회, 송시열 16회,

윤증 14회, 박세채 16회, 이재(李栽) 12회, 이재(李縡) 17회, 이익 19회, 이상정(李象靖) 14회 등이 10회 이상 거론된 인물들이다.[4] 이황과 김장생이 압도적으로 많은 횟수를 차지한다는 점은 조선조 예학에 끼친 두 사람의 영향이 가장 컸다는 점을 말해 주는 것이다.

영남의 경우 이언적과 이황 이후 17세기 전반기에는 류성룡·정구·조호익·장현광·정경세 등이 주로 인용되고, 17세기 후반기에는 이현일이 8회에 걸쳐 인용되었다. 18세기에는 이재·이상정·류장원·이의조(李宜朝)가, 19세기 이후에는 정종로(鄭宗魯)·류치명(柳致明)·이진상(李震相) 등이 이름을 올리고 있다. 이들 외에 거론된 영남 인물은 곽종석(郭鍾錫)·구봉령(具鳳齡)·권구(權榘)·권문해(權文海)·권상일(權相一)·김강한(金江漢)·김낙행(金樂行)·김성일(金誠一)·김성탁(金聖鐸)·김시온(金是榅)·김우옹(金宇顒)·김응조(金應祖)·남치리(南致利)·노수신(盧守愼)·문위(文緯)·손기양(孫起陽)·신익황(申益愰)·안여경(安餘慶)·류운룡(柳雲龍)·류원지(柳元之)·이광정(李光庭)·이광정(李光靖)·이만(李樠)·이만운(李萬運)·이우(李堣)·이윤우(李潤雨)·이종수(李宗洙)·이준(李埈)·이휘일(李徽逸)·임훈(林薰)·장경우(張慶遇)·장대윤(張大胤)·장만기(張萬紀)·장복추(張福樞)·장석우(張錫愚)·장응일(張應一)·정곤수(鄭崑壽)·정규양(鄭葵陽)·정만양(鄭萬陽)·정붕(鄭鵬)·정상박(鄭尙樸)·정중기(鄭重器)·조목(趙穆)·조임도(趙任道)·최현(崔晛)·최흥원(崔興遠)·홍석(洪錫)·황수일(黃守一)·황익재(黃翼再) 등이다.

이들은 시대마다 영남지역 각 권역의 예학 논의를 주도했던 인물로서 학파나 가문의 예학 논의의 중핵을 이루었던 인물들이다. 이와 같은 많은 인물들이 거론되는 이유는 지역적 근접성으로 인해 견문(見聞)이나 전문(傳聞)을 통해 예설이 수시로 채록되었기 때문으로, 지역 내의 소통이 다양해진 근거가 된다.

영남 이외 지역의 인물로서 예설이 자주 인용된 사람은 이이·김장생·김집·송준길·송시열·윤증·박세채·이재 등이다. 박세채에 이르는 17세기 후반까지의 기호 예학자가 다수 등장하는 것은 이들의 예학성과가 영남에서도 널리 인용되었다는 것을 말해 주는 것이다. 이들 외에 영남지역 에서에 인

4) 여기서의 '회'란 각 예서에 등장하는 인물의 예설을 모두 합친 것은 아니고, 인용서목 또는 선유성씨 항목에 기재된 숫자를 말한다.

용되는 17~18세기 기호 인물로는 권상하(權尙夏)·권시(權諰)·김원행(金元行)·김창협(金昌協)·남구만(南九萬)·박성원(朴聖源)·박세당(朴世堂)·박윤원(朴胤源)·송능상(宋能相)·송명흠(宋明欽)·유계(兪棨)·윤봉구(尹鳳九)·이간(李柬)·이단상(李端相)·이세필(李世弼)·이희조(李喜朝)·임성주(任聖周)·최석정(崔錫鼎)·한원진(韓元震) 등이 있다.

이들은 당론이 격화되는 시점에 예설 제출에 활발했던 인물들인데, 이들이 인용된다는 것은 당파를 넘어 예설이 소통되었음을 말한다. 특히 이재의 경우 예학사에서 차지하는 비중 때문에 시대적 분위기에도 불구하고 영남의 예학자 못지않게 많이 인용되었다. 다만 18세기 이후 기호지역의 노론이나 소론이 편찬된 예서에서는 영남지역 주요 예학자 중 이현일 이후의 인명이나 서명은 거의 거론되지 않는다. 이러한 점에서 볼 때 영남지역에서의 예설 수용이 상당히 개방적으로 이루어졌음을 알 수 있다.

셋째, 인용서목의 특징과 관련하여 특기할 것은 『향교예집(鄕校禮輯)』이 영남지역에서 집중적으로 인용되었다는 사실이다. 『향교예집』은 영남의 퇴계학파에게서 중시된 것으로 율곡학파에게서는 보이지 않으므로 이 책에 대한 관심은 퇴계학파 예학의 한 특성을 보여 준다는 지적이 있다.5) 아래의 표에서 보듯이 인용서목이 수록된 34종의 예서 중에 『향교예집』이 등재된 경우는 모두 16종으로 확인되었다. 이 중에서 13종이 퇴계학파의 범주에 드는(*표시) 인물들이 편찬한 것이므로 『향교예집』의 인용을 퇴계학파 예학에 나타나는 인용서목의 특성으로 규정할 수 있다.

---

5) 고영진, 『조선중기 예학사상사』, 한길사, 1995, 158쪽; 고영진, 『조선시대 사상사를 어떻게 볼 것인가』, 풀빛, 1999, 249-250쪽.

표-35 <『향교예집』이 인용서목에 포함된 예서>

편저자	예서명	편저자	예서명
*寒岡 鄭逑 (1543~1620)	五先生禮說分類	*月梧堂 安晉石 (1644~1725)	四禮考證
*雷皐 孫汝濟 (1651~1740)	禮書類編	*東巖 柳長源 (1724~1796)	常變通攷
鏡湖 李宜朝 (1727~1805)	家禮增解	*可庵 朴宗喬 (1789~1856)	常變輯略
*思省齋 金致玤 (1796~?)	四禮常變纂要	*性齋 許傳 (1797~1886)	士儀
*溪堂 柳疇睦 (1813~1872)	全禮類輯	*四未軒 張福樞 (1815~1900)	家禮補疑
*寒洲 李震相 (1818~1886)	四禮輯要	*膠宇 尹冑夏 (1846~1906)	贊祝考證
*忍黙齋 權必迪 (1860경~1940경)	常變輯略	*晦山 安鼎呂 (1871~1939)	常變要義
*松圃 洪在寬 (1874~1949)	四禮要選	芝山 具述書 (?~20C초)	四禮要覽

그런데 이는 퇴계학파 예학의 특성에서 머물 것이 아니라 영남지역 예학의 특성으로 확대 해석할 필요가 있다. 퇴계학파 범주의 13종 예서와 생애가 불명확한 구술서를 제외하고, 김천의 이의조·김치각이 있기 때문이다. 이들은 퇴계학파가 아니라 송능상(宋能相)의 학통을 이은 율곡학파의 노론 학자이다. 이의조의 『가례증해』는 철저하게 『주자가례』의 구성에 따라 예설을 추가한 것이고, 김치각의 『사례상변찬요』는 『가례증해』 중에서 정온(精蘊)한 내용을 모은 것이다. 이의조가 비영남권에서 거의 인용하지 않던 『향교예집』을 인용하게 된 배경은 영남지역에서 주요 인용서목으로 채택하던 전통의 영향을 자연스럽게 받을 수밖에 없었던 데서 찾을 수 있을 것이다.

『향교예집』이 조선에 들어온 것은 김성일(金誠一)이 1577년 중국에 사신으로 갔다가 구입해 온 것이 최초이다. 그는 나주목사로 있던 1586년에 이를 간행하기도 하였고, 『향교예집』의 내용을 대폭적으로 채록하여 동몽교화서인 『동자례(童子禮)』를 편찬하였다. 그리고 동문인 권호문(權好文)·

•권호문_청성서원(靑城書院, 안동시 풍산읍•

류성룡(柳成龍)·김륭(金隆) 등도 이 책에 주목하였다.

　정구(鄭逑)는 『오선생예설분류(五先生禮說分類)』에 『향교예집』을 인용서목으로 공식 채택하였다. 그 뒤 정경세(鄭經世)는 사위 송준길(宋浚吉)에게 이 책의 저자와 편찬 경위를 언급하였고, 『동자례』와 같은 성격의 『양정편(養正篇)』을 편찬하였다. 이렇듯 『향교예집』이 이황의 직전·재전제자들에 의해 집중적인 관심을 받았던 이유는 동몽의 예절을 담고 있다는 점뿐만 아니라, 향례를 강화하였던 영남지역 학자들이 여기에 수록된 향례 항목을 참조할 수 있었다는 점을 꼽을 수 있겠다.6) 그런데 실제로는 동몽·향례를 위한 것보다는 『상변통고』와 『가례증해』에서 인용한 대목에서 보듯이7) 관혼상제와 관련한 의절을 채택하는 경우에 훨씬 많이 활용되었다.

---

6) 『향교예집』은 명나라 초기 절강성에서 간행된 책으로 屠羲英이 편집하였다. 冠禮, 婚禮, 喪禮, 祭禮, 鄕射禮, 士相見禮, 學子禮, 童子禮, 居家雜儀 등이 수록되었으며, 11권 6책이다.(김미영, 『동자례·거향잡의』, 민속원, 2011, 173쪽)

조선에 들어와 김성일에 의해 간행된 『향교예집』은 퇴계학파 인물들에게 널리 유포되었을 것으로 짐작되고, 이를 정구가 인용서목으로 채택한 이후로 후대까지도 꾸준하게 읽혔다. 이러한 점은 선현들이 마련한 인용서목의 전범도 후대 학자들에 의해 하나의 전통으로 굳어지게 된다는 것을 말하는 것이기도 하다.

다만 중국의 서적과 인물인 경우에는 아무래도 영남 인물들의 정치적·경제적 몰락과 더불어 지역적 한계가 있기 때문에 기호 노론의 예서에 비하면 참조한 횟수나 범위가 훨씬 좁을 수밖에 없다. 예컨대, 서건학(徐乾學, 1631~1694)이 편찬한 『독례통고(讀禮通考)』를 비롯하여 청나라 서적이 조선 예서에 이름을 올리기 시작한 것은 18세기에 편찬된 『가례증해』와 같은 예서에 가끔 보일 뿐, 대부분 19세기에 편찬된 예서에 수록되었다.[8] 19세기 이후에 가서는 오계공(敖繼公)을 위시한 청나라 학자의 설이 대거 등장하는데, 대부분 청나라 서적을 접하기 용이했던 노론집권층 계열의 예서에 보일 뿐 영남지역 예서에는 드물게 나타난다.

넷째, 국가 전례와 관련된 서적을 가지고 살펴보면, 『경국대전(經國大典)』(세조) 12회, 『국조보감(國朝寶鑑)』(세조) 7회, 『상례보편(喪禮補編)』(영조) 10회, 『오례의(五禮儀)』(세종-성종) 16회 등 4종이 대다수를 차지하는데, 편찬 연대가 가장 늦은 『상례보편』의 인용 횟수가 상당히 높다는 것이 주목된다. 여기에는 『상례보편』이 널리 유포된 측면도 있겠거니와, 가례서

---

7) 『常變通攷』에서 『鄕校禮輯』을 인용한 대목을 한국고전의례연구회 역주, 『국역 상변통고』(신지서원, 2009)를 기준으로 말하면, 2책 56쪽(有事則告의 三獻行祭之儀)·65쪽(有事則告의 立嗣子告廟), 3책 121쪽(婦見舅姑의 贄幣)·124쪽(婦見舅姑의 婦見祖父母)·276쪽(襲), 4책 92쪽(服制의 齊衰三年), 6책 53쪽(治葬의 同域有古塚告辭)·228쪽(題主의 題主之儀)·282쪽(石物의 墓銘)·369쪽(虞祭의 祝式), 7책 365쪽(改葬의 修墓), 8책 371쪽(墓祭의 省墓) 등 12곳이다. 『家禮增解』에서 『鄕校禮輯』을 인용한 대목을 한국고전의례연구회 역주, 『국역 가례증해』(민속원, 2011)를 기준으로 말하면, 1책 215쪽(出入必告의 拜), 2책 287쪽(納幣)·355쪽(婦見舅姑) 3책 88·91쪽(襲衣), 6책 280쪽(生忌) 등 6곳이다.

8) 『독례통고』는 『家禮補疑』·『家禮增解』·『四禮常變纂要』·『四禮要選』·『四禮輯要』·『士儀』·『贊祝考證』에 인용서목으로 올라 있다. 『17·18세기 조선의 외국서적 수용과 독서실태-목록과 해제』(홍선표 외, 혜안, 2006, 58쪽)에 따르면, 『독례통고』의 讀書者로 李德懋·丁若鏞·正祖·洪大容의 이름이 보인다.

에 국휼 항목을 추가했던 영남지역 예학의 한 경향과 맞물려 참고하기에 가장 적합했다는 점이 작용한 것으로 판단된다.

이처럼 영남지역에서 편찬 간행된 예서의 인용서목과 선유성씨를 토대로 이들 예서와 예설이 상호 인용된 양상을 통하여 예설 소통의 경향을 살펴보았는데, 여기에서 살펴본 예설 소통의 양상은 별도의 측면에서도 검증이 가능하다. 아래에서는 영남지역 내에서 당파에 따라 인용된 예서와 인물이 차이를 보이는 점, 당파의 차이에도 불구하고 남인이 노론·소론과 예설을 소통하였던 점, 남인 내에서 권역별로 예설을 소통하였던 점 등을 구체적으로 살펴보기로 하겠다.

첫째, 영남지역의 예설 소통이 개방적이었음에도 불구하고 지역 내의 당파에 따라 약간 다른 경향을 보인다는 점이다. 영남남인의 예서인 류장원의 『상변통고』와 영남노론의 예서인 이의조의 『가례증해』를 비교해서 살펴보면 이를 확인할 수 있다.

예학 연구가 최고조에 달한 18세기 후반, 대표적 연구 성과 중 하나인 『상변통고』와 『가례증해』는 그동안의 예학 성과를 폭넓게 활용하여 재검토하고 종합하려는 면모를 여실히 보여 주고 있다.[9] 그런데 두 예서는 당시까지 논의되었던 남인과 노론의 예설을 종합한 것이기 때문에 두 예서의 인용서목을 비교 검토하는 것만으로도 18세기 당파에 따른 예학자의 예설 수록 태도가 극명하게 대조되어 나타난다.

수록 순서에 의거하면, 『가례증해』에는 권상하(權尙夏)·이희조(李喜朝)·김창협(金昌協)·이재(李縡)·이간(李柬)·한원진(韓元震)·윤봉구(尹鳳九)·김원행(金元行)·송능상(宋能相)·박성원(朴聖源)이 포함되었고, 『상변통고』에는 김창협·윤증(尹拯)·이재(李栽)·권구(權榘)·이만(李槾)·김성탁(金聖鐸)·권상일(權相一)·김낙행(金樂行)·이상정(李象靖)·이완(李埦, 이상 동국문헌)·이세필(李世弼)·최

<hr>

9) 장동우, 「朝鮮時代 家禮 硏究를 위한 새로운 視覺과 方法」, 『한국사상사학』 39, 한국사상사학회, 2011, 157쪽: 東儒들의 예서에 나타난 문제의식과 인용서목에 대한 분석에 근거하여 말하면, 조선 예학사는 표면적으로 드러나는 학파적 문호의식에도 불구하고 심층적으로는 학파 상호간에 영향을 주고 받으면서 축적적으로 진전된 것이고, 현상적으로는 다양한 變奏가 나타나지만 그 변주에는 하나의 主調가 관류하고 있음은 분명해 보인다.

석정(崔錫鼎)·정상박(鄭尙樸)·황수일(黃壽一)·이익(李瀷)·이광정(李光靖)·김강한(金江漢, 이상 동국인물) 등이 거론되었다. 『가례증해』에 인용된 이들은 송시열 이후로 내려온 기호노론 예학의 핵심 구성원이며, 특히 이재(李縡)와 송능상으로 이어지는 계열은 이의조의 사승과도 직결되는 인물이다. 『상변통고』에 인용된 이재(李栽)와 이상정 계열 역시 류장원의 사승에 해당하고 그 주변 인물들이 다수이지만, 그 이외에도 노론, 소론, 근기남인 등의 인물까지 널리 포괄하고 있다.

『가례증해』는 이재(李縡)를 비롯한 18세기 이후 당파와 사승과 관련된 노론 인물의 예설에 국한되고 있다. 반면에 정구·조호익·장현광·정경세 이후로는 영남남인의 예서나 문집은 물론 박세채 외 윤증 등의 소론의 예설은 전혀 인용되지 않고 있다. 『상변통고』에는 18세기 중요한 노론 예학자의 설까지 상당수 인용되고 있고, 윤증·박세채 등의 소론 예학자의 설이 상당히 비중 있게 언급되고 있다. 이는 영남남인이 예설을 인용함에 있어서 영남노론에 비해 매우 개방적이었다고 평가할 수 있는 부분이다.

17세기 후반 허목·이현일 등의 예설이 노론 예서에 채택되지 않은 것은 예송의 여파로 경직된 학계의 사정을 반영한다 하더라도 그 밖의 다른 학자들에 의해 제기된 중요한 예설들의 소통이 이와 같이 구별되는 것은 당파간 예설의 폐쇄성과 개방성을 극명하게 보여 주는 것이라고 하겠다.

둘째, 영남지역 예학의 주류를 이루었던 당파는 남인이었다. 그렇지만 중간에 당색이 다른 부류도 시대와 지역에 따라 존재함으로써 당파 간에 예설의 소통을 이루어 갔다.

영남지역 예서에서 거론되는 소론 인물로는 박세채 외에 남구만·윤증·이세필·최규서(崔奎瑞)·최석정 등이 있다. 영남남인 중에는 소론 인사들과 직접적으로 사제 관계를 맺기도 하고 교유를 통해서 당파 간의 예설 교류를 꾸준하게 이어 간 이들이 있었는데, 이런 움직임은 17세기 초부터 있어 왔다. 이는 김상헌(金尙憲)의 사례로 확인할 수 있다.

김상헌의 예학은 박세채와 홍석(洪錫)에게 이어졌는데, 김상헌과 홍석은 모두 한양에 거주했다가 나중에 영남에 우거하였다. 김상헌은 선대가 안동 출신으로 그 자신도 일시 안동에 우거하였고, 홍석 역시 병자호란 이후 봉화에 은거하였다. 이후 봉화에 살던 강찬(姜酇)이 윤증의 제자가 되었고, 강찬의 가학을 계승한 강필효(姜必孝)가 윤광소(尹光紹)의 문인이 되면서 소통의 분위기를 지속하였다. 이상의 안동권뿐만 아니라 상주권에서는 이항복(李恒福)의 증손인 이세필이 상주목사로 부임하여 정경세의 『양정편』을 당숙(黨塾)의 학동들에게 익히도록 함으로써 남(南)·소(少) 교류의 물꼬를 이어 가기도 하였다. 18세기 경주권의 정만양(鄭萬陽)·정규양(鄭葵陽) 형제는 윤증·조현명(趙顯命) 등 소론 계열의 학자들과 학문적 관심사를 교류하였다. 당파 사이의 대립 구도가 고착되었던 18세기 전반기에 이를 극복하려는 움직임을 보였던 정만양·정규양 형제의 태도는 기호나 영남을 막론하고 특기할 만한 일이라고 할 수 있다. 이는 동시대 동지역에서 소론학자 및 근기남인학자와 교유하였던 이형상(李衡祥)과 상주의 이만부(李萬敷) 등 일련의 학자들이 보여 준 학문 태도와 함께 주목할 만한 행보였다.

19세기 진주권에서는 남인학자와 노론학자 사이에 예설 논의와 교류가 활발하게 이어졌다. 기정진 학통을 계승한 정재규(鄭載圭) 학단의 노론 학자들은 이진상(李震相) 학단의 곽종석을 비롯한 학자들과 예설의 견해를 직간접적으로 주고받았다. 정재규의 학통을 이은 정기(鄭琦)도 『사례의(四禮儀)』에서 허목(許穆)을 비롯하여 안동권의 김낙행(金樂行)과 이상정(李象靖) 등의 예설까지 두루 택하는 등 당색에 얽매이지 않는 입장을 보여 주었다. 영남지역의 노론 학자군으로 당파를 떠나서 남인들과 예설 교류를 꾸준하게 지속하였음을 말해 주는 대표적인 사례가 정재규 학단이었다. 19세기 이후 당색의 약화에 따라 영호남 학자들 사이에 교유의 폭이 확대되고, 영남 내에서도 남인과 노론 계열의 학자들이 학맥의 경계를 넘나들며 강학활동을 전개하고 교유함으로써 전 시대에 비해 예학에 접근하는 방식이 보다 개방되고 자유로워졌다는 특징을 보인다. 이에 따라 예설의 전개에 있어서도 자파의 예설을 옹호하는 일방적이고 폐쇄적인 면모가 많이 감쇄되었다고 할 수 있다.

정재규는 성주권의 이진상 학단 내에서 사례(四禮)에 대해 토의한 사례책제(四禮策題)를 접하고서, 이를 탐독한 뒤 『사례의의혹문(四禮疑義或問)』을 편찬하였다. 정재규의 문인 남정우(南廷瑀)도 이진상의 문인 허유(許愈)·곽종석(郭鍾錫)·이두훈(李斗勳) 등과 교유하면서 사례책제를 접하고서 이진상의 '모상중행부협제(母喪中行父祫祭)'설에 대해 이의를 제기하였다.[10] 당파에 따른 학설 수용의 배타성이 완전히 해소되었다고 할 수는 없 겠지만, 사례책제가 이진상 학단 내에서의 국한된 토론에만 머물지 않고 당파가 다른 인근의 학자들에게도 널리 공람되고 이를 통해 예학 논의를 활성화하였다는 사실은 당파별 차이를 넘어 당파 외적인 소통도 활발하였 다는 하나의 증거가 되기에 충분하다.

셋째, 영남지역 내의 권역별 예설 소통과 관련해서는 투호례(投壺禮)와 홀기(笏記)의 사례를 예로 들 수 있다. 투호례 의식은 18세기 초반 영천의 정만양·정규양이 편찬한 『의례통고(疑禮通攷)』에 처음으로 편입된 것으로 보인다. 그 이후 대구의 하시찬(夏時贊)이 『팔례절요(八禮節要)』에 수록하 였는데, 이는 그 스승인 이의조의 논의를 바탕으로 한 것이다.[11] 19세기 후반 이후에 칠곡에서 활동한 장복추(張福樞)의 『가례보의(家禮補疑)』와 장석영(張錫英)의 『구례홀기(九禮笏記)』, 성주에서 활동한 송준필(宋浚弼) 의 『육례수략(六禮修略)』 등에도 투호례 의식이 편입되어 있다. 경주권 『 의례통고』의 예설은 앞서 잠시 언급했듯이 성주권 학자들에 의해 인용서 목으로 채택되었다. 이러한 5종의 예서는 영천-대구-칠곡-성주로 연결되는 축에서 나왔다는 특징이 있다. 당파가 다른 하시찬의 경우는 예외로 하더 라도 예설의 지역적 소통의 측면에서 보자면 이들 지역 간에 상호 영향을 주었다는 점이 충분히 설명될 수 있다. 장석영·송준필은 장복추의 문인이기 도 하므로 영천이 속한 경주권과 칠곡·성주가 속한 성주권 예학의 친연성 논의도 가능하다고 본다.

홀기류(笏記類) 예서는 19세기에 다수 편찬 간행되었다. 이 시기에 장 복추와 이진상의 예서를 비롯하여 여러 종류의 예서에 다양한 홀기가 수 록되고 있다. 장복추의 『가례보의』, 이진상의 『사례집요』, 곽종석의 『육례 홀기』, 장석영의 『구례홀기』, 최학길(崔鶴吉)의 『예빈홀기(禮賓笏記)』, 장윤 상(張允相)의 『가례보궐(家禮補闕)』이 그것이다. 장복추와 학술적으로 잦은 교류를 하였던 이진상이었기에 그가 『사례집요』에 홀기를 다수 채록하고, 이후 그의 문인 곽종석과 장석영이 그 영향을 받았고, 장복추의 문인 장윤 상도 이런 흐름을 이어 갔던 것으로 보인다. 투호례와 홀기는 본래 『주자

---

10) 南廷瑀, 『立巖集』 卷10 「答李昌實(完基)」.
11) 夏時贊, 『八禮節要』 「書居鄕雜儀後」.

가례』에 없던 것으로 영남지역의 특정한 지역과 학단을 중심으로 널리 파급되었다.

이상으로 영남지역의 예서에 나타난 인용서목과 인용인물 및 예 조목 등을 바탕으로 당파와 권역을 넘어 예설 소통이 개방적으로 이루어졌다는 사실을 확인할 수 있었다. 예설 소통이 개방적으로 이루어졌다는 것은 그것을 수용한 이의 예설이나 예서에 반영되었다는 단선적 영향 관계에서 논의되고 말 성질은 아니다. 수용자가 속한 가문·학단·학파에도 영향을 미치고 더 나아가서는 권역에도 영향을 미친다. 그러므로 권역별로 차이를 보였던 예설이 소통의 결과론으로 차이가 희석되거나 소멸되기에 이른다. 또 미해결된 문제에 대해서 후대에 명망 있는 인물의 추가 해석이 나와 타 권역으로 전파되면 전파를 받은 쪽에서는 종시종속(從時從俗)의 원칙에 입각하여 기존에 지켜 오던 예설과 추가 해석을 절충하였다. 이러한 것들이 시대와 지역에 걸쳐 적층을 이루어 형성된 것이 영남지역의 예학이다. 다시 말해 예학의 형성이라는 측면에서 보면, 한 집안의 예식이 마을의 예속에 영향을 주고, 그것은 학단이나 학파의 예설에 반영되고 권역의 문화 전통으로 확산되며, 권역별 문화 전통이 활발한 소통을 통해 영남지역 예학이 형성되게 된 것이다.

2. 예식(禮式) 전승의 변통

예학 논의는 일정한 전범이 되는 예식과 예설을 근거로 시대와 지역에 따른 절충과 변통이 이루어진다. 여기서 한번 이루어진 규범은 좀처럼 변개(變改)되지 않는 일정한 보수성을 가진다. 이러한 보수성은 대개 학맥의 정통성이라는 측면에서 사문(師門)의 존숭과 혈연집단으로서의 가문과 가학이라는 측면에서 두드러지게 나타난다.

가례학의 원천은 '가문의 예 전통'이 기준이 되는 것이다. 이런 이유로 '웬만해선 바뀔 수 없다'는 장단점을 동시에 내포하고 있다. 정형화된 틀로 굳어져서 후손들이 문제없이 이어 갈 수 있다는 장점과 출처가 불분명한 이상야릇한 격식이 있어도 함부로 손을 댈 수 없다는 단점이 그것이다. 이런 장단점 때문에 집안의 전통 예식을 전승함에 있어 유지보수(維持保守)하려는 측과 인시손익(因時損益)하려는 측은 항상 병존하였다. 이 두 가지 중에서 전통과 전범을 충실하게 지키려는 것이 일반적인 경향이었지만 변통하려는 쪽의 논의도 줄기차게 이어졌다.

집안의 예식은 가학으로 전수되어 온 유무형의 전통에 의해 확립된다. 가학은 사승관계와 더불어 조선 시대 학문 전승의 중요한 통로 중 하나였다.[12] 그리고 가학을 통한 예의 실천은 가문의 성쇠를 가늠하는 중요한 의미를 지니는 것으로 인식되었다.[13] 영남지역 예학의 전개 과정 중 특징적 면모의 하나도 가학을 통한 전수를 꼽을 수 있는데, 일례로 영남의 퇴계학은 가학 전승을 통해 그 생명력을 발휘했고 퇴계학이 영남에서 살아 있는 유가의 문화로써 긴 생명을 유지한 것은 가학이 실체가 되었기 때문이라는 지적[14]이 이를 잘 말해 준다.

영남지역에서 예학을 가학으로 전승한 집안으로는 정구(鄭逑)로 대표되는 성주의 청주정씨, 장현광(張顯光)으로 대표되는 구미·칠곡의 인동장씨, 정극후(鄭克後)로 대표되는 영천의 영일정씨, 류장원(柳長源)으로 대표되는 안동의 전주류씨 등을 들 수 있다. 이들 네 성씨의 주요 예학자와 저술을 정리하면 아래와 같다.

표-36 <영남지역 예학의 가학 전승의 대표 사례>

주요 가문	주요 예학자	주요 저술
淸州 鄭氏	寒岡 鄭逑(1543~1620)	『家禮輯覽補註』『五先生禮說分類』『禮記喪禮分類』『五服沿革圖』『退溪先生禮說問答』『深衣制度』
	惕若齋 鄭東王詹(1734~1801)	「居喪疑禮箚錄」

12) 이욱, 「18세기 家學 전승과 門中書堂」, 『국학연구』 18, 한국국학진흥원, 2011, 131쪽.
13) 李義澤, 『四禮輯略』 「序」(盧相稷): 欲知人家盛衰之候, 當以禮俗興壞而察之焉.
14) 안병길, 「퇴계학의 계승 양상과 그 연구과제」, 『퇴계학』 13, 안동대 퇴계학연구소, 2002, 22-24쪽.

	芝厓 鄭煒(1740~1811)	『家禮彙通』
	拙叟 鄭坑(1785~1858)	『寒岡先生四禮問答彙類』
	進庵 鄭墧(1799~1879)	『常變纂要』
	逸軒 鄭五錫(1826~1869)	「禮辨顚末」
	厚山 鄭在華(1905~1978)	『父爲長子服解』
仁同 張氏	旅軒 張顯光(1554~1637)	「冠昏儀」『旅軒集』/『旅軒先生禮說』(後孫 編 추정)
	新齋 張錫愚(1786~1846)	『喪祭撮要』
	四未軒 張福樞(1815~1900)	『家禮補疑』
	晦堂 張錫英(1851~1926)	『儀禮集傳』『九禮笏記』『四禮汰記』『四禮節要』『戴禮管見』
	野村 張允相(1868~1946)	『家禮補闕』
迎日 鄭氏	雙峯 鄭克後(1577~1658)	『文廟享祀志』
	涵溪 鄭碩達(1660~1720)	『家禮或問』
	塤叟 鄭萬陽(1664~1730) 篪叟 鄭葵陽(1667~1732)	『家禮箚疑』『家禮箚錄』『改葬備要』『疑禮通攷』
	梅山 鄭重器(1685~1757)	『家禮輯要』
	安分堂 鄭師夏(1713~1779)	『喪禮輯解』
	東淵 鄭伯休(1781~1843)	『四禮通攷』
全州 柳氏	蒙泉 柳慶輝(1652~1708)	『家禮輯說』
	石溪 柳春榮(1673~?)	『禮儀常變』
	蘆厓 柳道源(1721~1791)	『四禮便考』
	東巖 柳長源(1724~1796)	『常變通攷』
	素隱 柳炳文(1766~1826)	『大山喪祭禮問答』
	大埜 柳健休(1768~1834)	「喪禮備要疑義」
	好古窩 柳徽文(1773~1827)	『家禮攷訂』『冠服攷證』『四禮酌古』『儀禮補篇』
	定齋 柳致明(1777~1861)	『家禮輯解』
	萬山 柳致儼(1810~1876)	『家禮輯解笏記』
	近庵 柳致德(1823~1881)	『典禮攷證』
	恬庵 柳淵龜(1861~1938)	『常變要解』

'주요 예학자' 항목 중에서 정구·장현광·정극후·류장원은 예학을 가학으

로 전승하는 데 큰 역할을 한 이들이다. 가례는 기본적으로 자기 가문에서 예전부터 행해 왔고 지금도 행하고 있으며 그리고 앞으로도 행해야 할 규범화된 예를 말한다. 이러한 규범화된 예는 대체로 예에 밝은 가문의 선조에 의해 성립되고 전수된 것이다. 따라서 가례학이란 가학이 수반될 수밖에 없는 학문이라는 특성이 있다.[15]

인용서목에서 가문의 인물을 등장시킨 경우는 자기 집안에서 예학이나 예행(禮行)에 두각을 드러낸 현조의 예설이나 사례를 수록하여 선조를 현양함과 동시에 일가지례(一家之禮)로 전하고자 한 것이다. 이런 사례는 인동장씨 집안에서 장잠(張潛)·장현광·장경우(張慶遇)·장응일(張應一)·장만기(張萬紀)·장대윤(張大胤)·장석우(張錫愚) 등을, 양천허씨 집안에서 허목(許穆)·허봉(許篈)·허엽(許曄)·허집(許𡑛)·허탁(許鐸)·허후(許厚) 등을, 전주류씨 집안에서 류장원·류건휴(柳健休)·류휘문(柳徽文)·류치명(柳致明) 등을 드러낸 것에서 살펴볼 수 있다.

가례학이 가학의 전통을 보이는 것은 그 나름의 근거가 있다. 『예기』 「제통(祭統)」에 "선조에게 특별히 내세울 만한 미덕·선행이 없음에도 후손이 찬양하는 것은 남을 속이는 짓이지만, 미덕·선행이 있음에도 알지 못하거나 알면서도 후세에 전하지 못하는 것은 불명(不明)이고 불인(不仁)"이라 하였다.[16] 따라서 선조의 훌륭한 업적을 분명하게 인지하여 후세에 전함으로써 후손들이 대를 이어 계승하도록 하는 과정에서 선조의 학설이 내게도 그대로 이어져서 하나의 가학으로 형성될 수 있었던 것이다.

그런데 가학만을 무조건적으로 앞세워서 우리 가문의 논의만이 올바르다고 일방적으로 주장하여 타인의 지적이나 다른 가문의 예법을 무시하거나 가문 내의 예식 중 불합리한 부분을 맹목적으로 준수하자는 주장이 그대로 받아들여지는 것은 아니다. 선현들의 예학 질문에, 예학 경전이나 『주자가례』 또는 선현의 설에는 이렇게 하라고 하지만 현재 우리 집에서는

---

15) 재지 기반이 강했던 영남 사족들은 향촌사회를 재정비하는 방법으로 예를 강조했으며, 학연 외에 혈연집단 즉 문중을 중심으로 발달한 전통이 있다.(임노직, 「퇴계학파 예학의 경향과 예서」, 『경북학의 정립과 정신문화사 연구(상)-불교·유학편』, 한국국학진흥원, 2007, 385쪽)

16) 『禮記』 「祭統」: 其先祖無美而稱之, 是誣也, 有善而弗知, 不明也, 知而弗傳, 不仁也, 此三者, 君子之所恥也.

저렇게 행하고 있으니 어떻게 하면 좋을까 하는 내용이 굉장히 많다. 이에 대한 응답은, 이렇게 하라고 되어 있으니 그대로 따라야 한다는 식, 당신 집안의 경우는 딱 부러지게 말하기가 애매한 상황이므로 답변하기가 곤란하다면서 한 걸음 빼다가 결국 우리 집에서는 어떻게 한다는 식으로 말하는 경우가 더러 있다.

가전(家傳) 예식(禮式)을 정리한 예서에는 제찬 종류와 진설 방식 등 세밀한 부분까지 규정하는 경우가 많은데, 19세기 후반에서 20세기 초반에 편찬된 예서에 특히 많이 나타난다. 그러나 한 집안의 예법으로 굳어져 온 전통에 대해서 후손들 사이에 이의를 제기하며 바로잡기를 요청하거나 바로잡은 사례가 줄곧 나타난다. 몇 가지 사례를 들어 보겠다.

먼저 이황 집안에서 종중의 합의를 거쳐 행해 오던 중포(中脯)에 대한 논의를 살펴본다. 집안의 후손인 이병호(李炳鎬, 1851~1908)는 중포의 부당함을 주장하여 올바른 데로 돌려야 한다고 주장하였다.[17] 물론 이 제안은 선조들이 해 놓았던 제도를 그대로 따르자는 논의에 밀려서 채택되지는 않았고 중포의 전통은 현재까지 전해지고 있다.[18] 하지만 이미 정해진 규범이라도 예경과 예서의 반복 학습을 통해 현행되는 가정의례의 문제점이 발견되면 예식의 보편성을 확보하기 위해 새로운 예설을 내고 예서를

---

17) 李炳鎬, 『東亭遺稿』 卷1 「答族祖龍山先生」: 祭禮一款, 此是細節. 但私家則自前只存中脯一事, 以待宗議, 至于今日耳. 先子曰, 禮有初未合宜者, 中而覺之, 據禮而改之, 豈有不可. 又曰, 積此誠意, 以回父兄宗族之心, 但恐炳之誠意未足以回父兄宗族, 則來頭行祫之日, 不得不據而歸正耳; 「與雲圃族叔(中麟 壬辰)」: 第又有一說仰懇者, 竊聞上溪吉祀時, 宗君與門議, 欲釐正祭禮, 多少整頓, 而中脯一款, 宗派堅執不回云, 此未知何等義理也. 固守此暫時失措, 累世不變者, 果足爲誠孝耶. 伏望亟回其議, 俾伸宗孫孝思, 如何如何.

18) 김미영의 자료(『유교의례의 전통과 상징』, 민속원, 2010)에 따르면 이황의 불천위 제사에 포를 놓는 위치는 밤-곶감-감-脯-사과-배-대추의 순이라고 밝히고 있고(91쪽), 이황 종가에서 中脯를 놓게 된 사연에 대해 "정확이 몇 대종부인지는 알 수 없으나 종손이 일찍 돌아가시고 종부 혼자서 제사를 지내왔는데, 제물 진설을 하는 중에 제사상 가장자리에 있는 포가 종부의 치맛자락에 걸려 바닥으로 떨어지기를 수차례 하였다. 이를 지켜보던 집안 어른들이 안쓰럽게 여겨 邊脯를 중포로 바꾸었다."는 말을 소개하고 있다.(94쪽)

•중포_퇴계종택•

편찬하거나 의견을 제시하여 가문의 예법을 수정 보완하고자 했던 것이다.

각 집안마다 고례나 『주자가례』에 근거하여 자기 집안에서 행해 오던 가정의례를 수정 보완하여 예의 본뜻에 한 단계 더 근접하려는 움직임은 이황 집안 사례 외에도 영남지역 각 권역에 더 나타난다. 17세기 인물인 조시광(趙是光, 1609~1680)의 「봉선의식(奉先儀式)」에서 보듯이[19] 기일(忌日)의 고비합설(考妣合設) 관행은 그의 집안에서 줄곧 행해 오던 제례 방식이었다. 뿐만 아니라 고비의 제찬을 각각의 탁자에 마련하는 각탁(各卓)이 아니라 한 탁자에 함께 마련하는 공탁(共卓)이 그 당시에 대세를 이룰

19) 趙是光, 『柱江集』 卷3 「奉先儀式」: 吾家祭禮, 淳朴可觀, 而其間或不無違於古書之本文者. 祭禮從先祖, 古有其語, 然有違禮意者, 依古文變革, 似不害於奉先以禮之道, 故敢據禮家三尺, 參以己意, 有所增損云爾. 一. 忌祀時, 共一卓行事, 不見於禮家本文, 而先輩或有行之, 世俗因之亦多, 蓋亦出於情也. 然禮之所裁, 情或有不得行者, 朱子亦豈不量情而制禮哉. 考祭妣配, 尙或可也, 妣祭考配, 極爲未安. 且祝辭措語, 亦甚難便. 不如依家禮, 出主以單位行之之爲便, 而自先己爲家傳祭法, 遠代之祭, 固不敢率爾變禮, 而祖考以下, 不肖主祭, 依古禮改式, 恐不妨於奉先, 故遵家禮定行事.

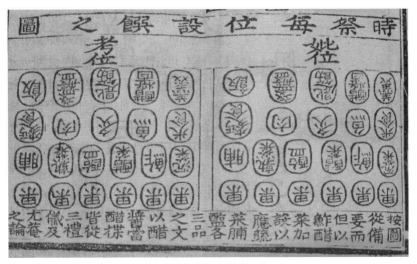

●시제매위설찬도(가례증해)●

만큼 성행하고 있었음을 알 수 있다. 『주자가례』「제례」기일(忌日)의 '설위(設位)'조 본주에 "녜제(禰祭)의 의식과 같다. 다만 한 분의 신위만을 설치한다."고 명시하였다. 고(考)의 기일에는 고위의 신주만, 비(妣)의 기일에는 비위의 신주만 모셔서 제사를 지낸다는 뜻이다. 그런데 『주자가례』의 '단위(單位)'라는 명문 규정이 조선조 시속에서 그대로 행해진 것만은 아니었다. 이럴 때 조선조 예학자들은 가능하면 『주자가례』를 준수하려고 노력했지만, 선대로부터 전해 내려오는 가문의 예법을 자기가 갑자기 고치는 것도 매우 조심스러워했다.

조시광 역시 먼 세대의 제사에 대해서는 자신도 경솔하게 바꿀 수 없는 부분이라고 하였다. 그러면서도 조고(祖考) 이하의 제사는 자신의 주관하기 때문에 기일에 해당하는 분만 모시고 기제를 지냄으로써 예의 본의에 충실히 따르고자 하였다.

의성김씨의 경우에도 이런 사례를 볼 수 있다. 문제가 된 것은 사당의 신주 배치이다. 안동의 의성김씨 김시락(金時洛, 1857~1896)과 김흥락(金興洛, 1827~1899)의 문답을 보면, 두 사람 모두 예의 뜻으로 보면 다섯 개의 감실을 만들어 불천위(不遷位), 고조위(高祖位), 증조위(曾祖位), 조위(祖位),

녜위(禰位)를 정위(正位)에 봉안하는 것이 마땅하다고 보았다. 그런데 현재 상황은 조위(祖位)까지는 정위에 봉안하였지만 녜위는 동쪽 벽 아래에 압굴(壓屈)되어 있다. 그래서 질문자인 김시락은 미안한 일로 여겨 변통의 방법이 없을지 물었다. 김흥락은 이 부분이 미안한 일이 맞기는 하지만 선세에서 정해 놓은 위차를 함부로 바꿀 수는 없기 때문에 정중히 받들어야 한다고 보았다.[20] '곡설녜위(曲設禰位)' 문제와 관련하여 의성김씨 일문에서는 논의가 많았던 모양인데, 의성김씨의 일가지례인 『문소가례(聞韶家禮)』에는 일족인 김양진(金養鎭, 1829~1901)의 편지가 소개되어 있다.[21] 김양진은 이 편지에서 고조(高祖)를 조출(祧出)한다는 김장생의 설, 5개의 감실을 만들어도 무방하다는 장현광의 설, 조위와 녜위를 한 감실에 함께 봉안한다는 박세채의 설 등 서로 다른 견해를 제시하였다. 하지만 이 중에서 '곡설녜위'에 대한 언급은 없다면서 이 예가 언제 시작되었는지 모르겠지만 역시 미안한 일이라고 여겼다. 그래서 그는 위의 몇 가지 설 중에서 박세채의 설을 따라서 조위와 녜위를 함께 봉안하면 감실의 제도가 넘친다는 혐의도 없고 4대를 봉사한다는 것에도 흠결이 없을 것이라는 절충안을 내놓았다.

위에서 가문의 전통 예식에 대해 인시손익(因時損益)을 주장한 사례를 가지고 변통을 하려고 했던 사례만 들었다. 뿐만 아니라 스승의 설을 통해 정해진 예식이라든가 지역적 관습에 의해 정착된 예식에 있어서도 유지보수하려는 측이 있던 반면에 위의 경우처럼 인시손익의 절충을 통해 변통하려는 노력이 꾸준하게 제시되었다.

조선의 학문 전통이 대체로 사승 관계를 통해 이루어졌다는 사실을 감안할 때 예학의 전승에 있어서 사승 관계는 심대한 영향력을 가지고 있었

---

20) 金時洛, 『莊庵集』 卷5 「記善錄」: 祠堂四龕, 不遷位居第一龕, 而禰位安東壁下. 時洛問, 士大夫家五廟, 固似僭逼, 而宗不在數中, 實有証援. 若只設四廟, 而使禰位屈而在傍, 不得與於四親之廟, 無乃未安乎. 先生曰, 此實未安. 若使祠廟更作, 當規爲五龕耶. 蓋以五龕爲合禮意, 而特以先世所定位次如此, 故鄭重不敢變易.

21) 金秉宗, 『聞韶家禮』 「通禮」 不遷位 '不遷位廟內禰位曲設之制': 愚軒答權熙直書. 俯詢不祧位龕制疑節, 鄙族大小宗, 皆曲設禰位. 然通攷中, 載此條甚詳, 而先輩之論, 各不同. 沙溪以爲高祖當出, 旅軒以爲五龕無害, 南溪以爲祖禰共安, 而諸說中, 俱無禰位曲設之文, 則斯禮也不知始於何時, 而似爲未安. 近來巖后之論, 從旅軒說, 然鄙意祖禰共安一室, 則於龕制, 無僭越之嫌, 於世數, 無欠闕之典, 未知如何.

다. 예학자들은 예학에 조예가 깊은 스승의 문하에 발을 들여서 거시적 안목의 예학 논의를 수렴하고, 그것을 바탕으로 자신의 예론을 정립하고 집안의 예식을 수립하려고 하였다. 그런데 영남지역 예학의 사승 관계에 있어서 주의해야 할 것은 스승이 강조한 예의 대체를 준수한 것이지 세부적인 예문의 적용에 관해서는 스승의 설을 변통 절충하고 때로는 상반된 설이 제출되기도 하였다는 점이다.

스승의 설의 변통이라는 측면의 사례로 성주권 '정구 학단'에서 혼인 후 3년을 경과하고 우귀(于歸)할 때의 묘현(廟見) 절차에 대해 정구가 이황의 예설을 변통하였던 점은 이미 살펴보았다. 이 외에도 심의제도(深衣制度)에 대한 장석영 문인의 논의를 들 수 있다. 장석영의 문인 손후익(孫厚翼)이 『사례집요(四禮輯要)』의 심의제도에 대해 묻자, 장석영은 '자기도 의문이 들어 『사례집요』의 제도를 감히 따르지 못하겠지만 『사례집요』의 제도가 고거(考據)가 정상(精詳)하여 예경의 본지에 아주 합치되는 듯하므로 학자들이 강구하지 않을 수 없다'는 입장을 보였다.22) 『사례집요』는 이진상이 편찬한 것으로 이진상 학단의 예 실천의 모범이 되었던 예서인데, 이진상 학단의 핵심 구성원이었던 장석영은 스승이 마련한 설에 대해 의구심을 가지고 따르지 않았던 것이다.

이러한 점은 경례(經禮)의 해설에서도 찾아볼 수 있다. 허전(許傳)은 『사의(士儀)』에서 『예기』 「사의(射義)」에 "孔子射於矍相之圃, 射至于司馬, 使子路出延射曰, 僨軍之將, 亡國之大夫, 與爲人後者, 不入."23)이라고 한

---

22) 張錫英, 『晦堂集』 卷13 「答孫德夫(厚翼)別紙(丙辰)」: (문)深衣之制, 元不相類於上衣下裳之制, 此輯要之特立一規, 而考據甚明, 不可辨其同異, 更詳前後證據而敎詔焉. (답)輯要深衣之制, 斷自經文. 蓋經文若言衣四幅象四時, 裳十二幅象十二月云爾, 則更無可疑, 而今只言制十二幅象十二月, 則是似指全衣而通指爲十二幅也. 且丘瓊山說略有此意, 此輯要所以通一服而全爲十二幅, 衣身四幅, 兩袂二幅, 左右當傍各二幅, 掩前各一幅, 通計爲十二幅, 而腰縫半下, 縫齊倍腰, 則洽符經文之旨, 而似可以絶滲漏而無餘欠矣. 然自鄭康成以後, 旣以十二幅爲裳, 而朱子從之, 大全及家禮遂成一制, 今難異議, 而且通指爲十二幅, 則衣裳無分, 故愚於其間不得無疑, 不敢從輯要之制矣. 然輯要考據之精詳, 似甚合於經旨, 學者不可以不講究也.

23) 이 대목을 鄭玄의 註에 의거하여 해석하면, "공자가 矍相의 밭에서 활쏘기를 하는데, 司馬가 활을 쏠 때가 되자 子路로 하여금 延射하게 하면서 '군사를 망친 장수, 亡國의 대부, 덩달아 후사가 된 자는 들어오지 말

대목에 대해, '위인후자(爲人後者)'를 '덩달아 후사가 된 자'로 해석하는 정현(鄭玄)의 설을 비판하고 '명령을 태만히 해서 다른 사람보다 뒤늦게 온 자'라고 해석해야 앞에 나오는 분군지장(僨軍之將)·망국지대부(亡國之大夫)와 사리(辭理)가 접속되는 것으로 보았다.[24] 그런데 허전의 핵심 문인 중한 사람인 박치복(朴致馥)은 '여(與)' 자를 '기(奇)'의 뜻으로 보아 '덩달아 후사가 된 자'로 풀이한 설과 '여(與)' 자를 '급(及)'의 뜻으로 보아 '(망국의 대부) 및 다른 사람보다 뒤늦게 온 자'로 풀이한 설을 모두 채택하지 않았다.[25]

이진상은 삼례(三禮) 경전에 근거한 원형의 의미 도출을 강조하였고, 허전은 자의(字義)와 문세(文勢)에 입각한 경전의 본지 해석을 통해 치용(致用)에 적실한 의례를 강구하였다. 이진상과 허전의 예론의 대체는 그들의 문인 장석영과 박치복 모두 충실하게 계승하였음은 물론이다. 그렇지만 두 문인이 스승의 예 해석과 적용에 관해서 일방적으로 추숭하는 것이 아니라 이견이 있으면 드러내어 토의를 하고 더러는 반대 논의도 내놓는 현상이 전혀 부자연스럽게 받아들여지지 않았다. 이러한 영남지역 예설 소통의 개방성은 영남예학의 건실한 면모로서, 예론의 전반에 걸쳐 스승의 설을 강조한 기호지역의 예학 전승과는 뚜렷한 차이를 보인다.

3. 예학 논의의 외연 확장

라'고 했다."는 뜻이 된다.

24) 許傳, 『士儀』 卷2 「親親篇」2 次繼子: 按, 射者, 軍禮也. 故有司馬也. 僨軍, 覆敗其軍也. 與, 猶及也. 爲人後, 謂慢令而後於人也. 軍志所謂後至者, 是也. 此蓋言敗軍之將及後至者也, 而鄭乍見爲人後三字, 與喪服爲人後同, 謬引爲說曲解與字以杜撰之, 孔又信其言而傅會之, 大非經旨也. 疑漢唐之時, 古禮既壞, 或有既立後而更往爲後者, 故其言如此矣.

25) 朴致馥, 『晩醒集』 卷8 「讀書隨箚(上)」: 問, 射義, 孔子射於矍相之圃, 觀者如堵牆. 射至司馬, 使子路出延曰, 僨軍之將, 亡國之大夫, 與爲人後者, 不入焉, 去者半, 入者半. 註曰, 與奇也, 既立後而又往奇贄, 是貪其利也云云. 一說, 與之爲奇, 非正義. 爲人後, 是戰陳後於人者, 蓋無勇者也. 若是則與僨軍亡國, 辭理接續云云. 當從何說. 曰, 此皆不深究爲人後之義, 而費許多辭說也.

영남지역에서는 예설 소통이 개방적이었고 예식 전승에 변통을 도모했던 노력이 있었다. 이에 따라 예서를 편찬함에 있어서 주제 항목을 설정하거나, 예학 논의 과정에서 오간 주제들도 『주자가례』의 범위에서 벗어나 확장되는 현상을 보여 준다.

이황이 관혼상제 외에 향례·학례·방례에 대해 간략히 언급한 후 정구가 『오선생예설분류』에서 가향방국례를 포괄하고, 정구의 문인인 안신(安㺬)의 『가례부췌(家禮附贅)』에 거향잡의(居鄕雜儀)·서부상견례(壻婦相見禮)·개장의(改葬儀)·영분의(榮墳儀) 등 몇 가지 의절이 추가되었다. 그 후에는 류장원의 『상변통고』에 향례·학교례가 대폭 추가되고, 장복추의 『가례보의』에 예빈의(禮賓儀, 관례)·거실상의(居室常儀, 혼례)·사상견례(士相見禮)·상읍례(相揖禮)·투호례(投壺禮)가 포함되었다. 게다가 재령이씨(載寧李氏)의 『안릉세전(安陵世典)』에 종묘옥책(宗廟玉冊)·사직단건옥(社稷壇建屋) 등 일부 방례 항목을 포함하고, 류치덕(柳致德)은 방례만 전문으로 논한 『전례고증(典禮攷證)』을 저술했으며, 류주목(柳疇睦)은 기례와 방례를 아우른 『전례유집(全禮類輯)』을 편찬하

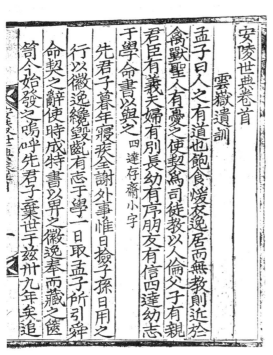

●이주원_안릉세전●

여 '예전(禮全)'을 완성하고자 하였다.

관혼상제 내에서 새로운 조목을 추가하거나 가례 외의 예까지 두루 섭

렵한 일련의 경향은 영남지역에서 사대부의 예학 범주를 『주자가례』의 틀에 한정시키지 않고 연구의 편폭을 꾸준히 확장하였다는 명확한 증거라고 하겠다. 이는 사대부의 예를 『주자가례』의 편제와 내용에 따라 준수하려고 했던 타 지역과 구별되는 점이다. 이런 면모를 가례, 향학례, 국휼례, 방례의 순으로 논의해 보겠다.

먼저 가례 항목의 확장이라는 측면에서 살펴보기로 한다. 통례(通禮)와 관련하여, 『주자가례』의 관혼상제 사례에서 외연이 확대된 것으로는 밀양권의 가연상수(家宴上壽) 항목을 들 수 있다. 가연상수가 예서에 포함되기로는 17세기 안여경(安餘慶)의 수례(壽禮)[26]에 처음으로 보이는데, 밀양권의 안여경의 문인 안신(安玧)이 계승하여 『가례부췌』에 이를 편입하였고, 역시 한말의 밀양권 학자인 노상직(盧相稷)이 이를 토대로 『상체편람(常體便覽)』에서 「가연상수의(家宴上壽儀)」로 설정하였다. 가연상수는 관혼상제 중 어느 하나에 포함되기는 곤란한 조목으로 통례에 속하는 것이라고 하겠는데, 『주자가례』에는 없었던 것으로 밀양권의 학자들이 가례의 한 항목으로 편입시키고 있는 것이다.

『주자가례』에 없는 새로운 항목을 추가한 사례는 이밖에도 여러 가지를 들 수 있다. 이종홍(李鍾弘)의 『묘의(廟儀)』는 『주자가례』 통례에 포함되어 있던 '사당(祠堂)'과 관련하여 사당 의례의 중요성을 감안해서 『주자가례』의 내용을 특별히 확대 부연하였다. 뿐만 아니라 『주자가례』의 거가잡의(居家雜儀)·거상잡의(居喪雜儀) 외에 『가례부췌』와 『상변통고』에 거향잡의(居鄕雜儀) 항목을 추가하기도 하고, 불천위(不遷位)·종법(宗法)·입후(立後) 등의 항목을 공식으로 추가하였다. 특히 『상변통고』에서는 친속(親屬)·동거(同居)·족회(族會)를 추가하였고 이와 관련하여 『사의』에서는 「친친편(親親篇)」을 따로 설정하여 성씨(姓氏)·종족(宗族)·위인후자본친(爲人後者本親) 등 친친의 의리에 기초한 친족 간의 호칭까지 세부적으로 검토하였다.

통례 외에도 『상변통고』에서는 혼례에 재취(再娶)·회혼례(回昏禮)를 추가하였고, 『사의』에서는 재취를 추가하였고, 『가례보의』에서는 관례의 (補)예빈의(禮賓儀)·(附)간편행례의(簡便行禮儀), 혼례의 (補)청기(請期)·(補)거실

---

26) 安餘慶, 『玉川先生遺稿』 「雜儀」 壽禮.

상의(居室常儀)를 추가하였고, 『사례집요』에서도 개가(改嫁)와 회혼례를 추가하고 있다.

상례의 경우 항목이 추가된 것으로는 먼저 '개장(改葬)'과 '길제(吉祭)'를 들 수 있다. 조선 시대 가례서에서 길제와 개장 조항이 추가되게 된 것은 김장생의 『상례비요』의 영향이 컸다. 특히 개장의 경우에는 박세채의 『삼례의(三禮儀)』의 규모를 채용하는 경우가 많았는데[27] 박세채가 개장례와 관련한 예서를 편찬한 것에서 알 수 있듯이 『주자가례』에 언급되지 않았지만 현실적으로 요긴하다고 판단되는 항복은 추가할 필요가 있었던 것이다. 영남지역에서는 정만양·정규양이 『개장비요(改葬備要)』라는 독립된 예서를 편찬하여 널리 통행되던 개장례에 대한 시대적 욕구에 부응하였다. 『상변통고』는 여기서 나아가 개장을 논하면서 권장(權葬)·여장(旅葬)·초혼장(招魂葬)·분묘화(墳墓火)·분묘훼(墳墓毀)·수묘(修墓) 등 관련된 변례를 최대한 수록하려고 노력하였다. 이외에 반곡(反哭) 문제와 관련하여 『가례집요』·『상변통고』를 비롯하여 『가례증해』까지 '여묘(廬墓)' 항목을 추가하고 있다. 나아가 20세기 전반 권필적(權必迪)의 『상변집략(常變輯略)』에 가면 관혼상제에서 특히 상례 부분을 상례와 장례 두 부분으로 나누어 관혼상장제(冠婚喪葬祭)의 오례 체계로 더욱 세밀하게 분장하는 사례까지 등장하기도 하였다.

제례의 경우, 영남지역의 예서에는 '토신제(土神祭)'라는 항목이 별도로 설정된 경우가 있다. 『격몽요결』에 "가묘(家廟)의 사시제를 마치고 토지신에게 제사 지낸다."는 언급이 있으나, 그 의식 절차에 대해서는 자세한 내용이 없고 별도의 항목이 설정되어 있지 않다. 그런데 장현광의 문인 조임도(趙任道)가 『봉선초의(奉先抄儀)』에 '제토신의(祭土神儀)'를 간략하게 부기한 이래, 『상변통고』 「제례」편에 '토신제' 항목이 정식으로 편입되었다. 『상변통고』의 저자는 이를 편입한 것에 대해 "주자가 행했던 일이고 『가례의절(家禮儀節)』에도 그에 대한 글이 있다."[28]는 점을 ⊥ 근거로 제시히

---

27) 金翊東, 『喪祭儀輯錄』「凡例」: 家禮無吉祭改葬二條, 故今吉祭依用備要, 改葬以三禮儀爲本, 而間採諸家之說, 隨類以附之.
28) 柳長源, 『常變通攷』 卷25 「祭禮」 土神祭 '四時祭土神': 案, 祭土地, 雖不見於家禮, 而朱子蓋嘗行之矣, 丘儀亦有其文, 今略著于此.

였다. 이는 『주자가례』 부주(附註)[29]에 잠깐 언급된 토신제 내용을 『주자어류』와 『주자대전』 및 『가례의절』 등에 나오는 문구를 바탕으로 하나의 의절로 정식화한 것이다. 『상변통고』에는 이 뒤에다 조왕신(竈王神)에 대한 제사 항목[祀竈]도 추가하였다.

다음으로 향학례의 강화, 국휼례의 추가, 방례서의 편찬이라는 측면에서 살펴보기로 한다. 기호지역의 가례서는 대체로 『주자가례』의 내용을 중심으로 논의하여 관혼상제의 범위에서 벗어나지 않았던 반면에, 영남지역의 예서에는 가례서임에도 향례·학례·국휼례까지 별도의 항목으로 설정하는 경우가 상당히 많다. 영남지역의 예서 중에서 가례 외에 향례·학례·국휼례까지 포함시켜 논의한 예서를 정리하면 아래와 같다.[30]

표-37 <향례·학례·국휼례를 포함한 영남지역의 예서>

禮書名	編著者(생몰년)	언급처	수록 내용
童子禮	鶴峯 金誠一(1538~1593)	序(金道和)	居鄕儀
五先生禮說分類	寒岡 鄭逑(1543~1620)		鄕飮酒鄕約鄕射
家禮附贅	五休 安玑(1569~1648)	校訂凡例(安鼎福)	居鄕儀
禮疑答問分類	耻耻堂 李益銓(?~1679)		祠典
五禮輯略	拙窩 權以時(1631~1708)	後識(金東鎭)	鄕禮
四禮考證	月梧堂 安晉石(1644~1725)	凡例	鄕學序齒

---

29) 『朱子家禮』 墓祭 말미의 附註에 주자가 아들 朱塾을 경계시키는 서간문이 있는데, "근래 묘제에서 土神에게 제사지내는 예를 보니 아주 지리멸렬하여 나는 매우 두렵다. 이미 先公의 體魄을 山林에 맡겼는데, 그 주인에게 제사지내는 것이 어찌 이와 같아서야 되겠는가. 지금 이후로는 묘소 앞에 진설하는 것과 똑같이, 채소와 과일과 젓갈과 脯와 飯과 茶와 湯을 각각 한 그릇씩 진설할 것이니, 이로써 내가 어버이를 편안케 하고 신을 섬기는 뜻을 다하며, 더하거나 덜하지 말도록 하라.[嘗書戒子云, 比見墓祭土神之禮, 全然滅裂, 吾甚懼焉. 旣爲先公托體山林, 而祀其主者, 豈可如此. 今後, 可與墓前一樣, 菜果鮓脯飯茶湯各一器, 以盡吾寧親事神之意, 勿令其有隆殺.]"고 하였다.

禮書類編	雷臯 孫汝濟(1651~1740)	跋(孫星岳)	國恤州縣釋菜鄉飲酒鄉射
疑禮通攷	塤叟 鄭萬陽(1664~1730) 篪叟 鄭葵陽(1667~1732)		學禮鄉飲酒儀投壺儀
李先生禮說類編	星湖 李瀷(1681~1763)	序(李瀷)	在邦在鄉
家禮輯遺	梅塢 金泰濂(1694~1775)	序(李象靖)	小兒禮居鄉儀國恤
常變通攷	東巖 柳長源(1724~1796)	凡例	鄉禮學禮國恤臣民儀
八禮節要	悅菴 夏時贊(1750~1828)	序(徐麟淳)	鄉飲酒鄉約投壺士相見
溪山禮說類編	廣瀨 李野淳(1755~1831)	序(李野淳)	居鄉雜儀俎豆禮朝廷典禮
集禮講攷	陶窩 崔南復(1759~1814)	序(崔南復)	鄉飲酒禮
禮說類編	古溪 李彙寧(1788~1861)	後識(李彙寧)	鄉禮邦禮
禮說考	古今堂 盧德奎(1803~1869)		王朝禮學校禮鄉學鄉賢祠
禮說類輯	古今堂 盧德奎(1803~1869)	序(盧德奎)	鄉校書院
家禮補疑	四未軒 張福樞(1815~1900)	凡例	國恤臣民儀及鄉學
六禮笏記	俛宇 郭鍾錫(1846~1919)	敍(金榥)	鄉飲相見學校邦禮
士禮要儀	一山 趙昺奎(1846~1931)	序(盧相稷)	鄉飲酒禮士相見禮白鹿洞規藍田鄉約
九禮笏記	晦堂 張錫英(1851~1926)	跋(朴允在)	鄉飲鄉射投壺士相見相揖鄉約釋菜學校冠禮
常體便覽	小訥 盧相稷(1855~1931)	跋(盧相稷)	鄉飲士見釋菜釋奠
家鄉二禮參考略	小庵 李鉽均(1855~1927)		鄉飲酒禮鄉射禮士相見禮州學生束脩禮諸侯遷廟釁廟
六禮修略	恭山 宋浚弼(1869~1943)	凡例	士相見禮鄉飲酒禮

영남지역 예서 중에서 가례뿐만 아니라 향례와 방례를 예서에 최초로 편입한 것은 정구의 『오선생예설분류』이다. 이는 『의례경전통해』의 체재를 따른 최초의 성과물이다. 이보다 앞서 김성일의 『동자례』에는 '거향잡의'를 포함하고 있는데 이는 『가례의절』의 내용을 거의 그대로 차용한 것이다. 17세기 초반 『오선생예설분류』 이후 향례가 조금씩 강조되던 분위기는 18세기 『상변통고』에 와서 대폭적으로 강화되기에 이른다.[31] 특히 위의 자료에서

---

30) 향례만 전문으로 다룬 예서는 제외하였다.

보듯이 18~19세기에 가서는 영남지역 예서에 향례·학례의 편입이 봇물을 이루고 있음을 알 수 있다.

향례가 17세기에는 임진·병자 양란 이후 흐트러진 사회기강을 바로잡기 위한 목적에서 강조되었던 반면, 18세기 이후에는 과거를 통한 관계 진출이 거의 막힌 영남인사들이 자신이 거주하는 향촌을 중심으로 시행되는 의례를 통해 결속력을 다지는 한편 이를 통해 사족의 정체성을 확보하기 위한 수단으로 중시하였다고 볼 수 있다. 또한 영남지역에서 『주자가례』의 범위를 벗어나 사족의 예를 확대했던 것은 사족의 예가 '가(家)'에서 머물 것이 아니라 '향(鄕)'까지도 그들이 안고 가야 할 교화의 대상이라는 점을 적극적으로 인식하였던 결과이기도 하다.

이렇게 가례에 향례까지 아우른 사례서(士禮書)가 만들어진 데에는 주자의 만년 저술인 『의례경전통해』가 결정적인 영향을 끼쳤다. 이는 『상변통고』에서 "향례와 학교례와 국휼신민의(國恤臣民儀)는 『주자가례』에서 언급하지 않은 것이지만, 이제 『의례경전통해』의 가향학방국례(家鄕學邦國禮)의 사례에 의거하여 감히 덧붙여 둔다."[32]고 한 언급을 보면 알 수 있다. 『의례경전통해』는 가정의례와 관련하여 『주자가례』의 미비점을 찾아내고, 주자의 초년설과 만년설의 동이(同異)를 확인하여 정론을 확정하기 위해서 중시되었는데, 영남에서는 가례뿐만 아니라 향례의 강화라는 측면에서도 이 책의 권위를 빌려왔다.

『상변통고』 30권 중에는 가례 27권 외에 향례·학교례·국휼례가 3권에 걸쳐 수록되어 있다. 향례에 사상견례·향음주례·주자증손여씨향약(朱子增損呂氏鄕約)·사마씨계장식(司馬氏啓狀式) 4장이 있고, 학교례에는 양로(養老)·향교·서원 등의 내용이 포함되었다. 국휼례는 국상이 났을 때 신민이 조처해야 할 방법이나, 국상이 사가의 사례(四禮)와 겹칠 때 어떻게 변통해야 하는가에 대

---

31) 기호 예학에서 향례와 가례를 함께 논의한 적이 없다고 할 수는 없다. 尹宣擧의 『家禮源流』, 尹拯의 『疑禮問答』, 朴世采의 『六禮疑輯』, 南道振의 『禮書箚記』, 李應辰의 『禮疑續輯』, 柳重敎의 『四禮笏記』, 朴文鎬의 『續集儀』, 宋在奎의 『禮笏』 등에 향례 항목이 추가되었지만 영남지역 예서에 비해 그 빈도가 현저하게 낮다.

32) 柳長源, 『常變通攷』 「總目」 凡例: 鄕禮學禮國恤臣民儀, 雖是家禮之所不及, 而今依通解家鄕學邦國之例, 輒敢附見.

한 논의가 주를 이루고 있다. 반면에 국상의 절차에 대한 구체적인 의절은 아주 소략하게 다루었는데, 이는 여느 가례서에서도 공통적으로 나타나는 현상이다. 그렇지만 『상변통고』에 국휼례를 포함시켜 논의함으로써 후대에 나온 예서의 본보기가 되었는데 『문소가례(聞韶家禮)』에서 이를 확인할 수 있다.[33] 국휼까지는 모두 사례(士禮)의 범주 속에서 논의할 수 있는 사안들이다.

방례와 관련해서는 류원지(柳元之, 1598~1678)의 『상복고증(喪服考證)』, 남몽뢰(南夢賚, 1620~1681)의 「기해예론시말(己亥禮論始末)」, 홍여하(洪汝河, 1620~1674)의 『의례고증(儀禮考證)』처럼 17세기 후반 복제예송(服制禮訟)과 관련한 예서나 예설이 간혹 등장하였다. 복제예송 이후 경직되었던 예학 논의의 분위기와 관련하여 18세기 이후 재지 사족으로서의 삶을 살아갔던 영남지역 학자들의 저술에는 방례에 대한 두드러진 언급이 보이지 않는다. 그러다가 당파간의 긴장이 다소 늦추어지고 외세와의 대결 국면이 전면적으로 부각되는 19세기 후반에 방례 역시 학문적인 관심사로 깊이 인식되어 『전례유집(全禮類輯)』이나 『전례고증(典禮攷證)』의 경우처럼 방례만 전문적으로 다루어 국상을 비롯한 국례(國禮)에 대한 의절을 아주 면밀하게 다루기도 하였다.

이상에서 보았듯이 영남지역의 예서와 예학 논의에는 가례 내부 항목의 확장을 통해서 『주자가례』에 없는 새로운 항목들을 다양하게 채록하여 편입하고, 향례·학례·국휼례 등을 가례서의 성격을 띠는 예서에 일정한 형태로 편입시키고 있으며, 국가 전례에 대한 사적 저술도 간간이 나타나고 있다. 『주자가례』에 수록되지 않은 다양한 항목들을 채택하여 사례서(士禮書)의 형태로 논의의 폭을 대폭 확장한 것은 사족의 예학이 『주자가례』에 한정될 수 없다는 영남지역 예학자들의 인식이 반영된 것이다. 그리고 재야 사족들이 함부로 말할 수 없었던 국가 전례에 대해서까지도 싱파물들이 출현한 것은 종합 예서로 통합하려는 움직임의 결과인 것이다. 이런 면

---

33) 金秉宗, 『聞韶家禮』 「編例」: 凡係國禮者, 混錄於私家禮說, 殊極僭越. 特編末卷之首, 而因山前停祭諸條, 亦逐節附該章之後, 以倣通攷國恤禮居末之意.

모는 개방성과 변통성을 관류(貫流)하는 영남지역 예학의 특징적인 면이라
할 수 있다.

10

결론

조선 시대 학술사에서 이언적(李彦迪)이 조한보(曺漢輔)와 벌인 태극
(太極) 논쟁, 이황(李滉)과 기대승(奇大升) 사이에 서간문을 통해 왕복한
사단칠정(四端七情) 논변은 조선조 성리학의 수준을 새로운 단계로 이끈
하나의 학술사적 전환점이었다. 영남지역에서 이루어진 이러한 성리학의
성과는 17세기에 들어 그다지 새로운 면모로 발전하지 않았다. 그러다가
17세기 말에서 18세기 초에 이르러 기호지역에서 이루어진 인물성동이(人
物性同異) 논쟁은 조선 성리학의 또 다른 새로운 국면을 개척하였다. 이
시기 영남지역에서는 특별히 새로운 성리학적 쟁점이 두드러지게 나타나지
않는다. 18세기 중후반에 이르러 이상정(李象靖)이 분개간(分開看)과 혼륜
간(渾淪看)에 치우친 영남과 기호의 편향적 논의 관점을 극복하기 위해 통
간(通看)이라는 방법을 내세워 회통을 주장하면서 영남지역의 성리학 역시
새로운 국면을 맞게 된다. 그리고 19세기 후반에 나온 이진상(李震相)의
심즉리설(心卽理說)은 주기론으로 굳어져 가던 기호지역의 성리설에 대응
하여 횡간(橫看)·수간(竪看)·도간(倒看)의 관점을 제시하여 큰 영향을 미쳤
다. 그러나 이러한 학설들은 대개 이황의 성리설에서 촉발된 것으로 이를
절충 부연하였던 점에서 이론의 여지가 없다.

이와 마찬가지로 영남지역의 예학 전개과정에서 이황의 영향이 절대적

이었다는 점은 재론의 여지가 없을 것이다. 그런 의미에서 영남지역의 학술사는 퇴계학파를 중심으로 다루어져 왔고, 영남지역의 예학 역시 '영남학파의 예학' '영남예학' '퇴계학파의 예학'이라는 용어 아래에 통합되어 퇴계학파 안에서 전승되는 양상들을 중심으로 논의되었다. 퇴계학파의 예학적 특징을 구명하려는 일련의 노력이 없었던 것은 아니지만 이런 논의들도 대개 기호지역 예학과 단순 대비됨으로써 당파적 지역적 예설의 차이를 효과적으로 드러내었다고 보기에는 어려운 점이 많다.

이는 학파간 당파간의 예설 비교가 특정 개인이나 특정 예서를 단선적으로 비교함으로써 학파간 당파간 특징을 제대로 검증하지 못한 데서 연유하는 것이다. 그리고 영남지역 내에서도 권역별로 다양한 학단 내지 예설들이 존재하고 있다는 사실과 그들 권역과 학단 사이의 상호 관계와 각 권역 및 학단의 특징적인 국면들을 제대로 지적하지 못한 데서 나온 결과이기도 하다.

그러므로 영남지역의 예학은 퇴계학파 안에서만 다루어질 것이 아니라 다양한 당파 및 권역이 갖는 의미 속에서 입체적으로 정리될 필요성이 있다. 왜냐하면 17세기 이후 전개된 예학 논의에는 이황의 예설을 근간으로 각 권역과 학단별로 시(時)·속(俗)에 따른 절충과 변통의 다양한 변주가 공존했기 때문이다.

본 논문은 영남지역 예학의 시대별 지역적 전개 양상을 거시적 관점에서 살펴봄으로써 조선후기 예학의 일반적인 경향 속에서 영남지역 예학의 지역적 특성과 그 의미를 구명하려고 하였다. 이런 연구 관점은 단선적인 기존의 예학 연구 방법에 대한 반성에서 출발하였다.

예학 논의는 문화 관습의 적층(積層)에 기반을 두고 형성되는 것이다. 예가 이미 하나의 문화 관습인 이상 기존의 문화 관습을 토대로 시대와 지역에 따라 수시적용(隨時適用)하는 문제는 시대마다 지역마다 예학자들의 부단한 관심사였다. 개중에 탁월한 예학자가 나타나 치밀한 논리와 이론에 의하여 기존의 관습을 새롭게 정비하는 일이 있다 하더라도 또 동시대 인물들과의 끊임없는 대화를 통해서 예론의 이론적 토대를 보다 면밀하게 구축한다. 이런 점에서 보면 예학 연구는 한 개인이 살았던 전후 시대의 관습적 측면을 고려하고 지역적 특성을 반영하고 자기가 속한 집단

내 사우와의 소통과 논의에 대한 부분까지 함께 살펴야 하는 것이다.

이런 관점에서 본고에서는 영남지역을 6개 권역으로 구분하고 각 권역에서 시대마다 예학 논의의 중심을 이루었던 인물들을 중심으로 저술 논의된 예서와 예설들의 주요 특징과 상호 교섭 및 전승 양상을 살펴봄으로써 영남지역 예학의 주요한 특징을 도출하고 그 의미를 논의하였다.

이 연구를 통해 도출한 영남지역 예학의 성과와 특징을 요약하면 이러하다.

첫째, 영남지역 예학은 안동권·상주권·성주권·경주권·밀양권·진주권의 6개 권역에 분포하는 학자들에 의해 지역별 시기별로 다양한 전개 양상을 보이면서 발전하였다. 각 권역의 학자들은 학덕이 뛰어난 스승을 구심점으로 하여 하나의 집단을 이루어 자연스럽게 지역적 유파를 형성하였다. 이들 유파는 예전부터 전해 온 관습을 준수하면서 스승의 가르침과 집단 내 구성원과의 토의를 통하여 예론을 형성하였다. 안동·상주·성주·경주·밀양·진주 등 6개 권역은 영남을 대표하는 중요 거점 도시로서 각 권역의 문화와 학문의 구심점을 형성하였다.

이 권역 중에서 안동권은 16세기부터 20세기 초까지 이황·이현일·이상정·류장원·류치명·김흥락 등 당대의 학계를 주도한 명망 높은 학자와 비중 있는 예서가 끊이지 않고 산출됨으로써 조선후기 내내 영남지역 예학의 중심지가 되었다. 상주권·성주권·경주권 등 지금의 경북에 속한 지역들도 각기 류성룡·정구·조호익·장현광·정경세 등 각 지역과 시대를 대표하는 구심 인물에 의해 마련된 예학 토대를 기반으로 정만양·정규양·정종로·류주목·장복추·이진상 등 유능한 예학자들이 뒤를 이으며 특징 있는 예서를 편찬하고 활발한 예론의 수수와 교섭의 양상을 보이면서 꾸준히 예학 논의를 이어 갔다. 밀양권과 진주권은 김종직과 조식의 영향이 미쳤던 곳으로, 남명학을 근간으로 의리의 실천을 강조한 경향을 보여 예서의 출현이 다른 권역보다 적었다. 하지만 17세기 하홍도(河弘度) 이후 18세기에 몇몇 학사들이 예학의 풍토를 이어 갔고, 19세기 후반에 들어서는 허전·곽종석·정재규 등을 중심으로 근기남인·영남남인·노론 노사학파 계열이 대거 출현함으로써 다른 어느 권역보다도 활발한 예학 담론을 전개하였다.

둘째, 영남지역의 예학은 각 권역별로 탁월한 역량을 보여 준 예학자에 의해서 예학 논의의 거점을 형성하면서 동시에 각 권역 사이의 상호 교류와 소통은 물론 영남지역 외의 다른 지역 예학자와 교류하고 당파와 지역을 초월하여 다양한 예설을 포용함으로써 지역간 당파간의 예설 소통이 상당히 개방적이었다. 17세기 후반 예송의 여파로 인하여 예설이 당파의 노선에 따라 고착되어 남인과 노론 사이에 소통이 원활하지 못한 부분도 있었지만, 예학 성과의 측면에서 보면 18세기에 편찬된 『상변통고(常變通攷)』는 이러한 소통의 대표적 성과로 볼 수 있다. 또한 19세기 이후 스승의 설 또는 학파의 예설을 존숭하면서도 거기에 국한되지 않고 개방적이면서 유연한 학문 분위기가 확산되어 지역과 당파를 달리하는 학자들 사이에 예설 논변이 활발하게 이루어졌다.

셋째, 영남지역 예학은 가례학 연구의 핵심 교재였던 『주자가례』의 내용과 체재를 준수하는 한편 여기에 매몰되지 않고 예학 논의의 외연을 꾸준하게 확장하였다. 많은 학자들은 가례학에 침잠하여 가문과 지역에 필요하다고 인식되는 요소들을 강구하였다. 관혼상제의 각 부분에 대해서 논의의 폭을 넓힌 것은 물론이고, 가례 외에도 각종 향례(鄕禮)나 학례(學禮)까지도 사례(士禮)로써 연구하여 가례서에 편입시킴으로써 기존의 가례를 사례(士禮)로 재편하려는 움직임이 있었다. 향례나 학례의 집중 탐구는 과거를 통한 출사의 길이 막혀서 향촌을 거주 기반으로 하였던 그들의 처지가 고려된 결과였다. 가례를 사례(士禮)로 재편하려는 경향은 가례에 국휼례를 편입시키려는 데서도 드러난다. 방례에 대해서는 예송 당시의 복제(服制) 문제와 관련하여 간간이 논의가 제기되지만 그것이 가례서의 한 조목으로 편입되지는 않았고, 특정 지역과 학단 또는 가문에 한정되는 경향을 보인다. 그러나 국휼을 당했을 때 사족들이 대처하는 방안에 대해서는 18세기부터 가례서에 편입되기 시작하고, 19세기 후반에 가서는 『전례유집(全禮類輯)』과 『전례고증(典禮攷證)』을 통해 전문적으로 방례 전체를 탐구한 예서가 출현하기도 하였다.

넷째, 영남지역에서는 예설을 개방적으로 소통하고, 전통의 예식을 보수(保守)하면서도 적절하게 변통하며, 예학 논의의 외연을 확장하려는 일련의 경향이 있었는데, 이런 예학 논의의 경향으로 인하여 조선후기 예학을 대표할 만한 여러 종의 예서가 편찬 또는 간행되었다. 『상변통고』·『가례증해』·『사의』·『전례유집』·『가례보의』·『사례집요』 등은 지역적 기반과 학문적 전통을 반영한 것이면서도 인용서목을 대폭 늘려서 목차와 내용을 대규모로 확장하여 전대와 당대의 예설을 종합하는 예서의 면모를 보였다. 이들 예서는 각 지역과 유파 내에서 모범 사례로 인식되어 이후 이를 계승하고 보완한 예서들 또한 다량으로 산출됨으로써 예학 논의를 더욱 활성화하였다. 이들 예서 중에서 가장 큰 영향력과 파급력을 가졌던 것은 류장원의 『상변통고』였다.

본고에서 살펴본 바와 같은 영남지역 예학 논의의 특성은, 신라와 고려 이래로 권역별로 이루어진 다양한 예속의 적층이 존재하였고, 16세기 이언적의 태극 논쟁과 이황의 사단칠정 논변 등 성리학적 주제와 관련한 학문 토론을 통해 진지한 학문자세를 수립하였던 것과 관련이 있을 것이다. 이러한 영남지역 예학의 특징이 가지는 학술사적 의의는 다음 몇 가지 관점에서 이해할 수 있다.

첫째, 조선후기 영남지역의 예학은 유취(類聚)·변증(辨證)·절충(折衷)의 학문 풍토에서 배태 발전되었다. 영남지역에서는 정구의 『오선생예설분류』, 이유장(李惟樟)의 『이선생예설(二先生禮說)』, 이상정(李象靖)의 『결송장보(決訟場補)』, 류장원의 『상변통고』, 이의조(李宜朝)의 『가례증해(家禮增解)』, 류주목(柳疇睦)의 『전례유집』, 장복추(張福樞)의 『가례보의(家禮補疑)』, 이진상(李震相)의 『사례집요(四禮輯要)』 등에 이르기까지 기존의 예설을 수집하여 분류하고 예설 간의 이동(異同)과 합당성을 변증하는 한편, 제설을 절충하여 단안을 내리거나 새로운 설을 입론하는 일련의 학문경향을 보여 주고 있다. 이는 이학(理學)에 있어서 이황의 『송계원명이학통록(宋季元明理學通錄)』, 조식의 『학기유편(學記類編)』, 류건휴(柳健休)의 『이학집변(異學集辨)』, 경학(經學)에 있어서 이언적의 『중용구경연의(中庸九經衍義)』, 이휘일(李徽逸)·이현일(李玄逸)의 『홍범연의(洪範衍義)』, 류상원의 『사서찬주증보(四書纂註增補)』, 류건휴의 『동유사서해집평(東儒四書解集評)』 등의 저술 경향과 동궤(同軌) 속에서 산출된 것들이다. 기존에 논의되었던 학설들을 부류에 따라 모으는 유취, 유취된 내용들을 가지고 근거의 합당성이나 종위가부(從違可否)를 논증한 변증, 변증된 내용을 토대로 가감

변통(加減變通)하는 절충의 방법론적 시도가 영남지역 학문의 오랜 전통이었기 때문에 예학에 있어서도 유취·변증·절충의 경향을 그대로 적용할 수 있었던 것이다.

둘째, 영남지역 예서의 저술 방식에서는 연역(演繹)·첨보(添補)·변통(變通)·절략(節略)의 경향이 두드러진다. 『내칙장구(內則章句)』·『곡례장구(曲禮章句)』 등과 같이 경서의 일부분을 확대 연역하거나, 기존에 없었거나 논의되지 않던 새로운 항목을 추가 첨보하거나, 『변례집설(變禮集說)』·『상변통고』처럼 변례를 강구하거나, 관례에서 간편 의례를 드러내고 혼례에서 반친영(半親迎)을 채택하는 등의 변통의 방법, 『육례홀기(六禮笏記)』·『구례홀기(九禮笏記)』 등과 같이 의식 절차를 홀기로 요약함으로써 번다한 예설을 간략하게 요약하는 절략의 방법이 널리 채택되었다.

이러한 경향은 기존의 주석에 매몰된 경전 해석이나 경서(經書)의 권위는 절대로 범할 수 없다는 교조적인 움직임에서 한 걸음 나아가 후인들에 의해 곡해된 경서를 새로운 관점에서 해석하고, 후인들이 패리(悖理)·효잡(淆雜)시킨 부분을 소세(梳洗)하며, 경서의 편차를 사족의 실행에 알맞게 재편하려는 노력의 단면들이다. 즉 경서를 현실의 실용학문으로 적용하려는 이러한 노력의 과정에서 개방적 자세와 변통·절충의 방법론에 입각하여 변화된 시대에 적극적으로 활용하려는 건강한 움직임을 보여 주었다.

셋째, 영남지역에서는 종합·집성·재편의 방법을 통하여 새로운 예서를 다양하게 산출하였다. 영남지역의 예서 편찬 규모가 타 지역과 비교할 때 얼마만큼의 비중을 차지하는지는 면밀한 검토가 있어야 하겠지만, 영남 대 비영남으로 나누더라도 결코 많은 차이는 나지 않을 정도로 영남지역의 예서 산출이 성황을 이룬 것은 분명하다. 이러한 종합·집성·재편의 과정을 반복하면서 산출된 영남지역의 예서 편찬은 학술사적으로 볼 때 중요한 성과가 아닐 수 없다.

기존의 경서 내지 예서에 수록된 예설을 토대로 이를 종합·집성·재편하는 새로운 저술의 편찬은 학술의 발전 단계에 있어서 차록(箚錄)과 주석(註釋)에서 보이는 모방과 적용의 단계를 넘어 학술 체계의 정착과 새로운 학술의 창안이라는 도약적 진전을 의미한다.

18세기 영남에서 편찬된 『상변통고』·『가례증해』는 그 내용에 있어서 조선조의 역대 제가의 설을 휘편(彙編) 종합하고 거기에 새로운 의식과 예설들을 추가함으로써 기존의 『가례』주석서와는 뚜렷이 변별되는 질적인 전환을 이루어 내었다. 조선조 학술사에서 경서 주석서의 경우에 우리나라 제가의 학설을 각 조목에 배열하여 논의하는 경우는 거의 찾아볼 수 없다. 조선후기에 편찬된 위의 예서들은 중국의 설은 물론 우리나라 제가의 학설을 대량으로 편입함으로써 예학 연구가 조선조에 있어서 독보적인 새로운 단계로 진입했음을 보여 주고 있는 것이다.

『상변통고』는 영남학자의 설을 대량으로 채택하고, 『가례증해』는 기호학자들의 설을 요령 있게 집성하여, 당대까지 논의된 조선조 예설의 전체를 아우를 수 있게 하였다. 두 종의 예서가 비슷한 시기에 편찬 간행되었다는 것은 기존에 제기된 중국의 예설을 뛰어넘어 조선에서 이루어진 예학 논의의 종합에 대한 필요성이 절실하였다는 증거이기도 하지만, 또한 중국문헌의 의존에서 탈피하여 자족적인 예설 논의가 가능하다는 자신감의 표현이기도 하다. 19세기에도 이러한 흐름은 지속되어 『사의(士儀)』·『전례유집』·『사례집요』 등을 통해 지금까지 논의된 여러 논의가 하나의 예서 속에 수렴되었다. 그 흐름의 양상은 실용적 측면에서 행례 규범을 정립하고, 변례를 지속적으로 탐색하여 적용의 합당성을 모색하는 쪽으로 진행되어, 예학은 조선 문화와 학술의 중요한 특징이자 성과로 자리매김하였다.

예(禮)에는 본(本)과 말(末)이 있다. '본'은 대체(大體), '말'은 적용(適用)이라는 말로 환원하여 말할 수 있다. 대체는 예학의 일반적인 원칙론을 말함이고, 적용은 시대와 지역에 따라 가감 절충되는 변통론을 말함이다. 대체에 대해서는 시대와 지역과 당파를 막론하고 큰 이견이 없다. 예학 논의에서 서로 다른 설이 제기되는 부분은 바로 적용의 부분이다. 적용 부분에서는 흔히 말하는 변례의 특수성이 있기 때문에 학자들에 따라 서로 다른 논의가 가능하다. 이러한 서로 다른 논의를 예학 논쟁이라고 할 때, 예학 논쟁의 활발함 속에서 조선의 예속은 지속되었던 것이다.

본고에서는 조선후기 예학의 지역적 전개 양상이라는 거시적 관점에서 예학의 지역적 당파적 소통과 전승을 위한 예학 연구의 몇 가지 새로운 관점을 제시할 수 있었다.

첫째, 한 개인의 예설이란 가문의 예규(禮規)와 지역의 전통과 풍습을 준수하면서도 사우의 조언과 토론을 통해 발전적으로 모색된 것인 만큼 그가 속한 지역의 역사성과 학단의 경향성도 함께 고려해야 한다.

둘째, 한 학단의 예설이라는 것도 다른 학단과의 소통을 통해 학계의 공인을 획득해야 널리 통용될 수 있는 전범으로 자리 잡을 수 있다. 이렇게 학단과 학단의 소통을 통해 전범으로 자리 잡은 것은 또 시대가 바뀜에 따라서 또 다른 모습으로 전환되어 간다. 다시 말해서 예설이란 단선적으로 전수 확정되는 것이 아니라 복선적(複線的)인 면모를 보이면서 전개된다는 것이다. 예설의 시대적 변이 양상을 고찰하고 거기에 적용된 관점을 도출하기 위해서는 개별 인물이나 그가 속한 학파 속에서의 논의에서 그칠 것이 아니라 공시적이고 통시적인 관점에서 보아야 예학사적 맥락이 제대로 드러날 수 있는 것이다.

이 글은 영남지역 예학을 거시적으로 조망하는 하나의 밑그림을 그렸을 뿐이다. 그러므로 여기에서 논의된 것들을 가지고 영남지역 예학의 면모를 대부분 정리했다고는 할 수 없다. 앞으로의 예학 연구에 있어서 학파별 시기별 지역별 특수성을 모두 고려한 거시적 관점에 입각하여 개별 학자들의 예서와 예설을 면밀하게 검토하고 그 과정을 통해서 특성을 도출하는 작업은 필자가 지속적으로 진행해야 할 과제이다.

참고문헌

1. 문집예서류

경성대 한국학연구소, 『한국예학총서』 1-122, 2008-2011.

경성대 한국학연구소, 『한국예학총서보유』 1-16, 2011.

강필효(姜必孝), 『해은유고(海隱遺稿)』

고세장(高世章), 『낭옹집(浪翁集)』

곽종석(郭鍾錫), 『예의문답유편(禮疑問答類編)』 『육례홀기(六禮笏記)』 『면우집(俛宇集)』 『면우선생연보(俛宇先生年譜)』

권사학(權思學), 『죽촌집(竹村集)』

권상익(權相翊), 『신정오복도(新定五服圖)』

권 시(權 諰), 『탄옹집(炭翁集)』

권운환(權雲煥), 『명호집(明湖集)』

김계광(金啓光), 『구재집(鳩齋集)』

김낙행(金樂行), 『구사당집(九思堂集)』

김도화(金道和), 『척암집(拓庵集)』

김병종(金秉宗), 『문소가례(聞韶家禮)』

김상헌(金尙憲), 『독례수초(讀禮隨鈔)』

김시락(金時洛), 『상암집(莊庵集)』

김영시(金永蓍), 『평곡집(平谷集)』

김응조(金應祖), 『사례문답(四禮問答)』 『학사집(鶴沙集)』

김익동(金翊東), 『상제의집록(喪祭儀輯錄)』

김장생(金長生), 『가례집람(家禮輯覽)』 『상례비요(喪禮備要)』 『의례문해(疑禮問解)』

김장환(金章煥), 『사례초요(四禮抄要)』

김재식(金在植), 『이자예설유편(二子禮說類編)』

김종직(金宗直), 『이준록(彝尊錄)』

김종휴(金宗烋), 『서소집(書巢集)』

김창협(金昌協), 『농암집(農巖集)』

김택영(金澤榮), 『소호당집(韶濩堂集)』

김현옥(金顯玉), 『산석집(山石集)』

김흥락(金興洛), 『서산집(西山集)』

남경희(南景義), 『치암집(癡庵集)』

남공철(南公轍), 『금릉집(金陵集)』

남정우(南廷瑀), 『입암집(立巖集)』

남제명(南濟明), 『수약당집(守約堂集)』

노덕규(盧德奎), 『예설유집(禮說類輯)』『고금당집(古今堂集)』

노상익(盧相益), 『퇴계한강성호삼선생예설유집(退溪寒岡星湖三先生禮說類輯)』

노상직(盧相稷), 『상체편람(常體便覽)』『소눌집(小訥集)』

노필연(盧佖淵), 『극재집(克齋集)』

도한기(都漢基), 『사례절략(四禮節略)』『관헌집(管軒集)』

류병문(柳炳文), 『대산선생상제례답문(大山先生喪祭禮答問)』『소은집(素隱集)』

류성룡(柳成龍), 『서애집(西厓集)』

류심춘(柳尋春), 『강고집(江臯集)』

류장원(柳長源), 『상변통고(常變通攷)』『동암집(東巖集)』

류주목(柳疇睦), 『전례유집(全禮類輯)』『계당집(溪堂集)』

류치덕(柳致德), 『전례고증(典禮攷證)』

류치명(柳致明), 『가례집해(家禮輯解)』『정재집(定齋集)』

류치엄(柳致儼), 『호학집성(湖學輯成)』

류휘문(柳徽文), 『가례고정(家禮攷訂)』『관복고증(冠服攷證)』『호고와집(好古窩集)』

미　상, 『면례의절(緬禮儀節)』

미　상, 『의례통고(禮宜通考)』

박건중(朴建中), 『초종례요람(初終禮要覽)』

박규수(朴珪壽), 『거가잡복고(居家雜服攷)』

박세채(朴世采), 『남계선생예설(南溪先生禮說)』 『육례의집(六禮疑輯)』 『남계집(南溪集)』

박치복(朴致馥), 『만성집(晚醒集)』

서석화(徐錫華), 『경설유편(經說類編)』

서정옥(徐廷玉), 『사례통고(士禮通攷)』

서찬규(徐贊奎), 『매산선생경예설(梅山先生經禮說)』 『임재집(臨齋集)』

서창재(徐昌載), 『관례고정(冠禮考定)』 『오산집(梧山集)』

성계우(成啓宇), 『학재집(鶴齋集)』

성근묵(成近默), 『과재집(果齋集)』

손기양(孫起陽), 『오한집(聱漢集)』

손여제(孫汝濟), 『예서유편(禮書類編)』 『뇌고집(雷皐集)』

송능상(宋能相), 『운평집(雲坪集)』

송시열(宋時烈), 『송자대전(宋子大全)』

송준길(宋浚吉), 『동춘당집(同春堂集)』

송준필(宋浚弼), 『육례수략(六禮修略)』 『공산집(恭山集)』

송환기(宋煥箕), 『성담집(性潭集)』

신몽삼(辛夢參), 『가례집해(家禮輯解)』 『일암집(一庵集)』

신석우(申錫愚), 『독례록(讀禮錄)』

신호인(申顥仁), 『삼주집(三洲集)』

심광세(沈光世), 『휴옹집(休翁集)』

심의락(沈宜洛), 『사례간요(四禮簡要)』

안경점(安景漸), 『냉와집(冷窩集)』

안 신(安 玧), 『가례부췌(家禮附贅)』

안여경(安餘慶), 『옥천선생유고(玉川先生遺稿)』

안 엽(安 曄), 『술고상제(述古常制)』

안응창(安應昌), 『백암집(柏巖集)』

안 정(安 侹), 『도곡집(道谷集)』

안정려(安鼎呂), 『상변요의(常變要義)』

안정복(安鼎福), 『순암집(順菴集)』

우재악(禹載岳), 『인촌집(仁村集)』

유인석(柳麟錫), 『의암집(毅庵集)』

윤주하(尹冑夏), 『찬축고증(贊祝考證)』『교우집(膠宇集)』

윤 증(尹 拯), 『명재선생의례문답(明齋先生疑禮問答)』『명재집(明齋集)』

이광정(李光靖), 『소산집(小山集)』

이광정(李光庭), 『눌은집(訥隱集)』

이규경(李圭景), 『오주연문장전산고(五洲衍文長箋散稿)』

이규준(李圭晙), 『곡례유이(曲禮幼肄)』

이덕무(李德懋), 『청장관전서(靑莊館全書)』

이두훈(李斗勳), 『홍와집(弘窩集)』

이만부(李萬敷), 『식산전서(息山全書)』

이명배(李命培), 『모계집(茅溪集)』

이매구(李邁久), 『소암집(小庵集)』

이병원(李秉遠), 『소암집(所菴集)』

이병원(李秉遠)·류치명(柳致明), 『고산급문록(高山及門錄)』

이병헌(李炳憲), 『이병헌전집(李炳憲全集)』

이병호(李炳鎬), 『동정유고(東亭遺稿)』

이상정(李象靖), 『결송장보(決訟場補)』『대산집(大山集)』

이석균(李鉐均), 『가향이례참고략(家鄕二禮參考略)』『소암집(小庵集)』

이승희(李承熙), 『대계집(大溪集)』

이언적(李彦迪), 『봉선잡의(奉先雜儀)』

이 옥(李 沃), 『사례종요(四禮綜要)』『박천집(博泉集)』

이 완(李 埦), 『통모록(痛慕錄)』

이원조(李源祚), 『응와집(凝窩集)』

이유태(李惟泰), 『초려집(草廬集)』

이응진(李應辰), 『예의속집(禮疑續輯)』

이의조(李宜朝), 『가례증해(家禮增解)』

이의택(李義澤), 『사례집략(四禮輯略)』

이이순(李頥淳), 『후계집(後溪集)』

이이정(李而楨), 『죽파집(竹坡集)』

이 익(李 瀷), 『가례질서(家禮疾書)』『성호집(星湖集)』『성호사설(星湖僿說)』

이익전(李益銓), 『예의답문분류(禮疑答問分類)』

이 재(李 縡), 『도암집(陶菴集)』

이　재(李　栽), 『밀암집(密庵集)』

이정모(李正模), 『자동집(紫東集)』

이종수(李宗洙), 『후산집(后山集)』

이종홍(李鍾弘), 『가향휘의(家鄕彙儀)』『묘의(廟儀)』『의재집(毅齋集)』

이주원(李周遠), 『안릉세전(安陵世典)』

이진상(李震相), 『사례집요(四禮輯要)』『한주집(寒洲集)』

이　채(李　采), 『화천집(華泉集)』

이탁소(李鐸韶), 『일산집(一山集)』

이현일(李玄逸), 『갈암집(葛庵集)』

이형상(李衡祥), 『가례부록(家禮附錄)』『가례편고(家禮便考)』『가례혹문(家禮或問)』『병와집(瓶窩集)』

이　황(李　滉), 『퇴계집(退溪集)』

임헌회(任憲晦), 『고산집(鼓山集)』

장복추(張福樞), 『가례보의(家禮補疑)』『사미헌집(四未軒集)』

장석신(張錫藎), 『과재집(果齋集)』

장석영(張錫英), 『구례홀기(九禮笏記)』『대례관견(戴禮管見)』『사례태기(四禮汰記)』『의례집전(儀禮集傳)』『회당집(晦堂集)』

장윤상(張允相), 『가례보궐(家禮補闕)』『야촌집(野村集)』

장응일(張應一), 『청천당집(聽天堂集)』

장현광(張顯光), 『여헌집(旅軒集)』

장화식(蔣華植), 『복암집(復菴集)』

전규환(全奎煥), 『소심정집(小心亭集)』

전　우(田　愚), 『간재집(艮齋集)』

정경세(鄭經世), 『양정편(養正篇)』『우복집(愚伏集)』

정　구(鄭　逑), 『오선생예설분류(五先生禮說分類)』『오복연혁도(五服沿革圖)』『한강집(寒岡集)』

정극후(鄭克後), 『문묘향사지(文廟享祀志)』『쌍봉집(雙峯集)』

정　기(鄭　琦), 『사례의(四禮儀)』『상변고축합편(常變告祝合編)』

정만양(鄭萬陽)·정규양(鄭葵陽), 『의례통고(疑禮通攷)』『개장비요(改葬備要)』『훈지집(塤篪集)』

정면규(鄭冕圭), 『농산집(農山集)』

정사하(鄭師夏), 『상례집해(喪禮輯解)』

정 선(鄭 銧), 『예의보유(禮儀補遺)』

정약용(丁若鏞), 『상의절요(喪儀節要)』

정 위(鄭 煒), 『가례휘통(家禮彙通)』

정재규(鄭載圭), 『사례의의혹문(四禮疑義或問)』 『노백헌집(老柏軒集)』

정재성(鄭載星), 『구재집(苟齋集)』

정종로(鄭宗魯), 『입재집(立齋集)』

정치귀(鄭致龜), 『학파유고(鶴坡遺稿)』

조긍섭(曺兢燮), 『암서집(巖棲集)』

조병규(趙昺奎), 『사례요의(士禮要儀)』

조병덕(趙秉悳), 『숙재집(肅齋集)』

조성렴(趙性濂), 『심재집(心齋集)』

조시광(趙是光), 『주강집(柱江集)』

조 식(曺 植), 『남명집(南冥集)』

조임도(趙任道), 『봉선초의(奉先抄儀)』 『간송집(澗松集)』

조 진(趙 振), 『퇴계선생상제례답문(退溪先生喪祭禮答問)』

조하위(曺夏瑋), 『소암집(笑菴集)』

조현명(趙顯命), 『귀록집(歸鹿集)』

조희규(曺禧奎), 『창와집(菖窩集)』

주 희(朱 熹), 『주자가례(朱子家禮)』 『논어집주(論語集註)』 『맹자집주(孟子集註)』 『회암집(晦庵集)』

최긍민(崔兢敏), 『면문승교록(俛門承敎錄)』

최숙민(崔琡民), 『계남집(溪南集)』

최학길(崔鶴吉), 『구재집(懼齋集)』

최효술(崔孝述), 『지헌집(止軒集)』

하겸락(河兼洛), 『사헌유집(思軒遺集)』

하겸진(河謙鎭), 『회봉유서(晦峯遺書)』

하경락(河經洛), 『제남집濟南集』

하시찬(夏時贊), 『팔례절요(八禮節要)』 『열암집(悅菴集)』

하응도(河應圖), 『영무성재선생일고(寧無成齋先生逸稿)』

한운성(韓運聖), 『입헌집(立軒集)』

한원집(韓元震), 『남당집(南塘集)』

허　유(許　愈), 『후산집(后山集)』

허　전(許　傳), 『사의(士儀)』・『사의절요(士儀節要)』・『성재집(性齋集)』

허　채(許　埰), 『금주집(錦洲集)』

홍　석(洪　錫), 『상제요록(喪祭要錄)』・『손우집(遜愚集)』

홍직필(洪直弼), 『매산집(梅山集)』

2. 단행본류

강세구, 『성호학통 연구』, 혜안, 1999.

권경렬・공근식 옮김, 『대산집』, 한국고전번역원, 2009.

권태을, 『식산이만부문학연구(息山李萬敷文學研究)』, 오성출판사, 1990.

고영진, 『조선시대 사상사를 어떻게 볼 것인가』, 풀빛, 1999.

_____, 『조선후기 예학사상사』, 한길사, 1995.

금장태, 『유교의 사상과 의례』, 예문서원, 2000.

김미영, 『동자례(童子禮)・거향잡의(居鄕雜儀)』, 민속원, 2011.

_____, 『유교의례의 전통과 상징』, 민속원, 2010.

김병호, 『유학연원록(儒學淵源錄)』, 유학연원록간행소, 1981.

류탁일, 『경남지방출판문화논고』, 세종출판사, 2001.

양천우(楊天宇), 『정현삼례주연구(鄭玄三禮注硏究)』, 중국사회과학출판사, 2008.

오강원 역주, 『의례(儀禮)』 1・2・3, 청계, 2000.

유권종, 『예학과 심학』, 한국학술정보(주), 2009.

유명종, 『조선후기 성리학』(한국사상사Ⅱ), 이문출판사, 1985.

이동인・이봉규・정일균, 『조선시대 충청지역의 예학과 교육』, 백산서당, 2001.

이상필, 『남명학파의 형성과 전개』, 와우출판사, 2005.

이상하, 『한주 이신성의 주리론 연구』, 경인문화사, 2007.

이수건, 『영남학파의 형성과 전개』, 일조각, 1995.

이형성, 『한주 이진상의 철학사상』, 심산, 2006.

정경주, 『한국고전의례상식』, 신지서원, 2006.

최석기, 『조선시대 『대학장구』 개정과 그에 관한 논변』, 보고사, 2011.

_____, 『한국경학가사전』, 성균관대 대동문화연구원, 1998.

퇴계연구소, 『퇴계학맥의 지역적 전개』, 보고사, 2004.

한국고전의례연구회『국역 가례증해(家禮增解)』, 민속원, 2011.

_____,『국역 사의(士儀)』, 보고사, 2006.

_____,『국역 상변통고(常變通攷)』, 신지서원, 2009.

한국국학진흥원,『영남 지방의 퇴계학맥도』, 2002.

한국철학사연구회,『한국철학사상사』(개정판), 심산, 2003.

홍선표 외,『17·18세기 조선의 외국서적 수용과 독서실태-목록과 해제』, 혜안, 2006.

홍원식,『한주 이진상의 생애와 사상』, 예문서원, 2008.

3. 학위논문류

강윤정,「정재학파(定齋學派)의 현실인식과 구국활동」, 단국대 박사학위논문, 2006.

고영진,「조선중기의 예설과 예서」, 서울대 박사학위논문, 1992.

김봉곤,「노사학파(蘆沙學派)의 형성과 활동」, 한국정신문화연구원 박사학위논문, 2007.

김윤정,「18세기 예학 연구-낙론(洛論)의 예학을 중심으로」, 한양대 박사학위논문, 2011.

김주부,「식산(息山) 이만부(李萬敷)의 산수기행문학 연구-『지행록(地行錄)』과『누항록(陋巷錄)』을 중심으로」, 성균관대 박사학위논문, 2009.

도민재,「조선전기 예학사상 연구」, 성균관대 박사학위논문, 1998.

류영수,「정재(定齋) 류치명(柳致明) 경학 연구」, 경북대 박사학위논문, 2012.

류준정,「조선조 예서의 편찬방법 연구-범례를 중심으로」, 부산대 석사학위논문, 1991.

박종천,「다산 정약용의 전례논쟁 비평에 대한 연구-『국조전례고(國朝典禮考)』를 중심으로」, 서울대 석사학위논문, 2000.

배상현,「조선조 기호학파의 예학사상에 관한 연구-송익필·김장생·송시열을 중심으로」, 고려대 박사학위논문, 1991.

유권종,「다산(茶山) 예학 연구-상의설(喪儀說)을 중심으로」, 고려대 박사학위논문, 1991.

장동우,「다산(茶山) 예학의 연구-『의례』「상복(喪服)」과『상례사전(喪禮四箋)』「

상기별(喪期別)」의 비교를 중심으로」, 연세대 박사학위논문, 1997.

전성건, 「다산(茶山)의 예치사상 연구」, 고려대 박사학위논문, 2010.

정경희, 「조선전기 예제·예학 연구」, 서울대 박사학위논문, 2000.

정광무, 「낙파(洛坡) 류후조(柳厚祚) 연구」, 단국대 박사학위논문, 2008.

정길연, 「매산(梅山) 홍직필(洪直弼)의 예설연구」, 경성대 석사학위논문, 2008.

한재훈, 「퇴계(退溪) 예학사상 연구」, 고려대 박사학위논문, 2012.

황만기, 「청음(淸陰) 김상헌(金尙憲)의 시문학에 나타난 의리정신」, 성균관대 박사학위논문, 2009.

황영환, 「조선조 예서의 발전에 관한 연구-특히 '가례서의 발전계통'을 중심으로」, 청주대 석사학위논문, 1995.

4. 해제류

권진호, 「『결송장보(決訟場補)』 해제」, 『한국예학총서』 49, 경성대 한국학연구소, 2008.

_____, 「『사례문답(四禮問答)』 해제」, 『한국예학총서보유』 2, 경성대 한국학연구소, 2011.

_____, 「『상변찬요(常變纂要)』 해제」, 『한국예학총서』 78, 경성대 한국학연구소, 2011.

금장태, 「진암전서(眞庵全書) 해제」, 『이병헌전집(李炳憲全集)』, 아세아문화사, 1989.

김순미, 「『가향이례참고략(家鄕二禮參考略)』 해제」, 『한국예학총서』 106, 경성대 한국학연구소, 2011.

_____, 「『가향휘의(家鄕彙儀)』 해제」, 『한국예학총서』 112, 경성대 한국학연구소, 2011.

_____, 「묘의(廟儀)」 해제」, 『한국예학총서』 112, 경성대 한국학연구소, 2011.

_____, 「『사례집요(四禮輯要)』 해제」, 『한국예학총서』 95, 경성대 한국학연구소, 2011.

_____, 「『예의문답유편(禮疑問答類編)』 해제」, 『한국예학총서』 100, 경성대 한국학연구소, 2011.

_____, 「『육례홀기(六禮笏記)』 해제」, 『한국예학총서』 100, 경성대 한국학연구

소, 2011.

김철범, 「『가례고증(家禮考證)』 해제」, 『한국예학총서』 4, 경성대 한국학연구소, 2008.

_____, 「『사례요의(士禮要儀)』 해제」, 『한국예학총서』 101, 경성대 한국학연구소, 2011.

_____, 「『사의절요(士儀節要)』 해제」, 『한국예학총서』 82, 경성대 한국학연구소, 2011.

_____, 「『상체편람(常體便覽)』 해제」, 『한국예학총서』 106, 경성대 한국학연구소, 2011.

김철범·정경주, 「『사의(士儀)』 해제」, 『국역 사의』 1, 보고사, 2006.

남재주, 「『가례집요(家禮輯要)』 해제」, 『한국예학총서보유』 11, 경성대 한국학연구소, 2011.

_____, 「『곡례유이(曲禮幼肄)』 해제」, 『한국예학총서』 106, 경성대 한국학연구소, 2011.

_____, 「『독례수초(讀禮隨鈔)』 해제」, 『한국예학총서』 9, 경성대 한국학연구소, 2008.

_____, 「『봉선초의(奉先抄儀)』 해제」, 『한국예학총서보유』 1, 경성대 한국학연구소, 2011.

_____, 「『사례태기(四禮汰記)』 해제」, 『한국예학총서』 105, 경성대 한국학연구소, 2011.

_____, 「『상례요해(喪禮要解)』 해제」, 『한국예학총서』 92, 경성대 한국학연구소, 2011.

_____, 「『상제요록(喪祭要錄)』 해제」, 『한국예학총서보유』 1, 경성대 한국학연구소, 2011.

_____, 「『상제집요(喪祭輯要)』 해제」, 『한국예학총서』 86, 경성대 한국학연구소, 2011.

_____, 「『육례수략(六禮修略)』 해제」, 『한국예학총서』 108, 경성대 한국학연구소, 2011.

_____, 「『의례집전(儀禮集傳)』 해제」, 『한국예학총서』 102, 경성대 한국학연구소, 2011.

설석규, 「『경설유편(經說類編)』 해제」, 『경설유편』(한국국학진흥원소장자료영인총서3), 한국국학진흥원, 2004.

유영옥, 「『사례절략(四禮節略)』 해제」, 『한국예학총서』 97, 경성대 한국학연구소, 2011.

이동환, 「『갈암집』 해제」, 『국역 갈암 이현일 문집』, 한국학술정보(주), 2006.

이성혜, 「『안릉세전(安陵世典)』 해제」, 『한국예학총서』 50, 경성대 한국학연구소, 2008.

이승연, 「『면례의절(緬禮儀節)』 해제」, 『한국예학총서』 122, 경성대 한국학연구소, 2011.

_____, 「『문소가례(聞韶家禮)』 해제」, 『한국예학총서』 110, 경성대 한국학연구소, 2011.

_____, 「『사례유회(四禮類會)』 해제」, 『한국예학총서』 66, 경성대 한국학연구소, 2011.

_____, 「『의례통고(疑禮通攷)』 해제」, 『한국예학총서』 33, 경성대 한국학연구소, 2008.

_____, 「『팔례절요(八禮節要)』 해제」, 『한국예학총서』 62, 경성대 한국학연구소, 2011.

정경주, 「『가례증해(家禮增解)』 해제」, 『국역 가례증해』 1, 민속원, 2011.

_____, 「『가례집해(家禮輯解)』 해제」, 『한국예학총서』 25, 경성대 한국학연구소, 2008.

_____, 「『사의(士儀)』 해제」, 『한국예학총서』 80, 경성대 한국학연구소, 2011.

_____, 「『상변통고(常變通攷)』 해제」, 『국역 상변통고』 1, 신지서원, 2009.

_____, 「『전례유집(全禮類輯)』 해제」, 『한국예학총서』 87, 경성대 한국학연구소, 2011.

전길연, 「『사례의(四禮儀)』 해제」, 『한국예학총서』 112, 경성대 한국학연구소, 2011.

_____, 「『사례의의혹문(四禮疑義或問)』 해제」, 『한국예학총서』 97, 경성대 한국학연구소, 2011.

_____, 「『이례집략(二禮輯略)』 해제」, 『한국예학총서』 62, 경성대 한국학연구소, 2011.

정우락, 「『가례휘통(家禮彙通)』 해제」, 『한국예학총서』 61, 경성대 한국학연구소, 2011.

조창규, 「『관례고정(冠禮考定)』 해제」, 『한국예학총서』 57, 경성대학교 한국학연구소, 2008.

_____, 「『구례홀기(九禮笏記)』 해제」, 『한국예학총서』 105, 경성대 한국학연구소, 2011.

5. 일반논문류

강대민, 「성재(性齋) 허전(許傳)문도의 애국활동」, 『문화전통논집』 5, 경성대 한국학연구소, 1997.

강동욱, 「성재 허전의 강우지역(江右地域) 문인 고찰」, 『남명학연구』 31, 경상대 남명학연구소, 2011.

강정화, 「심재(心齋) 조성렴(趙性濂)의 삶과 시세계」, 『남명학연구』 31, 경상대 남명학연구소, 2011.

고영진, 「17세기 전반 남인학자의 사상-정경세·김응조를 중심으로」, 『역사와 현실』 8, 한국역사연구회, 1992.

_____, 「윤증과 박세채의 학문적 교유」, 『역사학연구』 31, 호남사학회, 2007.

_____, 「지산 조호익의 예학사상」, 『한국의 철학』 26, 경북대 퇴계연구소, 1998.

권연웅, 「『회연급문제현록(檜淵及門諸賢錄)』 소고(小考)」, 『한국의 철학』 13, 경북대 퇴계연구소, 1985.

권오민·남성우·안상영·박상영·한창현·안상우, 「석곡(石谷) 이규준(李圭晙)의 『석곡산고(石谷散稿)』 번역 연구(Ⅱ)」, 『대한한의학원전학회지』 22(4), 대한한의학원전학회, 2009.

권오영, 「19세기 강우학계(江右學界)와 김진호(金鎭祜)의 학문활동」, 『물천 김진호의 학문과 사상』, 술이, 2007.

_____, 「19세기 강우학자(江右學者)들의 학문활동」, 『남명학연구』 11, 경상대 남명학연구소, 2000.

_____, 「19세기의 영남 학계와 면우(俛宇) 곽종석(郭鍾錫)의 이학」, 『남명학연구』 28, 경상대 남명학연구소, 2009.

_____, 「유치명 학파의 형성과 위정척사운동」, 『한국근현대사연구』 10, 한국근현대사학회, 1999.

_____, 「학봉 김성일과 안동 지역의 퇴계학맥」, 『퇴계학맥의 지역적 전개』, 보고사, 2004.

권진호, 「영남학파의 『주자가례』수용 양상-동암(東巖) 류장원(柳長源)의 『상변통고(常變通攷)』를 중심으로」, 『국학연구』 16, 한국국학진흥원, 2010.

금장태, 「퇴계학파의 학문(15)-대산(大山) 이상정(李象靖)의 사상」, 『퇴계학보』 95, 퇴계학연구원, 1997.

_____, 「한강(寒岡) 정구(鄭逑)의 예학사상」, 『유교사상연구』 4·5, 한국유교학회, 1992.

김낙진, 「17~8세기 영남의 학술동향과 박태무의 성리학」, 『남명학연구』 16, 경상대 남명학연구소, 2003.

김동준, 「면우(俛宇) 곽종석(郭鍾錫)의 한시에 부조된 지리산의 형상」, 『남명학연구』 27, 경상대 남명학연구소, 2009.

김미영, 「가가례를 통해본 영남예학의 특징」, 『국학연구』 13, 한국국학진흥원, 2008.

김봉곤, 「영남지역 노사학파(蘆沙學派)의 성장과 문인 정재규(鄭載圭)의 역할」, 『남명학연구』 29, 경상대 남명학연구소, 2010.

_____, 「영남지역에서의 노사학파와 한주학파(寒洲學派)의 성립과 학설교류」, 『공자학』 14, 한국공자학회, 2007.

김성윤, 「조선시대 성주권(星州圈) 유림층의 동향~학맥·학풍·향전·향약을 중심으로」, 『역사와 경제』 59, 부산경남사학회, 2006.

김성진, 「의재(毅齋) 이종홍(李鍾弘)의 항일충절의식과 그의 시문」, 『한국문화연구』 7, 부산대 한국문화연구소, 1995.

김시덕, 「가가례로 보는 경기지역 제사의 특성」, 『실천민속학』 2, 실천민속학회, 2000.

김시황, 「여헌(旅軒) 장현광(張顯光) 선생의 예학사상」, 『동양예학』 24, 동양예학회, 2011.

_____, 「진암(進菴) 이수호(李遂浩) 선생의 생애와 학문」, 『동양예학』 13, 동양예학회, 2004.

김정민, 「성호 이익의 예사상과 실천의 실례-『성호선생예식(星湖先生禮式)』 소재 관혼례의 경우」, 『동양예학』 16, 동양예학회, 2007.

김종석, 「성호(星湖) 이익(李瀷)에 있어서 퇴계(退溪) 예학의 계승과 변용」, 『동아인문학』 10, 동아인문학회, 2006.

김철범, 「성재 허전의 생애와 학문연원」, 『문화전통논집』 5, 경성대 한국학연구소, 1997.

_____, 「허성재(許性齋) 저술고략(著述考略)」, 『문화전통논집』 9, 경성대 한국학
연구소, 2001.

김태년, 「학사(鶴沙) 김응조(金應祖)의 생애와 학문」, 『동양고전연구』 29, 동양고
전학회, 2007.

김학수, 「17세기 초반 영천유림(永川儒林)의 학맥과 장현광(張顯光)의 임고서원
(臨皐書院) 제향논쟁(祭享論爭)」, 『조선시대사학보』 35, 조선시대사학회,
2005.

_____, 「갈암학파의 성격에 대한 검토-제(諸) 학맥의 수용양상을 중심으로」, 『
퇴계학』 20, 안동대 퇴계학연구소, 2011.

_____, 「성호(星湖) 이익(李瀷)의 학문연원-가학의 연원과 사우관계를 중심으로
」, 『성호학보』 1, 성호학회, 2005.

김현수, 「한강(寒岡) 정구(鄭逑)의 경의협지(敬義夾持)와 예(禮)」, 『한국철학논집』
9, 한국철학사연구회, 2000.

_____, 「한강(寒岡) 정구(鄭逑)의 예학사상-『오선생예설분류(五先生禮說分類)』
를 중심으로」, 『동양예학』 6, 동양예학회, 2001.

남재주, 「사미헌(四未軒) 장복추가(張福樞家) 예학의 가학 원류」, 『영남학』 14,
경북대 영남문화연구원, 2008.

_____, 「속례(俗禮)의 사례와 수용-비판」, 『동양예학』 22, 동양예학회, 2009.

_____, 「위재(危齋) 조상덕(趙相悳)의 「유례편해(儒禮編解)」 연구」, 『국학연구』
18, 한국국학진흥원, 2011.

_____, 「퇴계(退溪)의 절충적 논례 관점」, 『동양한문학연구』 33, 동양한문학회,
2011.

노인숙, 「사계예학고(沙溪禮學考)-『가례집람(家禮輯覽)』과 『상례비요(喪禮備要)』
를 중심으로」, 『사계사상연구』, 사계신독재양선생기념사업회, 1991.

_____, 「성호(星湖) 이익(李瀷)의 『가례질서(家禮疾書)』고」, 『인문학연구』 20,
중앙대 인문과학연구소, 1993.

_____, 「한강(寒岡) 정구(鄭逑)의 예학에 관한 연구」, 『유교사상연구』 12, 한국
유교학회, 1999.

도민재, 「간재(艮齋)의 예학사상」, 『간재학논총』 9, 간재학회, 2009.

_____, 「계당(溪堂) 류주목(柳疇睦)의 예학사상」, 『퇴계학과 한국문화』 44, 경북

대 퇴계연구소, 2009.

_____, 「퇴계(退溪) 예학사상의 특성」, 『유학연구』 19, 충남대 유학연구소, 2009.

_____, 「한강(寒岡) 정구(鄭逑)의 학문과 예학사상」, 『한국사상과 문화』 18, 한 국사상문화학회, 2002.

_____, 「회재(晦齋) 이언적(李彦迪)의 예학사상 연구-『봉선잡의(奉先雜儀)』를 중 심으로」, 『동양철학연구』 35, 동양철학연구회, 2003.

류영수, 「정재(定齋) 류치명(柳致明) 연구(1)」, 『동방한문학』 44, 동방한문학회, 2010.

박우훈, 「면우(俛宇) 곽종석(郭鍾錫)의 전(傳)에 대하여」, 『남명학연구』 27, 경상 대 남명학연구소, 2009.

배상현, 「성호(星湖) 이익(李瀷)의 예학사상」, 『태동고전연구』 10, 태동고전연구 소, 1993.

_____, 「한강(寒岡) 정구(鄭逑)와 그의 예학사상」, 『유학연구』 3, 충남대 유학연 구소, 1995.

백도근, 「근기 퇴계학파 예학과 연구-성호예학의 연원과 이념」, 『철학연구』 90, 대한철학회, 2004.

_____, 「대구 서인 열암 하시찬의 삶과 학문」, 『윤리교육연구』 27, 한국윤리교 육학회, 2012.

_____, 「의상육조소(擬上六條疏)를 통해 본 계당 류주목 선생의 사상」, 『상주 문화연구』 5, 경북대 상주문화연구소, 1995.

서동일, 「1896년 곽종석(郭鍾錫)의 포고천하문(布告天下文) 발송 경위」, 『남명학 연구』 27, 경상대 남명학연구소, 2009.

서수생, 「한강(寒岡) 정구(鄭逑)의 예학」, 『한국의 철학』 13, 경북대 퇴계연구소, 1985.

설석규, 「면우(俛宇) 곽종석(郭鍾錫)의 정치철학과 국권회복 방향」, 『남명학연구』 28, 경상대 남명학연구소, 2009.

송갑준, 「성호 이익의 예학에 관한 연구」, 『철학논집』 8, 경남대 철학과, 1995.

송희준, 「18세기 영천(永川) 지역의 『가례』 주석서에 대하여」, 『한국의 철학』 28, 경북대 퇴계연구소, 2000.

_____, 「영천(永川)·경주(慶州) 지역 예학자들의 『주자가례』 탐구와 그 시행-17 세기 후반에서 18세기까지」, 『동양예학』 5, 동양예학회, 2000.

신순철, 「정산종사(鼎山宗師)의 유학과 송준필(宋浚弼) 선생」, 『원불교사상』 16, 원광대 원불교사상연구원, 1983.

신승훈, 「면우(俛宇) 곽종석(郭鍾錫) 문학사상 일고」, 『남명학연구』 28, 경상대 남명학연구소, 2009.

안병걸, 「퇴계학의 계승 양상과 그 연구과제」, 『퇴계학』 13, 안동대 퇴계학연구소, 2002.

오세창, 「파리장서(巴里長書)와 송준필(宋浚弼)」, 『한국근현대사연구』 15, 한울, 2000.

오용원, 「고종일기(考終日記)와 죽음을 맞는 한 선비의 일상-대산(大山) 이상정(李象靖)의 「고종시일기(考終時日記)」를 중심으로」, 『대동한문학』 30, 대동한문학회, 2009.

우인수, 「계당(溪堂) 류주목(柳疇睦)과 민산(閩山) 류도수(柳道洙)의 학통과 그 역사적 위상」, 『퇴계학과 한국문화』 44, 경북대 퇴계연구소, 2009.

_____, 「사미헌 장복추의 문인록과 문인집단 분석」, 『어문논총』 47, 한국문학언어학회, 2007.

_____, 「여헌(旅軒) 장현광(張顯光)과 선산(善山) 지역의 퇴계학맥(退溪學脈)」, 『한국의 철학』 28, 경북대 퇴계연구소, 2000.

_____, 「입재(立齋) 정종로(鄭宗魯)의 영남남인(嶺南南人) 학계내(學界內)의 위상과 그의 현실대응」, 『동방한문학』 25, 동방한문학회, 2003.

유권종, 「근대 영남 예제와 상변통고(常變通攷)」, 『동양한문학회 제82차 학술발표회 자료집』, 동양한문학회, 2004.

_____, 「근대 영남 예제의 사례와 그 특징-『가례보궐(家禮補闕)』을 중심으로」, 『한국사상사학』 23, 한국사상사학회, 2004.

_____, 「무실사상의 예학적 심화-서애학파」, 『조선 유학의 학파들』, 예문서원, 1996.

_____, 「여헌 장현광 예학사상 연구의 성찰과 전망」, 『한국인물사연구』 13, 한국인물사연구소, 2010.

_____, 「여헌 장현광의 예학사상」, 『동양철학』 20, 한국동양철학회, 2003.

_____, 「우복 정경세의 예학 연구-예관념의 분석」, 『동양철학』 6, 한국동양철학회, 1995.

_____, 「우복의 예학사상」, 『우복정경세선생연구』, 태학사, 1996.

_____, 「퇴계와 다산의 예학 비교」, 『동양철학연구』 40, 동양철학연구회, 2004.

_____, 「한강(寒岡) 정구(鄭逑)의 수양론-예학과 심학의 상호 연관의 고찰」, 『민족문화』 29, 민족문화추진회, 2006.

유명종, 「공산(恭山) 송준필(宋浚弼)의 성리학」, 『한중철학』 14, 한중철학회, 1998.

유영옥, 「회봉(晦峯) 하겸진(河謙鎭)의 「국성론(國性論)」 분석」, 『동양한문학연구』 31, 동양한문학회, 2010.

윤동원, 「갈암(葛庵) 이현일(李玄逸)의 생애와 『금양급문록(錦陽及門錄)』의 내용 고찰」, 『국립대학도서관보』 27, 국공립대학도서관협의회, 2009.

_____, 「대산(大山) 이상정(李象靖)의 문인록 소고」, 『고산급문록(高山及門錄)』 하, 영남퇴계학연구원, 2011.

_____, 「정재(定齋) 류치명(柳致明)의 생애와 『평상제현급문록』에 관한 연구」, 『도서관』 379, 국립중앙도서관, 2007.

이범직, 「한강(寒岡) 정구(鄭逑)의 학문과 예학」, 『도산학보』 6, 도산학술연구원, 1997.

이봉규, 「17세기 예송에 대한 정약용의 철학적 분석-정체전중변을 중심으로」, 『공자학』 2, 한국공자학회, 1996.

_____, 「실학의 예론-성호학파의 예론을 중심으로」, 『한국사상사학』 24, 한국사상사학회, 2005.

이상필, 「면우(俛宇) 곽종석(郭鍾錫)의 남명학(南冥學) 계승양상」, 『남명학연구』 28, 경상대 남명학연구소, 2009.

_____, 「조선말기 남명학파(南冥學派)의 남명학 계승 양상」, 『남명학연구』 22, 경상대 남명학연구소, 2006.

이상하, 「면우 곽종석의 성리설」, 『남명학연구』 28, 경상대 남명학연구소, 2009.

_____, 「물천(勿川) 김진호(金鎭祜)의 학문성향과 성리설」, 『남명학연구』 21, 경상대 남명학연구소, 2006.

이승연, 「18세기 전후 주자학의 지역적 전개에 관한 일 고찰-정만양·정규양의 『의례통고』를 중심으로」, 『동양사회사상』 18, 동양사회사상학회, 2008.

_____, 「개장례에 관한 소고-정만양·정규양 형제의 개장비요를 중심으로」, 『퇴계학과 한국문화』 44, 경북대 퇴계연구소, 2009.

_____, 「사미헌(四未軒) 장복추(張福樞)의 예학과 『가례보의(家禮補疑)』」, 『영남

학』14, 경북대 영남문화연구원, 2008.

_____, 「진암(進菴) 이수호(李遂浩)의 『사례유회(四禮類會)』에 관한 일고찰」, 『동양예학』 13, 동양예학회, 2004.

이영호, 「면우 곽종석의 논어학과 그 경학사적 위상」, 『남명학연구』 28, 경상대 남명학연구소, 2009.

_____, 「한주(寒洲) 경학(經學)의 특징과 그 경학사적 위상」, 『퇴계학과 한국문화』 38, 경북대 퇴계연구소, 2006.

이완재, 「한강(寒岡) 정구선생(鄭逑先生)의 예학」, 『동방한문학』 10, 동방한문학회, 1994.

이 욱, 「18세기 가학(家學) 전승과 문중서당(門中書堂)」, 『국학연구』 18, 한국국학진흥원, 2011.

이원택, 「17세기 민신(閔愼) 대복(代服) 사건에 나타난 종법(宗法) 인식-박세채(朴世采)와 윤휴(尹鑴)의 논쟁을 중심으로」, 『법사학연구』 29, 한국법사학회, 2004.

이의강, 「면우(俛宇) 곽종석(郭鍾錫) 한시의 인격미」, 『남명학연구』 28, 경상대 남명학연구소, 2009.

이택동, 「회당(晦堂) 장석영론(張錫英論)」, 『한국고전연구』 19, 한국고전연구학회, 2009.

이형성, 「한주(寒洲) 이진상(李震相)과 그 학파 연구의 현황과 전망」, 『유교사상연구』 39, 한국유교학회, 2010.

_____, 「한주학파 성리학의 지역적 전개양상과 사상적 특성」, 『국학연구』 15, 한국국학진흥원, 2009.

이희재, 「노사 기정진의 유교의례관」, 『유교사상연구』 32, 한국유교학회, 2008.

임경석, 「유교 지식인의 독립운동- 1919년 파리장서의 작성 경위와 문안 변동」, 『대동문화연구』 37, 성균관대 대동문화연구원, 2000.

임노직, 「퇴계학파 예학의 경향과 예서」, 『경북학의 정립과 정신문화사 연구(상)-불교·유학편』, 한국국학진흥원, 2007.

임종진, 「만구(晩求) 이종기(李種杞)의 삶과 사상적 특징」, 『남명학연구』 31, 경상대 남명학연구소, 2011.

장동우, 「『가례』 주석서를 통해 본 조선 예학의 진전과정」, 『동양철학』 34, 한국동양철학회, 2010.

_____, 「여헌(旅軒) 장현광(張顯光)의 예설과 예학적 문제의식」, 『유교사상연구』 24, 한국유교학회, 2005.

_____, 「조선시대 가례 연구를 위한 새로운 시각과 방법」, 『한국사상사학』 39, 한국사상사학회, 2011.

_____, 「조선후기 가례 담론의 등장 배경과 지역적 특색」, 『국학연구』 13, 한국국학진흥원, 2008.

정경주, 「가례보의(家禮補疑)에 반영된 조선후기 가례학(家禮學)의 성과와 문제」, 『영남학』 14, 경북대 영남문화연구원, 2008.

_____, 「강우지방(江右地方) 허성재(許性齋) 문도의 학풍」, 『남명학연구』 10, 경상대 남명학연구소, 2000.

_____, 「만성(晩醒) 박치복(朴致馥)의 예설에 대하여」, 『만성 박치복의 학문과 사상』, 술이, 2007.

_____, 「물천(勿川) 김진호(金鎭祜)의 예학사상」, 『물천 김진호의 학문과 사상』, 술이, 2007.

_____, 「밀양의 퇴계 학맥」, 『퇴계학과 한국문화』 31, 경북대 퇴계연구소, 2002.

_____, 「사미헌(四未軒) 장복추(張福樞) 예설의 논례 경향『가례보의(家禮補疑)』를 중심으로」, 『어문논총』 45, 한국문학언어학회, 2006.

_____, 「성재(性齋) 허전(許傳)의 사의(士儀) 예설에 대하여」, 『동양한문학연구』 19, 동양한문학회, 2004.

_____, 「성재 허전의 학문 사상과 그 학술사적 위상」, 『남명학연구』 31, 경상대 남명학연구소, 2011.

_____, 「소눌 노상직의 생애와 학문경향」 『동양한문학연구』 18, 동양한문학회, 2003.

_____, 「조선조 예학과 선비의 역할」, 『지식인과 인문학』, 보고사, 2012.

_____, 「춘정(春亭) 변계량(卞季良)의 전례(典禮) 예설에 대하여」, 『한국인물사연구』 8, 한국인물사연구소, 2007.

_____, 「허성재(許性齋) 사의(士儀) 예설에 수용된 퇴계학파의 예학관점」, 『퇴계학논총』 10·11, 퇴계학부산연구원, 2005.

_____, 「허성재 예설의 수양자(收養子) 문제에 대하여」, 『문화전통논집』 8, 경성대 한국학연구소, 2000.

정경희, 「16세기 중반 사림의 예학-이황의 예학을 중심으로」, 『한국사연구』 110,

한국사연구회, 2000.

_____, 「주자예학(朱子禮學)의 형성과 『주자가례』」, 『한국사론』 39, 서울대 국사학과, 1998.

정순우, 「성주지역의 퇴계학맥-한강(寒岡)과 동강(東岡)을 중심으로」, 『퇴계학맥의 지역적 전개』, 보고사, 2004.

정우락, 「영남유학(嶺南儒學)의 전통에서 본 소눌(小訥) 노상직(盧相稷) 학문의 실천적 국면들」, 『남명학연구』 24, 경상대 남명학연구소, 2007.

조성산, 「18세기 영·호남 유학의 학맥과 학풍」, 『국학연구』 9, 한국국학진흥원, 2006.

지두환, 「조선후기 예송 연구」, 『부대사학』 11, 부산대 사학과, 1986.

최석기, 「노백헌(老柏軒) 정재규(鄭載圭)의 학문정신과 『대학』 해석」, 『남명학연구』 29, 경상대 남명학연구소, 2010.

_____, 「두산(斗山) 강병주(姜柄周)의 학문과 문학」, 『남명학연구』 31, 경상대 남명학연구소, 2011.

_____, 「면우(俛宇) 곽종석(郭鍾錫)의 명덕설(明德說) 논쟁」, 『남명학연구』 27, 경상대 남명학연구소, 2009.

_____, 「성호(星湖) 이익(李瀷)의 궁경관(窮經觀)」, 『조선후기 경학의 전개와 그 성격』, 성균관대 대동문화연구원, 1998.

최영성, 「정만양(鄭萬陽)·규양(葵陽) 형제의 학문과 사상-훈지사상(塤篪思想)의 형성 및 기호학파와의 학문적 교류를 중심으로」, 『동방한문학』 28, 동방한문학회, 2005.

_____, 「한국유학사에서 면우 곽종석의 위상」, 『남명학연구』 27, 경상대 남명학연구소, 2009.

최재목, 「우복(愚伏) 정경세(鄭經世)와 상주(尙州) 지역의 퇴계 학맥」, 『한국의 철학』 28, 경북대 퇴계연구소, 2000.

팽 림(彭 林), 「한강(寒岡) 정구(鄭逑)의 『오선생예설(五先生禮說)』 초탐(初探)」, 『남명학연구』 11, 경상대 남명학연구소, 2001.

한기범, 「17세기 호서예학파의 예학사상-왕조례(王朝禮)의 인식을 중심으로」, 『한국사상과 문화』 26, 한국사상문화학회, 2004.

_____, 「사계예학파(沙溪禮學派)의 예학연구-예문답서의 분석을 중심으로」, 『유교사상연구』 15, 한국유교학회, 2001.

_____, 「조선중기 호서·영남 예가(禮家)의 예설교류-『의례문해(疑禮問解)』의 분석을 중심으로」, 『조선시대사학보』 4, 조선시대사학회, 1998.

함영대, 「성호(星湖) 이익(李瀷)의 학문형성과 식산(息山) 이만부(李萬敷)」, 『성호학보』 4, 성호학회, 2007.

허권수, 「남명(南冥)·퇴계(退溪) 양학파(兩學派)의 융화(融和)를 위해 노력한 간송(澗松) 조임도(趙任道)」, 『남명학연구』 11, 경상대 남명학연구소, 2001.

_____, 「단계(端磎) 김인섭(金麟燮)의 생애와 학문」, 『남명학연구』 31, 경상대 남명학연구소, 2011.

_____, 「응와(凝窩) 이원조(李源祚)의 학문과 한주(寒洲)에 대한 영향」, 『퇴계학과 한국문화』 39, 경북대 퇴계연구소, 2006.

_____, 「점필재(佔畢齋) 김종직(金宗直)의 선도(先導)와 강우학파(江右學派)」, 『남명학연구』 20, 경상대 남명학연구소, 2005.

_____, 「함안(咸安)의 학문적 전통과 만성(晩醒) 박치복(朴致馥)의 역할」, 『남명학연구』 23, 경상대 남명학연구소, 2007.

_____, 「후산가문(后山家門)의 형성과 후산의 학문적 경향」, 『남명학연구』 19, 경상대 남명학연구소, 2005.

홍우흠, 「한강(寒岡)의 「상퇴계이선생서(上退溪李先生書)」 일고」, 『동양예학』 6, 동양예학회, 2001.

홍원식, 「서애학파와 계당 유주목의 성리설」, 『퇴계학과 한국문화』 44, 경북대 퇴계연구소, 2009.

_____, 「퇴계학의 남전(南傳)과 한주학파」, 『한국의 철학』 30, 경북대 퇴계연구소, 2001.

황위주, 「방산(舫山) 허훈(許薰)의 삶과 학문성향」, 『남명학연구』 31, 경상대 남명학연구소, 2011.

부 록

1. 영남지역의 예서[1]

서명	편저자 (생몰년)	권/책 (판본)	서문	발문	현존	사승	비고
彝尊錄	佔畢齋 金宗直 (1431~1492)	73장 (木)	曺偉 (1497)	康伯珍(1497)	○	金叔滋	『점필재집』
聾巖先生酒 祭禮	聾巖 李賢輔 (1467~1555)	2쪽		李言直(1694)	○	洪貴達	『농암집』『永 陽家禮』참조)
奉先雜儀	晦齋 李彦迪 (1491~1553)	2/1 (木)	李彦迪 (1550)		○	孫仲暾	예총
士喪禮節要	南冥 曺植 (1501~1572)						『남명집』 연 보
退溪先生喪 祭禮說	退溪 李滉 (1501~1570)	2책 (寫)			○	李堣	국중(退溪先 生禮說)
退溪喪祭禮 答問分類	退溪 李滉 (1501~1570)	1책 (寫)			○	李堣	고려대 / 규장 각
退溪先生喪 祭禮答問	退溪 李滉 (1501~1570) 聾隱 趙振(編) (1543~1625)	3/3 (木)		趙振(1610)	○	李滉	예총/李瀷「 聾隱先生喪 祭禮序」
退溪先生禮 說問答	退溪 李滉 (1501~1570) 寒岡 鄭逑(編) (1543~1620)	1책 (寫)			○	李滉	계명대
四禮辨解	嘯皐 朴承任 (1517~1586)					李滉	
喪禮要略	嘯皐 朴承任 (1517~1586)					李滉	
疑禮講錄	嘯皐 朴承任 (1517~1586)					李滉	

---

1) 소장처 약칭: 국중-국립중앙도서관, 국진-한국국학진흥원, 예총-한국예학총서(경성
대 한국학연구소 편).

四禮記聞	梅軒 琴輔 (1521~1585)					李滉	
四禮正變	梅軒 琴輔 (1521~1585)					李滉	
家禮便考	草澗 權文海 (1534~1591)					李滉	『士儀』 고증서적
童子禮	鶴峯 金誠一 (1538~1593)	1책 (木)	金道和 (1900) 李中鋸 (1910)	金潑(1582) 黃有一(1582) 黃宗夏(1749) 金興洛金輝轍 /朴勝振(1910) 黃載宇(1915) 權相翊	○	李滉	예총
喪禮考證	鶴峯 金誠一 (1538~1593)	3/3 (寫)			○	李滉	예총
奉先諸儀	鶴峯 金誠一 (1538~1593)					李滉	「奉先諸規」?
家禮解義問答	玉川 安餘慶 (1538~1592)					鄭逑(交)	『家禮附贅』 인용서목
喪祭雜儀	玉川 安餘慶 (1538~1592)					鄭逑(交)	『家禮附贅』 인용서목
玉川安先生禮說	玉川 安餘慶 (1538~1592)			安鼎福(1744)	○	鄭逑(交)	『옥천선생유고』(禮經要語)
家禮註釋	艮齋 李德弘 (1541~1596)				○	李滉	국진/家禮註解?
家禮註解	艮齋 李德弘 (1541~1596)	8/1 (木)		1829	○	李滉	『간재속집』 권5
家禮釋義	艮齋 李德弘 (1541~1596)					李滉	家禮註解?
愼終錄	西厓 柳成龍 (1542~1607)		柳成龍 (1602)			李滉	「永慕錄序」 참조
喪禮考證	西厓 柳成龍 (1542~1607)	3권 (寫)		柳成龍	○	李滉	예총(제3권 缺)
家禮輯覽補註	寒岡 鄭逑 (1543~1620)					李滉	
深衣制度	寒岡 鄭逑 (1543~1620)	1책 83장 (寫)	丙午 (1606?)	己酉(1609?) 金和鎭(1904?)	○	李滉	장서각/「深衣製造法」 참조

禮記喪禮分類	寒岡 鄭逑 (1543~1620)					李滉	
五服沿革圖	寒岡 鄭逑 (1543~1620)	1/1 (木)		李潤雨(1629) 洪錫(1664) 宋時烈(1665)	○	李滉	예총
五先生禮說分類	寒岡 鄭逑 (1543~1620)	12/7 (木)	鄭逑 (1611)	鄭逑(1618) 張顯光(1629) 李潤雨(1629) 許穆	○	李滉	예총 / 司馬光 張載 程顯 程頤 朱熹
寒岡先生四禮問答彙類	寒岡 鄭逑 (1543~1620) 7대손 鄭熿(編)	4/2 (石)		鄭坑(1842) 盧相稷(1928) 鄭宗鎬(1928) 鄭遠永(1928)	○	李滉	예총
四禮要解	晩松 姜濂 (1544~1606)				소실	曺植	許愈행장
家禮考證	芝山 曺好益 (1545~1609)	7/3 (木)	金坽 (1646)	미상	○	李滉	예총
家禮講錄	勿巖 金隆 (1549~1594)	1권 (木)			○	李滉 朴承任	『勿巖集』권3
疑禮攷證	用拙齋 申湜 (1551~1623)					李滉	居淸州
家禮諺解	用拙齋 申湜 (1551~1623)	10/4 (木)		申得淵(1632) 李植(1632)	○	李滉	예총
溪門禮說	後松齋 金士貞 (1552~1620)	4/2		金士貞		李滉	
喪制手錄	旅軒 張顯光 (1554~1637)						李圭景「家禮辨證說」: 喪禮手錄
旅軒先生禮說	旅軒 張顯光 (1554~1637)	1책 31장 (寫)			○		장서각(冠儀·昏儀·葬儀)
家禮附解	龍潭 任屹 (1557~1620)	4책			○	朴承任 趙穆 鄭逑	국역
家禮喪祭圖說	崔東立 (1557~1611)	5권	李漢			禹性傳	
疑禮問解	畏齋 李厚慶 (1558~1630)	2권			소실	鄭逑	鄭逑의 연보·행장 지음

聲漢禮輯	聲漢 孫起陽(1559~1617)					鄭逑 曺好益	『家禮附贅』인용서목 / 李潪행장
鄕飮酒禮笏記考證	蒼石 李埈(1560~1635)	1책(寫)	李埈		○	柳成龍	이화여대
四禮節解	鳳谷 曺以天(1560~1638)		曺以天			鄭逑(交)	
思問錄	愚伏 鄭經世(1563~1633)				○	柳成龍	『우복집』별집 권2
喪禮參考	愚伏 鄭經世(1563~1633)					柳成龍	
養正篇	愚伏 鄭經世(1563~1633)	1책43장(木)		鄭經世(1604) 李中喆(1926) 朴海徹(1926) 鄭東轍(1926) 李萬敷	○	柳成龍	『우복집』별집 권2
先禮類輯	愚伏 鄭經世(1563~1633) / 立齋 鄭宗魯(1738~1816) 鄭夏默(編) 鄭昌默(完)	6/3	丁泰鎭	權相圭		柳成龍 李象靖	
家禮剳解	黙軒 李芬(1566~1619)		李植	黃宗海(1617)		鄭逑	居溫陽
家禮附贅	五休 安玑(1569~1648)	6/3(木)	安玑(1628)	安鼎福(1758) 安尙鎭(1839)	○	安餘慶 鄭逑 張顯光	예총
讀禮手鈔	淸陰 金尙憲(1570~1653)	4/4(木)		金尙憲(1618)	○	尹根壽	예총
疑禮聞見解	菊潭 朴壽春(1572~1652)					鄭逑 張顯光	趙任道행장
四禮通解	蘭皐 南慶薰(1572~1612)					金彦璣	『四禮解義』와 同書인듯
四禮解義	蘭皐 南慶薰(1572~1612)		張錫英		○	金彦璣	許薰묘지
家禮附解	道谷 安侹(1574~1636)	3권	安侹(1634)			鄭逑	
文廟享祀志	雙峯 鄭克後	1책		李埰(1679)	○	曺好益	鄕禮

	(1577~1658)	(木)				鄭逑 張顯光	
家禮鄉宜	浦渚 趙翼 (1579~1655)	7/2 (寫)	趙翼 (1644)	趙翼(1644)	○	張顯光 尹根壽	예총
奉先抄儀	澗松 趙任道 (1585~1664)	1책 (木)		趙任道(1621) 林眞怤	○	張顯光	예총
四禮問答	鶴沙 金應祖 (1587~1667)	4/2 (木)		金應祖(1645)	○	柳成龍 張顯光 鄭經世	예총
家禮增撰	涷川 禹汝楙 (1591~1657)					鄭蘊	
家禮註解	睡隱 李弘祚 (1595~1660)						
家禮補解	魯淵 沈光洙 (1598~1662)					李命俊	
家禮附解	三棄堂 琴是養 (1598~1663)			琴是養(1628)			
四禮質疑	新村 南海準 (1598~1667)	4권				李蒔	
喪服考證	拙齋 柳元之 (1598~1678)	1책 (寫)		南夢賚(1673)	○	鄭經世	계명대
喪禮備要초 판필사본	竹塘 崔濯 (1598~1645)			崔琡民(1892) 權雲煥 金顯玉		曹植 사숙 河弘度(交)	崔琡民의 從7세조 鄭宗魯행장
喪祭禮問答	警廬 孫處恪 (1601~1677)					蔣文益 孫處訥	
疑禮解	警廬 孫處恪 (1601~1677)					蔣文益 孫處訥	
四禮集說	柏巖 安應昌 (1603~1680)		安應昌			張顯光	
喪祭禮解	柏巖 安應昌 (1603~1680)		金應祖 (1664)	安應昌		張顯光	
喪祭要錄	遜愚 洪錫 (1604~1680)	2/1(74) (石)	洪錫 (1651)	1933	○	金集 金尙憲	예총
禮記類會	遜愚 洪錫 (1604~1680)	16部53 條目	洪錫 (1654)			金集 金尙憲	
禮叢要說	遜愚 洪錫 (1604~1680)	2책	洪錫 (1642)	宋時烈		金集 金尙憲	

四禮考證	晚學堂 裵尙瑜 (1610~1686)			裵尙瑜			
四禮儀式	鼎厓 洪昇 (1612~1688)					曺友仁	張錫藎행장
家禮增解	靜齋 柳世禎 (1617~1686)	5권		柳泰春			
家禮節要	竹坡 李而楨 (1619~1679)		李而楨			許穆	
儀禮考證	木齋 洪汝河 (1620~1674)						부친 洪鎬가 鄭經世 문인
諸禮質疑	三梅堂 金廈挺 (1621~1677)					張顯光 金應祖 許穆	柳致明묘갈
二先生禮說	孤山 李惟樟 (1625~1701)	2/2 (木)			○	李徽逸	예총(朱熹·李 滉)
五禮輯略	拙窩 權以時 (1631~1708)	6/3 (石)	權相翊 (1929)	權大㞦 金東鎭(1930)	○	權好文 증손	예총
禮儀補遺	三棄齋 鄭鎰 (1634~1717)	3/3 (寫)	權斗寅 (1708)	鄭鎰安鍊石(17 16)趙述道(1802)鄭來成(1813) 李㶅	○		예총
家禮傳註	山澤齋 權泰時 (1635~1719)	4권				權昌業	
喪禮考證	井谷 權燈 (1636~1698)					柳元之	
家禮通解	新溪 李天相 (1637~1708)	11권 (영인)	柳疇睦 (1868)	李肯魯(1868)	○	裵幼樟	新溪先生文 集刊行委員 會(1981)-국중
二禮補考	西崗 李之炫 (1639~1716)	2/2 (寫)	趙德隣 (1736)		○	李玄逸	존경각(상례· 제례)
四禮綜要	博泉 李沃 (1641~1698)	7/2 (寫)	李萬敷		○		後孫家소장 李萬敷 成編
變禮集說	晦養堂 權尙精 (1644~1725)	3책 (寫)	權尙精 (1715) 南錫明 (1721)	李栽(1715) 權萬斗(1722)	○	李徽逸 李玄逸	국진
四禮考證	月梧堂 安晉石 (1644~1725)	5/2 (石)	金紹洛 (1926) 安機石	權相圭 安在極	○	洪汝河	예총

			(1725)				
禮說類編	四勿齋 金時泰 (1647~1729)			李光庭		洪汝河	
家禮輯解	一庵 辛夢參 (1648~1711)	9/5 (石)	辛夢參 (1702) 曺兢燮 (1928)	權相圭 辛東植(1929)	○	李玄逸	
家禮釋義	雷卓 孫汝濟 (1651~1740)	2책 (寫)		孫汝濟	○	鄭萬陽· 鄭葵陽 (交)	국진
四禮纂要	雷卓 孫汝濟 (1651~1740)	3책		孫汝濟		鄭萬陽· 鄭葵陽 (交)	
禮書類編	雷卓 孫汝濟 (1651~1740)	12/6(零) (木		孫汝濟(1734) 무기명柳致球 孫星岳	○	鄭萬陽· 鄭葵陽 (交)	국중 / 계명대
家禮輯說	蒙泉 柳慶輝 (1652~1708)	6/3 (寫)			○		예총
家舊類說	瓶窩 李衡祥 (1653~1733)					李玄逸	
家禮圖說	瓶窩 李衡祥 (1653~1733)					李玄逸	
家禮附錄	瓶窩 李衡祥 (1653~1733)	3/1 (寫)	李衡祥 (1714)		○	李玄逸	예총
家禮便考	瓶窩 李衡祥 (1653~1733)	14권 (木)	李衡祥 (1725)		○	李玄逸	예총
家禮或問	瓶窩 李衡祥 (1653~1733)	18권 (寫)	李衡祥 (1727)		○	李玄逸	예총
家禮翼解	杏堂 張萬杰 (1654~1687)					李東標· 李惟樟	
家禮或問	涵溪 鄭碩達 (1660~1720)	10/5 (木)	鄭碩達 (1705)		○	李玄逸	예총
疑禮論辨	訥軒 徐聖耈 (1663~1735)	3책					金道和행장
家禮劄疑	塤叟 鄭萬陽 (1664~1730) 篪叟 鄭葵陽 (1667~1732)		鄭萬陽 (1710)			李玄逸 鄭時衍	
家禮劄錄	塤叟 鄭萬陽					李玄逸	

	(1664~1730) 籧叟 鄭葵陽 (1667~1732)					鄭時衍	
改葬備要	塤叟 鄭萬陽 (1664~1730) 籧叟 鄭葵陽 (1667~1732)	1/1 (木)	鄭萬陽 (1715)	鄭葵陽(1715) 鄭重器(1750)	○	李玄逸 鄭時衍	예총
疑禮通攷	塤叟 鄭萬陽 (1664~1730) 籧叟 鄭葵陽 (1667~1732)	15/7 (木)			○	李玄逸 鄭時衍	예총
禮記詳節	息山 李萬敷 (1664~1732)	30권 (寫)			○	李玄逸	『息山全書』 3책
太學成典	息山 李萬敷 (1664~1732)	4권 (寫)			○	李玄逸	『息山全書』 3책
家禮輯解	守約堂 南濟明 (1668~1751)		南龍萬	李頤淳		李玄逸	
疑禮類聚	谷川 金尙鼎 (1668~1728)	1책 (寫)			○	李嵩逸 李玄逸	계명대
家禮附解	洗心齋 李集 (1672~1747)					李玄逸 柳厚章 成文夏	
禮論	洗心齋 李集 (1672~1747)					李玄逸 柳厚章 成文夏	
四禮疑義問答類編	茅溪 李命培 (1672~1736)		李天永 (1834)			李玄逸	
四禮訂疑	茅溪 李命培 (1672~1736)		李命培			李玄逸	
禮說輯錄	平巖 鄭榮振 (1672~1728)					辛碩文	李光庭 묘갈
禮儀常變	石溪 柳春榮 (1673~?)	8권	李光庭	權相一(1757)		權益昌	
四禮輯要	知足堂 權萬斗 (1674~1753)	4/2 (木)	權萬斗 (1745)	柳廷鎬	○		예총 / 부친 重載는 李徽逸 문인
聞見錄	無窩 權舜經 (1676~1744)			權舜經		李栽	『喪祭輯略』 참조
喪祭輯略	無窩 權舜經 (1676~1744)	4/2	金岱鎭	權舜經(1741)	○	李栽	예총 /『聞見錄』

	(1676~1744)	(木)	(1863)				『龍川聯稿』
禮學輯略	無窩 權舜經 (1676~1744)					李栽	
四禮便覽抄	恥恥齋 金秀三 (1679~1767)			金秀三			靜齋 柳命賢의 『家禮證解』
禮學要類	默菴 曺翼漢 (1680~1741)				소실	李玄逸 李衡祥	曺好益 현손
喪祭禮節要	杜陵 李濟兼 (1683~1742)	1책 (寫)		李濟兼(1730)	○?	李東標	
家禮輯要	梅山 鄭重器 (1685~1757)	7/3 (木)	鄭重器 (1752)		○	鄭萬陽 鄭碩達	예총
家禮叢說	鳳洲 南國柱 (1690~1759)						柳致明 묘갈
家禮附疑	燕閒堂 金善鳴 (1691~1769)			張錫英			金宗直 8대손
家禮輯遺	梅塢 金泰濂 (1694~1775)	20/7 (零) (寫)	李象靖 (1779)		○		장서각 / 1-6책缺
禮儀講錄	玉成軒 邊尙綏 (1696~1757)						
禮儀考篇	三疎齋 李熙一 (1702~1754)					趙柱天	柳尋春 묘지
喪禮釋疑	魯菴 申思勉 (1706~1772)編 三洲 申顯仁 (1762~1832)成			申顯仁		李縡 宋煥箕	
企勉錄	下枝 李象辰 (1710~1772)					權榘 權相一	
決訟場補	大山 李象靖 (1711~1781)	10/5 (木)	曺兢燮 (1926)	李秉遠(1823) 金瀅模(1926)	○	李栽	예총
喪禮輯解	安分堂 鄭師夏 (1713~1779)	2/1 (木活)	鄭文虎 (1857)	李在穆(1872)	○	鄭萬陽	장서각/국진
安陵世典	眠雲齋 李周遠 (1714~1796)	7/3 (木)		金樂行	○	李猷遠	예총
四禮便考	蘆厓 柳道源 (1721~1791)	2책				李象靖	
喪禮抄	鶴齋 成啓宇 (1724~1788)				○	李象靖	국진

예서명	저자	권수	서(序)	발(跋)	○	관련	비고
常變通攷	東巖 柳長源 (1724~1796)	30/16 (木)	柳長源 (1783) 李秉遠 (1830)	柳致明(1783)	○	李象靖	예총
禮書	川沙 金宗德 (1724~1797)					李象靖	
家禮輯解	梧山 徐昌載 (1726~1781)	2편		柳長源(1786)		李象靖	
冠禮考定	梧山 徐昌載 (1726~1781)	1책 (木)		李秉遠(1830)	○	李象靖	예총
家禮增解	鏡湖 李宜朝 (1727~1805)	14/10 (木)	宋煥箕 (1792) 李宜朝	鄭晩錫(1824)	○	宋能相	예총
四禮考證	屏村 柳泰春 (1729~1814)					李象靖	행장-四禮箚義
家禮通編	樂山堂 李翼龍 (1732~1784)					李象靖	
永陽家禮	樂山堂 李翼龍 (1732~1784)			李翼龍 (1783)			李賢輔 8대손 / 聾巖集 권3 「酒禮祭禮」참조
禮家通編	樂山堂 李翼龍 (1732~1784)			李翼龍 (1776)			李賢輔 8대손
疑禮新編	陶烏 朴忠源 (1735~1787)					任必大 李象靖	
疑禮辨解	芸齋 蔡著疇 (1739~1819)					李象靖	宋浚弼 묘지-喪禮疑辨
家禮彙通	芝厓 鄭煒 (1740~1811)	8/4 (木活)	鄭煒 (1807)	鄭宗鎬(1922)	○	洪禹龜 李象靖	예총
四禮類會	進菴 李遂浩 (1744~1797)	4/4 (木)	李宜朝 (1790)		○	李宜朝 宋煥箕	예총
四禮類會圖式	進菴 李遂浩 (1744~1797)	29장 58면 (寫)			○	李宜朝 宋煥箕	
禮記疑處問答	進菴 李遂浩 (1744~1797)	(寫)			○	李宜朝 宋煥箕	
家禮增解疑義問答	進菴 李遂浩 (1744~1797)	(寫)			○	李宜朝 宋煥箕	
四禮考疑	菊隱 許暟			李貞基		鄭宗魯·	張錫龍 행장

	(1749~1817)					李萬運(交)	
八禮節要	悅菴 夏時贊 (1750~1828)	2/2 (木)	宋秉璿(1897) 徐麟淳(1890?)	姜泰重(1898)	○	宋煥箕 李宜朝	예총 / 冠婚喪祭鄉飲鄉約投壺相見
溪山禮說類編	廣瀨 李野淳 (1755~1831)		李野淳(1790)			李宗洙	
溪山禮說類編別集	廣瀨 李野淳 (1755~1831)			李野淳		李宗洙	『家禮講錄』수록
二禮輯略	竹村 權思學 (1758~1832)	1책 (木活)	權思學 (1823)		○	宋煥箕	예총(관례·혼례)
集禮講攷	陶窩 崔南復 (1759~1814)	1책 29장 (寫)	崔南復		○	鄭忠弼	장서각
家禮後編	海隱 姜必孝 (1764~1848)		姜必孝 (1792)			姜鐒 尹光紹	
二禮訂疑	海隱 姜必孝 (1764~1848)		姜必孝			姜鐒 尹光紹	『조선유교연원』
學的六禮大略	海隱 姜必孝 (1764~1848)					姜鐒 尹光紹	成近默 행장
大山先生喪祭禮問答	素隱 柳炳文 (1766~1826)	2책 (寫)		柳炳文	○	柳長源	국진(上冊缺) /李象靖 예설
家禮攷訂	好古窩 柳徽文 (1773~1827)	2/1 (木)	柳徽文 (1812)		○	柳長源	『호고와별집』 권3-4
冠服攷證	好古窩 柳徽文 (1773~1827)	2/1 (木)	柳徽文 (1827)		○	柳長源	『호고와별집』 권1-2
四禮酌古	好古窩 柳徽文 (1773~1827)					柳長源	
喪禮六哀彙編	鶴西 趙秉相 (1773~1837)		權相圭			金坽 鄭宗魯	
深衣集說	晩修齋 權宅模 (1774~1829)	1책	權宅模 (1808) 朴周鍾 (1884)			趙沐洙 南漢朝	金興洛 행장
居喪篇	谷口 鄭象觀 (1776~1820)	2/1 (寫)	1816		○	南漢朝	계명대
家禮輯解	定齋 柳致明	8/5	柳致明	曺兢燮(1930)	○	柳長源	국진

	(1777~1861)	(寫)	(1836)			南漢朝 柳範休	
喪禮抄節	敬菴 李漢膺 (1778~1864)					李東標후손	
四禮通攷	東淵 鄭伯休 (1781~1843)	5책	金道和			南景義 趙友愿	
四禮通解	東淵 鄭伯休 (1781~1843)			鄭致龜		南景義 趙友愿	『四禮通攷』와 同書인듯
喪祭證解	恒齋 許佣 (1782~1835)					柳尋春	
喪祭撮要	新齋 張錫愚 (1786~1846)						『家禮補疑』 인용서목
士儀	性齋 許傳 (1787~1886)	21/10 (木)	許傳	趙昺奎	○	黃德吉	예총(간행-咸安)
士儀節要	性齋 許傳 (1787~1886)	4/2 (木)	李用基	趙性濂	○	黃德吉	예총(간행-咸安)
禮說類編	古溪 李彙寧 (1788~1861)	3권		李彙寧		李野淳	李滉 예설
常變纂要	可庵 朴宗喬 (1789~1856)	6/3 (木)	權璉夏 (1893)	權世淵(1893)	○	柳致明	예총
喪祭儀輯錄	直齋 金翊東 (1793~1860)	6/4 (木)	李敦禹 金翊東 (1851)	裴克紹(1857) 曺秉直	○	柳致明	예총
四禮彙輯	蒼臺 南有櫄 (1794~1872)						居寧德 『경북유학인물지』
四禮常變纂要	思省齋 金致玉 (1796~?)	4/2 (石)	金致玉 (1888)	李祚永(1933)	○		예총
常變纂要	進庵 鄭墧 (1799~1879)					鄭述 후손	『교남지』
喪祭雜儀	濆皐 李彙廷 (1799~1876)					柳致明	
禮說考	古今堂 盧德奎 (1803~1869)	2책(6/3)(寫)	盧德奎 (1857)			○	李廷實	부산대 / 李種杞 행장
禮說類輯	古今堂 盧德奎 (1803~1869)	2책 (寫)	盧德奎 (1853)		○	李廷實	부산대 / 盧相稷 묘갈
禮家要覽	畏庵 金道明 (1803~1873)					柳尋春	
溪書禮輯	菊隱 林應聲	4/2		林應聲	○	柳致明	예총

	(1806~1866)	(木)		李晚燾(1905)		
儒禮編解	危齋 趙相悳 (1808~1870)	2/1 (木)	趙相悳 (1837)		○	柳致明	『危齋集』에 수록
家禮輯解笏記	萬山 柳致儼 (1810~1876)	2/1 (寫)		柳致儼(미상)	○	柳致明	『家禮輯解』 (柳致明)에 합본
全禮類輯	溪堂 柳疇睦 (1813~1872)	79권	「答姜 進士(應周) 書」	張命相(1927)	○	柳尋春	가례 39권 방례 40권
四禮集說	絅齋 崔祥純 (1814~1865)	4책				柳致明	
喪禮要解	絅齋 崔祥純 (1814~1865)	2/2 (木活)	李敦禹 (1883) 崔祥純 (1863)	崔正基(1901)	○	柳致明	예총
家禮補疑	四未軒 張福樞 (1815~1900)	6/6 (木)	張福樞 (1867)	孫昌鉉(1907) 崔憲植	○		예총
常變輯要	鵝山 權行夏 (1815~1855)	4/2				柳致明	
常變要覽	鵝山 權行夏 (1815~1855)	4/2		權相翊		柳致明	
四禮輯要	寒洲 李震相 (1818~1886)	16/9 (木)	李震相 (1875)	張錫英(1906)	○	李源祚	예총
四禮簡要	黙庵 裵克紹 (1819~1871)	1책 (石)	裵克紹		○	柳致明	국진
喪祭輯要 (愚溪禮說)	愚溪 姜鋧 (1819~1886)	2책 (木活)	姜鋧 (1861) 朴致馥 (1891) 李根玉 (1893)	姜佑永(1896)	○		예총
家禮撮要	梧下 張錫鳳 (1820~1882)						
典禮攷證	近庵 柳致德 (1823~1881)	25권 (寫)	金道和 (1902)	柳致德(1873· 1876)	○	柳致明	
禮說簡要	起菴 金禹昌 (1830~1906)					權載斑	

禮說類聚	觀岳 宋寅濩 (1830~1889)					
禮疑箚錄	月室 權重淵 (1830~1883)				柳致明	金興洛 행장
士儀節要附 註	南厓 崔昌洛 (1832~1886)編 懼齋 崔鶴吉 (1862~1936)成	崔昌洛 張錫英	崔鶴吉		許傳	
四禮疑解	聾巖 李相奭 (1835~1921)		李相奭			
冠服輯說	管軒 都漢基 (1836~1902)	1책	都漢基 (1895)		李震相	
四禮節略	管軒 都漢基 (1836~1902)	4/1 (寫)	都漢基 (1892)	○	李震相	예총
東禮經變	一山 李鐸韶 (1836~1885)	5책	李鐸英		柳疇睦	『一山集』 家 狀(李鐸遠)
全禮類輯便 攷	一山 李鐸韶 (1836~1885)				柳疇睦	『一山集』 家 狀
禮記類集	一山 李鐸韶 (1836~1885)				柳疇睦	『一山集』 家 狀
士儀鈔	心齋 趙性濂 (1836~1886)		趙性濂		許傳	『士儀』 필사 본
乃見齋歲一 祭儀節	溪南 崔琡民 (1837~1905)	崔琡民 (1891)			奇正鎭	
四禮考證	農山 張升澤 (1838~1916)				張福樞	
禮疑箚錄	翠秀 南熙裕 (1840~1878)					居青松 『청송군지』
喪祭撮要	晦山 諸慶根 (1842~1918)				張福樞	『四未軒及門 錄』
疑禮證解	晦山 諸慶根 (1842~1918)				張福樞	『四未軒及門 錄』
家祭儀	老柏軒 鄭載圭 (1843~1911)	鄭載圭			奇正鎭	
四禮疑義或 問	老柏軒 鄭載圭 (1843~1911)	4/2 (木活)	鄭載圭(1875)	○	奇正鎭	예총

士禮通攷	貞齋 徐廷玉 (1843～1921)	9/7 (石)	徐廷玉 (1911)	鄭煥國(1973) 徐東弼(1973)	○	李滉· 李象靖 사숙	고려대
通攷二禮纂要	昌厓 李秀榮 (1845～1916)	8/4	李秀榮 (1903)			李運益 李圭薈	『常變通攷』중 喪禮祭禮/李中轍행장
疑禮攷正	俛窩 鄭來源 (1845～1916)				소실	柳致明	
家禮增說	息軒 崔憲植 (1846～1915)		崔憲植			金興洛 張福樞	
禮疑問答類編	俛宇 郭鍾錫 (1846～1919)	10/3 (石)	金榥 (1938)	金鎭文(1938) 鄭德永(1935)	○	李震相	예총
六禮笏記	俛宇 郭鍾錫 (1846～1919)	1책 (木活)		미상	○	李震相	예총
贊祝考證	膠宇 尹胄夏 (1846～1906)	4/2 (鉛活)	尹胄夏 (1881)	鄭載星(1927) 尹昌洙	○	張福樞	국중
續四禮倣略	渼江 朴昇東 (1847～1922)	4권	朴昇東			徐贊奎	西湖 朴文鉉 원저
內則章句	大溪 李承熙 (1847～1916)		李承熙 (1894)			李震相	
曲禮章句	大溪 李承熙 (1847～1916)		李承熙 (1894)			李震相	
禮運集傳	大溪 李承熙 (1847～1916)		李承熙			李震相	
士禮要儀	一山 趙昺奎 (1849～1931)	2/1 (木)	趙昺奎 盧相稷 (1930)	李秉株	○	許傳	예총
退溪寒岡星湖三先生禮說類輯	大訥 盧相益 (1849～1941)	5/2 (寫)			○	許傳	장서각
居喪要覽	後覺堂 安相琦 (1849～1915)					朴致馥	『晦山集』 권8 家狀
四禮要覽	靜山 洪在謙 (1850～1930)	1책 (石)	洪在謙		○	張福樞	안동대
常變撮要	靜山 洪在謙 (1850～1930)	2책	洪在謙			張福樞	
戴禮管見	晦堂 張錫英 (1851～1926)	1책 (寫)	張錫英 都漢基 (1893)	李承熙	○	李震相 張福樞	국진

九禮笏記	晦堂 張錫英 (1851~1926)	1책 (木)		朴允在(1920) 張錫英(1916)	○	李震相 張福樞	예총
四禮汰記	晦堂 張錫英 (1851~1926)	6/2 (木活)	張錫英 (1923)	李永基甘濟鉉 李鉉淑沈光澤(이상 1926)	○	李震相 張福樞	예총
四禮節要	晦堂 張錫英 (1851~1926)	1책 (寫)	張錫英		○	李震相 張福樞	국진
儀禮集傳	晦堂 張錫英 (1851~1926)	17/9 (木活)	張錫英 (1904) 李承熙 (1907)	郭鍾錫(1908) 張東翰(1917) 張佑遠(1917)	○	李震相 張福樞	예총
四禮撮要	東亭 李炳鎬 (1851~1908)		李炳鎬 (1898)			李晚寅	
居喪錄	常敬軒 李能灝 (1854~1919)					李在穆	
四禮輯略	古巖 金世洛 (1854~1929)		金世洛			李晚寅	
曲禮幼肄	石谷 李圭晙 (1855~1923)	1책 (木)	李圭晙		○	韓運聖 徐贊奎	예총
家鄉二禮參 考略	小庵 李鉐均 (1855~1927)	1책 (石)		李鉐均(1924)	○	張福樞	예총
禮記集說參 攷略	小庵 李鉐均 (1855~1927)			李鉐均		張福樞	
深衣考證	小訥 盧相稷 (1855~1931)	1권			○	許傳	『소눌집』
常體便覽	小訥 盧相稷 (1855~1931)	5/2 (木)	盧相稷 (1904)		○	許傳	예총
四禮要覽	遜山 李相愨 (1857~?)					張福樞	『四未軒及門 錄』
禮疑攷證	勿窩 金相頊 (1857~1936)		金相頊			金興洛	
禮書約選	西洲 金浩根 (1858~1931)		金鴻洛	金炳斗			
讀禮撮要	錦洲 許埰 (1859~1935)		許埰			許傳	
四禮要式	絅庵 金碩林 (1859~1941)		權相翊				
四禮輯略	李義澤 (1859~?)		盧相稷				

常變輯略	忍黙齋 權必迪 (1860경~1940 경)	6/3 (影)	權必迪 (1899)	邊鍾基(1936) 權重鉉(1973) 權重起(1973)	○		예총
常變要解	恬庵 柳淵龜 (1861~1938)				○	金興洛	
喪禮疑變	道南 金容輳 (1862~1939)						權相圭 행장
禮實笏記	懼齋 崔鶴吉 (1862~1936)			崔鶴吉		許傳 張福樞 李種杞	
新定五服圖	省齋 權相翊 (1863~1934)			權相翊		金興洛	
冠禮儀抄	省齋 權相翊 (1863~1934)			權相翊		金興洛	
四禮疑變	素山 李壽弼 (1864~1941)		李壽弼			郭鍾錫 (交)	
家禮補闕	野村 張允相 (1868~1946)	248면 (影)			○	張福樞	예총
喪禮要抄	晴溪 崔東翼 (1868~1912)			崔東翼		金興洛 張福樞	
六禮修略	恭山 宋浚弼 (1869~1943)	10/6 (木)		宋浚弼(1920) 宋壽根(1932)	○	張福樞 金興洛	예총
四禮酌彙	公山 蔡星源 (1870~1932)	4편				金道和	
禮經附注今 文說考	眞菴 李炳憲 (1870~1940)	17편 (寫)		(附)禮學總論	○	郭鍾錫	李炳憲全集(『 儀禮』관련)
聞韶家禮	秀山 金秉宗 (1871~1931)	8권 (寫)		金秉宗(1916)	○	金興洛	예총
常變要義	晦山 安鼎呂 (1871~1939)	4/2 (木活)	安鼎呂 (1934)		○	郭鍾錫	예총
禮疑問難	愚齋 姜台秀 (1872~1949)		姜台秀			郭鍾錫	
八禮輯要	濟西 李貞基 (1872~1945)					張福樞 金興洛	『四未軒及門 錄』
二禮通編	華岡 張相學 (1872~1940)					張福樞 張升澤	묘갈명-八禮 要選
常變鄕約	怡齋 張相貞	20권				張福樞	『四未軒及門

	(1873~?)						錄』
二先生禮說類編	修齋 金在植 (1873~1940)	全5책 (寫)		金在植(1903)	○	金鎭祜 郭鍾錫 許愈	경상대(朱熹· 李滉-2·5책 缺)
四禮要選	松圃 洪在寬 (1874~1949)	8/2 (木活)	李能學 (1905) 洪在謙 (1905)	洪在寬(1905) 南光鎭(1937)	○	張福樞	예총
四禮抄略	可林 柳璋植 (1875~1949)			柳璋植		柳東秀	
常變告祝合編	栗溪 鄭琦 (1878~1950)	1책 (鉛活)	鄭琦 (1936)		○	鄭載圭	예총 /『常變 祝輯』과 同書
常變祝輯	栗溪 鄭琦 (1878~1950)	1책 (寫)	鄭琦 (1936)		○	鄭載圭	예총 /『常變 告祝合編』과 同書
四禮儀	栗溪 鄭琦 (1878~1950)	6/1 (石)	權載圭 (1927) 鄭琦(1 926· 1924)	金文鈺(1953)	○	鄭載圭	예총 金文鈺 행장
三禮通纂	仰山 宋鴻訥 (1878~1944)					張福樞	『四未軒及門 錄』
家鄉彙儀	毅齋 李鍾弘 (1879~1936)	1책 (石)	郭鍾千 (1963)	李鍾弘(1913)	○	鄭載圭	예총
廟儀	毅齋 李鍾弘 (1879~1936)	1책 (石)	權龍鉉 (1963)	李鍾弘	○	鄭載圭	예총
四禮受用	重齋 金榥 (1896~1978)			金榥	○	郭鍾錫	『중재집』에 수록
四禮節要	愚坡 李宗基 (1900~1970)		李宗基 (1951)		○		안동대
士小節之節	臨堂 河性在 (1901~1970)	1책 (活)	河性在 (1926)		○	曺兢燮	예총
父爲長子服解	厚山 鄭在華 (1905~1978)			權相圭	○		후손가 소장
이하 생몰년 불분명							

서명	편저자 (생몰년)	권/책 (판본)	서문	발문	현존	사승	비고
家禮類編	金得老	6권		權相一			
家禮證解	靜齋 柳命賢? 柳世楨?	8권					『四禮便覽抄』참조
四禮問答	拙齋 宋雲用			宋鎬完		金鎭祜	
四禮節要抄	미상	1책 (寫)	甲戌 (1934) 月日粧		○		국진
四禮輯要	金晚惺子	2책	金鴻洛				
四先生喪禮分類	晦南 朴洵	1책		鄭宗鎬			李滉·鄭逑·張顯光·鄭經世 예설
喪祭禮	安潞						李圭景「家禮辨證說」
喪祭雜儀	安璐						『家禮附贅』引用書冊
喪禮精選	止菴 黃永祖(1872~1942)의 仲兄		黃永祖				
喪禮纂要	三竹主人 李基發 (18C후~19C전)		崔鋆	孫綸九			
四禮抄要	金章煥 (~20C중반)	1책 (石)	權相圭 (1960)	金正模(1959) 金章煥(1959)	○		국중
四禮撮要	鶴西 尹義培 (~19C중반)	4/3 (木)	尹義培 (1850) 盧秉倫 (1910)	尹是永(1921)	○		예총
禮經通志	林宗甫			黃永祖			
禮疑答問分類	恥恥堂 李益銓(?~1679)/從弟 李惟銓 원편	18/6 (寫)	李益銓 (1672)	李石經(1732)	○	鄭逑	존경각 / 장서각
疑禮攷證	鶴圃 李在鈞					李商林	張福樞 묘갈
儀禮要覽	晚隱 尹奭勳 (-20C중후)	鉛活	尹奭勳 (1961)		○		국중/『晚隱餘滴』에 수록

2. 인용서목·선유성씨를 수록한 영남지역의 예서[2]

수록인물·도서 \ 수록예서	家禮附贄	禮儀補遺	禮書類編	家禮便考	四禮考證	常變通攷	家禮增解	常變纂要	四禮常變纂要	士儀	家禮補疑	四禮輯要	贊祝考證	儀禮集傳	常變輯略	常變要義	四禮要選	소계
經國大典			●	●	●	●	●	●	●	●	●	●			●	●		12
國制			●										●					2
國朝寶鑑			●			●	●			●	●	●					●	7
麗史			●				●			●	●							4
麗制			●				●			●	●							4
文廟享祀錄							●			●								2
文獻備考									●									1
喪禮補編							●	●	●	●	●	●		●	●	●	●	10
璿源譜										●								1
受敎錄(國朝受敎·受敎輯錄)										●		●						2
列聖誌狀				●														1
五禮儀	●	●	●	●	●	●	●	●	●	●	●	●			●	●	●	15
韻書(御定奎章韻)													●					1
이하는 개인 인명·문집·예서·잡기																		
(郭鍾錫)俛宇集															●			1
具鳳齡											●							1
柏潭集		●			●						●	●						4
(權强庵)禮訓											●							1
(權榘)屏谷集					●		●				●	●					●	5
權得己											●							1
(權文海)家禮便考											●							1
(權相一)淸臺集					●		●								●			3

2) 예서명과 편찬자 성명 및 생몰년은 다음과 같다. 家禮附贄(五休 安玑, 1569~1648), 禮儀補遺(三棄齋 鄭錥, 1634~1717), 禮書類編(雷臯 孫汝濟, 1651~1740), 家禮便考(甁窩 李衡祥, 1653~1733), 四禮考證(月梧堂 安晉石, 1644~1725), 常變通攷(東巖 柳長源, 1724~1796), 家禮增解(鏡湖 李宜朝, 1727~1805), 常變纂要(可庵 朴宗喬, 1789~1856), 四禮常變纂要(思省齋 金致玨, 1796~1864), 士儀(性齋 許傳, 1797~1886), 家禮補疑(四未軒 張福樞, 1815~1900), 四禮輯要(寒洲 李震相, 1818~1886), 贊祝考證(膠宇 尹冑夏, 1846~1906), 儀禮集傳(晦堂 張錫英, 1851~1926), 常變輯略(忍默齋 權必迪, 1860경~1940경), 常變要義(晦山 安鼎呂, 1871~1939), 四禮要選(松圃 洪在寬, 1874~1949).

	1	2	3	4	5	6	7	8	9	10	11	12	13	數
權尙夏							●	●	●					3
遂庵集						●			●	●		●	●	5
權愭					●	●								2
炭翁集							●	●						2
奇大升					●			●	●					3
高峯集			●	●		●	●	●			●	●		7
(吉再)冶隱集								●						1
金江漢					●	●								2
蘭谷集								●						1
(金宏弼)景賢錄					●			●						2
(李楨)寒暄堂年譜			●		●	●		●					●	5
金樂行								●					●	2
九思堂集					●	●		●		●		●		5
(金尙憲)淸陰抄記				●										1
(金誠一)鶴峯集			●	●	●	●	●	●	●			●	●	9
金聖鐸								●						1
霽山集					●	●		●						3
(金叔滋)江湖集										●				1
彝尊錄(金宏弼)								●						1
金是榲						●								1
瓢隱集					●									1
(金安國)慕齋家訓								●						1
(金宇顒)東岡年譜		●			●			●				●		6
東岡集							●							1
(金元行)渼湖集						●	●		●					3
(金堉)類苑叢寶	●													1
東國名臣言行錄			●											1
(金應祖)四禮問答			●				●							2
金麟厚		●			●	●								4
河西集						●	●		●	●				4
(金馹孫)濯纓集										●				1
金長生				●										1
沙溪集				●	●	●			●	●		●	●	7
家禮輯覽			●		●	●		●	●	●	●	●	●	11
喪禮備要		●	●	●	●	●		●	●	●	●			14
疑禮問解	●	●	●	●	●			●	●	●	●	●	●	15
金淨								●						1
(金宗直)佔畢齋集	●	●			●			●						5
金集					●									1
愼獨齋集									●	●		●	●	4

	1	2	3	4	5	6	7	8	9	10	11	12	13	14	합계
問解續		●	●	●	●	●	●	●	●	●	●		●		11
金昌協								●	●						2
農巖集				●	●		●			●	●				5
藥泉集												●			1
南致利									●						1
貫趾集		●		●			●	●	●						5
南孝溫									●						1
(盧思愼 外)東文選			●												1
盧守愼								●	●				●		3
蘇齋集			●		●				●						3
文緯									●						1
(朴聖源)禮疑類輯					●		●	●							3
朴世堂									●						1
(朴世采)南溪集				●	●	●	●		●	●	●		●	●	9
南溪禮說									●						1
三禮儀					●		●		●	●		●		●	6
朴胤源						●									1
(徐居正)東國通鑑		●	●												2
藝苑雌黃			●												1
筆苑雜記		●	●	●											3
徐敬德		●		●											2
徐起									●						1
成渾				●		●									2
牛溪集		●	●		●		●	●		●					6
(孫起陽)螯漢禮解	●														1
(宋能相)雲坪集					●		●			●	●				4
(宋明欽)櫟泉集										●					1
宋時烈				●				●							2
尤庵集(宋子大全 포함)					●		●	●		●	●	●	●	●	8
尤庵年譜						●									1
華陽語錄					●										1
禮疑問答					●		●					●			3
宋翼弼			●		●	●			●						4
龜峯集					●		●			●					3
宋寅			●	●	●		●	●	●						6
頤庵集					●	●				●					3
宋浚吉					●	●									3
同春集		●	●		●		●		●	●	●	●		●	9
睡隱集									●						1
(申沆)疑禮類說								●							1

	1	2	3	4	5	6	7	8	9	10	11	12	計
申湜		●											1
家禮諺解			●										1
(申義慶)喪禮通載							●						1
(申益愰)克齋集								●					1
沈守慶							●						1
(安瑠)竹溪雜儀	●												1
(安餘慶)玉川禮說	●												1
(安鼎福)順庵集							●						1
(安軸)瓦注集											●		1
(魚叔權)攷事撮要			●				●						1
呂留良							●						1
呂孝曾							●						1
禹性傳							●						1
元斗杓				●		●							2
俞棨							●						1
市南集					●		●	●					3
東史纂要		●	●										2
家禮源流					●	●							2
(柳成龍)西厓集	●	●	●	●	●	●	●	●	●	●		●	13
柳穡							●						1
柳雲龍							●						1
謙菴手錄				●									1
(柳元之)拙齋集									●				1
柳長源					●								1
東巖集											●		1
常變通攷							●	●	●	●		● ●	5
柳致明					●		●						2
(柳馨遠)磻溪隨錄							●	●					2
(柳希春)儒先錄			●										1
(尹東奎)邵南集							●						1
尹鳳九							●						1
屏溪集					●	●		●					3
(尹善道)孤山集							●						1
(尹拯)明齋集					●		●		●	●	●	● ●	7
疑禮問答					●		●	●	●			● ●	7
(尹孝全)深衣便考			●										1
(尹鑴)夏軒集							●						1
李柬					●		●						2
巍巖集				●		●		●				●	4
(李光庭)訥隱集									●				1
(李光靖)小山集				●			●	●	●			●	5

李基高								●							1
(李端相)靜觀齋集						●	●		●						3
(李榤)顧齋集				●		●		●	●				●	●	6
(李萬運)默軒集								●	●	●	●				4
(李象靖)大山集				●		●		●	●	●	●	●	●	●	9
痛慕錄(李埱)				●		●		●					●	●	5
李世弼				●		●		●							3
桐湖集										●	●				2
李睟光				●				●							2
芝峯類說		●	●					●							3
芝峯集								●							1
李植								●	●						2
澤堂集					●	●		●					●		4
(李彦迪)晦齋集		●	●	●	●		●	●	●	●				●	9
九經衍義		●													1
奉先雜儀	●	●	●	●	●		●	●						●	9
李堣								●							1
(李潤雨)石潭實記								●							1
(李宜朝)家禮增解							●	●	●	●			●	●	6
(李珥)栗谷集		●	●	●	●	●	●	●	●	●	●		●	●	12
擊蒙要訣	●	●	●	●	●	●	●	●	●	●	●	●	●	●	14
				●		●		●							3
李瀷								●	●	●	●		●		5
星湖集								●							1
家禮翼								●	●	●			●		4
類編								●	●						2
僿說								●							1
喪威日錄								●							1
十三經疾書								●							1
禮式								●							1
祭式								●							1
(李栽)密庵集				●		●		●	●				●	●	8
錦水記聞				●		●		●					●	●	4
李縡						●									1
陶庵集						●		●	●	●			●	●	6
四禮便覽						●		●	●	●	●	●	●	●	10
李廷龜								●							1
(李正淑)深衣別集			●					●							2
(李廷馨)東閣雜記		●	●												2
(李濟臣)清江小說			●												1
鯨鯖鎖錄			●												1
(李齊賢)櫟翁稗說				●											1

																			計
李宗洙									●										1
(李埈)蒼石集				●															1
(李震相)四禮輯要													●			●			2
李恒福							●	●											2
白沙集																	●	●	2
(李爾)四禮纂說											●								1
(李玄逸)葛庵集								●		●		●	●	●	●		●	●	8
	●	●	●	●	●	●	●	●	●	●	●	●	●	●			●	●	16
(李滉)退溪集								●		●	●	●							4
講錄				●							●								2
溪門問答				●							●								2
語錄解				●															1
言行錄		●						●	●	●	●		●		●		●		8
年譜		●																	1
理學通錄			●																1
朱書節要			●																1
(李徽逸)存齋集								●		●		●	●	●			●		6
李喜朝											●	●	●						3
芝村集									●								●		2
(任聖周)鹿門集													●						1
林薰											●								1
張慶遇											●								1
過庭錄											●								1
(張萬紀)南岡遺集											●								1
(張福樞)家禮補疑													●						1
(張錫愚)喪祭撮要											●								1
(張維)谿谷集				●															1
谿谷漫筆					●														1
(張應一)趙庭錄											●								1
(張潛)竹亭年譜											●								1
(張顯光)旅軒集			●	●	●	●	●	●	●	●	●	●	●	●	●		●	●	15
冠昏儀											●								1
鄭介清				●				●			●	●							4
困齋集													●			●			2
(鄭經世)愚伏集	●	●	●	●	●	●	●	●	●	●	●	●	●	●			●	●	16
鄭崑壽											●								1
(鄭逑)寒岡集	●	●	●	●	●	●	●	●	●	●	●	●	●	●		●	●		16
五服沿革圖											●	●							2
五先生禮說				●	●		●	●		●	●								6
(鄭萬陽·葵陽)改葬備要											●								1
疑禮通攷											●								1
鄭夢周											●								1

	1	2	3	4	5	6	7	8	9	10	11	12	13	14	計
圃隱集			●					●							2
鄭鵬								●							1
鄭尙樸				●											1
(丁若鏞)四箋								●	●						2
(鄭汝昌)師友錄(姜翼)								●							1
(鄭蘊)桐溪集								●							1
(鄭宗魯)立齋集									●	●					2
(鄭重器)家禮輯要									●	●					2
(鄭澈)松江集					●		●								2
(趙光祖)靜庵集								●							1
趙克善								●	●						2
冶谷集					●		●								2
(趙穆)月川集								●							1
月川年譜			●												1
(曺植)南冥集				●				●	●						3
趙翼								●							1
浦渚集					●		●								2
(趙任道)澗松集											●				1
趙憲								●	●						2
重峯集										●					1
曺好益				●											1
芝山集	●	●	●	●							●				5
家禮考證			●		●	●	●	●	●	●			●	●	10
崔奎瑞								●							1
崔錫鼎				●		●		●							3
(崔晛)認齋集													●		1
崔興遠								●							1
韓百謙			●		●			●	●						4
韓元震							●	●	●						3
南塘集					●					●	●		●		4
(許穆)眉叟記言			●		●		●	●	●			●	●	●	8
眉叟集			●						●	●					2
(許篈)荷谷集								●							1
荷谷粹言					●			●	●						3
(許曄)草堂集								●							1
(許傳)士儀									●	●			●		3
(許土集)雙淸堂								●							1
(許鐸)棣岩集										●					1
許厚								●							1
遜溪集								●	●						2

(洪錫)遜愚										●								1
(洪瑋)西潭集																	●	1
洪履祥										●								1
(洪仁祐)耻齋集											●							1
(黃德吉)放言										●								1
(黃德壹·黃德吉)要儀										●		●						2
黃壽一						●		●			●	●						4
龍岡集													●					1
(黃翼再)華齋集											●							1
黃宗海									●		●							2
朽淺集						●	●					●	●					4
소계	9	11	42	44	19	76	49	60	49	105	111	85	53	20	6	47	51	

찾아보기

나

●남재주(南在珠)●

1970년 안동 출생.

안동대학교 한문학과 대학원 졸업(문학석사). 경성대학교 한국학과 대학원 졸업(문학박사). 현 한국국학진흥원 전임연구원.

논문으로는 「四未軒 張福樞家 禮學의 家學 源流」, 「危齋 趙相憙의 「儒禮編解」 연구」, 「退溪의 折衷的 論禮 관점」, 「朝鮮時代儀禮學文獻以≪儀禮集傳≫爲中心」, 「心遠堂 李埨의 생애와 禮學思想」, 「『寒岡先生四禮問答彙類』의 편찬과 의미」 등이 있고,

역서로는 『家禮增解』(전6권, 공역), 『經說類編』(전4권, 공역), 『常變通攷』(전10권, 공역), 『守坡集』(전1권, 공역), 『아동을 위한 조선판 "소학" 역주 동현학칙 東賢學則』(전1권), 『英山家學』(전7권, 공역), 『烏川世稿』(전2권, 공역), 『異學集辨』(전3권, 공역), 『瓢隱集』(전1권, 공역) 등이 있으며,

저서로는 『안동의 서원』(공저), 『영남지역 고성이씨의 학문과 문화』(공저)가 있다.